D0113903

A. KRAWCZUK

POCZET CESARZY RZYMSKICH

ALEKSANDER KRAWCZUK

POCZET CESARZY RZYMSKICH

Dominat

Iskry · Warszawa · 1991

Opracowanie graficzne
Jolanta Barącz

Opracowanie tablic genealogicznych,
listy cesarzy oraz indeksów
Sławomir Puszkiewicz

Redaktor
Sławomir Puszkiewicz

Redaktor techniczny
Elżbieta Kozak

Korektor
Agata Bołdok

ISBN 83-207-1099-5

Printed in Poland

Państwowe Wydawnictwo „Iskry", Warszawa 1991 r.
Wydanie I. Nakład 99 700+300 egz.
Ark. wyd. 33,9. Ark. druk. 39.
Papier offset. kl. III, 70 g.
Skład i diapozytywy:
Zakłady Graficzne „Dom Słowa Polskiego".
Druk i oprawa w Leningradzie.

Wstęp

Tom drugi *Pocztu cesarzy rzymskich* obejmuje wszystkich władców, którzy kolejno panowali w latach 235–476, a więc okres od wstąpienia na tron Maksymina Traka do odebrania berła Romulusowi Augustulusowi, co uważa się za kres istnienia cesarstwa na Zachodzie.
Poczynając od 395 roku utrwalił się podział państwa rzymskiego na dwa władztwa, wschodnie i zachodnie. To pierwsze miało żyć jeszcze prawie tysiąc lat po upadku państwa bratniego, albowiem aż do 1453 roku. Tu przedstawiono portrety tylko imperatorów zachodnich, wschodni natomiast zostaną ujęci w książce noszącej tytuł *Poczet cesarzy bizantyjskich*.
Prawie dwa i pół wieku zamknięte między 235 a 476 rokiem podzielić można na trzy wyraźnie odrębne okresy. Pierwszy z nich to niemal dokładnie 50 lat kryzysu politycznego i gospodarczego. Przewinęło się wówczas kilkudziesięciu władców, prawie wszyscy ginęli śmiercią gwałtowną, państwem wstrząsały bunty, w jego granice wdzierali się zewsząd najeźdźcy, gospodarka została niemal zrujnowana. Z wielkim

trudem imperium dźwignęło się z grożącego mu upadku dopiero dzięki energii i reformom Dioklecjana, który objął rządy w 284 roku, i jego następców. Rozpoczyna się więc okres nowy, zwany umownie dominatem, cesarz bowiem występuje w roli pana — po łacinie *dominus* — wyniesionego pod każdym względem ponad tłum jego poddanych. W tym też czasie dokonała się, dzięki decyzji Konstantyna Wielkiego, rewolucja ideologiczna, którą było uznanie chrześcijaństwa za religię panującą; rychło, zaledwie w ciągu kilkudziesięciu lat, stało się ono z religii prześladowanej — prześladującą. Z pewnością najbardziej dramatyczną, a zarazem budzącą największy podziw postacią owego okresu jest cesarz Julian, do końca wierny ideałom i bogom dawnej kultury, chyba jej ostatni świadomy i konsekwentny obrońca na tronie, człowiek niezwykłej skromności i prostoty, ale też ogromnej odwagi cywilnej, prawdziwy Rzymianin, gdy chodziło o dobro państwa, ale zarazem szczery wielbiciel greckiej myśli i sztuki. Toteż wydawało się rzeczą słuszną i sprawiedliwą poświęcić mu więcej uwagi; tym bardziej że materiał źródłowy jest tu wyjątkowo obfity i bezpośredni.
Wreszcie w 395 roku, z chwilą śmierci cesarza Teodozjusza Wielkiego, dokonał się już wspomniany podział imperium na część wschodnią i zachodnią. Podział brzemienny w skutki, okazał się bowiem trwały i ostateczny, choć wówczas nikt nie zdawał sobie z tego sprawy. Ludzie zresztą każdej epoki rzadko są w stanie uświadomić sobie, co w danym momencie jest naprawdę ważne i ma znaczenie rzeczywiście historyczne, a co tylko pozorne. Najczęściej ulegają psychozie zbiorowej i są porywani przez pęd stadny, dają się zwieść spektakularnym gestom i wydarzeniom lub osobom uwielbianym z tej lub innej racji, tak zwanym charyzmatycznym. Tymczasem zaś to, co jest rzeczywiście doniosłe i wartościowe, dokonuje się jakby gdzieś na uboczu i w cieniu, nie dostrzegane lub niekiedy przyjmowane ze wzgardą.
Od chwili podziału imperium upadek jego części zachodniej następował w tempie przerażająco szybkim. W ciągu życia
 zaledwie dwóch lub trzech pokoleń zawalił się jeden

z najbardziej imponujących gmachów politycznych, jakie kiedykolwiek ludzkość zbudowała. Stało się to głównie — choć spory wciąż trwają — z przyczyn zewnętrznych. Cesarstwo rzymskiego Zachodu zostało zamordowane przez barbarzyńców. Był to rozłożony na lat kilkadziesiąt proces dobijania ofiary, wyrywania z żywego organizmu jego części składowych. Ale sam akt końcowy miał charakter niezbyt bohaterski. Do rangi bowiem symbolu urasta fakt, że ostatni cesarz, chłopczyk Romulus Augustulus, został wysłany przez germańskiego wodza po prostu na bardzo wczesną, choć dostatnią emeryturę.

Sylwetki władców opracowano w sposób podobny i na tych samych zasadach, jak i w tomie poprzednim, obejmującym cesarzy epoki pryncypatu. Niektórzy z panujących omówieni zostali dość szeroko, inni stosunkowo zwięźle. Różnica ta uwarunkowana jest przede wszystkim zasobnością i charakterem materiału źródłowego, ten zaś rozkłada się nierównomiernie. Z zachowanych dzieł historiografii antycznej na czoło wysuwają się dwa. Jedno z nich to *Scriptores Historiae Augustae*, czyli *Pisarze historii cesarskiej* (tytuł polskiego wydania w przekładzie H. Szelest brzmi *Historycy cesarstwa rzymskiego)*, zbiór biografii panujących w wiekach II i III — ważne szczególnie dla okresu kryzysu imperium. Rzecz to jednak niekompletna, nade wszystko zaś niezbyt wiarygodna. Dzieło drugie to Ammiana Marcellina *Dzieje*, przedstawiające w części zachowanej historię od 353 do 378 roku. Autor, świadek wydarzeń, a nawet uczestnik niektórych, to jeden z najbardziej utalentowanych historyków starożytnych, relacja jego jest i rzeczowa, i sugestywna. Bardzo wiele informacji zawdzięczamy pomnikom prawa rzymskiego, a zwłaszcza sławnemu *Kodeksowi Teodozjusza*. Nie bez znaczenia są również wszelkie źródła chrześcijańskie, choć te z natury rzeczy cechują się stronniczością. Czerpiemy wreszcie wiadomości z wszelkiego rodzaju kronik, zarysów historii, korzystamy z napisów, monet, papirusów. Tak z fragmentów i ułomków różnorakiego materiału usiłujemy odtworzyć przebieg wydarzeń i naszkicować portrety władców. Książka ta bowiem, podobnie jak tom poprzedni, pragnie być relacją wprawdzie przystępną, ale opartą we wszystkich szczegółach na dokumentach.

Przekłady tekstów źródłowych zamieszczone w tej książce pochodzą głównie od autora, w innych wypadkach nazwiska tłumaczy podano przy cytatach.

Kryzys

Maksymin Trak i jego syn

Gaius Iulius Maximinus
Ur. w 172 lub 173 r.,
zm. w czerwcu 238 r.
Panował jako *Imperator Caesar Gaius Iulius Verus Maximinus Augustus*
od marca 235 r. do śmierci.

Verus Maximus
Syn Maksymina,
ur. w 216 r.,
był cezarem u boku ojca jako
Gaius Iulius Verus Maximus
od 236 r. do swej śmierci
w czerwcu 238 r.

Pierwszym cesarzem rzymskim rodem spoza Italii był Trajan. Pierwszym wywodzącym się z niższych warstw i pnącym się w górę tylko własnym wysiłkiem — Pertynaks. Pierwszym wreszcie, który przywdział purpurę nie będąc członkiem senatu — Makrynus. W losach Maksymina, zabójcy i następcy Aleksandra Sewera, nie tylko połączyły się te wszystkie wymienione cechy poprzedników, ale i zawierały się dwie inne osobliwości, dające mu szczególne miejsce wśród władców Rzymu.

Urodził się poza Italią, jak Trajan, nie w Hiszpanii wszakże, lecz w Tracji, czyli na terenach obecnej Bułgarii. Za młodu był podobno pastuchem, a na pewno pochodził z kręgów społecznych jeszcze niższych niż Pertynaks, syn kupca. Doszedł do wysokich stanowisk wojskowych, nie zasiadał jednak w senacie — co go łączyło z Makrynusem. A pod jakim względem był pierwszy? Otóż jego rodzice uchodzili za barbarzyńców, byli zapewne zlatynizowanymi autochtonami trackimi. On sam na początku służby wojskowej rzekomo nie umiał po łacinie. Dzieło *Scriptores Historiae Augustae (Pisarze historii cesarskiej)* utrzymuje nawet, że ojciec Maksymina był Gotem, a więc Germaninem, i nazywał się Mikka, matka zaś, Ababa, wywodziła się z irańskiego ludu Alanów. Niektórzy zatem historycy nowożytni, zwłaszcza niemieccy, uznali go za pierwszego Germanina na rzymskim tronie. Lecz owe dane o imionach i pochodzeniu rodziców są zmyślone, jak zresztą większość szczegółowych informacji w tej biografii.

Inny tytuł do pierwszeństwa również wydaje się bezsporny: Maksymin, jak żaden z władców dotychczas, zawdzięczał wszystko wojsku i tylko wojsku; dobrze się czuł jedynie w obozie, wśród żołnierzy.

W zdobywaniu coraz wyższych stopni ogromnie pomagały mu cechy zewnętrzne — wzrost i postawa, siła fizyczna, męskość oblicza. Opowiadano, że swą żylastą ręką mógł ciągnąć naładowany wóz, którego woły nie zdołały ruszyć z miejsca. I że łamał lub wyrywał z ziemi duże drzewa, a kamienie kruszył w rękach. Ale i też — tak bajano — odżywiał się odpowiednio, zjadał bowiem dziennie 60 funtów mięsa i wypijał amforę wina. A palec u ręki miał tak gruby, że używał naramiennika żony zamiast pierścienia. Takie opowieści krążą w różnych krajach i epokach o wielu osobach, a jest w nich zwykle sporo przesady, lud bowiem zawsze i wszędzie ubóstwia siłaczy. A czy Maksymin był istotnie wielkoludem, jak chce biografia? Trzeba wziąć pod uwagę, że średnia wzrostu była wtedy niższa od obecnej.

Wojskowość starożytna nie wymagała wyższego, a nawet żadnego wykształcenia, sprzyjała zaś osobnikom krzepkim, energicznym, bezwzględnym. Maksymin właśnie do takich należał. Podobno wstąpił do służby za Septymiusza Sewera, gdy ten przebywając w Tracji urządził zawody żołnierskie w rocznicę urodzin swego młodszego syna, Gety. Maksymin, wtedy rzekomo jeszcze pastuch, nie umiejący nawet wysławiać się po łacinie, prosił o dopuszczenie go do zapasów, ale pozwolono mu zmierzyć się tylko z obozowymi pachołkami. Położył szesnastu z nich i w nagrodę został wciągnięty w szeregi armii. W trzy dni później znowu zaimponował cesarzowi galopującemu konno — biegł za nim długą trasą bez śladu zmęczenia, a bezpośrednio potem pokonał w zapasach siedmiu wybranych legionistów. I te opowiastki wydają się podejrzane, choćby z tej racji, że armia rzymska stale cierpiała na brak rekrutów, wcale więc nie trzeba było prosić jak o łaskę, by do niej przyjęto. Przeciwnie — młodych, krzepkich ludzi brano niemal siłą. I chyba tak też stało się z Maksyminem.

Gdzie służył, jakie były stopnie jego awansu i kariery? Istnieje sporo wątpliwości. Żołnierz, tak wybijający się postawą i siłą musiał zwracać uwagę władców rozmiłowanych w wojskowości, jakimi byli Septymiusz Sewer i Karakalla, odpowiadał bowiem ich ideałowi. Gdy drugi z tych cesarzy został w 217 roku zamordowany, Maksymin nie chcąc służyć jego następcy, Makrynowi, podejrzewanemu o udział w tej zbrodni, porzucił na jakiś czas wojsko i przeniósł się wraz z żoną Pauliną i synkiem do majątku nabytego w rodzinnej Tracji. Za Heliogabala, w latach pokoju, nie miał okazji, by dać się poznać. Zabłysnął natomiast odwagą i zaradnością, gdy cesarz Aleksander Sewer walczył z Persami w Mezopotamii; Maksymin zapewne dowodził wówczas garnizonami strzegącymi brzegów Eufratu. Aleksander przygotowując potem wyprawę przeciw Germanom zza Renu mianował tego olbrzymiego Traka prefektem rekrutów. Maksymin traktował bardzo poważnie swoje obowiązki. Jego ludzie musieli stale ćwiczyć i staczać między sobą walki pozorowane, a co pięć dni defilowali w pełnym uzbrojeniu — było zaś co dźwigać. Prefekt osobiście przeglądał skrupulatnie całe uzbrojenie, nawet odzież i obuwie. Lubił, jak to często bywa u wojskowych, wzorową czystość, ład i porządek. A dziw bierze, że choć był tak wymagający, zdobył sobie sympatię, a nawet wręcz oddanie podwładnych. Jak jednak uczy doświadczenie, właśnie przywódca surowy imponuje, cieszy się posłuchem i szacunkiem. Ktoś

liberalny natomiast i zabiegający o względy ciągłymi ustępstwami oraz pobłażaniem spotyka się najpierw z lekceważeniem, a potem wręcz z pogardą — i to właśnie przypadło w udziale Aleksandrowi Sewerowi. Wojska skoncentrowane nad Renem przeciw Germanom niechętnie też znosiły nierycerską postawę cesarza, który wolałby wrogów przekupywać, niż z nimi walczyć.

Jak doszło do buntu pod Mogoncjakum, czyli obecną Moguncją, w marcu 235 roku, co było jego bezpośrednią przyczyną, kto go naprawdę wywołał? Czy rzeczywiście chodziło o samorzutny, żywiołowy zryw żołnierzy uwielbiających swego dowódcę, a gardzących nieudolnym cesarzem, czy też właściwym sprawcą rebelii był Gajusz Maksymin? Może tylko udał zaskoczenie, gdy podczas apelu nagle narzucono mu płaszcz purpurowy i okrzyknięto cesarzem? Tego nie dowiemy się nigdy, jeśli bowiem prowadzono jakieś knowania, to w najgłębszej tajemnicy, a ślady zatarto później starannie. Trudno jednak uwierzyć w całkowitą nieświadomość Maksymina. To chyba jego zaufani ludzie urabiali nastroje i realizowali taki plan, jakby wszystko działo się poza wiedzą i nawet wbrew woli ich kandydata na imperatora. Aleksander Sewer, zaskoczony przez szybki marsz uzurpatora, legł zasieczony wraz z matką mieczami oficerów w swym namiocie; opuścili go wszyscy. Armia Renu, najpotężniejsza wówczas w imperium, uznała Maksymina za cesarza, senat zaś w Rzymie musiał pogodzić się z faktami dokonanymi. O tym, co stało się pod Mogoncjakum, wiedziano w stolicy już 25 marca.

Nowy władca zerwał natychmiast z dotychczasową polityką i z ludźmi, którzy ją kształtowali. Usunął pod różnymi pretekstami radę przyboczną; jej członkowie powrócili do Rzymu lub zostali wysłani do prowincji. Podobnie postąpił z osobistą służbą Aleksandra; niektórych wszakże jego niewolników i wyzwoleńców kazał uśmiercić za rzekome popełnienie różnych przestępstw. Od początku bowiem dawało znać o sobie okrucieństwo Maksymina. Był też chorobliwie podejrzliwy, zwłaszcza wobec osób znamienitszych i wykształconych, zdając sobie sprawę, jak bardzo nim pogardzają. I nie było ważne, czy istotnie pasał bydło za młodu; wystarczało, że powszechnie w to wierzono. Pastuch cesarzem! Kto w takim razie nie jest godny purpury?

Jeśli zaś chodzi o walkę z Germanami, to Maksymin zachował się jak przystało na wodza. Zerwał bezzwłocznie wszelkie rokowania i przystąpił do działań wojennych. W błyskawicznym tempie zbudował ogromny most na Renie, aby łatwiej i szybciej przerzucić wojska na tamtą stronę. Zaledwie jednak most stanął, wykryto groźny spisek. Były konsul, senator Magnus, został oskarżony o to, że wraz z grupą oficerów planował zniszczenie mostu, gdy tylko Maksymin i armia znajdą się na drugim brzegu; w ten sposób — tak twierdzili oskarżyciele — cesarz, nie mając powrotu na rzymską stronę, stałby się łatwym łupem Germanów. Można jednak podejrzewać, że całą sprawę po prostu zmyślono. Spisek — jeśliby tak wyglądał, jak podają źródła — byłby bez sensu. Po pierwsze — godziłby przecież nie tylko w samego Maksymina, ale i w całą wyprawę! A któryż Rzymianin podjąłby myśl tak szaleńczą, by z nienawiści do władcy gubić tysiące rodaków, narażając państwo na klęskę o nieobliczalnych skutkach? Po drugie, plan tylko wtedy miałby znaczenie, gdyby wyprawa już zakończyła się niepowodzeniem i zwycięscy barbarzyńcy ścigali cofające się wojska; kto jednak mógł z góry przewidzieć, że tak to będzie? Lecz nawet w takim wypadku przeprawa przez Ren nie byłaby beznadziejna, most bowiem można by szybko zbudować zaczynając od tamtego brzegu. Wydaje się więc, że to sam Maksymin, podejrzliwy i sprytny, jak wielu ludzi prymitywnych, sfabrykował fałszywe oskarżenie, aby pozbyć się Magnusa, który — jak chyba mniemał — mógłby zostać obwołany cesarzem, gdy on będzie wojował z Germanami. Historia po najnowszą włącznie zna wiele spisków i zamachów sfingowanych lub sprowokowanych przez samych władców pragnących uprzedzić, skompromitować i zgnieść zawczasu osoby podejrzane.

Kampania rozpoczęła się wczesnym latem 235 roku. Cesarz wiódł mnogie zastępy, wśród nich także oddziały łuczników znad Eufratu i mauretańskich oszczepników; z tymi Germanie jeszcze się nie stykali. Mieszkańcy ziem za Renem wycofywali się bez walki, Rzymianie zaś pustoszyli wszystko, nawet dojrzewające już łany zboża. Żołnierzy z krain południowych i wschodnich ogromnie dziwiło, że tutaj wszystkie domostwa są w całości budowane z drewna, w ich bowiem ojczyznach wznoszono je z kamieni lub cegieł. Ale za to siedziby Germanów łatwo było puszczać z dymem, co czyniono ochoczo przy każdej sposobności. Bogactw tu nie znajdowano, udawało się jednak zagarniać duże stada bydła. Nie znamy dokładnie ani przebiegu walk, ani też nazw terenów, na których się toczyły. Wiadomo tylko, że do ostrych starć doszło wśród rozległych moczarów. Żołnierze niezbyt się kwapili do brnięcia przez zdradliwe bagna, ale cesarz pierwszy wparł swego konia w błotniste dno, choć mętna i gęsta od iłów woda miejscami sięgała rumakowi niemal po brzuch. Wojsko nie opuściło wodza, ruszyło za nim hurmem i tak wreszcie wyparto Germanów z tych trudnych do przebrnięcia terenów. Zadano wrogom dotkliwe straty, zebrano wielkie łupy. Dumny cesarz wysłał do Rzymu relację o swym pochodzie oraz kazał wymalować monumentalny obraz przedstawiający najbardziej dramatyczne epizody wyprawy; wystawiono go na widok publiczny przed gmachem posiedzeń senatu. Gdybyśmy mieli przynajmniej opis owego malowidła, poprzednika tylu późniejszych obrazów batalistycznych! Ale senat, nienawidzący Maksymina, kazał zniszczyć to dzieło natychmiast po upadku cesarza, co było, niestety, przejawem swoistego barbarzyństwa.

Chyba podczas tej wyprawy doszło do rebelii, tym razem rzeczywistej. Łucznicy z krainy Osroene, w północno-zachodniej części Mezopotamii, przywiązani do Aleksandra Sewera, a walczący obecnie w Germanii, postanowili go pomścić. Gdy przypadkowo znalazł się wśród nich senator Kwartynus — obwołali go cesarzem, choć bronił się i opierał. Ale wkrótce jeden z oficerów osroeńskich zamordował go nocą w namiocie, który wspólnie dzielili. Zabójca, pewien nagrody, zaniósł odciętą głowę Kwartynusa cesarzowi. Otrzymał w zamian — wyrok śmierci. Po pierwsze za to, że uczestniczył w buncie, po drugie zaś z tej przyczyny, że zdradził swego przełożonego, Kwartynusa, który mu zaufał. Maksymin nie był więc pozbawiony swoistego poczucia sprawiedliwości. Ale ta rebelia musiała

 oczywiście jeszcze pogłębić jego nieufność i wręcz nienawiść do wielkich panów. Aby więc okazać, że nie tylko jest i pozostanie cesarzem, ale i założycielem nowej dynastii, mianował cezarem swego dwudziestoletniego syna, Werusa Maksyma. Rzym, imperium, senat muszą pogodzić się z tym, że odtąd władać będzie jego ród!

Do Italii Maksymin wcale się nie śpieszył — dobrze i bezpiecznie czuł się tylko wśród swoich żołnierzy. Jego główną kwaterą, już od jesieni 235 roku, był obóz legionowy w Sirmium nad Sawą. Wystawia mu to zresztą dobre świadectwo. Był przede wszystkim żołnierzem i na pierwszym miejscu stawiał obowiązek obrony granic, gardząc wygodami i uciechami życia stolicy. Miał plany ambitne, podobno zamierzał podbić wszystkie ludy germańskie aż po wybrzeża Morza Północnego; byłby to powrót po dwustu kilkudziesięciu latach do koncepcji cesarza Augusta, by utworzyć prowincję Germanię pomiędzy Renem a Łabą. Lecz w warunkach III wieku, gdy cesarstwo było słabsze, a Germanie prężniejsi, takie zamiary nie dały się realizować. Mimo to Maksymin dokonał w latach 236 i 237 kilku wypraw na północny brzeg Dunaju, gromiąc Sarmatów i Daków. Uwiecznił to przydając sobie tytuły *Germanicus Maximus, Sarmaticus Maximus, Dacius Maximus* — czyli największy zwycięzca Germanów, Sarmatów, Daków.

Ale jakiż był pożytek z tego — zapytuje świadek i historyk tamtych czasów, Herodian — że pokonywał barbarzyńców, skoro więcej krwi przelewał w Rzymie i po prowincjach? I co z tego, że łupił Germanów, skoro ograbiał też Rzymian? Popierał i nagradzał donosicieli, a niemal każdy proces kończył się śmiercią i konfiskatą majątku oskarżonego. Co dzień widziało się wczorajszych bogaczy, dziś dosłownie żebraków. Ale to chciwe zagarnianie prywatnych majątków miało też pewne usprawiedliwienie: trzeba było opłacać wojska i ponosić koszty wojen. Namiestnicy i dowódcy legionów, ludzie sławni z męstwa i wielcy zasługami, stawali się więźniami na skutek błahego oskarżenia. Zwożono ich ze wszystkich stron świata do Sirmium, gdzie czekały ich kary najsurowsze.

Jednakże — wywodzi Herodian — ludność miast i prowincji wcale się tym nie przejmowała, dopóki ciosy spadały tylko na bogaczy i możnych, ich bowiem nieszczęścia zawsze dają satysfakcję zawistnym. Te nastroje zmieniły się dopiero wtedy, gdy Maksymin naciskany potrzebami wojska zaczął grabić majątki miast i przybytki bogów. Zagarniał pieniądze przeznaczone na pomoc dla ubogich, na urządzanie igrzysk i uroczystości. Zabierał ze świątyń dary wotywne, posągi bogów, ozdoby, ogołacał też gmachy publiczne. Wszystko to przetapiano, a z uzyskanego materiału wybijano monety. Wszędzie więc widniały ślady spustoszenia, jakby przez najspokojniejsze prowincje przeszły hordy najeźdźców. W niektórych miejscowościach dochodziło nawet do rozruchów i walk, ludność bowiem stawała w obronie swych bogów, a żołnierze też niezbyt chętnie przykładali ręce do rabunków.

Burzyli się więc poganie, dotknięci gwałceniem ich świętości, ale nierównie głębsze powody do bólu mieli chrześcijanie, cesarz bowiem rozpętał nowe prześladowania. Spadły one na wyznawców Chrystusa tym bardziej niespodziewanie i przeżywano je tym mocniej, że już od pokoleń panował spokój i stosowano faktyczną tolerancję, ostatni zaś władcy odnosili się do nowej religii wręcz przyjaźnie. Ponieważ jednak wśród służby Aleksandra Sewera sporo było chrześcijan jawnych, wzbudziło to podejrzliwość Maksymina; obawiał się on ich związków z gminami współwyznawców w całym imperium. Powody więc tego prześladowania były czysto polityczne, jak zresztą i wszystkich poprzednich. Władze rzymskie nigdy się nie interesowały istotą nauk chrześcijaństwa i obyczajami jego wyznawców. Chodziło wyłącznie o to, że tworzyli oni półtajną organizację niedozwoloną przez państwo.

Starożytny historyk Kościoła, Euzebiusz z Cezarei, poświęcił temu prześladowaniu tylko jedno zdanie: „Maksymin nienawidząc służby Aleksandra, w której przeważali chrześcijanie, rozkazał karać zwierzchników Kościoła za to, że nauczają ewangelii". Chciał więc Maksymin wcielić w czyn słowa Pisma: „uderzę w pasterza i rozproszę owce jego". Jednakże prześladowania przeprowadzono tylko lokalnie i niezbyt surowo, najostrzej chyba w samej stolicy i w Palestynie, ale i tam, jak się zdaje, więziono i deportowano wyłącznie kapłanów. Z Rzymu zesłano na Sardynię biskupa Poncjana i uczonego kapłana Hipolita, skłóconych zresztą ze sobą; obaj zmarli na wygnaniu podobno pogodzeni. W Kapadocji i w Poncie, krainach Azji Mniejszej, doszło natomiast do krwawych zajść przeciw chrześcijanom samorzutnie. Tamtejsze bowiem tereny dotknęło straszliwe trzęsienie ziemi, spowodowane — tak wierzyła ludność — przez chrześcijan, który obrażają dawnych, dobrych bogów.

Prześladowania przerwano również dlatego, że już wiosną 238 roku władztwo Maksymina zaczęło chylić się ku upadkowi. W prowincji Afryce (*Africa*) cesarską purpurę wręczono dostojnemu starcowi, Markowi Antoniuszowi Gordianowi, który natychmiast powołał do współrządów swego syna o tymże imieniu. Senat i lud w stolicy przyjęli wieść o tym wydarzeniu z entuzjazmem. Uznano obu Gordianów za jedynych prawowitych cesarzy, ogłoszono Maksymina wrogiem publicznym, wymordowano jego stronników. Gordianowie wszakże nie zdołali nawet opuścić Afryki, gdyż po niecałym miesiącu panowania pokonał ich nieskładne wojska namiestnik Numidii, sąsiedniej prowincji, Kapelian. Gordian młodszy poległ w bitwie, starszy zaś popełnił samobójstwo w Kartaginie. Senat nie mógł już jednak ustąpić, skoro tak się naraził Maksyminowi — powołał zatem dwóch nowych cesarzy, tym razem ze swego grona, Pupiena i Balbina, powierzając im obronę Italii.

Maksymin bowiem już maszerował z Sirmium, przekroczył Alpy i przystąpił do oblegania Akwilei. Było to wówczas miasto duże, ludne, bogate, odgrywające jako ośrodek handlu morskiego i lądowego rolę poniekąd Wenecji, wtedy jeszcze nie istniejącej. Dlatego też, jak pisze Herodian, mieszkało tu wielu nie tylko obywateli, ale także obcych i kupców, a wobec groźby walk napłynęła jeszcze z okolicy ludność wiejska. Stare mury na długich odcinkach jednak leżały już w gruzach, gdy bowiem umocniło się rzymskie panowanie, niepotrzebne były miastom Italii fortyfikacje ani broń, skoro radowano się pełnym pokojem. Musiano więc w pośpiechu mury odbudowywać, wznieść na nowo części zwalone, naprawić wieże i blanki. Bramy zamknięto i trzymano na nich czujną straż dniem i nocą. Dowództwo sprawowali dwaj byli konsulowie, Kryspin i Tuliusz Menofil. Ci zadbali też przezornie o niezbędne zapasy żywności. Nie brakowało wody, wykopano bowiem dużo studzien, a obok murów przepływała rzeka.

Maksymin wysłał przodem oficera, rodem z Akwilei, by skłonił swych rodaków do otwarcia bram przed cesarzem; namowy nie zdały się na nic. Cesarz ruszył zatem z całym wojskiem wściekły i dyszący żądzą zemsty, ale drogę przecięła mu rzeka *Sontius* — dzisiaj nazwana Isonzo — wezbrana na skutek topnienia śniegów w górach; kamienny most nad nią, imponujące dzieło dawniejszych cesarzy, został już wcześniej zerwany przez obrońców miasta. Z największym trudem udało się skonstruować rodzaj mostu pontonowego, wykorzystując do tego ogromne kadzie po winie, jakich dużo znajdowano w opuszczonych wsiach okolicznych. Po przejściu rzeki zniszczono podmiejskie miejscowości, wycinając nawet drzewa i krzewy winnej latorośli. Kraj, który dopiero co wydawał się wspaniałym parkiem, strojnym girlandami, utracił całą urodę jak po najeździe najdzikszych barbarzyńców. Ale ten ponury widok tylko wzmógł wolę walki obrońców; poznali bowiem naocznie, jak mogłoby wyglądać ich miasto, gdyby żołnierze Maksymina zdołali wedrzeć się w jego mury. Odpierali więc wszystkie kolejne szturmy zaciekle i zarazem przemyślnie. Ich szczególnie groźnym orężem walki stały się naczynia wypełnione rozgrzaną mieszaniną siarki, smoły, asfaltu i oliwy, umocowane na długich drągach i wylewane na szeregi atakujących. Rzucali też płonące żagwie z ostrzami na podtaczane pod mury machiny oblężnicze.

Chyba jednak bardziej niż ów smolny ukrop i płomienie nękały żołnierzy Maksymina głód i wszelkie niewygody związane z długim bytowaniem pod namiotami w okolicy, którą lekkomyślnie sami doszczętnie spustoszyli — przekonani, że zdobędą miasto za pierwszym szturmem i przejmą zgromadzone tam zapasy. Z rozkazu senatu zamknięto wszystkie drogi wiodące w głąb Italii, tak że oblegająca armia była pozbawiona nie tylko dostaw, ale nawet wieści ze stolicy. Nie mogła również oderwać się od Akwilei i maszerować na Rzym, nie miała bowiem odpowiednich środków transportu, wozów i zwierząt jucznych.

Normalną koleją rzeczy w wojsku znużonym, wygłodzonym, cierpiącym od chorób, szerzył się defetyzm, rosło niezadowolenie. I wreszcie któregoś dnia czerwcowego, gdy trwała przerwa w walkach, a sam Maksymin odpoczywał w namiocie, doszło do buntu. Wszczęli go żołnierze legionu II Partyjskiego (*legio* II *Parthica*), który miał swój obóz macierzysty w Górach Albańskich w pobliżu Rzymu; tam też zostawili żony i dzieci, a za najprostszy sposób powrotu do swoich rodzin uznali zamordowanie cesarza. Około południa podeszli do jego namiotu nie napotykając oporu, pretorianie bowiem przyłączyli się do nich. Maksymin i jego syn Werus wybiegli z namiotu, aby ich uspokoić i przekonać, nie zdołali jednak wypowiedzieć ani słowa. Padli zabici. Wkrótce potem z obozu pośpiesznie wyruszyli jeźdźcy. Pognali na południe, ku Rzymowi. Wieźli do stolicy odcięte głowy cesarzy.

Gordian I i Gordian II

Pierwszy rok kalendarzowy po śmierci Nerona przeszedł do historii pod nazwą roku czterech cesarzy. Tylu ich bowiem zasiadało na tronie od stycznia do grudnia 69 roku, kolejno lub nawet jednocześnie: Galba, Othon, Witeliusz, Wespazjan. W roku 193 natomiast imperium miało aż pięciu władców: Partynaksa i Dydiusza Juliana w Rzymie, Septymiusza Sewera, wysuniętego przez legiony naddunajskie, Nigra w prowincjach wschodnich i Klodiusza Albina w Brytanii. Jednakże lata te przewyższa pod tym względem rok 238, gdyż panowało wtedy przynajmniej sześciu cesarzy! Maksymin Trak i jego syn, którego powołał na współwładcę, zostali zamordowani wczesnym latem pod Akwileją przez własnych żołnierzy; nieco wcześniej, bo wiosną, powstali przeciw niemu w Afryce dwaj Gordianowie — zginęli jednak po mniej więcej dwudziestu dniach panowania, niedługo też cieszyli się purpurą Pupien i Balbin, obdarzeni nią przez senat po śmierci poprzedniej pary władców; potem osadzono na tronie jeszcze w tym samym roku młodziutkiego Gordiana III. Pojawili się też samozwańcy.

Rok to więc wyjątkowo bogaty w wydarzenia, ale nie tak łatwy do ujęcia poprzez życiorysy cesarzy, ponieważ panowania zachodzą na siebie. Nie jest też możliwe ustalenie dokładnych dat, zamęt bowiem wywołany szybkimi zmianami władców dezorientował nawet współczesnych. Postać Maksymina Traka, zasiadającego na tronie już od 235 roku, została przedstawiona osobno, kolej więc na dwóch cesarzy następnych. Dwóch, stanowią bowiem jako ojciec i syn parę nierozłączną.

Marcus Antonius Gordianus
Ur. około 159 r.,
zm. w marcu 238 r.
Panował wspólnie z synem ponad 20 dni w marcu 238 r.
jako *Imperator Caesar Marcus Antonius Gordianus Sempronianus Romanus Africanus Senior Augustus.*

Marcus Antonius Gordianus
Ur. około 192 r.,
zm. w marcu 238 r.
Panował ponad 20 dni w marcu 238 r.
wespół z ojcem jako
Imperator Caesar Marcus Antonius Gordianus Sempronianus Africanus Iunior Augustus.
Po śmierci obaj zostali zaliczeni w poczet bogów.

Wydarzenia w Tysdrus

Autor starożytnego żywotu Gordianów utrzymuje, że ród ich wywodził się po mieczu od sławnych Grakchów, po kądzieli zaś od cesarza Trajana; ale to tylko zmyślenia. Rzeczywiście jednak przodkowie ich zaliczali się w ciągu kilku pokoleń do stanu senatorskiego i piastowali wysokie godności. Wyróżniał się wśród nich Herodes Attyk, grecki intelektualista i zarazem rzymski dostojnik w czasach Hadriana i Antoninusa Piusa. Literackie zainteresowania trwały w rodzinie. Jeszcze przed 238 rokiem grecki pisarz Filostrat poświęcił właśnie Gordianowi, ojcu lub synowi, dziełko o sofistach — eseistach epoki cesarstwa. W przedmowie motywuje dedykację tym, że Gordian spokrewniony jest z Herodesem Attykiem, także sofistą; przypomina również, jak to kiedyś on sam, Filostrat, dyskutował z Gordianem w świątyni Apollona w Dafne.

Podobno Gordian Starszy w wieku młodzieńczym pasjonował się poezją i ułożył epopeję w trzydziestu księgach, sławiącą cesarzy Antoninusa Piusa i Marka Aureliusza. Potem widocznie uznał, że mimo wszelkich wysiłków nie zdobędzie laurów prawdziwego poety, zajął się więc retoryką i wygłaszał publicznie mowy popisowe. Kochał książki, najchętniej obcował nie z ludźmi, lecz z dziełami Platona i Arystotelesa, Cycerona i Wergiliusza. Do swych przyjaciół zaliczał uczonego Serenusa Sammonika, znawcę gramatyki łacińskiej i starożytności Rzymu; został on zabity w 212 roku z rozkazu Karakalli, gdy rozprawiano się ze stronnikami Gety. Ogromna biblioteka tego erudyty, licząca podobno ponad 60 000 woluminów, dostała się w darze lub w spadku domowi Gordianów.

Ponieważ Gordian Starszy należał jednak do stanu senatorskiego, nie mógł poświęcać się wyłącznie literaturze. Społeczeństwo wymagało od niego również, a nawet przede wszystkim służby publicznej, traktując tamte zainteresowania jako nieszkodliwy, lecz też niezbyt poważny kaprys wielkiego pana. Piastował więc kolejno różne godności, choć chyba zbytnio nie zabiegał o honory, skoro konsulat objął późno, może dopiero po siedemdziesiątym roku życia. Dla uświetnienia swych urzędów wydawał wspaniałe igrzyska, co lud rzymski zawsze mile przyjmował i dobrze pamiętał. Zjednywał sobie poważanie i sympatię również prawdziwie rzymską postawą, dostojeństwem oblicza, spokojnym trybem życia, a nawet piękną siwizną. Istny wzór idealnego senatora — tak powinien każdy z nich wyglądać, tak się zachowywać! Powiadano, że jedyne, czego nadużywa, to kąpiele; w lecie bowiem korzystał z nich w ciągu dnia kilkakrotnie, w zimie zaś przynajmniej dwukrotnie.

Był to więc mąż ze wszech miar zasługujący na uznanie, kulturalny i zawsze na swoim miejscu; musiał jednak odznaczać się też pewnym talentem politycznym i zręcznością. Gdyby bowiem nie potrafił przystosowywać się do rozmaitych okoliczności i układów w czasach tak zmiennych i burzliwych, jakżeby przetrwał rządy cesarzy okrutnych, podejrzliwych, półobłąkanych, jakimi byli Kommodus, Karakalla, Heliogabal? I to nawet bez uszczerbku swego ogromnego majątku! Poczuciem bezpieczeństwa cieszył się w młodości za Marka Aureliusza, a potem dopiero za panowania Aleksandra Sewera, już jako starzec. I chyba wtedy dopiero przyznano mu wspomniany konsulat, a potem namiestnictwo prowincji Afryki. Wyjechał tam ze swym synem jako legatem, czyli doradcą i zastępcą namiestnika. Obaj pozostali na tych urzędach przez lat kilka, również za panowania Maksymina Traka.

Młodszy Gordian pod wieloma względami przypominał ojca. Był mężczyzną przystojnym, z natury spokojnym i życzliwym ludziom, choć energicznym. Prowadził życie, o jakim wielu by marzyło, i to nie tylko w starożytności. Mieszkał w pałacach wśród uroczych ogrodów i parków, oddawał się głównie studiom humanistycznym. Nie ożenił się nigdy, miał wszakże ponad dwieście konkubin — i z każdą z nich dzieci. Ubierał się wytwornie, jadał natomiast bardzo skromnie, lubując się w potrawach jarskich; wino pijał zwykle zaprawione wonnymi dodatkami. Podobnie jak ojciec nie zaniedbywał kariery politycznej. Zrobił ją nawet szybko, konsulat bowiem osiągnął w stosunkowo młodym wieku.

Wczesną wiosną 238 roku podczas podróży inspekcyjnej przybyli obaj do miasteczka Tysdrus; leżało ono na południe od Kartaginy, stolicy prowincji. I tam właśnie dosięgło ich przeznaczenie, wynosząc na szczyty sławy i władzy po to tylko, aby natychmiast strącić w przepaść. A wszystko dokonało się przez splot przypadków.

Działał mianowicie w Tysdrus prokurator (w cesarstwie rzymskim była to osoba zarządzająca pewnymi agendami lub majętnościami, a nie oskarżyciel publiczny) wypełniający szczególnie bezwzględnie rozkazy cesarza Maksymina, który stale potrzebował pieniędzy dla swoich żołnierzy. Otóż prokurator ów obłożył miejscowych właścicieli majątków takimi podatkami, że straciliby oni niemal wszystko stając się wręcz żebrakami. Grupa młodych ludzi z owych rodzin, przywiedziona do ostateczności widmem ruiny, powzięła plan rozpaczliwy, mając świadomość obecności Gordiana w Tysdrus. Młodzieńcy ci kazali swym zaufanym dzierżawcom przybyć do miasteczka z pałkami i toporami ukrytymi w szatach. W tymże dniu sami udali się do prokuratora rzekomo w celu załatwienia płatności, ale gdy tylko ów urzędnik stanął przed nimi, rzucili się na niego z obnażonymi sztyletami i położyli trupem. Ich dzierżawcy przepędzili tymczasem garstkę strażników urzędu. Wkrótce potem — a było to w południe — tłum pod wodzą sprawców zamachu ruszył do siedziby namiestnika. Gordian odpoczywał leżąc, gdy wdarli się buntownicy. W pierwszym momencie starzec zapewne był przekonany, że to już ostatnia chwila życia, ale gdy tylko powstał w przerażeniu z łoża, narzucono mu płaszcz purpurowy i rozległy się gromkie okrzyki witające go jako cesarza. Długo bronił się i wymawiał, podejrzewał bowiem, że to zasadzka i podstęp, wreszcie jednak ustąpił — co najmniej z trzech powodów. Po pierwsze, w razie odmowy groziła mu prawdopodobnie śmierć z rąk rozszalałego tłumu. Po drugie, nienawidził Maksymina jak wszyscy senatorzy i chyba większość mieszkańców imperium, wystąpienie więc przeciw niemu uznał za swój obowiązek. I wreszcie po trzecie, był przekonany, że za samo dopuszczenie do ekscesów w prowincji, której jest namiestnikiem, czeka go kara najsurowsza od podejrzliwego, okrutnego cesarza.

W kilka dni później Gordian wyruszył wraz z synem, już jako współwładca, do Kartaginy. Był to pochód wręcz triumfalny. Liktorzy mieli rózgi owinięte wawrzynami, a przed cesarzami niesiono płonący ogień, jak kazał zwyczaj. Wszędzie witano ich radośnie. Obalano posągi Maksymina, ustawiano podobizny nowych panów. Kartagina stała się stolicą imperium. Lecz Afryka była tylko jedną z wielu prowincji, nie stacjonowały tu też żadne większe siły wojskowe. W jaki więc sposób porwać inne kraje i ich namiestników, jak przeciągnąć na swoją stronę legiony, jak się zabezpieczyć przed nieuchronną akcją wojsk Maksymina?

Akcja w Rzymie

Gordianowie słusznie uznali, że szansę dają im tylko działania szybkie, zdecydowane, zaskakujące. Największe nadzieje pokładali w tym, że Maksymin stał się powszechnie znienawidzony skutkiem swych zdzierstw i okrucieństw. Wiedzieli również, jak silna jest opozycja przeciw niemu w samym Rzymie, i to zarówno w łonie senatu, jak też wśród ludu. Wystarczyłaby tylko wiadomość o tym, co stało się w Afryce, by cała stolica bez wahania opowiedziała się za Gordianami. Istniała wszakże trudność poważna: oto w Rzymie rezydował prefekt pretorium Witalian, człowiek twardy i energiczny, a bezwzględnie wierny Maksyminowi. Jak go usunąć, jeśli nie dysponuje się żadną siłą zbrojną? Mógł tu pomóc tylko podstęp. Wymyślono zatem sposób, który — jeśliby zestawić realia tamtej epoki z bliższą nam rzeczywistością — to pod względem samej śmiałości planu i ryzyka, jakie ściągała na siebie garstka jego wykonawców, można porównać do pewnych akcji z lat II wojny światowej. Takich, jakie przedstawiają powieści w rodzaju *Dział Nawarony* lub *Tylko dla orłów*. Z tym wszakże zastrzeżeniem, że owe historie są fikcją literacką, rzecz natomiast, o której mowa, choć mniej spektakularna od rzekomych wyczynów komandosów, ma jednak wyższość nad nimi skromną, lecz bezsporną: wydarzyła się naprawdę.

Realizacji planu podjęło się kilku żołnierzy pod dowództwem młodego kwestora, człowieka wielkiej odwagi, zręczności i siły. Ta garstka przedostała się natychmiast do Italii i podążała jak najszybciej do Rzymu. Zapewne istniała nadzieja, że zdoła wyprzedzić wieść o buncie w Afryce, ale nie było to zbyt ważne. Ludzie ci bowiem mieli się podać za wysłanników samego Maksymina i przekazać prefektowi rzekomo najtajniejsze rozkazy dotyczące bezpieczeństwa państwa. Dano im tabliczki podwójnie złożone i starannie zapieczętowane, jakimi posługiwała się kancelaria cesarska. Zwano je po grecku *diploma* i stąd właśnie nowożytne określenia: dyplomata i dyplomacja. Pieczęcie podrobiono jak najdokładniej na podstawie wzorów oryginalnych.

Witalian rozpoczynał pracę w swej siedzibie jeszcze przed świtem. O tej też porze wkroczyli tam wysłannicy z Afryki — a rzekomo znad Dunaju — i na swoje szczęście zastali go prawie samego. Część interesantów już odbyła posłuchanie, część jeszcze się nie stawiła, a służba i strażnicy po prostu przysypiali po kątach. Przyjęto ich, gdy tylko zameldowali się u oficera dyżurnego. Witalian wziął tabliczki do ręki i zaczął starannie sprawdzać autentyczność pieczęci oraz badać, czy nie zostały naruszone. W tym momencie kwestor i jego żołnierze dobyli mieczy i zadali prefektowi ciosy śmiertelne. Natychmiast wypadli do przedpokoju — nikt nie ośmielił się ich tam zatrzymać. I to nie ze względu na obnażone miecze! Po prostu wszyscy byli przekonani, że wysłannicy Maksymina wypełnili jego rozkaz; zwykł on bowiem w ten właśnie sposób pozbywać się dostojników, których podejrzewał o knowania.

Tak więc o świcie ludzie Gordianów mogli ukazać się bezpiecznie w środku miasta, na Forum, i przekazać właściwe pisma swego pana konsulom i senatorom. W pismach tych, odczytanych oficjalnie podczas posiedzenia senatu i przed ludem, Gordian oskarżał Maksymina o zbrodnie najcięższe, sam zaś przyrzekał solennie, że będzie się kierował zasadami wyrozumiałości; zapowiadał wygnanie donosicieli, rewizje procesów, dary dla żołnierzy, żywność dla ludu stolicy.

Mieszkańców Rzymu ogarnął szał radości; tym bardziej że rozeszła się pogłoska — przedwczesna — o śmierci Maksymina. Obalono i zniszczono jego podobizny, zaczęto też dokonywać samosądów, zwłaszcza na donosicielach, sędziach, poborcach. Kto z nich nie uciekł zawczasu, ginął śmiercią haniebną, włóczony przez motłoch po ulicach i wrzucany do kanałów. Zabijano też ludzi, jak zwykle w takich wypadkach, zupełnie niewinnych i nie obyło się bez załatwiania porachunków prywatnych. Każdy, kto uważał się za pokrzywdzonego, mógł rzucić hasło do rozprawienia się z rzekomym donosicielem, co z reguły prowadziło do mordu i grabieży. Herodian, świadek epoki, powiada: „Dopuszczano się czynów godnych tylko wojny domowej — i to pod szczytnym hasłem obrony wolności, bezpieczeństwa, pokoju. Każdy bowiem tłum łatwo skłonić do przewrotu, ale lud rzymski szczególnie ulega emocjom, ponieważ stanowi w swej masie zbieraninę najrozmaitszych nacji".

Śmierć w Kartaginie

Senat uznał obu Gordianów za cesarzy, Maksymina zaś ogłosił wrogiem publicznym. Wyprawił też emisariuszy — i to ludzi najpoważniejszych — do wszystkich namiestników, aby powiadomić o ostatnich wydarzeniach i wezwać do poparcia sprawy Gordianów. W większości wypadków namiestnicy i ludność dali posłuch uchwałom senatu, gdzieniegdzie jednak posłowie spotkali się z wrogością urzędników i dowódców lojalnych wobec Maksymina; oznaczało to dla wysłanników senatu uwięzienie lub odesłanie do cesarza w Sirmium, a tam czekała ich śmierć po torturach. Ponieważ należało się spodziewać, że Maksymin wnet rozpocznie ofensywę i przerzuci swe wojska znad Dunaju do Italii, senat zabrał się też do gorączkowych przygotowań obronnych. W tym celu powołano komisję złożoną z samych byłych konsulów w liczbie aż dwudziestu osób.

W toku owych pełnych uniesienia prac nadeszła z Afryki wiadomość, który wszystkich raziła niby grom z jasnego nieba: obaj Gordianowie nie żyją! Syn zginął na polu bitwy, ojciec popełnił samobójstwo. Sprawcą owej tak rychłej i niespodziewanej klęski i śmierci dopiero co obwołanych cesarzy był namiestnik Numidii sąsiadującej z prowincją Afryką. Zwał się Kapelian. Należał już dawniej do przeciwników Gordiana z powodu jakiegoś procesu sądowego, a więc obawiał się, że zostanie przez niego usunięty ze stanowiska. Niektórzy twierdzili nawet, że Gordian już mianował jego następcę. Ale Kapelian w przeciwieństwie do niemal bezbronnego Gordiana miał pod rozkazami poważną siłę zbrojną, a mianowicie legion III z przydomkiem Augustowy (*legio* III *Augusta*); jego główny obóz znajdował się w Lambezis. Były to oddziały dobrze wyszkolone i zaprawione w ciągłych walkach z koczownikami pustyni. Nie zwlekając więc Kapelian wkroczył na czele legionu w granice prowincji Afryki i maszerował wprost na Kartaginę.

Mieszkańcy tego wielkiego miasta od samego początku entuzjastycznie popierali sprawę Gordianów i nie opuścili ich w chwili niebezpieczeństwa. Wyruszyli przed mury, aby w polu zmierzyć się z legionistami Kapeliana. Pokładali duże nadzieje w samej przewadze liczebnej, nie mieli jednak ani przygotowania wojskowego, ani też odpowiedniego uzbrojenia. Każdy brał z domu to, co było pod ręką: siekierę, włócznię do polowania, nóż lub sztylet, tarcze zaś robili naprędce ze skór i desek. Jak łatwo było przewidzieć, bitwa skończyła się straszliwą rzezią kartagińczyków. Padł w niej sam Gordian II, syn, który objął dowództwo; jego ciała nie zdołano odnaleźć. Wielu uciekających zginęło wskutek zamieszania i tłoku wzajem się tratując, zwłaszcza przy bramach. Zwycięzca wkroczył do miasta jak nieprzyjaciel. Z jego rozkazu zginęli wybitniejsi i bogatsi obywatele, domy zaś prywatne i świątynie ograbiono. Podobnie postępował też w innych miastach tej prowincji.

O śmierci Gordiana I, ojca, krążyły dwie wersje. Według jednej popełnił on samobójstwo już na pierwszą wieść o zbliżaniu się legionu Kapeliana, nie wierzył bowiem w zwycięstwo; śmierć cesarza jednak zatajono, aby nie osłabić ducha ludności. Według innej natomiast starzec zdecydował się odejść z życia dopiero po przegranej bitwie i po meldunku, że syn zginął; powiesił się wtedy w swym pokoju.

Pupien i Balbin

Marcus Clodius Pupienus Maximus
Ur. około 164 r.,
zm. latem 238 r.
Panował wiosną i latem 238 r. wraz z Balbinem przez 99 dni jako *Imperator Caesar Marcus Clodius Pupienus Maximus Augustus.*

Decimus Caelius Calvinus Balbinus
Ur. około 178 r.,
zm. latem 238 r.
Panował wiosną i latem 238 r. wraz z Pupienem przez 99 dni jako *Imperator Caesar Decimus Caelius Calvinus Balbinus Augustus.*

Tak tragicznego obrotu wydarzeń nikt w Rzymie nie przewidywał. Wiązano z Gordianami wszelkie nadzieje, ufano, że lada dzień cesarze ci staną na ziemi Italii jako jej obrońcy przed nadciągającym zza Alp Maksyminem, zdetronizowanym i zionącym żądzą zemsty. Gdy więc nagle przyszła wiadomość, że Gordian Młodszy zginął w bitwie pod murami Kartaginy, ojciec zaś jego popełnił samobójstwo, zapanowało przerażenie. Co czynić w takiej sytuacji? Poddać się, błagać Maksymina o wybaczenie i litość? O tym trudno było myśleć, Maksymin bowiem znany był ze swego okrucieństwa, a pogardę dla Rzymu wyraził najdobitniej tym, że nie raczył dotychczas tu zawitać, choć panował już od lat trzech. Obecnie wkroczyłby w jego mury na czele półbarbarzyńskich żołnierzy po prostu jako zdobywca. Senat więc nie miał wyboru: walkę z Maksyminem należało kontynuować za wszelką cenę i wszystkimi siłami. Kto jednak ma ją prowadzić, kto przyjmie cesarską purpurę po Gordianach?

Posiedzenie senatu odbyło się przy drzwiach zamkniętych w świątyni Zgody przy *Forum Romanum*. Po burzliwych obradach powzięto decyzję niezwykłą, niebywałą: ogłoszono, że panować będzie dwóch cesarzy, równocześnie i na tych samych prawach, w niczym sobie nie ustępując ani w tytulaturze, ani też w kompetencjach!

Czym było podyktowane takie rozwiązanie sprawy, jaki miało cel i sens? Przede wszystkim należy przypomnieć, że w ten sposób nawiązywano do tradycji republikańskiej, kiedy to na czele państwa stało zawsze dwóch konsulów, równych sobie władzą. Ta kolegialność zapewniała wzajemną kontrolę i zabezpieczała przed nadmiarem ambicji oraz wykorzystywaniem uprawnień przez jednostkę. Istniała wszakże zasadnicza różnica między parą konsulów a parą cesarzy: tamci wybierani byli tylko na rok, cesarze natomiast mieli panować dożywotnio i mieli kompetencje, które tamtym nie przysługiwały. Ale sama idea kolegialności władzy najwyższej pozostała. Gdyby próba ta zdała egzamin, losy cesarstwa mogłyby potoczyć się inaczej.

Obaj wybrani, Pupien i Balbin, byli oczywiście senatorami, ostatnio zaś wchodzili w skład komisji dwudziestu, powołanej do obrony Italii przed Maksyminem. Starszy z nich, Marek Klodiusz Pupien, liczył sobie już ponad 70 lat. Niektóre przekazy twierdzą, że ojca miał rzemieślnika, inne zaś uważają jego ród za patrycjuszowski. Te pozornie sprzeczne dane można jednak pogodzić. Pupien mógł rzeczywiście pochodzić z rodziny ubogiej i jak wielu w jego sytuacji obrał drogę kariery wojskowej. Stopniowo awansował dość wysoko, w życiu wszakże politycznym i tak niczego by nie osiągnął, nie posiadał bowiem majątku. Dopiero hojny dar pewnej pani, kochającej go jak syna, otworzył mu wstęp do senatu. Piastował różne urzędy, sprawował kolejno namiestnictwa kilku prowincji, wśród nich Germanii i Azji. Był również przez pewien czas prefektem stolicy, gdzie zdobył sobie opinię dobrego organizatora; naraził się jednak ludności, tłumił bowiem bezwzględnie rozruchy i niepokoje, które plebs rzymski wszczynał z najbłahszych powodów. Był też konsulem, może nawet dwukrotnie. Chyba jeszcze cesarz Septymiusz Sewer zaliczył go w poczet patrycjuszy, co było już od dawna tylko pustym tytułem i nie dawało żadnych rzeczywistych przywilejów, cieszyło jednak i napawało dumą tak samo, jak jeszcze dziś w niektórych społeczeństwach, z nazwy nawet demokratycznych, posiadanie herbu lub piękny rodowód.

Decymus Celiusz Balbin, znacznie młodszy od Pupiena, miał 60 lat. Pochodził z zamożnej rodziny arystokratycznej, co oczywiście ułatwiało i przyśpieszało karierę. I on, podobnie jak Pupien, sprawował namiestnictwa różnych prowincji, był dwukrotnie konsulem, niewiele natomiast miał do czynienia z wojskiem. Jeśli wolno kusić się o charakterystykę człowieka na podstawie bardzo szczupłych danych, zaliczyć by go należało do kategorii panów kulturalnych i dobrze wychowanych, lubiących jednak wygodę i nieco lękliwych.

Senat więc wybrał cesarzy o odmiennych usposobieniach i o różnym doświadczeniu życiowym. Nie bez powodu. Na pewno przewidywano, że w swej działalności będą się wzajem uzupełniali, ale też powściągali, jeśli tak wypadnie. To z kolei dawało gwarancję, że nie powrócą czasy absolutnego jedynowładztwa. Gdyby zaś między nimi doszło do poważnej różnicy zdań lub do konfliktu, automatycznie wzmocniłaby się rola senatu jako pośrednika i rozjemcy. Były to plany i nadzieje pozornie wcale realne. Ale już pierwsze godziny po zamknięciu posiedzenia pokazały, jak bardzo te wizje są złudne, nie uwzględniają bowiem woli i postawy ludu stolicy.

Gdy obaj cesarze udawali się na Kapitol, aby złożyć zwyczajowe ofiary w świątyni Jowisza, napotkali wzburzony tłum wznoszący wrogie Pupienowi okrzyki i wręcz grożący mu śmiercią. Przyczyną było oczywiście to, że swego czasu jako prefekt stolicy twardo trzymał plebs w ryzach. W tłumie rozległy się też wołania, aby purpurę dać komuś z rodu Gordianów, a ponieważ wnuk Gordiana I, kilkunastoletni chłopiec, właśnie przebywał w Rzymie, łatwo zatem odgadnąć, że podsycali te żądania przyjaciele rodziny.

Pupien i Balbin najpierw próbowali przedrzeć się na Kapitol na czele uzbrojonej młodzieży i oddziału weteranów, ale gdy zaatakowano ich kamieniami i pałkami, musieli ustąpić. Ktoś wreszcie wpadł na pomysł, by uspokoić masy pokazując im małego Gordiana jako współwładcę. Zaraz też posłano po chłopca, który beztrosko bawił się w domu, nieświadom, jak wielkich spraw stał się bohaterem i jaki los go czeka. Został przyniesiony na ramionach rozentuzjazmowanych stronników. Powitały go gromkie okrzyki radości i oklaski, zewsząd posypały się kwiaty. Senat natychmiast powziął uchwałę uznającą młodego Gordiana za cezara, czyli młodszego kolegę panujących. Wtedy dopiero pochód mógł wstąpić na Kapitol i dopełnić ceremonii.

Jednym z pierwszych aktów nowej władzy było zaliczenie obu Gordianów w poczet bogów. Potem — choć zagrażała, a właściwie już się toczyła wojna domowa u bram Italii — urządzono igrzyska i przeprowadzono rozdawnictwo żywności; jeśliby bowiem tego nie uczyniono, na pewno wybuchłyby groźne rozruchy. Następnie podzielono zadania między obu cesarzy. Pupien jako doświadczony oficer wyruszył ze stolicy przeciw Maksyminowi, który w tym czasie oblegał Akwileję. Balbin natomiast pozostał na miejscu, aby czuwać nad bieżącymi sprawami oraz organizować materialną i moralną pomoc prowincji dla Rzymu.

Wydawało się, że to na Pupiena spadł obowiązek najważniejszy i prawdziwie niebezpieczny, bo walki orężnej, jego zaś kolega będzie spokojnie obradował w stolicy z senatem, przygotowując akty prawne, z dala od placu boju. Jednakże przekorny los inaczej pokierował wydarzeniami. Pupien bowiem wbrew przewidywaniom nie musiał prowadzić żadnych działań w polu, gdyż zakwaterował się w Rawennie i nigdy się nie znalazł w sytuacji bezpośredniego zagrożenia — a właśnie Balbin dostał się w sam wir krwawych zamieszek i bitew. Doszło do tego pozornie przypadkowo, prawdziwe jednak podłoże wydarzeń stanowiły zadawnione uczucia wzajemnej nienawiści między ludnością stolicy i pretorianami.

Wnet po wyjeździe Pupiena zwołano posiedzenie senatu. U bram kurii zgromadził się jak zwykle tłum osób ciekawych przedmiotu i przebiegu obrad. Znalazło się tam również sporo pretorianów, bez broni jednak i w cywilnej odzieży. Ciekawość taka jest w pełni uzasadniona w momentach, gdy mają zapaść historyczne decyzje, a każdy spragniony jest wiadomości najświeższych i najpewniejszych. Nic więc dziwnego, że kilku pretorianów weszło — oczywiście bez pozwolenia — aż na salę posiedzeń. Dwaj z nich popychani przez innych znaleźli się wreszcie tuż przy ołtarzu bogini zwycięstwa, Wiktorii, a więc niemal w miejscu świętym. Dostrzegli to dwaj senatorzy. Znienacka wyciągnęli broń spod swych tóg — w owych niespokojnych czasach każdy, kto wychodził z domu, miał ukryty w szatach krótki miecz lub sztylet — i bez ostrzeżenia rzucili się na owych dwóch pretorianów, stojących przy ołtarzu; ci zaś nie zdążyli się obronić, gdyż nie spodziewając się ataku ręce trzymali złożone. Śmiertelnie ranni żołnierze padli brocząc krwią na marmurową posadzkę, wybuchło zamieszanie, podniósł się zgiełk. Jeden z senatorów zabójców nie zważając już na nic wybiegł przed gmach krzycząc głosem przeraźliwym, by chwytać i zabijać pretorianów na miejscu, bo to wrogowie ludu i senatu, sojusznicy Maksymina. I na pewno wielu uwierzyło, że pretorianie przygotowują zamach zbrojny, by przywrócić władzę w stolicy zdetronizowanemu cesarzowi, i po to też zgromadzili się przed kurią, a nawet weszli do jej wnętrza.

Nie trzeba było niczego więcej, by wywołać wielki zryw ludności. Tłum rzucił się z wściekłością na garstkę pretorianów, ale ci zdołali uciec do koszar. Natychmiast ich załoga zamknęła bramy i obsadziła mury, pod którymi gromadziły się rzesze coraz liczniejsze i uzbrojone w to, co było pod ręką. Wkrótce do oblegających przyłączyły się oddziały gladiatorów. Szturmowano mury zaciekle, ale i żołnierze dzielnie się bronili, celnie rażąc atakujących, sami bezpieczni za blankami. Gdy zaś pod wieczór zmęczone masy zaczęły bezładnie się wycofywać, pretorianie dokonali śmiałego wypadu za mury, kładąc trupem mnóstwo ludzi nieprzywykłych do walki wręcz.

Tak rozpoczęła się w stolicy krwawa wojna domowa. Senat wezwał pod broń młodych mężczyzn z całej stolicy. Uderzano na mury koszar nieustannie dzień po dniu, ale za każdym razem musiano odstępować mając wielu zabitych i rannych. Próżno cesarz Balbin, odpowiedzialny za spokój w stolicy, wzywał obie strony do zgody, daremnie obiecywał żołnierzom amnestię i nawet nagrody, jeśli tylko złożą broń. Nikt go nie słuchał, nienawiść zaślepiała i była silniejsza od rozsądku, choć zarówno jednym, jak i drugim zagrażał Maksymin — gdyby pokonał Pupiena.

Wreszcie oblegający wpadli na pomysł prosty i skuteczny: odcięli dopływ wody do koszar. Zrozpaczeni pretorianie dokonali wówczas desperackiego wypadu, rozgromili byle jak uzbrojonych przeciwników, wdarli się głęboko do miasta, tam jednak losy walki znowu się odwróciły, ludność bowiem rzucała kamienie i dachówki z góry, a ulice były bardzo wąskie. Z kolei więc żołnierze chwycili się sposobu ostatecznego: podpalili domy w różnych punktach miasta. Rozszalał się pożar, który pochłonął wiele dzielnic, obracając w popiół pałace i domy czynszowe, warsztaty, składy, przybudówki. Zginęło też wielu ludzi, którzy nie zdołali w porę opuścić swych mieszkań. Jak zwykle w takich sytuacjach dochodziło do rabunków. Pożar był tym groźniejszy, że straż ogniowa, *vigiles,* nie mogła skutecznie go zwalczać, skoro na ulicach wciąż trwały boje. Tak więc katastrofa ta swymi rozmiarami może przewyższała pożar Rzymu z czasów Nerona — takiej sławy historycznej wszakże nie zdobyła.

Owe płomienie i zniszczenia miały przynajmniej ten dobry skutek, że wśród popiołów wygasły też walki, ustał przelew krwi i obie strony doszły wreszcie do porozumienia. A wkrótce dotarła też wieść radosna, która uwolniła wszystkich od dręczącego niepokoju: Maksymin został zabity wraz z synem pod Akwileją przez własnych żołnierzy! Przybyli jeźdźcy z jego głową zatkniętą na palu. „Nie da się w słowach opisać radości, jaka dnia tego zapanowała. Nie było człowieka w jakimkolwiek wieku, który by nie pośpieszył do ołtarzy i świątyń. Nikt nie pozostał w domu, wszyscy wybiegali, jakby szałem ogarnięci i weselili się razem. Zeszli się na koniec w cyrku, jakby mieli tam odbyć zgromadzenie ludowe. Balbin sam złożył hekatombę w ofierze, a senatorzy i urzędnicy — każdy jakby się pozbył topora zawieszonego nad karkiem — oddawali się niepohamowanej radości. Do prowincji wyprawiono posłów i heroldów uwieńczonych wawrzynem" (Herodian, według przekładu L. Piotrowicza).

Tymczasem Pupien wkroczył do Akwilei, do niedawna obleganej przez Maksymina. Ludność wyzwolonego miasta witała go entuzjastycznie. Wnet zaczęły tam napływać delegacje miast Italii z gratulacjami, przywożono nawet posągi bóstw opiekuńczych i złote wieńce jako dary. Również armia Maksymina, wciąż stojąca pod Akwileją, okazywała najlepsze pokojowe intencje. Jej żołnierze, pozbawieni cesarza wskutek zbrodni, której dopuściła się część ich towarzyszy, nie mieli wyboru — musieli uznać nowych władców. Owa wszakże uległość była tylko pozorna, w istocie czuli się upokorzeni i zawiedzeni, rebelia mogła wybuchnąć w każdej chwili i z byle powodu. Pupien rozumiał to doskonale. W uroczystym przemówieniu do legionów i kohort zebranych na polach pod Akwileją ogłosił całkowitą amnestię dla wszystkich — a więc i dla zabójców Maksymina! Potem jednak jak najrychlej wyprawił wszystkie jednostki do ich przygranicznych obozów, likwidując w ten sposób koncentrację sił potencjalnie niebezpiecznych. Zatrzymał przy sobie tylko oddziały złożone z najemników i sojuszników pochodzenia germańskiego, tych bowiem darzył zaufaniem jeszcze od czasów, gdy sam sprawował namiestnictwo nad Renem.

Do stolicy wracał Pupien jak triumfator, choć oczywiście nie mógł odbyć triumfu prawdziwego, zwyciężył bowiem w wojnie domowej, a nie w walce z wrogiem zewnętrznym. Balbin wyszedł mu naprzeciw z młodym Gordianem. Wydawało się wszystkim, że nadchodzą dni zgody i pokoju, upragnione po tylu miesiącach grozy. Myślano już nawet o wyprawach przeciw ludom atakującym granice imperium: Balbin, który widocznie pozazdrościł współcesarzowi wojennych laurów, zamierzał odeprzeć Gotów nad dolnym Dunajem, Pupien natomiast snuł ambitne plany wielkiej wojny z Persami.

Lecz złudne były owe zamysły i świadczyły tylko o tym, że cesarze nie orientują się, jakie niebezpieczeństwa czyhają tuż obok, w ich własnej stolicy. Po pierwsze bowiem nie wygasła nienawiść między pretorianami a ludnością. Po drugie — pretorianów zaniepokoiło przybycie do Rzymu z Pupienem germańskich żołnierzy. Podejrzewali, chyba nie bez racji, że Germanie mają zająć ich miejsce; podobnie przecież przed czterdziestu laty Septymiusz Sewer rozbroił tych pretorianów, którzy zamordowali Pertynaksa i uformował nowe kohorty z wiernych mu żołnierzy naddunajskich. Po trzecie wreszcie — między obu cesarzami toczyła się cicha walka o pierwszeństwo i wpływy, zgodnie zresztą z podstawowymi prawami psychologii i polityki, która dwuwładzy nie znosi. Pozornie wszystko było w najlepszym porządku, na monetach pojawiały się nawet symbole i napisy głoszące wzajemną miłość panów imperium, ale w rzeczywistości każdy dzień pogłębiał nieufność, jaką się wzajem darzyli.

Do tragedii doszło zupełnie niespodziewanie latem 238 roku, gdy w stolicy trwały igrzyska kapitolińskie, a Balbin i Pupien przebywali spokojnie w pałacu na Palatynie. Kohorty pretorianów wymaszerowały ze swych koszar i ruszyły ku siedzibie cesarzy. Doniesiono im o tym natychmiast, był więc jeszcze czas, aby przyzwać oddziały Germanów, stacjonujące w innej dzielnicy miasta. Balbin jednak sprzeciwił się temu gwałtownie, podejrzewając podstęp, uważał mianowicie, że Pupien wyolbrzymia niebezpieczeństwo, aby mając swych Germanów na Palatynie usunąć go i stać się jedynowładcą. A w godzinę potem było już za późno. Pretorianie wtargnęli do pałacu — straże nie stawiały żadnego oporu — i porwali obu starców. Zdarli z nich wszelką odzież i wlekli nagich przez ulice wśród szyderstw, bicia, zniewag. Wykrzykiwali przy tym: „Oto cesarze z woli senatu!" Umyślnie ich nie zabijali, aby dłużej się pastwić i zadawać wymyślniejsze katusze. Pupien i Balbin jeszcze żyli, gdy zamknęły się za nimi bramy koszar. Kiedy jednak nadeszła wieść, że Germanie śpieszą porwanym z pomocą, obaj natychmiast zostali zabici — co było dla nich tylko wyzwoleniem. Potem zwłoki wyrzucono na ulice.

Panowali 99 dni. Byli trzecią parą cesarzy, która kończyła śmiercią gwałtowną w owym nieszczęsnym 238 roku.

Gordian III

Marcus Antonius Gordianus
Ur. 20 stycznia 225 r.,
zm. w początkach marca 244 r.
Panował jako *Imperator Caesar Marcus Antonius Gordianus Augustus* od lata 238 r. do początków marca 244 r.
Zaliczony w poczet bogów.

Chłopiec w purpurze

Pretorianie zadając latem 238 roku męczeńską śmierć Pupienowi i Balbinowi, cesarzom z wyboru senatu, wcale nie zamierzali narzucać Rzymowi nowego władcy. Chodziło im głównie o to, by pokazać tym krwawym czynem, że bez ich zgody nikt nie może panować. Tak więc po trzech miesiącach skończyły się marzenia senatorów o powrocie do niektórych idei republikańskich: miało rządzić dwóch równorzędnych cesarzy, jak niegdyś na czele państwa stało dwóch konsulów. Pozostały z owych szczytnych, wolnościowych zamierzeń tylko trupy dwóch starców, potwornie okaleczone, odarte z odzieży, haniebnie wyrzucone na ulice miasta ku uciesze gawiedzi.

Kto miał być następcą zamordowanych, a siódmym już z kolei cesarzem 238 roku — po Maksyminie i jego synu, Werusie Maksymie, po obu Gordianach, po Pupienie i Balbinie? Formalnie biorąc następca już był i nikt nie kwestionował jego praw do purpury — ani senat, ani pretorianie, ani też lud. Trzynastoletni Gordian, wnuk Gordiana Starszego, nosił przecież tytuł cezara u boku ostatniej pary cesarzy. To lud stolicy wymusił przed trzema miesiącami przyznanie mu tej godności, gdy senat dał władzę najwyższą Pupienowi i Balbinowi. Wtedy widziano w tym przejaw rozwydrzenia mas, i nie bez racji. Okazało się jednak, że było to szczęsne wydarzenie, gdyż tamto ustępstwo senatu uchroniło obecnie Rzym przed groźbą wojny domowej. Co by się stało, gdyby poszczególne legiony i armie w prowincjach oraz różne ugrupowania w stolicy chciały osadzić na tronie swoich kandydatów? W tej wszakże sytuacji — za cichą zgodą wszystkich, bez jakiegokolwiek oporu i natychmiast — uznano małego Gordiana za władcę jedynego i pełnoprawnego. Nadano mu oczywiście tytuł augusta. Każda ze stron witała to z zadowoleniem. Pretorianie udzielili nauczki senatorom, byli więc pewni, że już nie spotkają się z lekceważeniem. Lud Rzymu radował się, że jego faworyt, chłopiec, który przyszedł na świat w samej stolicy, wreszcie zasiadł na tronie jako pan imperium. Senat wreszcie, stróż legalizmu, widział w tym dziecku prawowitego następcę obu Gordianów, a zapewne liczył też na to, że ze względu na jego małoletniość w istocie decydować będzie głos doradców — senatorów.

Lecz właśnie małoletniość stwarzała poważny problem polityczny. W Rzymie nie istniały żadne konstytucyjne zasady dotyczące sukcesji władzy, w szczególności zaś opieki i regencji w wypadku, gdy purpurę przywdziewał chłopiec. A właśnie taka sytuacja powtarzała się już po raz trzeci za życia jednego pokolenia! Przypomnijmy: w 218 roku cesarzem obwołano kilkunastoletniego Heliogabala, a już w cztery lata później Aleksandra, również młodocianego. Rzeczywiste rządy sprawowały wtedy inne osoby, przede wszystkim zaś kobiety z rodziny cesarskiej, energiczne, ambitne, małostkowe — i nie były to rządy najlepsze, zwłaszcza jeśli chodzi o czas Heliogabala. Te faktyczne regencje nie wyszły na korzyść ani małoletnim cesarzom, ani państwu. A jak miały się te sprawy, jeśli chodzi o Gordiana III?

Niestety, historycy starożytni nie udzielają nam dostatecznych wskazówek ani w tej, ani też w innych kwestiach dotyczących tamtego okresu. Może to zresztą zbyt szumnie powiedziane: historycy starożytni. Dzieło Herodiana, nie najwyższych wprawdzie lotów, ale przecież stanowiące źródło wielu informacji o półwieczu od wstąpienia na tron Kommodusa w 180 roku, kończy się — właśnie na 238 roku — tymi słowami: „Obwołano cesarzem Gordiana, mającego zaledwie 13 lat, i przyjął on rządy nad imperium". A jeszcze wcześniej, bo panowaniem Aleksandra Sewera, zamyka swój obraz dziejów Rzymu Kasjusz Dion; w czasach, o których mowa obecnie, zapewne już nie żył. Skąd więc czerpiemy wiedzę o Gordianie III i jego następcach?

Istnieje tylko jedna zwarta, ciągła i obszerna relacja, nosząca dumny tytuł *Pisarze historii cesarskiej*. Jest to poprzednio już powoływany i cytowany zbiór biografii władców Rzymu II i III wieku. Przypomnijmy raz jeszcze, że powstał on znacznie później, chyba pod koniec IV wieku, i pełen jest pomyłek, anachronizmów, nawet świadomych kłamstw i fikcji. Każdemu, kto uważnie czyta to dziełko, wydać się musi niekiedy, że autorowi — czy też autorom — wręcz chodziło o to, by przekazać potomności wykrzywiony obraz tamtych czasów i osób. A właśnie żywot Gordiana III należy w tym zbiorze do najmniej wiarygodnych, choć zawiera też elementy prawdy, zasługujące na uwagę.

Oczywiście, mamy też różnego rodzaju drobne przekazy źródłowe i wskazówki — monety, napisy, papirusy, krótkie wzmianki u późniejszych historyków — lecz w wielu wypadkach, zwłaszcza jeśli chodzi o III wiek, zdani jesteśmy tylko na domysły lub też musimy powiedzieć uczciwie: nie wiemy, brak bowiem danych. Trzeba jednak przyznać, że mimo tych wszystkich zastrzeżeń jesteśmy lepiej poinformowani o cesarzach III wieku w Rzymie niż o niektórych królach i książętach na przykład okresu piastowskiego w Polsce, choć ci ostatni o tyle nam bliżsi w czasie.

Znamienne to zjawisko: obumieranie wartościowego piśmiennictwa historycznego w latach kryzysu imperium! Okazuje się, że literatura, a zwłaszcza dziejopisarstwo, należą do najbardziej czułych tworów ludzkiego ducha. Ich uprawianie wymaga szczególnie sprzyjających warunków: spokoju, ogólnej stabilizacji, wysokiego poziomu społecznej kultury i wykształcenia. A także dużej odporności psychicznej, umiejętności wzniesienia się nad drobne, lecz uciążliwe, sprawy codzienności i zaślepienie zwalczających się ugrupowań. Można się więc zastanawiać, czy nasza epoka będzie naprawdę należała do dobrze udokumentowanych przez poważne dzieła współczesnych historyków. A jeśli ktoś z czytających te słowa pragnąłby kłam mi zadać — proszę, niechże spróbuje przedstawić wydarzenia obecne spokojnie, rzeczowo, jakby z dystansu, nie gubiąc się w szczegółach, nie ulegając emocji, wydobywając tylko to, co istotne! Przecież dzieje się wokół nas wielka dramatyczna historia! Ale kto weźmie się do jej spisywania potomnym ku pamięci i przestrodze, stwierdzi rychło, że zadanie to ponad siły, zbyt bowiem jest się uwikłanym w wielkie i małe sprawy bieżące, zbyt łatwo poddajemy się emocjom i stronniczości, zbyt trudno nam o sąd wyważony. Na pewno nie inaczej przeżywali i odczuwali to przed wiekami Rzymianie pogrążeni w swoim kryzysie — i właśnie stąd ubóstwo pełnych relacji.

Cóż zatem wiemy o Gordianie III? W 238 roku, gdy obwołano go augustem, jego ojciec chyba już nie żył. Zdaje się to wynikać z dwóch faktów. Po pierwsze, Gordian nosi pełne nazwisko nie ojca, Juniusza Balbusa, lecz dziadka. Dlaczego? Wyjaśnienie może być tylko jedno: dziadek zaadoptował chłopca po przedwczesnej śmierci ojca. Był to zwyczaj często praktykowany w Rzymie. Po drugie, gdyby ojciec żył, czymś by się zapisał w historii, zwłaszcza u boku syna w purpurze cesarskiej. A tymczasem źródła milczą o nim zupełnie! Żyła natomiast matka, która — jeśli wierzyć zbiorowi żywotów *Pisarze historii cesarskiej* — starała się całkowicie podporządkować sobie młodziutkiego pana imperium. Przytacza się nawet jego późniejsze listy, w których ubolewa: „Co miałem robić, skoro matka mnie oszukiwała i wydawała opinie o ludziach w zmowie ze swymi doradcami?" Inny zaś list, pisany do Gordiana rzekomo przez Tymezyteusza, jego przyszłego teścia, mówi o niedawnych hańbiących praktykach, gdy eunuchowie matki sprzedawali urzędy, rozkradano skarb państwa, a intryganci decydowali o losie ludzi najwartościowszych, odsuwając ich od wpływów politycznych, a protegując tych, których należałoby tylko oddalić. Lecz dokumenty te, przedstawiające poczynania dworu pod rządami kobiety, są niewątpliwie fikcyjne, sfałszowane, odnoszą się do czasów i stosunków późniejszych.

W każdym razie nie wolno na ich podstawie mówić o sytuacji Gordiana III. Drugi ze wspomnianych listów, niby pisany przez samego władcę, zawiera też pewną refleksję zawsze aktualną: „Nieszczęśliwy to cesarz, przed którym tai się prawdę! Kto bowiem sam nie może bezpośrednio przestawać z ludźmi, musi chcąc nie chcąc opierać się na tym, co mu przekazują inni". Z tym zaś, jak uczą dzieje wszystkich narodów i epok, bywa różnie. I właśnie dlatego tyle tragedii wynikających z błędnych decyzji władzy wskutek niepełnego lub sfałszowanego obrazu sytuacji. A wiedzieli już o tym starożytni Rzymianie!

Jak zaś rzeczywiście przedstawiała się sprawa opieki nad chłopcem w purpurze? Rodzice nie odgrywali żadnej roli. Ojciec prawdopodobnie nie żył, a o matce nie możemy powiedzieć nic pewnego. Niewątpliwie ważną osobistością u boku cesarza był natomiast dostojnik noszący długie nazwisko, co wówczas należało do mody: Gajusz Furiusz Sabinus Akwila Tymezyteusz. Jego karierę, wszystkie jej kolejne etapy, znamy dokładnie dzięki napisowi ku jego czci, który zachował się w Lugdunum (późniejszym Lyonie), najludniejszym mieście galijskim, stolicy prowincji *Gallia Lugdunensis.* Otóż wynika z tej inskrypcji, że Tymezyteusz najpierw dowodził kohortą w Hiszpanii, a potem piastował różne stanowiska w administracji rozmaitych, odległych od siebie prowincji. Działał więc kolejno za panowania Aleksandra Sewera i Maksymina w Belgice (*Gallia Belgica),* Germanii, Arabii (mniej więcej na terenach obecnej Jordanii i części Syrii), w Palestynie, Azji Mniejszej i Galii Lugduńskiej. Był z całą pewnością dobrym, energicznym urzędnikiem wyższego stopnia, jednym z tych, dzięki którym machina administracyjna ogromnego imperium wciąż funkcjonowała sprawnie mimo szaleństw i nieudolności władców, mimo przewrotów, wojen domowych, uzurpacji, mimo wreszcie nieróbstwa plebsu wielkomiejskiego i nędzy ludności wiejskiej. W jaki sposób dostał się on do otoczenia Gordiana III, czemu i komu to zawdzięczał? Może znajomościom, a może splotom różnych okoliczności? W każdym razie dobrze to świadczy o ówczesnej ekipie rządzącej, że właśnie taki człowiek, doświadczony i znający niejako od wewnątrz mechanizm władzy w różnych krainach i dziedzinach, wszedł do elity dworskiej.

Na początku 242 roku lub nieco wcześniej młodziutki cesarz poślubił Sabinę Trankwilinę, córkę Tymezyteusza, który wkrótce potem został prefektem pretorium, czyli objął najwyższy w praktyce urząd. Sabina Trankwilina otrzymała natomiast tytuł augusty. Łatwo byłoby wyobrazić sobie romantyczną historię: dorastający chłopiec poznaje piękną dziewczynę, zakochuje się w niej i bierze za żonę, obdarzając jej ojca najświetniejszą godnością. Ale w tamtych czasach sprawy wyglądały zwykle inaczej: małżeństwo stanowiło nie przyczynę, lecz wynik pozycji społecznej Tymezyteusza. Oczywiście naiwnie brzmi również twierdzenie w *Pisarzach historii cesarskiej*, że władca wybrał go na teścia i mianował prefektem, ponieważ był to mąż uczony i wymowny, godny skoligacenia się z domem panującym; i że mając go u swego boku przestał być zabawką w rękach otoczenia matki, zaczął zaś postępować rozsądniej.

My możemy stwierdzić tyle, że od początku sprawowano rządy zdecydowanie, zwłaszcza gdy w grę wchodziły zagrożenia zewnętrzne lub wewnętrzne. I tak jednym z pierwszych posunięć było rozwiązanie legionu III Augustowego w Numidii, który wiosną 238 roku wystąpił pod wodzą Kapeliana przeciw Gordianom Afrykańskim. Żołnierzy legionu przydzielono do różnych jednostek w prowincjach europejskich, a jego nazwę wykreślono z urzędowych dokumentów. Posunięcie surowe, ale z punktu widzenia prestiżu nowego cesarza usprawiedliwione. Chodziło o podkreślenie, że Gordian III jest spadkobiercą tamtych dwóch, a więc również mścicielem. Wprawdzie tam w Afryce rychło podniósł bunt namiestnik Sabinian, ale został stosunkowo łatwo pokonany przez zarządcę prowincji Mauretanii.

W Europie natomiast rósł nacisk Alamanów nad Renem, lecz nie przewidywano tam bezpośredniego niebezpieczeństwa przełamania granicy. Groźniejsza sytuacja powstała nad dolnym Dunajem, gdzie pojawiło się wojownicze plemię Karpów — zapewne od nich pochodzi nazwa Karpat. Duże ich grupy, naciskane od północy i wschodu przez Germanów, zaatakowały Dację i Mezję. Wodzowie Karpów domagali się, aby cesarz płacił im coroczny haracz jak Gotom, od których — jak utrzymywali — są dzielniejsi. Jednakże namiestnik Mezji, Menofil, umiał rozmawiać z barbarzyńcami. Przez wiele dni kazał oglądać ich posłom imponujące ćwiczenia wojsk rzymskich i dopiero, gdy spokornieli, udzielił im posłuchania. Karpowie powtórzyli swe żądania, on zaś wtedy rzekł: „Cesarz Rzymian ma tyle pieniędzy, że od czasu do czasu może je dać każdemu, kto o to poprosi". A gdy posłowie zakrzyknęli, że i oni proszą, Menofil kazał im czekać kilka miesięcy na odpowiedź ze stolicy. Dał więc do zrozumienia, że Karpowie mogą otrzymać dar, jeśli będą o to błagali u stóp majestatu; tego nie uczynili, ale przez kilka lat zachowywali się już spokojnie.

Pusty grobowiec

Prawdziwe jednak niebezpieczeństwo zawisło nad wschodnimi obszarami imperium. W Persji w 240 roku wstąpił na tron młody władca Szapur, zwany przez Greków i Rzymian Saporem; miał panować 30 lat. Ambitny i energiczny król powrócił do polityki poprzedników sprzed lat kilkunastu: zażądał od cesarstwa zwrotu wszystkich krain, które niegdyś podlegały Persom. W 241 roku zajął rzymską Mezopotamię i Syrię, dotarł w okolice Antiochii. Wobec tej agresji nie było już wyboru, na siłę należało odpowiedzieć siłą.

W 242 roku Gordian III dokonał w stolicy ceremonii otwarcia bramy w świątyni Janusa, co według prastarej tradycji oznaczało rozpoczęcie działań wojennych; był to zresztą ostatni potwierdzony w źródłach wypadek praktykowania tego obyczaju. Wyprawie przeciw Persom oficjalnie przewodził sam cesarz, ale u jego boku znajdował się prefekt Tymezyteusz. Droga wiodła najpierw przez prowincje naddunajskie, gdzie przy sposobności zademonstrowano Sarmatom i Gotom potęgę wojskową imperium. W 243 roku wyparto Persów z Syrii i rzymskiej Mezopotamii.

Jesienią tego roku zmarł na skutek choroby Tymezyteusz;

podobno w testamencie cały swój majątek przekazał państwu. Jego urząd objął Marek Juliusz Filip.

Tu zaczynają się zagadki i pytania. W księdze *Pisarze historii cesarskiej* właśnie owemu Filipowi przypisuje się — a podchwycili to późniejsi historycy — całe pasmo zdrad i zbrodni. To on rzekomo przyczynił się do zgonu Tymezyteusza: gdy prefekt cierpiał na biegunkę, Filip podsunął mu niewłaściwy lek, który jeszcze spotęgował chorobę. Nie można oczywiście tego sprawdzić, ale cała historia wydaje się nieprawdopodobna. Twierdzono dalej, że to Filip — już jako nowy prefekt pretorianów — zdezorganizował zaopatrzenie armii w żywność podczas nowej kampanii późną zimą 244 roku, odpowiedzialnością za to obarczając samego Gordiana. Doszło wreszcie do tego, że wygłodzeni i rozjątrzeni żołnierze w początkach marca obwołali Filipa augustem, współwładcą dziewiętnastoletniego cesarza. To współpanowanie trwało zaledwie kilka lub kilkanaście dni, gdyż Gordian szybko stracił cesarski autorytet. Świadom tego, że nie jest już uważany za augusta, młodzieniec prosił najpierw, by pozostawiono mu tytuł cezara — spotkał się jednak z odmową. Gotów więc był poprzestać na godności prefekta przy Filipie, lecz i tego dać mu nie chciano. Wreszcie błagał tylko o życie. Filip wahał się jakiś czas, potem jednak rozkazał wyprowadzić go w ustronne miejsce i zabić.

Do stolicy wysłano oficjalnie wiadomość, że Gordian III po krótkiej chorobie zmarł śmiercią naturalną. Senat zaliczył go w poczet bogów, Filip zaś, aby oddalić od siebie wszelkie podejrzenia, nigdy nie usunął żadnego posągu ani napisu ku czci poprzednika. Nad Eufratem, w miejscu gdzie stracił życie Gordian, armia wzniosła ogromny grobowiec, pusty jednak, prochy bowiem zmarłego odesłano z honorami do Rzymu i tam uroczyście pochowano.

Czy Filip był istotnie sprawcą śmierci Gordiana? Wielu podaje w wątpliwość relacje starożytnych historyków. I rzeczywiście nie są one wolne od pewnych sprzeczności, trudno też oprzeć się wrażeniu, że mamy do czynienia z oszczerczymi zmyśleniami wrogów Filipa. Stosunkowo zaś niedawno, w latach 1939–1940, odkryto w Persji, w pobliżu dawnej stolicy Persepolis, obszerną inskrypcję króla Szapura I wyrytą w skale w trzech językach: w greckim oraz w dwóch dialektach średnioperskiego — parsik i pahlawik. Jest to sprawozdanie władcy z jego dokonań i zwycięstw, lista ludów i krajów, nad którymi panował. Powiada na początku: „Gdym tylko objął królowanie, cesarz Gordian zebrał z całego państwa rzymskiego siły Gotów i Germanów. Najechał Asyrię atakując nas i lud Ariów. Doszło do wielkiej bitwy w asyryjskiej miejscowości Misiche. Cesarz Gordian zginął, a my zniszczyliśmy wojska Rzymian, którzy okrzyknęli cesarzem Filipa. Ten wdał się w układy. Wykupił życie swoich ludzi za 50 000 denarów i zgodził się na daninę. Dlatego też zmieniliśmy nazwę miejscowości Misiche na Peroz Szapur".

A więc jeszcze jedna wersja wydarzeń: śmierć młodego cesarza na polu bitwy, klęska Rzymian, układ na niekorzystnych dla nich warunkach, nadanie miejscu walki miana: Zwycięstwo Szapura — to bowiem oznacza nazwa przytoczona w inskrypcji. Komu mamy wierzyć? Król zapewne przypisał sobie i swym wojskom zasługi, które im się nie należały; chodzi zwłaszcza o śmierć Gordiana z ręki Persów. Tak dzieje się zwykle w relacjach sławiących czyny władców. Dużo w nich samochwalstwa, przesady, krótko mówiąc — takiego ujmowania spraw, by jak najwięcej blasku padało na tego, kto ów napis kazał wyryć.

W rzeczywistości zaś było chyba tak: Gordian zmarł pod Misiche zapewne skutkiem choroby, jego zaś armia znalazła się w trudnej sytuacji; dotychczasowy prefekt pretorianów, Juliusz Filip, obwołany przez wojska cesarzem, zgodził się na układy z Persami, gdyż pragnął jak najprędzej się wycofać; ci uznali to za swoje wielkie zwycięstwo. Ale nagły zgon młodego imperatora podczas wyprawy wzbudził chyba w stolicy podejrzenia, że doszło do zamachu; sądzono, iż to prefekt zgładził swego cesarza. A król Szapur, oczywiście, rad był głosić, że to perski oręż powalił władcę Rzymian.

Lecz są to tylko przypuszczenia i nie ma dziś danych, by rozwikłać zagadkę do końca. Nie udało się też dotychczas odnaleźć grobowca Gordiana III na pustkowiach Mezopotamii. A gdyby nawet kiedyś to się stało, byłby to przecież, jak się rzekło, grobowiec pusty. Jest w tym coś symbolicznego.

Filip Arab i jego syn

Marcus Iulius Philippus
Ur. około 200 r.,
zm. we wrześniu 249 r.
Panował jako *Imperator Caesar Marcus Iulius Philippus Augustus*
od marca 244 r. do śmierci.

Marcus Iulius Philippus, syn
Ur. około 237 r.,
zm. we wrześniu lub październiku 249 r.
Od 244 r. nazywał się *Marcus Iulius Severus Philippus Caesar.*
Od 247 r. panował wraz z ojcem jako *Imperator Caesar Marcus Iulius Philippus Augustus*
do września lub października 249 r.

Pierwszemu z nich, ojcu, dawano nieoficjalnie nieco pogardliwy przydomek — Arab. Czy słusznie? Pewne jest, że pochodził z południowej Syrii, urodził się bowiem w miasteczku położonym przy szlaku wiodącym ze sławnej Palmiry do Bostry i dalej do Palestyny. Potem jako cesarz podniósł tę mieścinę do rangi kolonii i dał jej swe imię, zwała się więc odtąd *Philippopolis.* Zbudował tam również świątynię swego ubóstwionego ojca Marynusa. W owych czasach w miastach tej krainy mieszkało wielu Greków, a także zhellenizowanych autochtonów semickich z warstw wyższych; dużo było tam małżeństw mieszanych.

Nie jest więc wykluczone, że Filip miał istotnie wśród przodków kogoś krwi arabskiej. Co oczywiście nie oznacza, by chodziło o koczowników pustynnych. Nazwisko *Iulius* wskazuje, że rodzina miała obywatelstwo rzymskie, a stosunkowo szybka kariera samego Filipa, jak też jego brata, Gajusza Juliusza Pryskusa, dowodzi, że był to ród zromanizowany i zamożny.

Oskarżano Filipa, że podczas wyprawy Gordiana III przeciw Persom najpierw jesienią 243 roku zdradziecko otruł jego teścia, Tymezyteusza, prefekta pretorianów, a następnie, objąwszy urząd po swej ofierze, wiosną 244 roku odebrał władzę, a potem życie samemu cesarzowi. Tak relacjonują historycy starożytni, ale napis naskalny króla perskiego Szapura I głosi co innego: cesarz Gordian zginął w bitwie. O sprawach tych i wątpliwościach mowa była szerzej poprzednio, w żywocie Gordiana III.

Późniejsza tradycja chrześcijańska uznała Filipa za pierwszego panującego w imperium rzymskim wyznawcę Chrystusa. Prawie wiek przed Konstantynem Wielkim! Ile w tym prawdy, rozważymy w innym miejscu.

Źródła dotyczące okresu panowania Filipa i kilku następnych cesarzy są wyjątkowo skąpe. Na przykład zbiór żywotów *Pisarze historii cesarskiej* — rzecz wartości miernej, lecz przecież dość obszerna i szczegółowa — pomija cesarzy, którzy zasiadali na tronie w latach 244–253. Skąd ta luka, to kwestia inna. Faktem jest, że w badaniach nad owym dziesięcioleciem, bardzo burzliwym, zdani jesteśmy wyłącznie na napisy, monety, krótkie wzmianki u historyków późniejszych. Wielka to szkoda, pierwszy bowiem z owych władców pominiętych, Filip, był niewątpliwie osobistością silną i okazał się dobrym, choć niezbyt szczęśliwym cesarzem.

Pierwszym zadaniem nowego imperatora było dojście do porozumienia z królem perskim, Szapurem I. Ten uważał się za zwycięzcę, przynajmniej tak twierdzi w inskrypcji wyrytej na skale w pobliżu Persepolis. W rzeczywistości jednak Rzymianie nad Eufratem ponieśli tylko nieznaczną porażkę, choć spotęgowaną zgonem Gordiana III. W sumie natomiast kampanie dwóch lat poprzednich były dla nich korzystne, zdołali bowiem wyprzeć Persów z wszystkich lub prawie wszystkich terenów spornych. Ostatecznie więc obie strony doszły do wniosku, że siły ich są równe i żadna nie ma szans wywalczenia przewagi. Zawarto układ kompromisowy. Rzymianie faktycznie utrzymali dawny stan posiadania na wschodzie imperium, choć formalnie Szapur tego nie uznawał, musieli natomiast wypłacić mu 500 000 denarów (tak mówi napis, ale w istocie chodziło chyba o 500 000 monet złotych), co można było uważać za rodzaj wykupu lub haraczu.

Tak więc obaj, cesarz i król, wychodzili z twarzą, obaj mogli głosić swym ludom, że są zwycięzcami. I tak też czynili. Szapur uwiecznił w swym napisie właśnie taki obraz wydarzeń, miejscowość zaś Misiche nazwał Peroz Szapur, Szapur Zwycięski. Filip natomiast przybrał sobie przydomki *Persicus Maximus, Parthicus Maximus,* czyli „Największy zwycięzca Persów, Największy zwycięzca Partów" (choć tych ostatnich już nie było), na monetach zaś wybijał słowa *Pax cum Persis fundata,* „Pokój z Persami ugruntowany". A zatem, nie długotrwała wojna, lecz dyplomacja uratowała w tym wypadku interesy i honor obu mocarstw.

Filip rozumiał jednak doskonale, że nie zażegnało to konfliktu w sposób rzeczywisty i trwały, pozostawił więc na straży terenów spornych człowieka, któremu ufał całkowicie: swego rodzonego brata, Gajusza Juliusza Pryskusa. Otrzymał on tytuł prefekta Mezopotamii oraz rektora Wschodu, a dzięki temu stał się naczelnym wodzem sił zbrojnych na tamtym obszarze i generalnym namiestnikiem, zastępcą cesarza.

Filip udał się w drogę powrotną do Italii przez Syrię, Azję Mniejszą, prowincje bałkańskie. Do stolicy przybył w lecie 244 roku, co uświetniono igrzyskami, rozdawnictwem zboża, emisją monet z odpowiednimi napisami i symbolami.

W tym samym czasie i również ze wschodu przyjechał do Rzymu czterdziestoletni mężczyzna, ubogi i nie znany nikomu. Nikt też go nie witał, nikt nie zwracał nań najmniejszej uwagi, wszyscy natomiast kierowali wzrok ku nowemu cesarzowi, ku blaskowi jego chwały. A dziś, po tylu wiekach, imię Filipa Araba znane jest tylko tym, którzy zajmują się bliżej historią starożytną, ów zaś skromny człowiek żyje wciąż dzięki swym dziełom i ma we wszystkich cywilizowanych krajach tysiące wielbicieli jako jeden z najoryginalniejszych myślicieli w dziejach filozofii. Mowa o Greku z Egiptu imieniem *Plōtinos*; w naszym języku przyjęła się forma: Plotyn. Wszystko co wiemy o życiu tego mędrca, zawdzięczamy jego uczniowi i biografowi Porfiriuszowi. Oto początek tej relacji (w przekładzie A. Krokiewicza):

„Plotyn, filozof naszych czasów, czuł jakby wstręt, że jest w ciele. Z powodu takiego nastawienia nie chciał opowiadać ani o swym pochodzeniu, ani o rodzicach, ani też o ojczyźnie. O malarzu lub rzeźbiarzu nie chciał w ogóle słyszeć, do tego stopnia, że powiedział raz Ameliuszowi, kiedy ten go prosił, aby pozwolił zrobić sobie portret:

— Oczywiście! Nie dość znosić to widmo, jakim nas przyoblekła natura, lecz powinienem jeszcze sam z własnej woli pozostawić widmo widma, i to znacznie trwalsze, niby coś naprawdę godnego widzenia!"

Ale jeden z malarzy i tak wykonał wierny wizerunek filozofa — co prawda bez wiedzy zainteresowanego, skrycie portretując go na wykładach. Plotyn — opowiada dalej Porfiriusz — nie wyjawił też nikomu miesiąca i dnia swych urodzin, nie chciał bowiem, by składano ofiary i urządzano mu przyjęcia; uroczyście natomiast obchodził tradycyjne rocznice urodzin Sokratesa i Platona. Pośrednio można obliczyć, że przyszedł na świat w początkach III wieku. Filozofią zainteresował się dopiero, gdy miał 28 lat. Uczęszczał na wykłady najsławniejszych profesorów w Aleksandrii, ale nie wzbudziły jego zachwytu. Dopiero zetknięcie z platonizującym mistykiem Ammoniosem Sakkasem — czyli z łacińska Amoniuszem — stało się dlań prawdziwym przeżyciem. Wykrzyknął po pierwszym wykładzie: „Tego szukałem!"

„Od owego dnia wciąż przebywał z Amoniuszem i tak się zapalił do filozofii, iż zapragnął także poznać tę, którą uprawiali Persowie, i tę, która kwitła u Hindusów. Toteż kiedy cesarz Gordian wybierał się na wyprawę przeciwko Persom, przyłączył się do wojska i ciągnął za nim razem; liczył wtedy sobie trzydziesty dziewiąty rok życia, bo spędził jedenaście okrągłych lat w szkole Amoniusza". To znowu świadectwo Porfiriuszowe. Ileż to trzeba było naukowego zapału i odwagi, ale też i naiwności, aby tak nagle i gruntownie zmienić tryb życia, otoczenie, narazić się na takie niebezpieczeństwo — wszystko po to, aby bezpośrednio zetknąć się z kapłanami i mędrcami Wschodu, w nadziei, że posiedli oni jakąś niezwykłą, tajemniczą wiedzę!

Do spotkania jednak nie doszło, a udział w wojennej wyprawie i w życiu obozowym omal że nie skończył się tragicznie. Gdy bowiem — oddajemy głos Porfiriuszowi — „Gordian został zamordowany w Mezopotamii, Plotyn ledwie że zdołał ujść szczęśliwie do Antiochii. A kiedy wreszcie Filip zdobył panowanie, udaje się do Rzymu mając już lat czterdzieści". Pozostał tutaj niemal do końca swoich dni, czyli prawie ćwierć wieku. Rozpoczął wykłady z filozofii — początkowo tylko dla kilku słuchaczy. Jeden z jego uczniów twierdził później, że były to zajęcia chaotyczne, rodzaj rozmowy i dyskusji, mistrz bowiem zachęcał do stawiania pytań. Powoli i stopniowo grono wielbicieli rosło, a imię Plotyna, który po pięćdziesiątym roku życia zaczął też swe myśli spisywać, nabrało takiego rozgłosu, że filozof zyskał sobie zwolennika nawet w jednym z późniejszych władców Rzymu; był nim cesarz Galien.

Już to usprawiedliwia, że poświęciliśmy tu Plotynowi nieco uwagi, choć jest to poczet cesarzy, a nie filozofów. Często wszakże losy myślicieli i władców splatają się ze sobą. Ale chodziło też o to, aby przerwać ponure wyliczanie wypraw wojennych, zamachów, walk o tron, intryg i okrucieństw, i pokazać, że nawet w czasach tak krwawych kultura nie umierała. Znamienne co prawda, że twórczość duchowa w takich momentach dziejowych często odrywa się od rzeczywistości i szybuje w wysokie rejony abstrakcji, a nawet mistyki. Taki właśnie charakter miały nauki Plotyna. Przetwarzały one i rozwijały niektóre elementy platońskie w duchu jakby systemu religijnego; przyjęło się nazywać ów system neoplatonizmem. Taki zwrot ku religijności, także w myśleniu filozoficznym, wydaje się typowy dla trudnych okresów w życiu wielu społeczeństw w każdej epoce. Nie brak przykładów tego i dzisiaj.

Pobyt cesarza w Rzymie trwał tylko kilkanaście miesięcy. U schyłku 245 roku Filip udał się nad dolny Dunaj, gdzie prawie przez dwa lata walczył pomyślnie z Karpami i Gotami. Swoje sukcesy uczcił przybierając tytuły *Carpicus Maximus* i *Germanicus Maximus* oraz wybijając monety z symboliką zwycięstw. Gdy wracał do stolicy, zapewne latem 247 roku, pokój u wszystkich granic zdawał się ugruntowany, a więc i przyszłość nowej dynastii rysowała się jaśniej. Chyba wtedy to syn Filipa — Juliusz Sewer Filip — obdarzony tytułem cezara już w 244 roku, został podniesiony do rangi augusta, czyli formalnego współwładcy, choć miał dopiero 10 lat. Żona zaś cesarza, Marcja Otacylia Sewera, otrzymała piękne tytuły: Matka Augusta, Matka obozów wojskowych, Matka senatu i ojczyzny.

Gdy Filip jeszcze wojował nad Dunajem, w kwietniu 247 roku, Rzym wkroczył według niektórych kronikarzy w tysięczny rok istnienia, licząc od legendarnej daty założenia miasta 753 rok p.n.e. Wielki, symboliczny moment! Nieobecność władcy nie pozwalała należycie uczcić tej chwili, przeniesiono więc obchody tysiąclecia na kwiecień 248 roku. Zgodnie bowiem z tradycją 21 kwietnia uznano za dzień, w którym Romulus wytyczył granice miasta. Kronikarze i dziejopisowie spierali się, w którym było to roku, nigdy wszakże nie mieli wątpliwości w sprawie dnia narodzin Rzymu.

Uroczystości trwały trzy dni i trzy noce, a formalnie stanowiły święto nowego wieku — choć poprzednie obchodzono zaledwie przed czterdziestu czterema laty, za Septymiusza Sewera. Odbyły się oczywiście ceremonie religijne, a także igrzyska, pokazy, uczty. W Cyrku Wielkim podziwiano setki drapieżnych bestii, które kazał sprowadzić z Afryki jeszcze Gordian III, aby uświetniały jego przewidywany triumf po zwycięstwie nad Persami. Obchodom przewodniczyli obaj cesarze, ojciec i syn. Wypuszczono w obieg odpowiednią serię monet. Było to pierwsze milenium Rzymu, a miało też być ostatnim. Stolica świata radowała się, pewna swej potęgi i chwały. Najgorsze już minęło — takie panowało przekonanie — wchodzimy w okres pokoju i dobrobytu.

Lecz złudne były te nadzieje. Właśnie bowiem w tym czasie, gdy Rzym bawił się i świętował, doszło nad Dunajem i nad Eufratem do groźnych wydarzeń. Legiony znad pierwszej z tych rzek obwołały cesarzem jednego ze swych dowódców, Klaudiusza Pakacjana. Co prawda równie niespodziewanie i szybko odstąpiły od niego — już bowiem po kilku czy kilkunastu tygodniach padł on pod mieczami własnych żołnierzy — ale rebelię tę wykorzystali Goci. Wdarli się wraz z innymi plemionami w rzymskie granice i oblegli miasto Marcjanopolis (w dzisiejszej północnej Bułgarii). Choć pierwszy atak odparto dzięki mężnej postawie mieszkańców, to jednak wciąż groziła nowa inwazja.

Niemal równocześnie doniesiono o niepokojach w prowincjach wschodnich. Powstali tam dwaj samozwańczy cesarze: Marek Jotapian w Kapadocji i Uraniusz Antoninus w Syrii. Przyczyna w obu wypadkach była chyba ta sama: twardy ucisk finansowy, jaki stosował w tamtych krainach Pryskus — brat cesarza i rektor Wschodu. O tych wydarzeniach, jak i o samych uzurpatorach, wiemy bardzo niewiele. Nieznane są ani okoliczności, w jakich sięgnęli po władzę, ani dokładne daty, ani czas trwania obu rebelii, ani nawet obszary zagarnięte przez samozwańców. Na pewno jednak Uraniusz zdołał utrzymać się dłużej od Jotapiana, chyba przez kilka lat, w ciągu których purpurę przywdziało może aż siedmiu cesarzy legalnych. Zachowały się monety Uraniusza. Nosi na nich długie nazwisko: *Aurelius Sulpicius Uranius Antoninus Augustus.* Oczywiście senat nigdy go nie uznał, a jego władza ograniczała się zapewne do części Syrii.

Filip zrozpaczony tymi wieściami uczynił gest bardzo rzadko spotykany w historii, nie tylko Rzymu: poprosił o pomoc senatorów, a jeśli nie odpowiadają im jego rządy, to niech go uwolnią od ciężaru władzy. To wystawia dobre świadectwo Filipowemu poczuciu odpowiedzialności, a zarazem pośrednio dowodzi, że nie ponosi on winy za śmierć młodego Gordiana. Trudno bowiem uwierzyć, by ktoś tak łatwo i dobrowolnie z purpury rezygnował, jeśli dla jej zdobycia popełnił zbrodnię. Senat wszakże przyjął tę deklarację głuchym milczeniem. Zaskoczyła wszystkich, a ponieważ nie wiedziano, czy cesarz mówi poważnie, nikt przeto nie kwapił się z określeniem swego stanowiska. Wreszcie zabrał głos Mesjusz Decjusz. Powiedział śmiało, że cesarza nie powinny przerażać wydarzenia, które tylko z pozoru są groźne. Oczywiście, można było tę wypowiedź uznać za pośrednią krytykę zbyt nerwowych reakcji cesarza, ale i Filip, i senatorzy przyjęli ją z doznaniem ulgi.

Słowa Decjusza okazały się prorocze, wnet bowiem doniesiono o śmierci uzurpatora Pakacjana, a i rebelie wschodnie zdawały się wygasać. Pozostała jednak kwestia unormowania stosunków nad Dunajem. Cesarz obawiał się tamtej armii, mogła bowiem w wypadku nowego buntu łatwo zaatakować Italię, co już zdarzało się nieraz w przeszłości. Należało też ukarać sprawców rebelii Klaudiusza Pakacjana i powstrzymać zapędy plemion barbarzyńskich. Zadanie to Filip powierzył człowiekowi, któremu ufał najbardziej — Decjuszowi. Ten podobno opierał się początkowo, twierdząc, znowu proroczo, że jeśli obejmie dowództwo armii Dunaju, nie wyjdzie to na dobre ani jemu samemu, ani cesarzowi; wreszcie jednak ustąpił.

Udało mu się poskromić Gotów stosunkowo łatwo, ci bowiem musieli walczyć jednocześnie ze swymi sąsiadami Gepidami. W ciągu kilkunastu miesięcy nowy wódz zyskał taki mir wśród żołnierzy, że zmusili go do przyjęcia purpury cesarskiej. Stało się to zapewne w czerwcu 249 roku. On sam rzekomo bronił się i wymawiał, był jednak więźniem własnej armii, która uważała za punkt honoru, by nad imperium panował jej wódz, a nie „Arab". Podobno Decjusz zapewniał Filipa listownie, że złoży purpurę w Rzymie, jeśli otrzyma gwarancje bezpieczeństwa, cesarz jednak nie dał temu wiary, czemu trudno się dziwić. Tymczasem legiony naddunajskie przekroczyły Alpy, a Filip zastąpił im drogę pod Weroną we wrześniu 249 roku. Armia prawowitego cesarza mimo przewagi liczebnej poniosła klęskę. Sam Filip zginął w bitwie, rażony tak silnym ciosem miecza, że jego ostrze przecięło mu głowę aż po zęby. Gdy tylko wieść o tym dotarła do stolicy, pretorianie zabili w koszarach jego dwunastoletniego syna — drugiego augusta Filipa.

Jak już wspominaliśmy, utrzymywano później, że cesarz Filip był chrześcijaninem, brał udział w nabożeństwach i nawet odprawiał pokutę. Ale starożytny historyk Kościoła, Euzebiusz z Cezarei, podaje tę informację jako niezbyt wiarygodną i uprzedza zwrotami: ,,opowiadają" i ,,wieść niesie". Jest to więc na pewno legenda, można jednak wskazać, dlaczego i na jakim tle mogła się ukształtować. Otóż Filip i jego żona, Otacylia Sewera, utrzymywali pewne kontakty z Orygenesem, najwybitniejszym wówczas uczonym chrześcijańskim, a wyznawcy nowej religii cieszyli się za tego panowania całkowitą swobodą — piastowali nawet wyższe urzędy państwowe. Wtedy też biskup Rzymu Fabian mógł sprowadzić do stolicy z Sardynii prochy jednego ze swych poprzedników, Poncjana. Tak więc lata owej tolerancji musiały sprzyjać powstaniu opowieści o cesarzu chrześcijaninie.

Ale do historii cesarskiej wkraczał teraz zwycięski Decjusz — inny człowiek, inna polityka.

Decjusz, Herenniusz i Hostylian

Gaius Messius Decius
Ur. około 200 r., zm. w czerwcu 251 r. Panował od września 249 r. do śmierci jako *Imperator Caesar Gaius Messius Quintus Decius Traianus Augustus.*

Quintus Herennius Etruscus Messius Decius
Ur. około 230 r., zm. w czerwcu 251 r. Syn poprzedniego. Panował wraz z ojcem i młodszym bratem od maja 251 r. do śmierci jako *Imperator Caesar Quintus Herennius Etruscus Messius Decius Augustus.*

Gaius Valens Hostilianus Messius Quintus
Ur. po 230 r., zm. w listopadzie 251 r. Syn Decjusza, młodszy brat Herenniusza. Panował od maja 251 r. wraz z poprzednimi do śmierci jako *Imperator Caesar Gaius Valens Hostilianus Messius Quintus Augustus.*

Edykt cesarski

Gajusz Mesjusz Decjusz urodził się w Panonii Dolnej, w okolicach Sirmium nad Sawą, na ziemiach obecnej Jugosławii. Pochodził z rzymskiej rodziny, zapewne posiadającej tam majątki. Obszary naddunajskie, zachodnią część Półwyspu Bałkańskiego, nazywano wtedy Ilirią, Decjusz był więc pierwszym w dziejach cesarzem iliryjskim. Później miało pojawić się ich więcej, a wszyscy cechowali się energią, odwagą, twardym sprawowaniem władzy, przywiązaniem do tradycji. Widocznie ludność tamtych rejonów zachowała wiele starorzymskich rysów w psychice i trybie życia. Rzecz to zrozumiała, skoro bytowało się tam w warunkach surowych w porównaniu z italskimi, a do tego w ciągłym zagrożeniu przez barbarzyńców.

O stopniach kariery Decjusza nie wiemy nic pewnego. Przypuszcza się, że sprawował namiestnictwo Mezji Dolnej nad Dunajem, a potem Hiszpanii Tarrakońskiej. Pojął za żonę dziewczynę z możnej i starej rodziny italskiej; zwała się Etruscylla (*Herennia Cupressina Etruscilla*). Miał z nią dwóch synów, starszego Herenniusza i młodszego Hostyliana. Wszystkie źródła — niestety, bardzo nieliczne — charakteryzują Decjusza pochlebnie: wykształcony, przystępny, rozsądny, uczciwy, oddany państwu, odważny.

Zasiadał w senacie. Gdy w 248 roku cesarz Filip przerażony wiadomościami o rebeliach chciał złożyć władzę, Decjusz pierwszy powstrzymał go od tego, twierdząc, że zawieruchy rychło miną. Chyba w nagrodę za to otrzymał naczelne dowództwo armii Dunaju, choć podobno wcale się do tego nie kwapił, trafnie bowiem przewidywał dalszy bieg wydarzeń. I rzeczywiście; gdy wiosną 249 roku pokonał Gotów, żołnierze okrzyknęli go cesarzem. Uchylał się od przyjęcia purpury, a gdy wreszcie musiał ją przywdziać, napisał do Filipa, że chętnie władzę złoży — ale w Rzymie. Na to cesarz prawowity nie mógł przystać. Doszło do wojny domowej. Filip poległ w krwawej bitwie pod Weroną we wrześniu 249 roku, a jego małoletniego syna pretorianie zamordowali w stolicy. Senat natychmiast jednogłośnie uznał Decjusza.

Zaraz w początkach panowania dodał do swego nazwiska przydomek *Traianus* — Trajan, co miało wymowę symboliczną i programową. Oto w osobie Decjusza przybywa do Rzymu zwycięzca znad Dunaju — tak jak przed stu pięćdziesięciu laty powracał stamtąd zdobywca Dacji! Przydomek zapowiadał też, że nowy władca pragnie nawiązać do Trajanowych zasad poszanowania prawa i senatu.

Sprawy układały się najpierw pomyślnie. Lud stolicy przyjął cesarza entuzjastycznie, spodziewając się igrzysk i darów; Decjusz spełnił te oczekiwania. Każdemu obywatelowi wypłacono po 250 denarów. Obaj synowie Decjusza otrzymali tytuły cezarów. Przez kilka miesięcy panował względny spokój wewnętrzny i u granic. Chyba też właśnie wtedy pojmano i zgładzono na Wschodzie uzurpatora Marka Jotapiana, a jego głowę triumfalnie wwieziono do Rzymu. Wprawdzie gdzieś w Syrii utrzymywał się jeszcze samozwaniec Uraniusz, ale nie miało to większego znaczenia, podobnie jak lokalne niepokoje w Galii i nad Renem. Sytuacja wyglądała na tyle dobrze, że można było nawet zwolnić z armii wysłużonych żołnierzy. W niektórych dziedzinach Decjusz kontynuował działalność Filipa; szczególną wagę — jak jego poprzednik — przywiązywał do budowy i konserwacji dróg, o czym świadczą liczne kamienie milowe z jego nazwiskiem.

Lecz właśnie w początkach swych rządów cesarz, zbyt pewny siebie, powziął decyzję, która stała się przyczyną wielu nieszczęść i zaburzeń. Uznał mianowicie, że nadszedł stosowny moment, aby przywrócić dawny porządek religijny i zniszczyć chrześcijaństwo do gruntu. Czynił to nie z jakiejś obłędnej nienawiści, ale przede wszystkim z głębokiej potrzeby ratowania tego, co uważał za istotne dla samego bytu Rzymu. Wierzył na pewno, jak wielu mu współczesnych, że klęski spadające na imperium od kilkudziesięciu lat są karą za to, że tak wielu poniechało czci dawnych bogów i że toleruje się obcą, wrogą państwu religię. Widział również doskonale, że gminy chrześcijańskie stały się potężną organizacją mającą szerokie wpływy zwłaszcza w miastach, a sprzyjające nowej religii panowanie Filipa jeszcze ją umocniło. Sami chrześcijanie przypuszczali nawet, że Decjusz rozpętał prześladowanie tylko w tym celu, aby pokazać, jak stanowczo sprzeciwia się polityce poprzednika. Jest może nieco racji w tych przypuszczeniach, ale tylko pod tym względem, że oparciem dla Filipa były legiony wschodnie, w części już schrystianizowane, Decjusza natomiast wyniosły na tron wojska naddunajskie, gdzie chrześcijaństwo miało nikły zasięg.

Jesienią 249 roku ukazał się edykt cesarski nakazujący wszystkim obywatelom rzymskim, aby okazali swą wiarę w bogów i lojalność wobec władzy przez złożenie ofiar w obecności odpowiedniej komisji; powołano zaś takie w każdej miejscowości. Edykt, to znamienne, nie był skierowany wprost przeciw chrześcijanom, chyba nawet ich nie wymieniał, ale faktycznie o nich głównie chodziło. Komisja potwierdzała dopełnienie przez daną osobę, zwykle głowę rodziny, aktu ofiary. Zachowały się oryginały kilkudziesięciu dokumentów tego rodzaju w piaskach Egiptu. Są to jakby krótkie podania, będące zarazem oświadczeniem i zaświadczeniem według następującego schematu: „Do członków komisji ofiar (tu nazwisko zwracającego się). Przez całe życia składałem ofiary bogom i także teraz zgodnie z zarządzeniem w waszej obecności złożyłem ofiarę, wylałem wino, skosztowałem ofiary. Proszę o potwierdzenie tego". Dopisane jest zaświadczenie: Ja (tu nazwisko urzędnika) widziałem cię składającego ofiarę". Wśród takich dokumentów zachowało się zaświadczenie wystawione nawet kapłance pogańskiej! Kto by nie złożył ofiary, demaskował się tym samym — tak niewątpliwie postanawiał edykt — jako ateista, bezbożnik i bluźnierca, a winien był też zbrodni obrazy majestatu. Podlegał więc karom, które władze sądowe egzekwowały stopniowo, aby oskarżonego doprowadzić — tak to określano — do opamiętania. Groziło najpierw więzienie, a gdy to nie pomogło — konfiskata majątku, potem wygnanie, a dopiero w ostateczności i tylko najbardziej opornych skazywano na śmierć.

Prześladowania za Decjusza objęły — w odróżnieniu od wielu poprzednich — całe imperium. Akcję tę początkowo przeprowadzano bardzo konsekwentnie, a jej ofiar były setki, a może i tysiące. Jedną z pierwszych był Fabian, długoletni biskup stolicy, który zginął już w styczniu 250 roku. Po nim biskupstwo pozostało nie obsadzone ponad rok. Zmarli w więzieniu biskupi Antiochii i Jerozolimy, a długo w nim przebywał i ciężko zaniemógł uczony Orygenes. Ich los podzieliło wielu zwierzchników gmin w różnych miastach, wielu zaś musiało żyć w ukryciu. Do tych ostatnich należał niedawno wybrany biskup Kartaginy, Cyprian, który jednak nie stracił kontaktu ze swą gminą przez cały czas prześladowań.

Sytuacja w Aleksandrii, stolicy Egiptu, była o tyle odmienna, że tam pospólstwo pogańskie jeszcze za panowania Filipa samo dopuszczało się krwawych ekscesów przeciw chrześcijanom. O tym zaś, co działo się po opublikowaniu edyktu Decjusza, opowiada w zachowanym liście biskup Aleksandrii, Dionizy.

„Wszystkich strach przejął. Natychmiast wielu spośród najznakomitszych stawiło się przed komisjami częścią z bojaźni, innych zaś jako urzędników wołały ich obowiązki, a innych wreszcie pociągnęły ich otoczenia. Wywoływani po imieniu stawali do ofiar nieczystych i bezbożnych, jedni okryci bladością i z drżeniem, nie jak ofiarnicy, ale jak przeznaczeni bożyszczom na ofiarę i rzeź; toteż szydził z nich wielki tłum wokół. Okazało się, że już zgoła do wszystkiego tchórzem byli podszyci, tak do umierania, jak i do składania ofiary. Inni zaś skwapliwiej zbliżali się do ołtarzy i zapewniali z czołem podniesionym, że nigdy w życiu nie byli chrześcijanami (...). Inni wreszcie szli za przykładem jednych lub drugich albo też ratowali się ucieczką. Niektórych pochwycono, spośród tych jedni wytrwali aż do okucia w kajdany i wtrącenia do więzienia, inni zaś siedzieli zamknięci przez szereg dni, a potem, jeszcze nim ich stawiono przed trybunałem, odprzysięgali się. Inni wreszcie do pewnego momentu cierpieli tortury, ale na dalsze męki pójść już nie chcieli" (przekład A. Lisieckiego).

Sam Dionizy, jak twierdzi w swym liście, uratował się niemal cudem. Prefekt po otrzymaniu edyktu wysłał natychmiast jednego z oficerów, aby przyprowadził biskupa. Jednakże Dionizy, zamiast ukryć się gdzieś, czekał na owego funkcjonariusza w domu — aż 4 dni. „Tymczasem on — to już relacja z listu biskupa — poszukując mnie biegał po wszystkich miejscach, przetrząsając drogi, rzeki i pola, wszędzie tam, gdzie się domyślał, że się ukryłem, albo którędy przechodziłem. Ogarnęła go ślepota, że nie przeszukał domu mojego, bo zgoła nie sądził, że ja, którego ścigają, pozostaję właśnie w domu. I z niechęcią, po upływie dopiero czterech dni, dopiero gdy Bóg mi kazał uchodzić, i gdy w cudowny sposób drogę przede mną otworzył, wyszedłem razem z dziećmi i wielu braćmi".

Jak wynika z tego listu, ale też z innych świadectw, załamało się wielu chrześcijan, choć w różnym stopniu. Jedni złożyli ofiary, lecz spośród tych niektórzy ograniczyli się tylko do zapalenia kadzidła. Inni przekupywali komisje i otrzymywali zaświadczenia, choć faktycznie aktu ofiary nie dopełnili. Wśród tych, którzy odstąpili od chrześcijaństwa, znalazło się także wielu kapłanów, a nawet biskup Efezu. Stworzyło to rychło w życiu wewnętrznym Kościoła bolesny problem moralny, co z kolei doprowadziło do poważnych sporów, konfliktów, rozłamów.

Znamienne, że prześladowania za Nerona stały się niesłychanie głośne i żyją po dziś dzień w świadomości milionów na całym świecie dzięki powieściom, obrazom, filmom. A przecież były one krótkotrwałe, lokalne, w istocie przypadkowe, liczba zaś męczenników przedstawiała się nader skromnie w porównaniu z mnogością ofiar prześladowań Decjuszowych. Lecz o tych ostatnich ogół, nawet gorliwie chrześcijański, nie wie nic lub bardzo niewiele. Oczywiście, wspomina się o nich w podręcznikach, rozprawia w uczonych dysertacjach, istnieją też pewne utwory literackie osnute na ich tle, lecz nie doczekały się jeszcze ani swego Sienkiewicza, ani też Siemiradzkiego, choć sam dramatyzm tak licznych załamań i konfliktów moralnych aż prosi się o pióro mistrza. Jednakże pamięć historyczna, jak wypadało to stwierdzić już wielokrotnie, nie odznacza się sprawiedliwością. Darzy nadmierną uwagą pewne okresy lub momenty, pomija zaś inne, nie mniej ważne, jakby je traci z pola widzenia — wszystko to często z przyczyn zupełnie przypadkowych.

Dodajmy wreszcie, że właśnie z tymi prześladowaniami wiąże się jedna z najpiękniejszych legend starochrześcijańskich, znana zresztą w różnych wersjach. Opowiada o siedmiu młodzieńcach z Efezu, którzy schronili się przed pościgiem w pieczarze i tam zostali żywcem zamurowani. Nie umarli jednak i wyszli na świat zdrowi, cali i nadal młodzi dokładnie w sto lat później, kiedy panował chrześcijański cesarz Konstancjusz II.

Stopniowo wszakże prześladowania traciły na rozmachu i sile, choć formalnie ich nie przerwano i nie odwołano. Łączyło się to ze zmianą sytuacji zewnętrznej, z groźbą nowej wojny nad Dunajem.

Bitwa na bagnach

W początkach 250 roku Karpowie zaatakowali Dację, Goci zaś przeprawili się przez Dunaj i wtargnęli do Mezji Dolnej, czyli obecnej północnej Bułgarii. Tam pod wodzą Kniwy oblegli *Novae*, miejscowość znaną dziś dzięki prowadzonym w niej pracom archeologów polskich. Część Gotów poszła dalej na południe i dotarła aż do Filipopolu (*Phillippopolis* — obecnie Płowdiw w Bułgarii); miasto jednak broniło się dzielnie. Na wieść o tym Decjusz natychmiast wyprawił nad Dunaj swego syna Herenniusza. Stanął on na czele oddziałów, które właśnie stamtąd przed kilku miesiącami wyruszyły z Decjuszem przeciw Filipowi; ich to odejście ośmieliło barbarzyńców do najazdu na prowincje naddunajskie, łatwiejsze wówczas do zdobycia.

Tymczasem namiestnik Mezji, Gajusz Trebonian Gallus, odparł Gotów spod *Novae*, ale ci zwrócili się zaraz na południe ku Nikopolowi; nie należy mylić tego miasta z portem o tej samej nazwie, powstałym dopiero w VII wieku. Mówiono już, że najeźdźcy zmierzają ku Tesalonice, czyli późniejszym Salonikom, a nawet planowano obronę Termopil, by osłonić Grecję. Były to wprawdzie pogłoski panikarskie, spowodowały jednak, że i Decjusz wyruszył w tamte strony. Było to latem 250 roku. W stolicy pozostawił swego młodszego syna, Hostyliana, przydając mu do pomocy senatora Publiusza Licyniusza Waleriana.

Pod Nikopolem cesarz odniósł wielkie zwycięstwo; podobno legło na placu boju aż 30 000 wojowników germańskich — liczba na pewno przesadzona. Pokonany Kniwa zawrócił na południe, ku Filipopolis. Armia rzymska szła za nim tak pewna swej przewagi, ża dała się zaskoczyć Gotom po Beroją (*Berrhoea*) i poniosła dotkliwą porażkę, tracąc zdolność prowadzenia działań w miesiącach jesieni i zimy.

Rzymski dowódca w obleganym Filipopolu, Tytus Juliusz Pryskus, nie mogąc już liczyć na odsiecz, imał się środka rozpaczliwego. Nakłonił swych żołnierzy, by obwołali go cesarzem, a mając już ten tytuł i pozór władzy najwyższej wszedł w układy z Gotami. W zamian za swobodny wymarsz wydał im miasto. Barbarzyńcy obrabowali je, mordując lub uprowadzając w niewolę wielu mieszkańców, wśród nich także kilku senatorów, którzy szukali tam schronienia. Sam Tytus Pryskus za zdradę zapłacił wkrótce życiem, w nie znanych jednak okolicznościach.

Przedłużająca się wojna doprowadziła do rebelii także w stolicy. Wiosną 251 roku lud obwołał tam cesarzem Juliusza Walensa Licyniana, zupełnie nam skądinąd nie znanego. Ale to panowanie, ograniczone może tylko do pewnych dzielnic ogromnego miasta, trwało zaledwie kilka dni. Ani Pryskus, ani też Licynian nie wybijali własnych monet, a chronologia obu buntów jest wątpliwa i sporna. W każdym razie nieco osłabiły one władzę legalną i przyczyniły się do złagodzenia prześladowań. W samym Rzymie sytuacja chrześcijan o tyle się poprawiła, że wreszcie mogli wybrać nowego biskupa; został nim Korneliusz.

Decjusz, zaniepokojony pojawieniem się samozwańców, postanowił umocnić władzę i zapewnić swej rodzinie cesarską przyszłość. Dlatego też w maju 251 roku podniósł obu swych synów, Herenniusza i Hostyliana, do rangi augustów. Od tego więc momentu imperium miało formalnie trzech cesarzy.

Po porażce pod Beroją przez kilka miesięcy Decjusz zbierał siły. Patrzył bezradnie i bezczynnie, jak watahy wrogów plądrują i grabią rzymskie prowincje. Miał jednak pewien plan; postanowił mianowicie zastąpić Gotom drogę, gdy obciążeni łupami będą wracali za Dunaj przez tereny Mezji Dolnej. Tak też się stało. Barbarzyńcy w czerwcu 251 roku musieli przyjąć bitwę pod Abrittus. Początkowo przebiegała ona pomyślnie dla Rzymian. Wkótce jednak zginął przeszyty strzałą młody cesarz Herenniusz. Otoczenie zaczęło pocieszać ojca i prosić go, by przerwał bitwę, gdyż śmierć augusta wymagała dokonania ceremonii żałobnych. Lecz Decjusz tłumiąc ból przeciął te wołania słowami prawdziwie rzymskimi: „Nic się nie stało, zginął przecież tylko jeden żołnierz!"

Ale dalsze zmagania przybierały zły obrót. Czy skutkiem zdrady lub opieszałości Trebonniana Gallusa, namiestnika Mezji? Czy też może zawinił sam cesarz zbyt wiele ryzykując w nieodpowiednim momencie? A może klęskę spowodowała po prostu nieznajomość terenu i zwykły przypadek? Tego nikt nie wyjaśni, gdyż przekazy źródeł są skąpe i częściowo sprzeczne. W każdym razie doszło do katastrofy. Spory zastęp Rzymian, wśród nich sam cesarz, zapędził się za wrogiem w moczary. Wielu tych żołnierzy zginęło z rąk barbarzyńców, wielu też utonęło. W liczbie tych, których pochłonęła woda, znalazł się również Decjusz Trajan. Jego ciała nie znaleziono nigdy. Był pierwszym rzymskim władcą — okoliczności bowiem śmierci Gordiana III są niejasne i wątpliwe — o którym można powiedzieć z całkowitą pewnością, że poległ śmiercią żołnierza w walce z najeźdźcą.

Trebonian Gallus i Woluzjan

Gaius Vibius Trebonianus Gallus
Ur. około 206 r.,
zm. w sierpniu 253 r.
Panował od czerwca 251 r.
do śmierci jako *Imperator Caesar Gaius Vibius Trebonianus Gallus Augustus.*

Gaius Vibius Afinius Gallus Veldumnianus Volusianus
Ur. po 230 r.,
zm. w sierpniu 253 r.
Panował wraz z ojcem od jesieni 251 r. do śmierci jako *Imperator Caesar Gaius Vibius Afinius Gallus Veldumnianus Volusianus Augustus.*

Armia rzymska pokonana przez Gotów pod Abrittus w czerwcu 251 roku pozostała bez wodza naczelnego. Cesarz Decjusz podczas bitwy utonął w moczarach, a nieco wcześniej poległ ugodzony strzałą jego syn Herenniusz. Pozostał wprawdzie syn młodszy, Hostylian, mający już tytuł augusta, formalnie więc cesarz pełnoprawny, przebywał jednak daleko od placu boju, w Rzymie, a jako dorastający chłopiec nie miał autorytetu i odpowiedniego doświadczenia, aby samemu sprawować rządy. Ale tu, nad dolnym Dunajem, u samych granic, potrzebny był w tak dramatycznej chwili ktoś, kto by natychmiast podjął właściwe decyzje, wydał rozkazy, wziął na siebie odpowiedzialność — jeśli chciano uniknąć klęski ostatecznej i ocalić to, co jeszcze się dało. Zawiadamianie stolicy o katastrofie i wypatrywanie posłańców z poleceniami od Hostyliana równałoby się samobójstwu, gdyż Goci na pewno nie czekaliby spokojnie, aż pokonani Rzymianie otrząsną się z szoku i zbiorą nowe siły. Żołnierze więc i oficerowie armii pod Abrittus nie mieli wyboru, musieli jak najśpieszniej okrzyknąć kogoś cesarzem choćby po to, aby mógł on autorytatywnie prowadzić układy z Gotami.

W rachubę wchodził z racji swego stanowiska właśnie tylko jeden człowiek spośród dostojników znajdujących się w obozie: namiestnik obu Mezji, senator i były konsul Gajusz Wibiusz Trebonianus Gallus. Pod Abrittus dowodził on, jak się wydaje, oddziałami rezerwowymi i dlatego ocalał wraz ze swymi ludźmi, podczas gdy Decjusz, uniesiony wcześniejszymi sukcesami, nierozważnie dał się wciągnąć w zasadzkę. Co prawda sam fakt, że cesarz zginął, a namiestnik uratował się, dał później podstawę oskarżeniom, że ten ostatni zdradził lub przynajmniej zawinił opieszałością. Trebonian — tak utrzymywali późniejsi historycy — podstępnie namówił cesarza do stoczenia bitwy właśnie w takim miejscu albo też nie przyszedł mu w porę z pomocą. Jednakże uczestnicy i bezpośredni świadkowie bitwy pod Abrittus z pewnością nie mieli podejrzeń tego rodzaju, skoro dali Trebonianowi Gallusowi purpurę. A w tym momencie ów wspaniały płaszcz był przede wszystkim wielkim ciężarem.

Pierwsze zadanie nowego władcy, którym było zawarcie układu z barbarzyńcami, nie mogło przynieść mu chluby, skoro prowadził rozmowy jako pokonany. Przyjął twarde warunki: Goci odchodzili za Dunaj z wszystkimi łupami, a ponadto mieli corocznie otrzymywać znaczną sumę pieniędzy. Jako szczególnie haniebne odczuli Rzymianie to, że najeźdźcy uprowadzili jeńców, wśród nich osoby wysokiego rodu, nawet senatorów.

Zawiadamiając stolicę, że został okrzyknięty cesarzem, Gallus prosił jednocześnie o zatwierdzenie woli żołnierzy i o uznanie jego syna Woluzjana za cezara. Wnosił także, aby senat zaliczył w poczet bogów Decjusza i Herenniusza, poległych pod Abrittus. W Rzymie wszystko to przyjęto i uczyniono zgodnie z jego wolą.

August Trebonian i cezar Woluzjan przybyli do stolicy jeszcze tego samego lata po ułożeniu spraw w Mezji nad Dunajem, gdzie namiestnictwo objął Marek Emiliusz Emilian.

Jak jednak nowy cesarz miał się ustosunkować do Hostyliana, władcy przecież legalnego? Wielu z poprzednich panów Rzymu rozwiązałoby ten problem w sposób prosty — każąc zabić młodego człowieka pod jakimkolwiek pozorem. I nikt by się nie oburzał, rozumiejąc, że władza najwyższa jest niepodzielna. Należy więc na chwałę Treboniana zapisać, że postąpił inaczej — uczciwie i wspaniałomyślnie. Początkowo wprawdzie uznawał Hostyliana tylko za cezara, a więc odebrał mu tytuł augusta i zrównał z rangą z własnym synem. Wkrótce jednak, chyba we wrześniu, adoptował Hostyliana i obu synom, własnemu i przysposobionemu, dał tytuły augustów. Imperium więc miało przez pewien czas trzech formalnie równych sobie cesarzy. Również wdowa po Decjuszu, Herennia Etruscylla, mogła zatrzymać tytuł augusty, tym bardziej że żona Gallusa, Afinia, wtedy — w 251 roku — już chyba nie żyła.

Senat i lud stolicy witali nowego pana życzliwie, pochodził bowiem z Italii, jak przed nim ostatnio tylko Gordianowie, był więc rodakiem w węższym tego słowa znaczeniu. Jego rodzina mieszkała od pokoleń w Peruzji — to dzisiejsza Perugia — nad górnym Tybrem, podobnie jak rodzina żony, Afinii. W pełnym nazwisku ich syna występuje człon wyraźnie etruski, *Veldumnianus*, wzięty po dziadku, co wskazuje, że ród miał powiązania z dawnymi mieszkańcami tej krainy i bardzo się tym szczycił. Ale w nazwisku żony cesarza Decjusza, Herennii, spotykamy przydomek *Etruscilla*, od czego z kolei poszedł przydomek jej syna starszego — *Etruscus*. A więc rodziny Treboniana i żony Decjusza wywodziły się na pewno z tego samego regionu Italii, to jest z Etrurii, i może nawet były spokrewnione. To by wyjaśniało, dlaczego Decjusz objąwszy panowanie od razu wybrał Treboniana Gallusa na namiestnika Mezji. Pokrewieństwem tym można by było zatem tłumaczyć ową niezwykłą łaskawość, z jaką Trebonian jako cesarz potraktował Hostyliana i Herennię Etruscyllę. Wszyscy oni byli zapewne w jakimś stopniu połączeni więzami krwi i tradycją etruskiego pochodzenia.

Dla ludu przybycie cesarza — zwano je *adventus*, stąd nasz adwent kościelny — stanowiło zawsze radosne, tęsknie wyczekiwane wydarzenie, towarzyszyły mu bowiem igrzyska oraz rozdawnictwo żywności, darów, pieniędzy. Tym razem jednak w uroczystościach owych wyczuwało się smutną obecność gościa niewidzialnego i nieproszonego: co najmniej od kilku miesięcy grasowała w Rzymie i w prowincjach zaraza — przywleczona podobno z Etiopii — pochłaniając wiele ofiar. Już w listopadzie 251 roku zabrała młodego cesarza Hostyliana, ostatniego z rodziny Decjuszów. Dwaj pozostali współwładcy, Trebonian i Woluzjan Gallusowie, urządzili mu wspaniały pogrzeb. Lecz i tak nie obyło się bez pogłosek, powtarzanych chętnie przez późniejszych historyków, że starszy Gallus korzystając z epidemii kazał potajemnie otruć prawego spadkobiercę Decjuszowego tronu.

Nie mogąc powstrzymać rozszerzania się zarazy, która zresztą miała nawiedzać różne krainy imperium jeszcze przez kilkanaście lat, cesarze usiłowali przynajmniej ulżyć rodzinom jej ofiar; najuboższym urządzano pogrzeby na koszt państwa. Jeden z pisarzy starożytnych wspomina o tym nieco kąśliwie, dając do zrozumienia, że władcom chodziło głównie o zdobycie popularności. Ale przecież szybkie usuwanie zwłok mogło być podyktowane względami sanitarnymi, o czym starożytni lekarze dobrze wiedzieli. Szukano także, jak zwykle w takich okolicznościach w każdej epoce, ratunku u bogów. O tym świadczą do dziś monety wówczas wybijane z napisem: *Apolloni Salutari* — „Apollonowi Uzdrowicielowi".

Zmiana na tronie, klęska pod Abrittus, szerzenie się epidemii — to wszystko musiało też mieć wpływ na prześladowanie chrześcijaństwa, rozpoczęte za Decjusza z takim rozmachem i z taką konsekwencją. Trebonian formalnie ich nie odwołał, ale też nie dbał o kontynuowanie, toteż za jego panowania miały one charakter tylko lokalny, przypadkowy i raczej łagodny. Gdzieniegdzie burzyło się jednak pospólstwo wołając, że to z winy chrześcijan bogowie karzą ludzkość zarazą.

Ale właśnie ta chwila względnego spokoju sprawiła, że w łonie samego Kościoła rozgorzały spory i konflikty wokół problemu, jak traktować tych współwyznawców, którzy zaparli się wiary. Biskup Rzymu Korneliusz opowiadał się za tym, by umożliwić im powrót do wspólnoty, oczywiście po odbyciu odpowiedniej pokuty. Takie wszakże stanowisko gwałtownie potępiał prezbiter Nowacjan — energiczny, zdolny, ambitny; głosił, że odstępcom nie wolno udzielać przebaczenia nawet na łożu śmierci. Pewna grupa wybrała Nowacjana na biskupa Rzymu, stał się więc rywalem Korneliusza, jakby antypapieżem. Polemika między nimi nie dotyczyła żadnej kwestii wiary — w tej materii obie strony zgadzały się całkowicie — lecz tylko spraw dyscyplinarnych i personalnych. Chodziło więc nie o herezję, lecz o schizmę, rozłam.

Zatargi wewnętrzne gminy rzymskiej rychło znalazły oddźwięk w niektórych innych metropoliach, bo i tam sytuacja przedstawiała się podobnie: rzesze zaprzańców, także wśród kleru, i rozmaite wobec nich postawy. Cyprian, biskup Kartaginy, poparł Korneliusza, podobnie jak Dionizy w Aleksandrii, ale w Antiochii rzecz wyglądała inaczej. W ogóle zwolennicy Nowacjana mieli duże wpływy w wielu prowincjach i było ich sporo. Sami siebie zwali *katharoi*, to jest czyści, wolni od grzechu, a gminy ich przetrwały gdzieniegdzie aż do VII wieku.

Sporom tym zawdzięczamy pośrednio pewien interesujący dokument. Oto w jednym z zachowanych listów biskup Korneliusz podaje dokładne liczby dotyczące gminy chrześcijańskiej w Rzymie. Było tam wtedy 46 prezbiterów, 7 diakonów, 42 akolitów, 52 lektorów i egzorcystów. W sumie kler rzymski liczył ponad 150 duchownych różnych stopni, gmina zaś wspomagała 1500 wdów i sierot. Na tej podstawie przypuszcza się, że wyznawców nowej religii mogło być w stolicy co najwyżej 50 000, zapewne jednak znacznie mniej, stanowili więc zaledwie kilka procent wszystkich mieszkańców. Po przeszło dwóch wiekach pracy misyjnej byli zatem wciąż tylko garstką i nikłą mniejszością, osadzoną głównie w niższych i najniższych warstwach społecznych pochodzenia przeważnie wschodniego. Ich siłę wszakże stanowiła nieustępliwość i żarliwość przekonań, organizacja, a także braterska pomoc dla współwyznawców w każdej sytuacji życiowej. W świecie pogańskim natomiast poglądy były różne i zwykle zabarwione lekkim sceptycyzmem, a jednolita organizacja w dziedzinie kultów i świątyń nie istniała w ogóle, wszelkie zaś akcje charytatywne miały charakter doraźny i ograniczony. Zabrzmi to może nieco paradoksalnie, ale właśnie tak było: w ówczesnych warunkach ubogiemu człowiekowi w mieście przystąpienie do chrześcijaństwa przynosiło duże wartości — mimo sporadycznych prześladowań — w płaszczyźnie i duchowej, i materialnej. Wyznawca otrzymywał zwarty system wierzeń, nadający sens zarówno biegowi historii całej ludzkości, jak też życiu jednostkowemu, nadzieję na szczęście po śmierci, a także pewność, że dozna konkretnego wsparcia w razie choroby, głodu, osamotnienia oraz w sprawach pogrzebu.

Tyle o losach Kościoła za Treboniana Gallusa. Trzeba jeszcze dodać, że biskup Korneliusz został ostatecznie wygnany do niezbyt odległego od Rzymu miasta *Centumcellae*, obecnie Civitavecchia, gdzie zmarł w 253 roku. Prochy sprowadzono później do stolicy i pochowano w katakumbach Kaliksta.

Niewiele poza tym można powiedzieć o sytuacji wewnętrznej cesarstwa za Treboniana. Jedno tylko zwraca uwagę: choć cesarz w ciągu dwóch lat swego panowania nie opuszczał Rzymu i jego okolic, to jednak w wielu prowincjach budowano i naprawiano wiele dróg. Tak było w Azji Mniejszej, Dalmacji, Galii, Hiszpanii, Brytanii, Egipcie. O tym świadczą liczne tam kamienie milowe z nazwiskami obu Gallusów. Ale ta działalność była tylko kontynuacją tego, co w tym zakresie robili Gordian III, Filip Arab, Decjusz. Toteż odnosi się wrażenie, że wszelkie zmiany na tronie, klęski u granic, przewroty i wstrząsy nie miały większego znaczenia, jeśli chodzi o działalność administracji w niektórych dziedzinach. Istniała ciągłość planów i prac, wykonywano konsekwentnie to, co zostało uznane za użyteczne dla państwa — jak właśnie drogi. Gdybyż to wszystkie kraje nowożytne wzorowały się choćby w tej mierze na mądrości politycznej dawnych Rzymian!

Tymczasem na wschodzie Persowie przepędzili sprzymierzonego z Rzymem króla Armenii. Atakowali też wprost granice imperium, ale bez większego rozmachu; ustaliły to najnowsze badania, wbrew temu, co twierdzą niektórzy historycy starożytni, a za nimi liczne opracowania współczesne. Jednakże owe ataki stanowiły zapowiedź prawdziwie groźnej inwazji za lat kilka. Nad Dunajem natomiast odpierano wciąż Gotów i inne ludy, układ bowiem zawarty po klęsce Decjusza miał krótki żywot.

W 252 roku legia II *Adiutrix* stojąca obozem w Akwinkum (*Aquincum*), na terenach obecnego Budapesztu, otrzymała w nagrodę za sukcesy w walce z barbarzyńcami tytuły *ter pia, ter fidelis, ter constans* — „po trzykroć pobożna, wierna, stała" oraz zaszczytne nazwy od przydomków cesarzy: *Galliana* i *Volusiana*. Podobny honor spotkał oddział jazdy stacjonujący w innej miejscowości nad Dunajem. Ale mimo dzielnej postawy wielu formacji przygranicznych Goci przeprawiali się w różnych miejscach przez rzekę w jej dolnym biegu i pustoszyli głęboko rzymskie prowincje. Dowodami grozy tamtych dni — niemymi, a przecież wymownymi — są skarby monet z czasów owego panowania. Zakopywano je pośpiesznie w ziemi, gdy nadchodziła wieść o zbliżaniu się barbarzyńców. Wiele z nich przeleżało przez wieki aż po nasze dni, gdyż ich prawi właściciele już nie powrócili, aby wydobyć owe skarby z kryjówek — zostali być może zamordowani lub popędzeni w niewolę.

Namiestnik obu Mezji, Marek Emiliusz Emilian, okazał się dobrym dowódcą. Powstrzymał najazdy Gotów — i w nagrodę za te sukcesy wczesnym latem 253 roku podległe mu cztery legiony okrzyknęły go cesarzem. Jaki był bezpośredni powód rebelii, jakie jej okoliczności? To chyba na zawsze pozostanie tajemnicą, dane bowiem, jakimi dziś dysponujemy, są skąpe i bałamutne, pozwalają na odtworzenie tylko zarysu wydarzeń. W każdym razie ironią losu było to, że nowy cesarz pojawił się właśnie na tych ziemiach naddunajskich, z których przed dwoma laty wyruszył w purpurze do Rzymu — Trebonian Gallus.

Emilian

Marcus Aemilius Aemilianus
Ur. około 210 r.,
zm. zapewne
w październiku 253 r.
Panował od lata 253 r.
do śmierci jako *Imperator Caesar Marcus Aemilius Aemilianus Augustus.*

O Marku Emiliuszu Emilianie, wybranym w Mezji na cesarza przez swoje legiony, nie wiemy prawie nic poza tym, że pochodził z afrykańskiej prowincji Mauretanii, a w 253 roku miał czerdzieści kilka lat. Był chyba żołnierzem zawodowym i swoją karierę zawdzięczał wojsku, jak przed nim Maksymin Trak. Stąd też pewnie mir, jaki zdobył wśród podwładnych. Trebonian Gallus i jego syn Woluzjan stracili natomiast kontakt z armią, rezydowali bowiem tylko w stolicy.

Lecz samozwaniec mógł liczyć wyłącznie na te siły, które miał pod swymi rozkazami w Mezji. Inne legiony zajęły postawę wyczekującą, jak te w Panonii, albo też wręcz wrogą, jak nadreńskie i znad górnego Dunaju. Emilian więc miał tylko jedno wyjście: możliwie szybko zaatakować Italię, aby usunąć Trebonian i Woluzjana, nim zdołają przyjść im z pomocą inne wojska. Tak też uczynił — w sierpniu 253 roku był już za Alpami, na ziemiach półwyspu. Obaj legalni cesarze, ojciec i syn, zastąpili mu drogę pod miejscowością Interamna — to dzisiejsze Terni — ale do bitwy nie doszło. Prawi władcy zostali zamordowani przez własnych żołnierzy, którzy po prostu uznali, że są słabsi, walka więc byłaby zbyt ryzykowna, pewna natomiast jest w razie zdrady nagroda od Emiliana. Zamiast krwi swojej woleli przelać krew cesarzy.

Senat, który dopiero co ogłosił Emiliana wrogiem publicznym, przyznał mu natychmiast wszelkie tytuły i uprawnienia. Lecz panowanie to miało być bardzo krótkie, jego zaś materialnym śladem są głównie monety. Uwieczniły one podobiznę władcy, a także jego ulubione bóstwa: Jowisza, Apollona, Marsa, Dianę, Herkulesa. Emitowano również monety z wizerunkiem żony Emiliana, augusty Gai Kornelii Supery. Mennice więc pracowały gorliwie, pewnie głównie po to, aby było czym opłacać wojska.

Ale mściciel Treboniana Gallusa i Woluzjana już się zbliżał. Był nim Publiusz Licyniusz Walerian, który wkroczył do Italii wiodąc potężną armię, złożoną głównie z legionów nadreńskich. I oto znowu powtórzyła się historia. Emilian wyszedł ze stolicy i stanął przeciw tamtym w okolicach Spolecjum, lecz jego żołnierze świadomi przewagi wroga wcale nie kwapili się do walki. Wybrali drogę łatwiejszą — zabili swego wodza, któremu przed kilkoma miesiącami dali purpurę! Stało się to w październiku 253 roku. Tak więc panowanie Emiliana trwało zaledwie trzy miesiące, dokładnie podobno 88 dni.

Był to rok ponury. Cesarstwo pogrążało się coraz głębiej w odmętach krwi i anarchii. Ale najgorsze miało dopiero przyjść.

Walerian

Publius Licinius Valerianus
Ur. około 193 r.,
zm. po 260 r.
Panował od jesieni 253 r. do 259 lub 260 r. jako *Imperator Caesar Publius Licinius Valerianus Augustus.*
Został zaliczony w poczet bogów.
Wespół z nim panował jego syn *Gallienus.*

Najeźdźcy i obrońcy

Człowiek, który zapisał się w historii jako jeden z cesarzy najnieszczęśliwszych — osobiście i dla imperium — a w pamięci chrześcijan jako prześladowca szczególnie bezwzględny, miał chyba 60 lat, gdy otrzymał purpurę. Pochodził z rodu znakomitego, odbył służbę wojskową w stopniu oficera wysokiej rangi, zapewne dowodził jednym z legionów, piastował też kolejno urzędy prawem i zwyczajem przepisane, aż po konsulat włącznie. Żona jego, Maryniana, została po śmierci ubóstwiona. Gdy w 238 roku obwołano w Afryce cesarzami Gordianów, ojca i syna, podobno właśnie on odczytał senatowi ich listy, w których prosili o uznanie tytułów władzy. Był to ze strony Waleriana akt odwagi, albowiem jawnie opowiadał się za samozwańcami w sytuacji, gdy władza legalna należała jeszcze do bezwzględnego Maksymina Traka. Postawa Waleriana na pewno przyczyniła się do tego, że senat mógł śmiało odebrać purpurę znienawidzonemu Maksyminowi i przyznać ją Gordianom.

Za panowania Decjusza cieszył się dużymi wpływami, choć

nie jest prawdą, jak to utrzymuje jego starożytny biograf, że powierzono mu godność cenzora. Pewne jest natomiast, że gdy Decjusz wyruszył przeciw Gotom do Mezji, Walerian został w stolicy jako doradca młodego Hostyliana. Następca Decjusza, Trebonian, również wysoko cenił Waleriana i ufał mu. Gdy więc w 253 roku Emilian podniósł bunt i maszerował znad dolnego Dunaju na Rzym, właśnie Walerian, przebywający wtedy nad górnym Renem, pośpieszył Trebonianowi z pomocą; prowadził legiony z Recji i Germanii. Zjawił się jednak za późno, gdyż Treboniana wraz z synem zamordowali żołnierze, a władzę objął Emilian. Ale legioniści Waleriana nie mogli pogodzić się z tym, że imperatorem jest teraz ktoś wyniesiony przez inną amię — okrzyknęli więc cesarzem swego wodza. W październiku 253 roku Emilian po niespełna trzech miesiącach panowania legł z ręki własnych żołnierzy, którzy wcale się nie kwapili do walki w jego obronie z legionami Waleriana. Tak więc tylko ten ostatni został na placu boju jako jedyny pan imperium.

Senat uznał go natychmiast i na pewno ze szczerą satysfakcją. Jego starszy syn, Galien, mający wówczas 35 lat, otrzymał tytuł cezara, a ojciec nieco później uczynił go augustem, czyli pełnoprawnym współwładcą. Było to mądre posunięcie. Walerian stojący już u progu starości pragnął zapewnić dziedzictwo tronu, aby w wypadku śmierci ochronić państwo przed klęskami wojen domowych. Chciał też mieć u swego boku kogoś, z kim już teraz dzieliłby rządzenie i odpowiedzialność. Imperium było zbyt wielkie i narażone na wiele różnorakich niebezpieczeństw, aby jeden człowiek mógł kierować wszystkimi sprawami. Długie granice wciąż pękały w różnych miejscach pod naporem wrogów. Zza Renu nacierali Frankowie i Alamanowie, nad dolnym Dunajem wciąż groźni byli Goci oraz inne plemiona, czyniące wypady aż do Tracji, na wschodzie zaś należało się liczyć z nową inwazją perską. Rozdzielono więc zadania. Galien jako młodszy ruszył w 254 roku za Alpy, gdzie już toczyły się walki, a Walerian pozostał przez jakiś czas w Rzymie, aby w razie potrzeby pośpieszyć na wschód.

Chronologia wydarzeń tego okresu należy, niestety, do najbardziej niejasnych i zagmatwanych problemów historii III wieku. Przypomnijmy raz jeszcze, że był to czas głębokiego i długotrwałego kryzysu imperium we wszystkich dziedzinach, co przejawiało się również w upadku dziejopisarstwa. Zachował się wprawdzie żywot Waleriana w dziele *Pisarze historii cesarskiej,* powstały zresztą dużo później, jest on wszakże stosunkowo krótki, a nade wszystko bałamutny i nawet wręcz kłamliwy, choć powołuje się na rzekome dokumenty oficjalne — oczywiście sfałszowane. W każdym razie rzecz ta po pewnej przerwie znowu będzie nam towarzyszyła. Inne relacje antyczne są pobieżne, najdłuższa zaś, Zosimosa, pochodzi już z czasów wczesnobizantyjskich. Pomagają nieco dane zawarte w pismach chrześcijan, sporo nowego wniosła inskrypcja króla perskiego, Szapura I, ale chronologia tych lat jest wciąż sporna.

Zapewne już w 253 roku Boranie — był to chyba irański lud znad Morza Azowskiego — próbowali zdobyć miasto portowe Pitjunt u stóp Kaukazu. Odparł ich energiczny dowódca tamtejszych sił rzymskich, Sukcesjan. Gdy jednak został odwołany przez cesarza, Boranie zjawili się znowu w rok lub dwa później na okrętach, których musieli dostarczyć im mieszkańcy znad Bosforu Kimeryjskiego, zwanego obecnie Cieśniną Kerczeńską. Tym razem Pitjunt zdobyli. Zagarnęli także znajdujące się w tym porcie okręty. Obsadzili je jeńcami i ruszyli wzdłuż wybrzeży pod Trapezunt, miasto bogate i ludne, do którego napłynęło wielu mieszkańców z okolicy wraz z dobytkiem, gdy tylko przyszła wieść o zbliżaniu się barbarzyńców. Mury Trapezuntu były potężne, ale załoga rozleniwiona i zbyt pewna siebie. Toteż pewnej nocy najeźdźcy po prostu przystawili do murów — których nikt nie pilnował — wysokie pnie drzew i zręcznie wspięli się po nich. Większość żołnierzy uciekła z miasta, Boranie zaś zdobyli niemal bez oporu ogromne bogactwa i mnóstwo jeńców. Okazalsze budowle zniszczyli — dla samej przyjemności niszczenia. Powrócili do kraju na okrętach wypełnionych łupami, wzbudzając podziw i zawiść swych sąsiadów Gotów.

Również ci postanowili zatem wyprawić się na ziemie imperium, które tak łatwo grabić. Zbudowali okręty — pomagali w tym jeńcy — i zimą zapewne z 266 na 267 rok ruszyli wzdłuż zachodnich brzegów Morza Czarnego; część gockich wojowników szła natomiast lądem. Tak dotarli w okolice

Bizancjum. Tu zajęli łodzie rybackie i śmiało przeprawili się przez cieśninę na brzeg azjatycki. W Chalcedonie stał silny garnizon rzymski, ale część żołnierzy przezornie wycofała się już wcześniej, niby to na spotkanie nowego dowódcy, przysłanego przez cesarza, pozostali zaś uciekli natychmiast, gdy tylko usłyszeli, że Goci są w pobliżu. Barbarzyńcy opanowali miasto i zdobyli bogate łupy bez walki. Następnie zajęli, również nie napotykając oporu, stolicę Bitynii, Nikomedię. W tym dużym, kwitnącym mieście szukali schronienia liczni mieszkańcy okolic z wszystkim, co mieli najcenniejszego. Podobnie łatwą zdobyczą stały się inne miasta krainy, wśród nich Nicea i Prusa. Goci podczas powrotu z wyprawy puścili je z dymem. Wszystko, co złupili, załadowali na swe okręty i łodzie. Odpłynęli do ojczyzny spokojnie, nie zaczepiani przez nikogo.

To tylko wyrywkowe, przypadkowo zachowane relacje o grozie tamtych dni w krainach, które od dawna cieszyły się pokojem i dobrobytem. Zwraca uwagę niemal identyczny scenariusz wydarzeń w Trapezuncie, Chalcedonie, Nikomedii, a pewnie i gdzie indziej. Oto ludność cywilna, ufając w moc i opiekę rzymskiego oręża, zawczasu przenosi się z terenów otwartych do miast, w których stacjonowały wojska — i wszędzie powtarza się to samo: tchórzliwi, zdemoralizowani żołnierze nawet nie próbują walczyć, uciekają pierwsi, wydając barbarzyńcom bezbronnych mieszkańców i cały ich dobytek. Tak wyglądała ówczesna armia rzymska, tak nisko upadł duch bojowy legionów Augusta, Trajana, Marka Aurelego, Septymiusza Sewera! Trudno się dziwić, że mając takich obrońców, imperium doznawało tylu klęsk.

A co robił cesarz? Walerian przebywał na Wschodzie na pewno już w 256 roku, a może i wcześniej. Wieść o najeździe Gotów zastała go gdzieś nad Eufratem. Zamierzał udać się do Bitynii, powstrzymała go jednak zaraza, dziesiątkująca jego legiony. Zresztą nie było po co tam śpieszyć, skoro Goci odeszli równie szybko, jak się zjawili. Pozostał więc w innych rejonach, wysyłając tylko posiłki do Bizancjum.

Napis na skale

Naprawdę groźne i bliskie niebezpieczeństwo czyhało od wschodu. Poprzednie bowiem najazdy — Boranów i Gotów — choć bolesne w skutkach i zaskakujące, zwłaszcza te dokonywane od strony morza, miały jednak zasięg stosunkowo ograniczony; przynajmniej na razie. Persowie natomiast pod wodzą wojowniczego króla Szapura zadawali ciosy straszliwe na rozległych obszarach. Właśnie za Waleriana Szapur dokonał dwóch wypraw w głąb Wschodu rzymskiego; prawdopodobnie w latach 253 i 256 — badacze dotąd wiodą spory o chronologię tych wydarzeń. Król perski we wspomnianej już tu inskrypcji naskalnej, odkrytej w pobliżu Persepolis w latach 1939-1940, oznajmia: „Ruszyliśmy na państwo Rzymian. Rozgromiliśmy w Barbalissos ich wojska, 60 000 ludzi. Syria oraz krainy i ludy wokół, wszystko to zostało przez nas spalone, spustoszone, zdobyte". Następnie napis Szapura I wymienia 37 miast i miasteczek w Syrii, Palestynie, Kapadocji. Na liście tej znajduje się także syryjska Antiochia, jedno z największych i najwspanialszych miast ówczesnego świata.

O zdobyciu Antiochii za Waleriana wspominają też, co prawda bardzo mętnie, inne źródła. Wiemy więc, że Persowie zjawili się tam zupełnie niespodziewanie — tak szybki był ich pochód. Podobno podczas przedstawienia, gdy wszyscy patrzyli na scenę, aktorka nagle krzyknęła: „To chyba Persowie, jeśli nie śnię"! Nie śniła: perscy łucznicy stali na ogrodzeniu okalającym amfiteatr i naciągali już cięciwy. Nim widzowie zdążyli zwrócić głowy ku górze, dosięgły ich strzały. Tak samo zginęło wielu spokojnych przechodniów na ulicach. Najeźdźcy obrabowali miasto, podpalili gmachy publiczne i prywatne, a nikt nie stawiał najmniejszego oporu; także wtedy, gdy odchodzili obładowani zdobyczą, wiodąc mnóstwo jeńców. Wejście do Antiochii ułatwił Persom niejaki Mariades, członek rady miejskiej, wyrzucony za nadużycia i dyszący żądzą zemsty. Być może początkowo popierała go część ludności umęczona rzymskim uciskiem podatkowym. Kto wie, czy Szapur nie zamierzał uczynić z Mariadesa marionetkowego cesarza. Wnet wszakże zdrajca zginął; według jednych z ręki Szapura, według innych schwytany przez współobywateli i żywcem spalony.

Podczas któregoś z owych dwóch najazdów — w 253 lub 256 roku — Persowie zdobyli też twierdzę Dura Europus nad Eufratem. Jako osadę założyli ją Macedończycy przed rokiem 300 p.n.e., potem władali nią Partowie, a od II wieku n.e. Rzymianie. Zawdzięcza ona obecny rozgłos i znaczenie dla nauki właśnie swej nagłej śmierci i temu, że ludzie opuścili ją niemal całkowicie od chwili tamtego najazdu perskiego na wiele wieków. Dopiero w 1928 roku rozpoczęto tu systematyczne wykopaliska, które dały wyniki godne największej uwagi. Odsłonięto oblicze codzienności w starożytnej miejscowości pogranicznej, którą zamieszkiwała ludność różnego pochodzenia i gdzie mieszały się rozmaite kultury, obyczaje, wierzenia. Byli tam Grecy, Syryjczycy, Persowie, Rzymianie, Żydzi. Istniały świątynie wielu bóstw. Interesujące są pozostałości synagogi żydowskiej, zdobionej malowidłami ściennymi o tematyce biblijnej. Była też kaplica chrześcijańska. Dla historyka niezmiernie ważne, bo też niesłychanie rzadkie, są dokumenty z kancelarii wojskowej tamtejszego garnizonu; pozwalają one wejrzeć w funkcjonowanie administracji wojskowej w najdrobniejszych szczegółach.

Greckie i rzymskie źródła milczą całkowicie o klęsce pod Barbalissos. Czy to przypadek? Jak już mówiliśmy, źródła do tej epoki są bardzo skąpe, ale przecież istnieją. Nasuwa się więc przypuszczenie, że tę dotkliwą klęskę chciano po prostu przemilczeć. Ostatecznie świadomość historyczna narodów działa na tych samych zasadach co i świadomość jednostkowa, to znaczy tłumi i usuwa z powierzchni wszystko, co drażliwe, niewygodne, zawstydzające. Kanny nie dały się wymazać, bitwę bowiem stoczono w samej Italii, miejscowość Barbalissos natomiast leżała gdzieś nad Eufratem, na krańcach świata. Zresztą po Kannach przyszły wreszcie zwycięstwa, bitwa więc mogła stanowić powód do swoistej dumy, skoro nie załamała ducha. Po

Barbalissos natomiast przeżyto wkrótce jeszcze straszliwszą klęskę i jeszcze większą hańbę.

Walerian zapewne w tej bitwie nie dowodził, król perski bowiem nie omieszkałby tym się pochwalić w swej relacji wyrytej na skale. Może cesarza jeszcze tam nie było? A może przybył na rzymski Wschód właśnie z powodu klęski? W każdym razie jego obecność na tych obszarach cesarstwa, niewątpliwie od 256 roku, chyba wpłynęła na to, że Persowie po dokonaniu potwornych zniszczeń szybko się wycofali, widocznie zdając sobie sprawę z wojskowej przewagi Rzymian.

I oto po tak bolesnych wydarzeniach, gdy miasta wielu krain jeszcze leżały w gruzach, a wróg dopiero co ustąpił z granic, Walerian, jakby nie dość było tych nieszczęść, sam rozpętał falę represji w stosunku do części swych poddanych! W 257 roku ukazał się edykt wznawiający prześladowanie chrześcijan; jego postanowienia rozszerzył i zaostrzył edykt w roku następnym. Pierwszy zabraniał biskupom i prezbiterom odprawiania nabożeństw publicznych, wszystkim zaś chrześcijanom wstępu na ich cmentarze i odbywania zgromadzeń, drugi natomiast groził natychmiastową śmiercią kapłanom, surowymi zaś karami osobom stanów wyższych i służącym domu cesarskiego, gdyby nie porzucili chrześcijaństwa.

Ta gwałtowna akcja przeciw nowej religii zaskoczyła tym bardziej, że w początkach panowania Walerian podobno okazywał chrześcijanom przychylność. Nagłą zmianę w nastawieniu cesarza, jak sądzono, wywołał Makrian, naczelnik finansów, rzekomo związany — tak głosili chrześcijanie — z magami egipskimi. Lecz nowsza krytyka źródeł wykazała odpowiedzialność samego Waleriana. Jak niemal wszyscy arystokraci rzymscy był on niechętny kultom wschodnim i chyba współdziałał poprzednio z Decjuszem we wszczęciu tamtych prześladowań. Jeśli okazywał potem jakąś życzliwość chrześcijaństwu, to tylko przejściowo ze względów taktycznych. Ale pasmo ostatnich klęsk kazało mu szukać winnych, aby odwrócić uwagę ogółu i rzucić pospólstwu na pastwę tych, co ściągnęli na świat rzymski gniew bogów. A przy sposobności mógł nieco podreperować skarb imperium — oczywiście przez konfiskaty dóbr należących do chrześcijan. W tym zakresie inicjatywa ministra finansów, Makriana, może istotnie odegrała pewną rolę.

Prześladowania objęły całe państwo i pochłonęły wiele ofiar. W Rzymie biskup Sykstus II uwięziony został wraz z diakonami podczas nabożeństwa w katakumbach. Wszystkich ich potem ścięto. Tamże i w tym samym okresie poniósł śmierć męczeńską diakon Laurencjusz, czyli Wawrzyniec, później jeden z najbardziej popularnych świętych. W Kartaginie zginął biskup Cyprian, po którym pozostały liczne i ważne traktaty teologiczne. Zabito tam również diakonów Lucjusza i Montanusa. W numidyjskiej Cyrcie zgładzono lektora Mariana i diakona Jakuba. W Aleksandrii natomiast biskup Dionizy oraz liczni tamtejsi prezbiterzy i diakoni poszli na wygnanie. To tylko garść przykładów z długiej listy ofiar.

Gdy trwały owe prześladowania, doszło do nowej i niespodziewanej katastrofy w tym tak nieszczęsnym okresie. Oddajmy najpierw głos królowi perskiemu Szapurowi.

„Podczas trzeciej wyprawy, gdy ruszyliśmy na Karry i Edessę i gdy oblegaliśmy te miasta, cesarz Walerian wyszedł przeciw nam. A byli z nim ludzie z krain wielu [tu następuje wyliczenie prawie wszystkich prowincji imperium], armia siedemdziesięciotysięczna. I tam w okolicach miast Karry i Edessa stoczyliśmy wielką bitwę z cesarzem Walerianem i własnymi rękami schwytaliśmy go oraz pozostałych namiestników, senatorów, wodzów, którzy stali na czele tej armii. Ich wszystkich schwytaliśmy naszymi rękoma i poprowadziliśmy do Persji. A Syrię, Cylicję, Kapadocję spaliliśmy ogniem, spustoszyliśmy, ludność zaś pognaliśmy w niewolę".

Kiedy była ta bitwa, jaki był jej przebieg, w jaki sposób cesarz Rzymian dostał się do niewoli? Jak doszło do rzeczy niebywałej — najstraszliwszego upokorzenia imperium w całej jego historii? O tym skała z napisem Szapura milczy, a źródła greckie i rzymskie mówią bardzo powściągliwie. Najobszerniejsze z nich, *Historia Nea* (czyli „Historia najnowsza") Zosimosa, dzieło pisane po grecku dopiero pod koniec V wieku, choć oczywiście na podstawie relacji wcześniejszych, przedstawia sprawę w ogóle inaczej.

 Gdy zaraza zabrała większą część wojsk Waleriana, Szapur

najechał ziemie wschodnie i zagarnął je. Cesarz nie potrafił zaradzić krytycznej sytuacji, brakło mu energii, chciał zakończyć wojnę za pomocą pieniędzy. Szapur jednak odprawił jego posłów z niczym, żądał natomiast, aby cesarz osobiście z nim pertraktował. Walerian nierozumnie przystał na te żądania. Udał się z małą eskortą do Szapura, aby prowadzić rozmowy o zawarciu trwałego pokoju. Tam został niespodziewanie i zdradziecko schwytany. Pozostał u Persów jako jeniec i zmarł w niewoli.

A więc — pojmanie w bitwie, podczas walki czy też podstępem? Komu mamy wierzyć — Persom czy Rzymianom? Na te pytania dziś nikt nie odpowie, jak zresztą nie umiano lub nie chciano odpowiedzieć w przeszłości. Pewne jest, że stało się to w Syrii, gdzieś pomiędzy Edessą (dzisiejszą Urfą, *Orhai*, w południowej Turcji) a Karrami (*Carrhae*, obecnie Harran). Kiedy? Może wiosną 259 roku, a może dopiero u schyłku 260 roku. I tej kwestii nie da się dziś rozstrzygnąć. Jaki był los pojmanego cesarza? Jeśli wierzyć niektórym opowieściom, przeżywał każdego dnia najgorsze upokorzenia, król bowiem wsiadając na wóz lub na konia zawsze kładł nogę na zgiętym karku cesarza. Gdy zaś Walerian zmarł — nie wiadomo po ilu latach niewoli — zdarto zeń skórę i powieszono w świątyni. Może opowieści te są tylko płodem łatwego fantazjowania. Zwłaszcza propaganda chrześcijańska, jak zawsze w takich wypadkach każda propaganda, rada była pokazać, że prześladowcę spotkała kara straszliwa. Faktem jest jednak, że Szapur I kazał uwiecznić na skalnej płaskorzeźbie postać klęczącego przed nim cesarza. A także to, że nikt nie starał się wykupić go z niewoli, nawet rodzony syn Galien, drugi pan imperium.

Galien

Publius Licinius Egnatius Gallienus
Ur. w 218 r.,
zm. wiosną 268 r.
Panował od jesieni 253 r. do 259 lub 260 r. wraz z ojcem Walerianem, następnie zaś do śmierci sam jako *Imperator Caesar Publius Licinius Egnatius Gallienus Augustus.* Został zaliczony w poczet bogów.

Imperium w ruinie

Ponieważ Walerian rządził głównie Wschodem, zadaniem jego syna i współwładcy, Galiena — w 253 roku miał 35 lat — było osłanianie prowincji europejskich przed najazdami ludów barbarzyńskich zza wielkich rzek granicznych. Czynił to nie bez powodzenia. Zdołał ubezpieczyć przynajmniej częściowo i na jakiś czas linię Renu, gdzie pokonał Alamanów. Przybrał sobie przydomek *Germanicus Maximus*, a na jego monetach pojawiły się napisy *Restitutor Galliarum*, „Odnowiciel prowincji galijskich". Nie były to wszakże sukcesy pełne i trwałe, gdyż hordy Germanów, zwłaszcza Franków, przedzierały się później aż do Hiszpanii. Co gorsza, Alamanowie przełamali obronę górnego Dunaju i latem 257 lub 258 roku po przekroczeniu Alp dotarli aż w okolice Mediolanu. Podobno jakieś ich watahy grasowały nawet w pobliżu Rzymu, co wywołało tam straszliwy popłoch. Cesarz jednak rozgromił barbarzyńców w bitwie pod Mediolanem, choć siły miał liczebnie mniejsze. Chyba tu po raz pierwszy wykazały przydatność w walce nowe, duże formacje jazdy wprowadzone do rzymskiej armii właśnie za Galiena. Dowodził nimi Marek Acyliusz Aureolus, przez wiele lat jeden z najzdolniejszych wodzów cesarza.

Wkrótce potem — chyba w 258 roku — w Panonii nad środkowym biegiem Dunaju pojawił się samozwaniec, namiestnik tamtejszej prowincji, Ingenuus. Bezpośrednią przyczynę buntu stanowiła podobno podejrzliwość, którą okazywała namiestnikowi żona cesarza, Kornelia Salonina; ten więc wolał uprzedzić spodziewany akt niełaski. W rzeczywistości powodem było jednak głębokie niezadowolenie wojsk i ludności prowincji naddunajskich. Uważano tam, że cesarz zaniedbuje te ziemie i poświęca zbyt wiele uwagi Italii i Galii, co umożliwia Gotom, Markomanom, Jazygom, Kwadom i Karpom dokonywanie bezustannych łupieżczych najazdów. Rebelia została wkrótce stłumiona, choć zmagania były wyjątkowo krwawe i dosłownie bratobójcze, gdyż po obu stronach walczyli ludzie z tych samych prowincji, miejscowości, a nawet rodzin. I tutaj dużą rolę odegrała jazda Aureolusa. Całe panowanie Ingenuusa było tak krótkie, może kilkunastodniowe, że nie zdołał on nawet wybić swych monet; w każdym razie żadne się nie zachowały.

Pokonany uzurpator znalazł rychło następcę. Był nim Publiusz Korneliusz Regalian, któremu purpurę dały zapewne najbardziej nieprzejednane resztki rozgromionej armii Ingenuusa. Lecz i ten jest dla nas tylko cieniem, choć musiał władać gdzieś nad Dunajem nieco dłużej, skoro spotyka się monety, co prawda bardzo rzadkie, z napisem: *Regalianus Augustus.* W stolicy Panonii Górnej, w Karnuntum, wybijano również antoniniany z wizerunkiem żony uzurpatora, Driantylli, i tytułem: *Sulpicia Dryantilla Augusta.* Podobno Regalian szczycił się pochodzeniem od sławnego króla Daków Decebala, którego zwyciężył cesarz Trajan przed prawie stu pięćdziesięciu laty.

Te efemeryczne postaci samozwańców nie były zbyt groźne same przez się, lecz jako symptom głębszej choroby zapowiadały całą lawinę podobnych, choć znacznie groźniejszych rebelii.

Galien również zjawił się nad Dunajem. Tam spotkał go ciężki cios: w początkach 258 roku zmarł — może jako ofiara wciąż niewygasłej zarazy? — jego starszy syn, cezar Walerianus (*Publius Cornelius Licinius Valerianus*). Przedwcześnie zmarły młody człowiek został zaliczony w poczet bogów — przynajmniej świadczą o tym monety, ojciec zaś musiał obdarzyć tytułem cezara syna młodszego, jeszcze chłopca, Licyniusza Salonina; ten przydomek wziął oczywiście po matce, Kornelii Saloninie. Chyba w dwa lata później cesarz nadał mu tytuł augusta — może było to już po klęsce Waleriana — i osadził go w Kolonii nad Renem. Wierzył zapewne, że sam tytuł chłopca oraz wieść o jego obecności tuż u granic wystarczą, aby powstrzymać zapędy barbarzyńców. Ponieważ musiał udać się w inne strony, do Italii i nad Dunaj, pieczę nad synem powierzył Sylwanowi, zapewne prefektowi pretorium. Jednakże faktyczne dowództwo armii Renu miał w swym ręku Marek Kasjanus Latyniusz Postumus, rezydujący w Moguncji (*Mogontiacum*). Między obydwoma dostojnikami musiało nieuchronnie dojść do rywalizacji o pierwszeństwo w podejmowaniu decyzji.

Prawdziwy konflikt wybuchł wczesnym latem 260 roku. Przedmiotem sporu stały się łupy, jakie zdołano odbić Germanom powracającym z wyprawy do Galii. Postumus zamierzał rozdzielić je między swych żołnierzy, Sylwan natomiast zgodnie z prawem zatrzymać na dworze i ewentualnie zwrócić dawnym właścicielom. Ale w czasach zdziczenia decydowała nie ustawa, lecz wola, a raczej chciwość żołnierzy. Postumus więc ruszył ze swoimi wojskami na Kolonię i otoczył miasto. Załoga przeszła wnet na jego stronę, wydając Salonina i Sylwana; obu zabito, Marka Postumusa zaś okrzyknięto cesarzem. Wkrótce opowiedziały się za nim wszystkie prowincje Galii, a potem także Brytania i Hiszpania. Postumus więc stał się panem całego pasa krain nadatlantyckich, Galien zaś nie mógł rozpocząć żadnych działań, groziły mu bowiem inne niebezpieczeństwa.

Co stanowiło rzeczywistą przyczynę zarówno tej rebelii, jak też poprzednich i wielu następnych? Oczywiście w każdym wypadku jakąś rolę odgrywała ambicja jednostek, rywalizacja armii, spory lokalne. Była wszakże wspólna przyczyna, było podłoże sprzyjające owym buntom i uzurpacjom. Oto w obliczu katastrofalnej sytuacji gospodarczej i wojskowej całego państwa każda kraina uważała, że to ona jest szczególnie krzywdzona i lekceważona. Wszędzie ludność była najgłębiej przeświadczona, że powinno się dbać najpierw o jej dobro i spokój. Każda prowincja uważała za rzecz oczywistą, a zarazem oburzającą, że to jej kosztem broni się innych rejonów. Stąd zabiera się wojska, zasoby, pieniądze i wysyła gdzieś daleko, podczas gdy nieprzyjaciel wchodzi swobodnie jak przez otwartą bramę, niszcząc wszystko ogniem i mieczem! Czemu to — na pewno tak wołano w Galii — cesarz widzi tylko kraje naddunajskie, a nad Renem zostawia jako obrońcę małego chłopca?

Tak więc wszystkie kraje imperium myślały egoistycznie i krótkowzrocznie tylko o sobie i wszystkie miały pretensje do cesarza, że poświęca za dużo troski innym obszarom. Państwo, na które zewsząd waliły się burze, było po prostu zbyt wielkie, aby jeden człowiek mógł sprostać problemom różnych dzielnic, tak odległych od siebie. W tym tkwiła prawdziwa przyczyna tendencji odśrodkowych i ciągłego pojawiania się samozwańców.

A wśród nich Postumusowi pisany był sukces wyjątkowy, na co złożyły się co najmniej trzy istotne przyczyny. Po pierwsze, wszystkie prowincje zachodnie były ściśle powiązane gospodarczo i etnicznie, a także miały wspólne potrzeby obronne. Po drugie, Postumus, pochodzący z niższych warstw społecznych, zapewne żołnierz zawodowy, dobrze się wywiązywał z trudnych zadań i spełnił nadzieje, które pokładała w nim ludność i armia. Zdołał obronić Galię przed zalewem barbarzyńców zza Renu, choć watahy germańskie nieraz wdzierały się bardzo głęboko, o czym świadczą skarby ówczesnych monet pośpiesznie zakopywane w ziemi i nigdy już nie odnalezione przez prawych właścicieli. I wreszcie po trzecie, Postumus miał dość czasu, by umocnić swą władzę, ponieważ cesarz legalny nie mógł natychmiast wyprawić się przeciw niemu.

Postumus był dobrym gospodarzem i organizatorem. Ukonstytuował własny senat, mianował swoich konsulów — niezależnie od powołanych w Rzymie — rezydencję zaś ustanowił w Trewirze (*Augusta Treverorum*). Wybijał też złote monety, w Lugdunum (dzisiejszy Lyon) i w Kolonii oraz oczywiście w Trewirze. Zachowało się ich niewiele, stosunkowo często natomiast spotyka się jego monety z niemal czystej miedzi z nieznaczną domieszką srebra, a więc typowy pieniądz inflacyjny, nie gorszy jednak od Galienowego. Wizerunki i napisy na nich świadczą również, że Postumus uważał się po prostu za władcę Rzymu. Występuje więc jako Obrońca Wiecznego Miasta, jako rzymski Herkules, a nawet jako Odnowiciel Świata. W odpowiednich warunkach zapewne próbowałby zdobyć całą Italię wraz z Rzymem, ale zbyt absorbowały go sprawy nadreńskie. Podobno jednak zawładnął na krótko Mediolanem. W każdym razie, jak zobaczymy, zdołał się utrzymać przez dziewięć lat, aż do 269 roku.

Lata 259—260 były wyjątkowo tragiczne dla Galiena osobiście i dla całego imperium: śmierć syna w Kolonii, uzurpacja Postumusa na Zachodzie, klęska Waleriana na Wschodzie i jego perska niewola — hańba, jakiej cesarstwo nigdy nie zaznało. Wojska Szapura rozlały się szeroko po Syrii i Azji Mniejszej rabując i niszcząc dziesiątki miast kwitnących, a ludność ich masowo uprowadzając w niewolę. Nazwy owych krain i miejscowości król wymienia z dumą w swej inskrypcji, oświadcza też wyraźnie, że przygnaną z rzymskich prowincji ludność osadził na ziemiach perskich.

Ale w bitwie z Szapurem w okolicach Edessy — jeśli

rzeczywiście doszło tam do tak wielkiej bitwy, jak chełpi się król — nie wziął udziału minister finansów Waleriana i szef zaopatrzenia armii, Makrian. Pozostał na tyłach, w mieście Samosata nad Eufratem, strzegąc kasy wojskowej i magazynów; zresztą trudno mu było ruszać w pole, jako że był chromy. Walerian — już jako perski jeniec — wysłał natychmiast do Makriana urzędników z wezwaniem, aby się stawił u Szapura; chodziło niewątpliwie o pertraktacje w sprawie wykupu. Makrian wszakże odmówił stanowczo. Wysłannikom powiedział: „Ci, od których przynosicie wezwanie, nie są moimi panami; jeden jest po prostu naszym wrogiem, drugi zaś obecnie nie jest nawet panem samego siebie".

Tak więc minister pozostawił cesarza jego własnemu losowi, poświęcił natomiast wszystkie siły ratowaniu tego, co jeszcze było do ocalenia. Miał w swym ręku cały skarb, a w różnych miastach i obozach pozostało sporo oddziałów wojska. Był też dzielny dowódca Kalikst, noszący przydomek: Ballista. Część jego zbrojnych zaatakowała z okrętów kolumnę Persów, beztrosko posuwającą się wybrzeżami Cylicji. Zdobył też tabory Szapura i jego harem. Może właśnie te porażki zmusiły perskiego króla do odwrotu, podczas którego znaczne straty zadał mu ponadto władca Palmiry, Septymiusz Odenat. Wszystko to sprawiło, że potem Persowie przez dłuższy czas zachowywali spokój.

Makrian początkowo wybijał monety z wizerunkiem i w imieniu Galiena, ale jesienią 260 roku otoczenie postanowiło go usamodzielnić. Powody były na pewno te same, które skłaniały do buntów i uzurpacji gdzie indziej. Uznano widocznie, że Galien nie zdoła udzielić prowincjom wschodnim należytej pomocy, toteż Ballista i Makrian muszą wziąć sprawy w swoje ręce. Ponieważ ten pierwszy był człowiekiem zbyt niskiego rodu, a drugi zasłaniał się wiekiem i kalectwem, obwołano cesarzami dwóch synów Makriana: starszego, noszącego imię ojca, oraz młodszego, Kwietusa. Wschód rzymski przyjął nowych władców przyjaźnie, ufając, że osłonią oni te ziemie przed najazdami Persów. Również Egipt opowiedział się po stronie młodych Makrianów.

Sytuacja Galiena stała się rozpaczliwa. Utracił cały Zachód

i cały Wschód, prowincje najbogatsze i najludniejsze. Pozostały mu prócz Italii tylko krainy alpejskie i bałkańskie, straszliwie jednak spustoszone, oraz — na szczęście — prowincje w północnej Afryce, żyzne i stosunkowo spokojne. Co prawda i tam sporo złego czyniły wypady koczowników z pustynnego południa. W walce z nimi poległ w 260 roku oficer Gargiliusz Marcjalis, autor dzieła o rolnictwie i lekach roślinnych, którego część się zachowała. Pisał też o życiu cesarza Aleksandra Sewera. Mieszkańcy jednego z miast w Mauretanii uczcili pamięć Marcjalisa napisem sławiącym „wielką miłość do współobywateli i szczególne przywiązanie do ojczyzny" oficera, który zginął w zasadzce. Jeśli imperium jeszcze trwało, to głównie dzięki tysiącom ludzi — takich jak Marcjalis — spełniających wciąż swój żołnierski i urzędniczy obowiązek na wszystkich jego krańcach, nieraz w beznadziejnych sytuacjach.

Galien był w 260 roku władcą kadłubowego państwa. Co gorsza, sam nie mógł uczynić żadnego posunięcia. Walczyć naraz na dwóch frontach nie był w stanie, gdyby zaś zwrócił się tylko przeciw jednemu wrogowi, zadano by mu niechybnie cios z tyłu. Cóż więc pozostawało? Musiał czekać na ruch któregoś z tamtych, modląc się do bogów, aby obaj nie zaatakowali jednocześnie.

Jako pierwsza ruszyła wiosną 261 roku armia uzurpatorów wschodnich. Obaj Makrianowie, ojciec i syn, wkroczyli do prowincji bałkańskich wiodąc kilkadziesiąt tysięcy ludzi; Kwietus i Ballista pozostali w Syrii. Wojska Galiena pod wodzą Aureolusa zastąpiły najeźdźcom drogę chyba w Panonii. Początkowo wydawało się, że do bitwy w ogóle nie dojdzie, gdyż legiony prawowitego cesarza wyraźnie sprzyjały Makrianowi; nie zapomniano przecież Galienowi, że tak niedawno stłumił właśnie w Panonii dwie rebelie, Ingenuusa i Regaliana. Ale i legiony wschodnie nie miały najmniejszej ochoty

 toczenia walki. Gdy zatem już na polu bitwy jeden z ich

chorążych przypadkowo upadł, wszyscy pozostali uznali to za sygnał umyślny — i zgodnie pochylili godła swych oddziałów na znak, że się poddają. Samozwańczy cesarz, Tytus Fulwiusz Juniusz Makrian, i jego ojciec zapłacili głową za ambicje i blask krótkotrwały. W kilka miesięcy później drugi cesarz Wschodu, Kwietus, oraz jego wódz Ballista zginęli w Emesie syryjskiej za przyczyną Odenata. Władca Palmiry stanął więc zdecydowanie po stronie Galiena i zyskał przez to wiele. Otrzymał mianowicie od cesarza tytuł rzymskiego wodza i zarządcy całego Wschodu; mógł dysponować armią i zasobami imperium w tamtych stronach. Stał się w istocie władcą niezależnym, gdyż pan Rzymu, słaby i przebywający daleko, nie miał żadnej możliwości nadzorowania jego rządów. Odenat sytuację tę wykorzystał do uświetnienia samej Palmiry, którą znacznie rozbudował i uczynił z niej miejsce do wypadów na terytorium perskie. I tak rozpoczęły się wielkie dni pustynnego miasta świątyń i pałaców, które swe bogactwa i znaczenie zawdzięczało handlowi karawanowemu między Mezopotamią i Syrią. A jakie korzyści wyniósł z tego Galien? Niemałe. Tracił wprawdzie faktyczną kontrolę nad dużymi obszarami Syrii i Mezopotamii, formalnie jednak nadal pozostawał ich władcą; nade wszystko zaś zyskiwał potężnego sojusznika, który skutecznie bronił prowincji wschodnich przed najazdami Szapura.

Nagle jednak pojawiło się niebezpieczeństwo w Egipcie, kraju niezmiernie ważnym, bo zaopatrującym stolicę w zboże. Jego prefekt, Lucjusz Musjusz Emilian, wnet po upadku Makriana i Kwietusa przywdział purpurę, co z kolei doprowadziło do walk i zamieszek w różnych rejonach nad Nilem. Dopiero przysłany na czele floty Aureliusz Teodot usunął uzurpatora i przejął w 262 roku urząd prefekta.

To tylko zarys klęsk i nieszczęść, jakie spadły na imperium podczas zaledwie dziewięciu lat 253—262. Rejestr ponury, a przecież można by go jeszcze przedłużyć wymieniając nazwiska kilku zupełnie efemerycznych samozwańców, wyliczając najazdy barbarzyńców zza Dunaju, opisując trzęsienia ziemi. Cesarstwo zamieniło się w jedną wielką ruinę, a jego całkowity zgon wydawał się bliski i nieuchronny. A Galien stał nadal na swym posterunku i miał już wkrótce rozpocząć dziesiąty rok tragicznego panowania.

Kim więc był ów człowiek? Co można rzec o jego postawie, przekonaniach i celach? Jak go oceniać? Czy rzeczywiście zrobił wszystko, co było w jego mocy w tych warunkach, czy wykazał hart ducha i odporność, czy też po prostu dał się nieść fali wydarzeń i trwał jedynie dzięki szczęśliwym okolicznościom? Jak go widzieli współcześni, a jak historycy późniejsi z perspektywy wieków?

Na te pytania — najważniejsze przecież, jeśli pragnie się odmalować portret człowieka i cesarza — można dać odpowiedź śledząc zarówno dalszy tok wydarzeń, jak też przytaczając świadectwa o życiu osobistym i postępowaniu Galiena; świadectwa jak zobaczymy, bardzo sprzeczne.

Dwa portrety

Starożytny biograf Galiena w zbiorze *Pisarze historii cesarskiej* twierdzi, że ów cesarz doprowadził Rzym do ruiny przez sam tryb swego życia. Myślał tylko o własnych przyjemnościach, nurzał się we wszelkich rozkoszach. Igrzyska, przedstawienia teatralne, polowania, walki gladiatorów — wypełniały mu dni całe. W gruncie rzeczy nawet cieszył się z tego, że Persowie pojmali jego ojca, ciążyła mu bowiem powaga i surowość Waleriana; natychmiast też wymazał go ze swej pamięci. Był rozpustnikiem skłonnym do popełniania przeróżnych czynów hańbiących. Znosił spokojnie, a nawet z lekceważeniem wszelkie ciosy i klęski, które waliły się na cesarstwo, jeśli tylko czuł się osobiście bezpieczny. Odpadł Egipt, gdy zbuntował się tam prefekt Emilian? Wiadomość tę Galien przyjmuje niemal z uśmiechem: „Cóż to, nie potrafimy obejść się bez egipskiego płótna?" Kiedy prowincje Azji dotknęło trzęsienie ziemi i zaraza, a wiele tamtejszych miast zdobyli i zniszczyli Goci, władca zbywa ponure relacje żarcikiem: „Jak to, nie wyżyjemy bez soli tam wydobywanej?" Postumus ogłosił się samozwańczym cesarzem w Galii. On macha ręką zwracając się do swego otoczenia z nonszalanckim pytaniem: „A więc nasze państwo nie będzie bezpieczne, jeśli zabraknie mu płaszczy stamtąd sprowadzanych?" Toteż gardzono nim powszechnie, twierdzi ów historyk, co również przyczyniało się do upadku imperium. Władza bez autorytetu nie jest władzą.

Nie dość na tym — oburza się pisarz — Galien ośmielił się obchodzić uroczyście i z wielkim przepychem dziesięciolecie swych rządów! Odbył procesję na Kapitol we wspaniałej szacie, otoczony przez poczty sztandarowe i przez senatorów w togach, a poprzedzany przez żołnierzy w białych strojach i tłum niosący świece woskowe. Po obu stronach tego pochodu prowadzono po sto białych wołów ofiarnych; ich rogi były opasane złocistymi wstążkami, na grzbietach zaś miały barwne, mieniące się sztuki jedwabiu. Pędzono stada owiec, szło dziesięć słoni. Maszerował zastęp tysiąca gladiatorów, przeszła ponadto procesja dostojnych matron, a na wozach jechały hałaśliwe gromady wesołków i aktorów. Odbywały się przedstawienia, na ulicach bawiono się jak za najlepszych czasów. I wszystko to — daje do zrozumienia biograf — gdy imperium leżało w ruinie, a jego krainy odpadały obwołując własnych cesarzy, w wielu zaś prowincjach grasowali barbarzyńcy. Czy nie jest to dowód wyjątkowej beztroski i lekceważenia sytuacji? Po złożeniu ofiar na Kapitolu cesarz od razu powrócił do swego wyrafinowanego wygodnictwa wśród najwymyślniejszych rozkoszy.

I tak — idziemy wciąż za tym samym biografem — w porze wiosennej miał sypialnię z płatków róż. Dla zabawy wznosił całe twierdze z owoców. Rozmyślał, jak utrzymać winogrona w świeżości, nawet przez trzy lata, jak mieć melony w środku zimy, jak przechowywać w dobrym stanie moszcz winny przez cały rok; i chciał o każdej porze roku zrywać owoce prosto z drzewa. Jadał z naczyń złotych i srebrnych, włosy posypywał złotym pyłem, często wkładał diadem. Strój jego był pyszny, ale nierzymski, togi bowiem nie nosił. Paski od butów nawet miał wysadzane drogimi kamieniami. Gdy wychodził z pałacu, przygrywały mu flety, a gdy wracał — organy. Latem kąpał się sześć lub siedem razy dziennie, zimą dwa lub trzy, pływając w basenach w otoczeniu dostojników i pięknych kobiet. Ucztował wraz z konkubinami. Pijał tylko ze złotych pucharów, szklanymi gardził jako pospolitymi; gatunki wina podczas przyjęć wciąż zmieniał. Ale ów pan wytworny odznaczał się zarazem straszliwym okrucieństwem, bywało bowiem, że jednego dnia potrafił skazać na śmierć tysiące żołnierzy. I tak, konkluduje biograf, Galien bez przerwy błaznując wiódł cały świat ku zgubie.

Wtóruje mu rzymski historyk, Sekstus Aureliusz Wiktor, żyjący jednak też nie za czasów Galiena, lecz cały wiek później. Po przedstawieniu klęsk, jakie spadły na imperium, pisze: „A cesarz odwiedzał jadłodajnie i garkuchnie przyjaźniąc się ze sprzedawcami wina. Był pod wpływami żony Saloniny i haniebnej miłości do córki germańskiego króla; zwała się Pipa (...). Niegodziwie przekonywał ludzi, nie zdających sobie sprawy, jak powszechne jest nieszczęście, że wszędzie panuje spokój. Często też urządzał igrzyska oraz triumfy, jak to zwykło się czynić w sytuacji pomyślnej". I stwierdza na zakończenie: „Nigdy nie da się ukryć występków Galiena i każdy najgorszy władca zawsze będzie uważany za podobnego mu".

Twarde słowa, ponure fakty, osąd surowy. Ale władca był widocznie wyjątkowo nieudolny, skoro imperium się rozpadało. Czemu mielibyśmy nie wierzyć twierdzeniom rzymskich autorów, że zachowywał się haniebnie? Iluż to przed nim cesarzy zabawiało się równie nikczemnie w obliczu katastrofy państwa! Historyk więc miałby prawo przyjąć bez większych zastrzeżeń werdykt swych kolegów sprzed stuleci, pisarzy wprawdzie nie współczesnych Galienowi, lecz przecież jeszcze starożytnych. Większość zatem podręczników i opracowań aż do czasów niemal najnowszych uznaje właśnie tego cesarza za jednego z najgorszych w dziejach Rzymu. Jednakże jednym z cichych, lecz wspaniałych triumfów myśli badawczej jest to, że wysiłki dwóch ostatnich generacji uczonych zdołały przekreślić ów tak czarno malowany portret Galiena. Wykazano, że pędzel prowadziła stronniczość pewnych kręgów zrodzona ze ślepej nienawiści. Prawdziwy Galien to cesarz znakomity, jeden z najwybitniejszych, choć i najnieszczęśliwszych w poczcie panów imperium, zasługujący ze wszech miar na szacunek jako człowiek i władca. Dokonało się więc zwycięstwo przenikliwości i rzetelności badawczej nad zadawnionym fałszem. Pozwala to stwierdzić z satysfakcją, że historia jako nauka bywa sprawiedliwa, choć nierychliwa; odda każdemu, co mu się należy, jeżeli nie za lat sto, to na pewno za dwa tysiące.

Na jakiej wszakże podstawie i jaką drogą można by przeprowadzić tak gruntowne przewartościowanie? Jakie argumenty przemawiają za rehabilitacją Galiena i za przyznaniem należnego mu miejsca wśród zasłużonych, dobrych, może nawet najlepszych cesarzy? Trudno byłoby tu odtwarzać dowód, a raczej szeregi dowodów, rozproszone po uczonych rozprawach, gdzie dokładnie i krytycznie analizuje się cały materiał źródłowy. Można jednak wskazać pewne sprawy generalne.

Przede wszystkim więc zwrócono uwagę na fakt, że złe, oczerniające sądy o Galienie zawarte są tylko w dziełach historyków rzymskich, greccy natomiast nie mówią o nim nic uwłaczającego. Skąd ta różnica opinii? Otóż głównie stąd, że dziejopisowie rzymscy powtarzają opinie kręgów senatorskich w stolicy, które nienawidziły Galiena z całego serca. I nie bez powodu. Właśnie bowiem on zadał dotkliwy cios znaczeniu stanu senatorskiego, konsekwentnie — choć nie bez wyjątków — odsuwając jego przedstawicieli od dowodzenia legionami i od sprawowania namiestnictwa prowincji, powierzając zaś owe stanowiska członkom stanu ekwitów. Krótko mówiąc, Galien pozbawił senatorów rzeczywistego wpływu na administrację wielu krain i na armię, pozostawiając im tylko tytuły, tradycyjne przywileje i funkcje reprezentacyjne w stolicy. Uczynił to z dwóch przyczyn. Po pierwsze, senatorzy stojący na czele legionów i mający władzę nad ważnymi prowincjami mogli szczególnie łatwo sięgać po purpurę pod naciskiem swych wojsk, a w czasach, gdy wybuchało tyle rebelii i wciąż pojawiali się samozwańcy, kwestia ta stała się wyjątkowo drażliwa. Po drugie, senatorzy jako urzędnicy i dowódcy na ogół nie odznaczali się ani pracowitością, ani też zbytnią lojalnością. Byli po prostu zbyt pewni siebie z racji swych bogactw, dostojeństwa, powiązań. Ekwici natomiast, reprezentujący stan średni, mieli skromniejsze wymagania, mniej pychy, a więcej rzeczywistych talentów organizacyjnych. I jeszcze jedno: nowa polityka kadrowa Galiena oznaczała w praktyce oddzielenie władzy wojskowej od cywilnej w prowincjach, a przynajmniej wejście na drogę ku temu zmierzającą.

Jeśli chodzi o wojskowość, to była już mowa o doniosłej reformie tego cesarza: utworzył duże oddziały jazdy, co umożliwiało szybkie i skuteczne przeciwstawianie się najeźdźcom lub buntownikom. Był to zalążek wielu dalszych zmian, które już w pokolenie później całkowicie przekształciły oblicze i strukturę armii rzymskiej. Tak więc w dziejach wojskowości Rzymu Galien zajmuje miejsce poczesne. Jemu też zawdzięcza, jeśli nie początek, to na pewno rozbudowę i umocnienie formacja tzw. protektorów. Tytuł ten dawano wtedy oficerom bezpośrednio związanym z cesarzem i stanowiącym jakby sztab przyboczny; później oddziały protektorów miały przejąć rolę straży osobistej.

Już sam krótki przegląd tych reform, bardzo przemyślanych, celowych i skutecznych, wystarcza, aby wykazać całkowitą bezpodstawność tych opowiastek, które przedstawiają Galiena jako zniewieściałego nieroba, żyjącego w niesłychanym przepychu różanych komnat i myślącego wyłącznie o przyjemnościach, a wieści o klęskach zbywającego głupkowatymi żarcikami. Zresztą na ów rozkoszny tryb życia Galien zbyt wiele czasu by nie miał, gdyż w latach 254—262 prawie bez przerwy przebywał i walczył w krainach nadreńskich i naddunajskich. We wrześniu 262 roku rzeczywiście urządził w stolicy święto dziesięciolecia panowania, i to bardzo okazale, ale miało to sens i cele polityczne. Chodziło o naoczne zademonstrowanie ludowi Rzymu, że mimo wszelkich klęsk imperium wciąż jest potęgą. Stwarzało to również okazję do zjednania sobie przychylności armii, co było ważne po tylu buntach w latach poprzednich. A właśnie w 262 roku doszło do buntu w Bizancjum, który Galien stłumił osobiście i krwawo; echem tych wydarzeń jest przytoczone wyżej oskarżenie, że skazywał na śmierć po kilka tysięcy żołnierzy jednego dnia.

Wnet po uroczystościach, zapewne w 263 roku, cesarz wyprawił się za Alpy przeciw samozwańcowi Postumusowi, panu Galii, Brytanii i Hiszpanii. Dotychczas nie mógł tego uczynić, zagrażali bowiem uzurpatorzy wschodni, Makrianus i Kwietus, a obecnie, po ich rozgromieniu, ręce miał rozwiązane. Zaproponował Postumusowi, by stoczyli pojedynek — kto wygra, będzie panował nad całym imperium. Przekonywał, że oszczędziłoby to wiele tysięcy istnień ludzkich. Pomysł godny mężczyzny, prawdziwie rycerski, a zarazem rozsądny. Już sam ten fakt wystarcza, by obalić stertę fałszerstw i kłamstw, którymi wrogowie usiłowali przesłonić prawdziwe oblicze Galiena. Jego przeciwnik wszakże nie przyjął wyzwania, odpowiadając pogardliwie: „Nie jestem i nigdy nie byłem gladiatorem; uratowałem prowincje, nad którymi powierzyłeś mi pieczę, a skoro ich mieszkańcy dali mi purpurę, będę im pomagał w miarę sił radą i orężem".

Wojna prowadzona początkowo ze zmiennym szczęściem, przyniosła w pewnym momencie duży sukces Galienowi, ale nie mógł go wyzyskać wskutek opieszałości czy nawet zdrady głównodowodzącego jazdy, Marka Acyliusza Aureolusa. Postumus zamknął się w jednym z warownych miast, a oblegający go Galien odniósł ciężką ranę, toteż przerwał walkę i wycofał się do Italii. Również w latach następnych pozostawił samozwańca w spokoju. Było to pewne ryzyko polityczne, dobrze jednak świadczące o rozumie i powściągliwości cesarza. Przede wszystkim liczyło się przecież dobro imperium i bezpieczeństwo mieszkańców tamtych krain, a skoro Postumus potrafił osłonić ich przed najazdami barbarzyńców, przelewanie krwi rzymskiej w nowych wojnach domowych byłoby zbrodnią. Tak więc ta decyzja przynosi chwałę wielkoduszności Galiena.

Równie roztropne i dalekowzroczne było pozostawienie Odenata, księcia Palmiry, w roli wielkorządcy krain wschodnich. Ten dzielny władca toczył zwycięskie walki z Persami, uznając zarazem lojalnie formalne zwierzchnictwo cesarza.

Lata 263—266 przebiegały stosunkowo spokojnie w porównaniu z poprzednimi, kiedy to niemal każdy rok przynosił rebelie, najazdy, wojny. Tylko więc wtedy Galien mógł nieco dłużej przebywać w stolicy oddając się pracom pokojowym i swym prawdziwym umiłowaniom. Zostały one jednak złośliwie zniekształcone przez ludzi nienawidzących cesarza, a później historycy utrwalili ów karykaturalny obraz. W rzeczywistości zaś Galiena zajmowały nie uczty, igrzyska, wymyślne rozkosze, ale sprawy ducha, intelektu. Należał on mianowicie do najgorętszych wielbicieli greckiej kultury klasycznej, jacy kiedykolwiek zasiadali na tronie cesarskim. Pod tym względem równać się mógł z nim tylko Hadrian w wieku minionym, w następnym zaś Julian. Czcił greckich twórców i bogów. Dał temu symboliczny wyraz wobec całego imperium obejmując w Atenach honorowo urząd głównego archonta i uczestnicząc w pradawnych misteriach eleuzyńskich bogini Demeter. Pragnął ożywić i rozpowszechnić jej kult, sam zaś jako wyznawca niejako utożsamiał się z boginią, o czym świadczą wyobrażenia na niektórych monetach.

A skoro już wspomnieliśmy o monetach tego cesarza, trzeba powiedzieć, że należą one do najczęściej spotykanych, ale też do najpodlejszych, jeżeli idzie o jakość. Są to głównie antoniniany, czyli sztuki o wartości niby dwóch denarów srebrnych, w istocie zaś blaszki miedzi zaledwie kąpane w srebrze. Proceder ten, spowodowany trudnościami finansowymi państwa, oczywiście również przyczynił się do powstania złej opinii o Galienie jako władcy. Ale ktokolwiek byłby wtedy u steru rządów, musiałby postępować podobnie.

Powróćmy jednak do zainteresowań kulturalnych cesarza. Oto co pisze Porfiriusz, uczeń sławnego filozofa Plotyna, o którym była już mowa: „Wyjątkowy szacunek i cześć okazywali Plotynowi cesarz Galien i jego żona Salonina. Korzystając z ich przyjaźni Plotyn rzucił myśl, aby odbudować jedno miasto w Kampanii, podobno dawne miasto filozofów, leżące w gruzach. Miano podarować nowo założonemu miastu przyległe okolice, a mieszkańcy rządziliby się prawami Platona i nazwaliby miasto Platonopolis. Obiecywał również, że sam w nim osiądzie ze swoimi przyjaciółmi. I byłoby się spełniło życzenie filozofa, gdyby nie przeszkodzili temu niektórzy dworacy z zawiści czy złośliwości" (według przekładu A. Krokiewicza).

Chodziło oczywiscie o utopijny ustrój państwa doskonałego, jak wymyślił go Platon w IV wieku p.n.e. Była to tylko mrzonka, ale samo rozważanie takich planów wystawia dobre świadectwo Galienowi i jego otoczeniu. Jednocześnie zaś właśnie on, choć tak rozmiłowany w kulturze Grecji klasycznej i czczący jej bogów, przerwał prześladowanie chrześcijan, gdy tylko Walerian, który je rozpętał, dostał się do niewoli perskiej. Odtąd wyznawcy nowej religii cieszyli się całkowitą swobodą, co miało ogromne znaczenie historyczne.

 Salonina zapewne odgrywała dużą rolę w kształtowaniu

stosunku męża do spraw kultury, zwłaszcza greckiej. Towarzyszyła mu prawie wszędzie, także podczas wypraw wojennych. Było to chyba jedno z najlepszych małżeństw, jakie zasiadały na tronie Rzymu. Co nie przeszkadzało, że Galien istotnie wziął na swój dwór w charakterze konkubiny córkę króla Markomanów; uczynił to z oczywistych i usprawiedliwionych względów politycznych, aby uzyskać pokój na ważnym odcinku granicy naddunajskiej.

W 267 roku Goci najechali kraje Azji Mniejszej. Przypłynęli na okrętach zza Morza Czarnego. Zdobyli wiele miast, wśród nich Efez i Ilion (starożytną Troję); zapuścili się daleko w głąb lądu, ale zagrodził im drogę Odenat, władca Palmiry. Musieli więc zawrócić, odjechali jednak z wszystkimi łupami i jeńcami.

Już w początkach roku następnego Goci, Herulowie i Bastarnowie, olśnieni tak łatwym sukcesem i bogatą zdobyczą tej wyprawy, uderzyli na kraje bałkańskie, również od strony morza. Spustoszyli całą Grecję, pod Atenami wszakże dały im odpór uzbrojone oddziały tamtejszej ludności pod wodzą Deksyposa, który zdobył sobie później imię jako historyk. Także komendanci rzymskiej floty dzielnie atakowali okręty najeźdźców u wybrzeży. Rychło też przybył sam cesarz. W wielkiej bitwie nad rzeką Nestus w Tracji rozgromił cofających się barbarzyńców, nie mógł jednak wyzyskać zwycięstwa, nadeszły bowiem groźne wieści z Italii.

Zasłużony wódz Acyliusz Aureolus, stojący na straży alpejskiej prowincji Recji przed ewentualnym wtargnięciem barbarzyńców, obwołał się tam cesarzem i wkroczył do północnej Italii. Galien natychmiast pośpieszył przez Dalmację i Alpy na równiny nadpadańskie. Pokonał Aureolusa w otwartym polu nad rzeką Addą i zamknął go w Mediolanie. Salonina przebywała wraz z mężem w obozie, dzieląc z nim trudy i niebezpieczeństwa.

Tymczasem w najbliższym otoczeniu władcy powstał spisek. Uknuł go prefekt pretorium Heraklian oraz wysocy rangą oficerowie: Marcjan, Klaudiusz, Aurelian i Kekrops. Trudno dziś ustalić, jakie były bezpośrednie przyczyny sprzysiężenia, znamy natomiast sam przebieg zamachu.

Pewnego czerwcowego wieczora, gdy cesarz zasiadł już w namiocie do posiłku, nadszedł fałszywy meldunek, że Aureolus dokonuje wypadu z miasta. Galien natychmiast wstał od stołu i wskoczył na konia, nie czekając nawet na straż przyboczną; chciał jak najrychlej zachęcić żołnierzy do odparcia ataku. Nie ujechał jednak daleko. W ciemności i zamieszaniu ktoś zadał mu ranę śmiertelną. Według innej wersji w porę spostrzegł zdradę, zawrócił konia i byłby uszedł, ale koń przestraszony nagle stanął przed kałużą; tam dopadnięto cesarza i zabito. Publiusz Licyniusz Egnacjusz Galien miał w chwili śmierci lat 50, w tym 15 panowania.

Klaudiusz II Gocki i Kwintyllus

Marcus Aurelius Valerius Claudius
Ur. 10 maja zapewne w 214 r., zm. w początkach 270 r. Panował jako *Imperator Caesar Marcus Aurelius Valerius Claudius Augustus* od lata 268 r. do śmierci. Został zaliczony w poczet bogów.

Marcus Aurelius Claudius Quintillus
Brat poprzedniego. Panował mniej więcej 2 miesiące po jego śmierci wiosną 270 r. jako *Imperator Caesar Marcus Aurelius Claudius Quintillus Augustus*.

Galien zginął zamordowany przez swych oficerów późną wiosną, może w czerwcu 268 roku, w obozie pod Mediolanem, a los jego podzieliła towarzysząca mu żona Kornelia Salonina. Na wieść o tym doszło w Rzymie do wybuchu żywiołowej nienawiści wobec wszystkich bliskich mu osób. Podsycali ją szlachetni senatorzy, głęboko urażeni tym, że Galien odsuwał ich od dowództw i namiestnictw. Lud obarczał go winą za wszelkie nieszczęścia, jakie od kilkunastu lat nieprzerwanie spadały na imperium; chodziło także, a może przede wszystkim, o drożyznę i podły pieniądz.

Zabito więc w stolicy brata oraz najmłodszego, jedynego już syna Galiena, a także wielu doradców i urzędników. Działo się to w sposób bestialski, znieważano żywych i zmarłych. Jak zwykle bywa w takich wypadkach, rozpętały się najniższe instynkty motłochu. Wśród wycia i przekleństw wznoszono modły, by bogowie podziemni zepchnęli duszę Galiena na samo dno piekielnej otchłani. Groziły jeszcze gorsze ekscesy i samosądom nie byłoby końca, gdyby nowy władca, wciąż jeszcze stojący pod Mediolanem, nie zakazał ostro dalszego przelewu krwi w stolicy, powołując się na wolę wojska.

Tym nowym cesarzem był Marek Klaudiusz. Okrzyknęły go po śmierci Galiena wojska oblegające Mediolan, a senat bezzwłocznie ich wolę zatwierdził. Nowy pan imperium należał do najwyższych stopniem oficerów armii i na pewno uczestniczył w spisku przeciw władcy — lub przynajmniej o nim wiedział. W każdym razie sprzysiężeni jeszcze przed dokonaniem zamachu ustalili, że to on przywdzieje purpurę. Później wszakże zmyślono opowieść, że Klaudiusz w ogóle nie był w tę sprawę wmieszany, został zaś cesarzem, ponieważ umierający z upływu krwi Galien właśnie jemu ostatkiem sił przekazał w swym namiocie insygnia władzy najwyższej. Cel opowieści jest jasny. Chciano oczyścić Klaudiusza ze zmazy knowań przeciw człowiekowi, któremu przysięgał wierność, oraz stworzyć legalne podstawy nowego panowania. W rzeczywistości jednak ponosił on przynajmniej współodpowiedzialność za zamordowanie swego poprzednika.

Istniały również konkretne powody, dla których starano się jak najrychlej odsunąć odeń wszelkie podejrzenia. Okazało się mianowicie, że Galien cieszył się w wojsku dużą popularnością; większą, niż przypuszczali spiskowcy. Aby więc uśmierzyć wzburzenie, Klaudiusz rozdał żołnierzom po 20 sztuk złotych monet i powstrzymał, jak się rzekło, krwawą rozprawę z rodziną i ludźmi Galiena w Rzymie. Co więcej, polecił senatowi, aby zaliczył zamordowanego w poczet bogów! Dostojni ojcowie uczynili to pokornie i bez większych oporów, choć tak serdecznie nienawidzili Galiena i tak życzliwie niedawno patronowali nagonce na jego bliskich.

Kim był Klaudiusz? Obejmując władzę liczył sobie ponad pięćdziesiąt lat. Pochodził z prowincji bałkańskich, czyli Ilirykum (*Illyricum*). Był pierwszym po Decjuszu rodem stamtąd i zarazem otwierał szereg kilku następnych cesarzy iliryjskich.

Ci twardzi ludzie, dobrzy żołnierze, szczerzy Rzymianie, reprezentowali cechy już zanikające wśród ludności Italii, o czym była mowa w związku z Decjuszem. Krążyły później pogłoski, że prawdziwym ojcem Klaudiusza był cesarz Gordian III, któremu — tak opowiadano — podsunięto dziewczynę, gdy dorastał, aby uczyniła zeń mężczyznę; jako owoc tych doświadczeń miłosnych przyszedł na świat Klaudiusz. Plotka to absurdalna ze względów chronologicznych — Gordian urodził się w 225 roku — ale znamienna, pokazuje bowiem, jak usilnie starano się połączyć Klaudiusza więzami krwi z którymś z poprzednich cesarzy, aby ugruntować jego prawo do tronu — nawet za cenę wystawienia niezbyt pozytywnego świadectwa jego matce.

Żywot Klaudiusza w zbiorze *Pisarze historii cesarskiej* mówi o różnych dowództwach, które kolejno sprawował. Że służył w armii i doszedł do stopni najwyższych, to pewne, szczegółów jednak ustalić się nie da, większość bowiem informacji, które podaje ta biografia, jest niezbyt wiarygodna. Trudno też odpowiedzieć na pytanie, dlaczego spiskowcy wyznaczyli go na przyszłego cesarza, skoro inicjatorem i przywódcą spisku był równy mu wiekiem i stopniem, a może wyższy autorytetem, Lucjusz Domicjusz Aurelian, również Iliryjczyk, ale pochodzący z bardzo ubogiej rodziny.

Autor biografii czyni z Klaudiusza ideał władcy doskonałego — w przeciwieństwie do Galiena, którego określa wprost mianem potwora. Powołuje się na różne listy i dokumenty, nie szczędzące Klaudiuszowi słów najwyższego uznania już wtedy, gdy był zwykłym oficerem. Ale materiał ten, mający podbudować tezy autora, jest niemal w całości zmyślony. Skąd więc ów ton panegiryczny? Z jakiej przyczyny tyle uwielbienia dla tego cesarza? Otóż panujący później ród Konstantyna Wielkiego, aby wylegitymować również swoje prawo do purpury, wywodził swoje pochodzenie od jednego z braci Klaudiusza. Protoplasta Konstantyna musiał być władcą znakomitym; któryż historyk ośmieliłby się twierdzić inaczej?

Zresztą w wypadku Klaudiusza kwestia oceny o tyle przedstawiała się dobrze, że sprawdził się jako wódz, panował zaś krótko — niecałe dwa lata — i nie miał ani czasu, ani sposobności, by naprawdę zająć się sprawami wewnętrznymi, zaznaczając tu swoją osobowość. Można było zatem wołać: Jak świetnym okazałby się władcą, gdyby los pozwolił rządzić mu dłużej! Można było też twierdzić, że łączył w sobie męstwo Trajana, poczucie sprawiedliwości Antonina Piusa, umiarkowanie i roztropność Augusta. W życiu prywatnym i publicznym — przekonuje nas biograf — odznaczał się samymi cnotami: kochał rodziców, braci i krewnych, co jest w naszych czasach, dodaje pisarz, czymś tak wyjątkowym, że niemal cudownym. Gdyby Klaudiusz żył nawet 125 lat, jego śmierć wydawałaby się przedwczesna! Lecz historyk zastrzega się, że nie mówi tego, by pozyskać łaski domu Konstantyna.

Faktem jest, że już pierwsze dni i miesiące nowego panowania przyniosły sukcesy wojenne. Oblegany w Mediolanie samozwaniec Aureolus poddał się, zapewne po rokowaniach, w których usiłował wytargować przynajmniej gwarancje osobistego bezpieczeństwa. I może nawet je otrzymał, wnet jednak po kapitulacji został zabity przez żołnierzy. Rozruchy te chyba sprowokowano, aby zwalić na nie winę za śmierć uzurpatora. Tak zakończył się bunt wywołany przez wodza niegdyś bardzo zasłużonego.

Ta krótkotrwała rebelia ma swoje miejsce w historii, doprowadziła bowiem do tragicznej śmierci Galiena i ułatwiła Alamanom dokonanie inwazji na ziemie imperium. Gdy bowiem znaczna część armii była związana obleganiem Mediolanu, germańscy wojownicy przekroczyli górny Dunaj i dolinami alpejskimi wtargnęli do Italii. Początkowo Rzymianie w walce z nimi ponosili porażki. Klaudiusz więc ruszył spod Mediolanu i zadał najeźdźcom klęskę nad jeziorem Benakus; to obecne *Lago di Garda*.

Dopiero po tych zwycięstwach Klaudiusz mógł po raz pierwszy zawitać do stolicy jako cesarz. Była już jesień 268 roku. Przybycie nowego pana uczczono zgodnie z tradycją serią monet z napisem: *Adventus Augusti*. Pobyt jednak w Rzymie nie trwał długo, najwyżej kilka miesięcy.

Za Galiena imperium miało w rzeczywistości trzech władców. Samemu Galienowi podlegała faktycznie tylko środkowa i południowa część państwa, a więc Italia, Bałkany, Azja

Mniejsza i Afryka. Na wschodzie najwięcej znaczył Septymiusz Odenat, książę — czy też król — Palmiry, władający sporymi obszarami Syrii i pograniczem Mezopotamii, a w istocie kontrolujący także inne prowincje wschodnie. Uznawał jednak formalnie zwierzchność cesarza; otrzymał piękne rzymskie tytuły oraz dostojeństwa, a w zamian dzielnie odpierał Persów i innych najeźdźców. Na zachodzie natomiast Galią, Brytanią i Hiszpanią rządził Marek Kasjan Postumus. Przybrał godność cesarza, z czym Galien się nie godził i w 263 roku usiłował zbrojnie z nim się rozprawić. Potem jednak poważniejszych konfliktów między tymi dwoma nie było, każdy bowiem miał swoje kłopoty.

Los chciał, że mniej więcej w ciągu kilkunastu miesięcy odeszli wszyscy trzej. Najpierw Odenat. Jeszcze w 267 roku zamordował go w Emesie z przyczyn podobno czysto osobistych jeden z siostrzeńców, Meoniusz. Wkrótce władztwo przejął syn Wabalat, w istocie wszakże rządziła jego matka, wdowa po Odenacie, Septymia Zenobia. Była to kobieta niezwykła. Sama wywodziła swój ród od legendarnej Semiramidy, królowej asyryjskiej, a kazała też zwać się nową Kleopatrą. I rzeczywiście miała wiele cech, które legenda i historia przypisuje obu tak sławnym władczyniom wschodnim. Energiczna, piękna i dzielna, towarzyszyła Odenatowi nawet podczas jego wypraw przeciw Persom, a po jego śmierci prowadziła sprawy państwa mądrze i gospodarnie. Miała też szerokie, autentyczne zainteresowania intelektualne, będąc — jak w ogóle warstwy wyższe na całym ówczesnym Bliskim Wschodzie — pod silnym wpływem kultury greckiej. Jako doradca na jej dworze dużą rolę odgrywał filozof i filolog Kasjusz Longinus, zwany żywą biblioteką i chodzącą świątynią Muz. Wśród wysokich urzędników znalazł się nawet Paweł, biskup Antiochii, twórca herezji głoszącej, że Chrystus był tylko człowiekiem, choć doskonałym pod każdym względem i przewyższającym nawet proroków. Zenobia sprzyjała też Żydom i kazała na swój koszt odnowić jedną z synagog w Aleksandrii.

Podobno Galien zaraz po śmierci Odenata zamierzał zająć Palmirę jako państwo zbyt już potężne i samodzielne, odstąpił jednak od tego planu. Powrócono do poprzedniego stanu rzeczy, to jest życzliwej współpracy na wschodzie pod formalnym

zwierzchnictwem Rzymu. Tę politykę przejął także Klaudiusz.

Skomplikowały się sprawy na zachodzie imperium. W rok po Galienie zginął władca Galii Postumus. I on, choć tak skutecznie osłaniał swoje kraje przed Germanami, miał poważne trudności wewnętrzne. Zbuntował się przeciw niemu namiestnik w Germanii, Gajusz Lelian (*C. Ulpius Cornelius Laelianus*), mający kwaterę w Moguncji (*Mogontiacum*), i obwołał się tam cesarzem. A więc samozwaniec przeciw samozwańcowi! Postumus dobrał sobie wówczas jako współwładcę Marka Piawoniusza Wiktoryna, związanego z bogatą artystokracją galijską, wodza bardzo zdolnego. Lelian został oblężony w Moguncji i zginął po zdobyciu miasta. Ale poległ tam również Postumus, i to z rąk własnych żołnierzy, sprzeciwiał się bowiem stanowczo rabowaniu dobytku ludności cywilnej. Tak więc cały spadek polityczny po nim objął Wiktoryn, który jednak musiał pokonać następcę Leliana. Był nim niejaki Marek Aureliusz, z zawodu kowal, potem żołnierz i oficer. Przez jakiś czas władał on jako niby-cesarz w Kolonii (*Colonia Agrippina*), ale zginął zamordowany; podobno ugodzono go mieczem, który niegdyś sam wykuł. Historycy starożytni twierdzą, ża panował tylko trzy dni w 269 roku, ale przeczy temu fakt, że zachowało się stosunkowo sporo jego monet.

Tymczasem odpadło od Wiktoryna duże miasto Augustodunum, późniejsze Autun. Jego mieszkańcy zbuntowali się przeciw uzurpatorowi i zwrócili się do cesarza Klaudiusza z prośbą o pomoc, ale wysłane przezeń oddziały z Italii zatrzymały się gdzieś nad Izerą. Ostatecznie więc po siedmiu miesiącach oblężenia przez legiony galijskie Augustodunum zostało zdobyte, zrabowane, zniszczone i nigdy już nie powróciło do dawnej świetności. Prowincje hiszpańskie natomiast może już za Galiena, a na pewno za Klaudiusza, przeszły na stronę prawowitego cesarza, chyba dobrowolnie i bez walki.

Tak odtwarza się obecnie przebieg wydarzeń na zachodzie

cesarstwa w 269 roku. Trzeba jednak zaznaczyć, że z powodu ubóstwa źródeł wiele tam kwestii niejasnych, stąd też niemałe rozbieżności w opracowaniach. To ku przestrodze, by się nie dziwić, że niemal każdy podręcznik ujmuje pewne sprawy nieco inaczej.

Nasuwa się wszakże pytanie, czemu Klaudiusz nie wkroczył bezpośrednio do Galii, czemu nie włączył jej pod swoje władztwo i nie rozprawił się z samozwańcami, skoro doszło tam do tylu zaburzeń? Otóż nie pozwoliło mu na taki krok zagrożenie prowincji bałkańskich przez nową inwazję germańską znad Morza Czarnego. Uznał za swój naczelny obowiązek obronę ziem naddunajskich.

Ogromne zastępy Gotów i Herulów zebrały się na początku 269 roku u ujścia Dniestru; wojownicy ci dysponowali podobno dwoma tysiącami okrętów. Chodziło w każdym razie o największą z łupieżczych wypraw morskich. Odmienne twierdzenia niektórych źródeł — jakoby wielkie siły szły również lądem, i to wraz z rodzinami i całym dobytkiem — są chyba przeniesieniem wstecz sytuacji o cały wiek późniejszej, kiedy to po roku 370 istotnie tak wyglądał pochód Wizygotów.

Rzymianie dowiedzieli się w porę o tej wyprawie i zdołali umocnić miasta przybrzeżne. Wiosną 269 roku potężna flota barbarzyńców nie zdobyła więc żadnego z miast nadczarnomorskich, a potem na próżno atakowała Bizancjum. Jednakże najeźdźcy śmiało płynęli dalej na południe przez cieśniny i wzdłuż północnych wybrzeży Morza Egejskiego, choć wichury i burze wyrządzały ogromne szkody ich okrętom. Oblegali Tesalonikę, dzisiejsze Saloniki, używając nawet machin oblężniczych, odstąpili jednak, gdy przyszła wiadomość, że maszeruje przeciw nim sam cesarz.

Germanie podzielili się. Część postanowiła płynąć dalej na południe, część zaś wolała wrócić nad Dunaj lądem. Rzymianie również utworzyli dwa korpusy. Pierwszy, złożony przeważnie z jazdy, miał pod wodzą Lucjusza Aureliana osłaniać Macedonię operując w dolinie Wardaru, sam cesarz natomiast stał dalej na północy, nad rzeką Margus. I tam też, pod osobistym dowództwem Klaudiusza, stoczono decydującą bitwę pod Naissus (obecnie Nisz w Jugosławii). Choć liczebnie słabsi, Rzymianie odnieśli świetne zwycięstwo. Legło około 50 000 germańskich wojowników, reszta zaś rozproszyła się po górach, gdzie jeszcze stawiała opór dość długo. Owe bandy stopniowo zniszczono lub wychwytano, część wcielono do armii, część osadzono na ziemi.

Tymczasem płynące na południe okręty barbarzyńców pustoszyły wybrzeża, choć nie zdobyły żadnego większego miasta. Najeźdźcy dotarli aż na Kretę, Rodos, Cypr, byli u brzegów Azji Mniejszej. Potem eskadry rzymskiej floty wojennej pod wodzą namiestnika Egiptu, Probusa, stopniowo rozproszyły i zniszczyły okręty wrogów.

Tak więc rok 269 przyniósł Rzymianom triumf na lądzie i na morzu. Impet i łupieżcze zapędy Gotów zostały złamane na czas długi, Klaudiusz II zaś prawdziwie zasłużył sobie na przydomek *Gothicus Maximus*, ,,Największy zwycięzca Gotów".

Ale jego dni były już policzone. Zmarł w początkach 270 roku w obozie wojskowym Sirmium nad Sawą, może jako ofiara wciąż grasującej zarazy. Od lat sześćdziesięciu, to jest od Septymiusza Sewera, był pierwszym cesarzem, który umierał śmiercią naturalną — jeśli nie liczyć Gordiana III i Waleriana, ich bowiem zgony okrywa tajemnica. Wszyscy inni, władcy legalni i samozwańcy, dobrzy i źli, ginęli od mieczy broczących krwią.

Przedwczesna śmierć pomogła też jego legendzie. Powstała bowiem opowieść, że przed bitwą z Gotami pod Naissus ofiarował bogom życie w zamian za zwycięstwo. Taka ofiara i ślubowanie, rzeczywiście składane w pradawnych wiekach przez wodzów rzymskich, zwały się *devotio*, czyli poświęcenie siebie samego. Wyraz ten żyje do dziś w naszym języku, ale w sferze religijnej.

Inny los pisany był jego jedynemu bratu, Markowi Kwintyllusowi. Pozostał on w Akwilei, aby osłaniać Italię przed ewentualnym najazdem. Okrzyknięto go cesarzem natychmiast po śmierci Klaudiusza, co senat zaaprobował, zmarły bowiem nie miał potomstwa. Wnet jednak zawiadomiono, że armia Dunaju dała purpurę swemu wodzowi, Aurelianowi. W tej sytuacji większość żołnierzy natychmiast porzuciła Kwintyllusa, który załamał się i popełnił samobójstwo — lub też został zabity. Jedni twierdzą, iż panował tylko 17 dni, inni zaś, że kilka miesięcy. Emitowano jednak tyle jego monet, że musiał władać przynajmniej dwa lub trzy miesiące.

Ostatecznie więc spadek po Klaudiuszu II przejmował jego rodak, towarzysz broni i spisku przeciw Galienowi — Lucjusz Domicjusz Aurelian.

Aurelian

Lucius Domitius Aurelianus
Ur. 9 września około 214 r.,
zm. jesienią 275 r.
Panował od wiosny 270 r.
do śmierci jako *Imperator Caesar Lucius Domitius Aurelianus Augustus.*
Po śmierci został zaliczony w poczet bogów.

Mury Rzymu

Starożytni porównywali go z Aleksandrem Macedońskim i Juliuszem Cezarem, tak znakomitym był wodzem. Historycy nowożytni uznają go za osobowość silną i niezwykłą, równą zasługami dla Rzymu takimi cesarzom jak Septymiusz Sewer przed nim lub Dioklecjan i Konstantyn Wielki po nim. Ale w świadomości przeciętnie wykształconego Europejczyka Aurelian prawie nie egzystuje. Zdarza się nawet, że ten i ów myli go ze względu na podobieństwo nazwiska z Markiem Aureliuszem! A przecież należał rzeczywiście do najwybitniejszych spośród mniej więcej stu władców, którzy w ciągu wieków zasiadali na tronie imperium. I właśnie on zaczął wyprowadzać je mocną ręką z dna kryzysu, dokąd stoczyło się w czasach Galiena, cesarza tak oddanego Rzymowi i tak nieszczęsnego.

Aurelian, jak i jego poprzednik Klaudiusz II, pochodził z prowincji bałkańskich, naddunajskich, był więc Iliryjczykiem. Co do tego wszystkie źródła są zgodne, podają wszakże różne rejony tamtego obszaru jako jego ojczyznę — okolice Sirmium lub leżące jeszcze dalej na wschód. Rodzinę miał ubogą. Ojciec podobno był kolonem, czyli dzierżawcą ziemi w dużym majątku, zobowiązanym do wielu danin i świadczeń. Matka była rzekomo kapłanką boga Słońca; zapewne zmyślono to później, aby wyjaśnić gorliwość, którą Aurelian okazywał w kulcie tego bóstwa; żarliwa wiara była bowiem wówczas, jak i potem, przywilejem nie tylko chrześcijan.

Jak wielu młodych ludzi z domów niezamożnych, Aurelian szukał możliwości kariery w wojsku. Postawny, odważny i energiczny, cechujący się dużą inteligencją wrodzoną, awansował szybko. Niewiele jednak wiadomo o szczeblach owej kariery. Wprawdzie żywot w dziele *Pisarze historii cesarskiej* zawiera sporo danych, przytacza dokumenty wychwalające Aureliana jako oficera, ale są to materiały zmyślone. Autor skomponował je, aby rzucić możliwie korzystne światło na swego bohatera. Nie oceniajmy jednak rzymskiego dziejopisa zbyt surowo! Któraż epoka nie popełnia jakichś występków przeciw prawdzie? Zawsze pisywało się i będzie pisywać panegiryczne życiorysy władców i wielkich każdego narodu, odpowiednio dobierając i przystrajając dokumentację. I zawsze autorzy będą usiłowali przesłonić brak własnych koncepcji lub stronniczość balastem erudycyjnym i napuszonością stylu. Historyk więc musi kierować się zasadą: relacje i opracowania w treści dyskusyjne, bo dające wyraz osobistym poglądom, w formie zaś proste i nie udające uczoności, są z reguły cenniejsze jako autentyczne, wiarygodne, uczciwe. I tylko prace zwane pogardliwie kontrowersyjnymi stanowią o postępie nauki — właśnie przez to, że powodują dyskusje. I tylko prace rzekomo nienaukowe w formie przyczyniają się do prawdziwego szerzenia wiedzy.

Aurelian zapewne najpierw służył w oddziałach jazdy posiłkowej, następnie w legionach, a wreszcie powrócił do jazdy, rozbudowanej przez Galiena, jako jeden z dowódców. Walczył nad Dunajem i Renem. Podobno łaskami obsypywał go cesarz Walerian. I rzekomo z woli tegoż Waleriana przybrał go sobie za syna Ulpiusz Krynitus, wywodzący się z rodu wielkiego Trajana. Biograf chciał powiązać w ten sposób przyszłego cesarza z osobą sławnego imperatora sprzed półtora wieku. Zmyślono więc bez żenady scenę wspaniałej uroczystości — miała się ona odbyć w Bizancjum w obecności mnóstwa dostojników — a Ulpiuszowi Krynitusowi przypisano rolę adoptującego. Fikcją jest również rzekome posłowanie Aureliana do Persów.

Nie ulega natomiast wątpliwości, że odegrał on ważną, a może nawet kluczową rolę w spisku i zamachu na życie cesarza Galiena pod Mediolanem w 268 roku. Dlaczego więc dano purpurę nie jemu, lecz Klaudiuszowi? Zaważyła zapewne sprawa niskiego pochodzenia Aureliana. Ale chyba także to, że miał on opinię człowieka surowego i gwałtownego, utrzymującego dyscyplinę twardymi sposobami i łatwo sięgającego po oręż. Z tej to przyczyny dawano mu w wojsku przydomek: *manu in ferrum*, co można by po polsku oddać słowami „z ręką na mieczu".

Krążyły różne opowieści o karach, które wymierzał. I tak na przykład, gdy pewien żołnierz zgwałcił żonę swego gospodarza, Aurelian kazał nachylić ku ziemi wierzchołki dwóch drzew, przywiązać do nich winnego za nogi — i nagle puścić wierzchołki, by prostując się rozdarły go żywcem. Te spektakularne egzekucje przywracały natychmiast porządek i karność, ale budziły też strach nawet w korpusie oficerskim, wśród towarzyszy Aureliana. Zapytywano, do czego byłby on zdolny, gdyby objął władzę najwyższą? Lękiem napawało zresztą samo jego oblicze — ponure i jakby odpychające. Trzeba tu jednak powiedzieć od razu, że te obawy nie sprawdziły się, gdy został cesarzem. Wprawdzie postępował często surowo, bywał nieubłagany, nie splamił się wszakże okrucieństwem bezmyślnym. Karał dla pomsty i przykładu, ale nie pastwił się nigdy, jak wielu przed nim. Potrafił też okazywać wspaniałomyślność, wyrozumiałość, nawet litość — rzadką cechę w tamtej epoce, zwłaszcza u cesarzy.

Za Klaudiusza był naczelnikiem całej jazdy. Odznaczył się w 269 roku, gdy walczono z Gotami w prowincjach bałkańskich. A kiedy Klaudiusz zmarł w Sirmium w początkach 270 roku, tamtejsze wojska obwołały cesarzem właśnie Aureliana. Tymczasem purpurę po Klaudiuszu przejął w Italii brat zmarłego Kwintyllus, od razu uznany przez senat. Groziło to wybuchem nowej wojny domowej. Jednakże Kwintyllus, przerażony wydarzeniami w Sirmium i niepewną postawą swych wojsk, popełnił

samobójstwo. W tej sytuacji senat oczywiście potwierdził wybór dokonany przez armię naddunajską. Tytuł augusty otrzymała również żona Aureliana, Seweryna.

Nowy cesarz zawitał tylko na krótko do stolicy, musiał bowiem śpieszyć z powrotem nad Dunaj, do Panonii; wtargnęły tam hordy Wandalów i Sarmatów. Zdołano jednak uprzedzić najazd gromadząc ludzi i zapasy w miejscach obronnych, co utrudniło barbarzyńcom zaopatrywanie się w żywność. Aurelian był we wszystkich swych kampaniach niezmordowany w błyskawicznych pochodach; przerzucał się z miejsca na miejsce zaskakując przeciwników. Tak miała się rzecz i tym razem. Zjawił się nadspodziewanie szybko i pokonał najeźdźców.

Barbarzyńcy prosili o pokój, a rzymscy żołnierze również nie kwapili się do dalszych walk z twardym nieprzyjacielem. Pozwolono więc Wandalom i ich sojusznikom wrócić za Dunaj, dostarczając im nawet żywności, ale dwaj ich królowie musieli dać swych synów jako zakładników oraz przekazać pod rzymskie rozkazy dwa tysiące jeźdźców. Owi wandalscy wojownicy służąc w rzymskiej armii natychmiast złożyli dowód przykładnej lojalności. Gdy bowiem część ich współplemieńców dopuściła się podczas pochodu ku Dunajowi rabunków wbrew układowi, właśnie oni znieśli tę bandę do szczętu.

Tymczasem samej Italii zagroził inny lud germański — Jutungowie. Przełamali granicę nad górnym Dunajem, spustoszyli Recję i Norykum, czyli dzisiejsze południowe Niemcy i Austrię, a potem dolinami alpejskimi przedarli się aż na nizinę nadpadańską. Groza ogarnęła stolicę i cały Półwysep Apeniński. Aurelian więc znowu przerzucił wojska ze zwykłą sobie szybkością nie zważając na żadne przeszkody, żadne trudy — znad Dunaju przez wschodnie Alpy na równiny północnej Italii. Stanął obozem pod Placencją — to dzisiejsza Piacenza — zapewne zamierzając odciąć drogę powrotną Jutungom oraz ich sojusznikom, Alamanom i Markomanom. Dał się jednak zaskoczyć barbarzyńcom i poniósł dotkliwą klęskę; rozeszła się nawet pogłoska, że zginął w bitwie. Germanie wszakże nie potrafili wykorzystać zwycięstwa. Aby jak najwięcej zagrabić, rozdzielili się i pustoszyli różne okolice, cesarz więc mógł kolejno gromić odosobnione watahy. Reszta wycofała się w popłochu przez Alpy i Recję ku Dunajowi. Gdy idący w pościgu Rzymianie dopadli ich i raz jeszcze pokonali — pod *Ticinum* (Pawią) — zjawili się posłowie.

Cesarz przyjął ich w całym swym majestacie. Siedział w purpurowym płaszczu na wysokim podium, otoczony przez oficerów, dostojników, godła bojowe, a za nim stały szeregi żołnierzy w pełnym uzbrojeniu. Musiało to wywrzeć odpowiednie wrażenie na barbarzyńcach — Aurelian chciał pokazać im świetność, potęgę i dyscyplinę rzymskiej armii. Posłowie pokornie prosili o pokój, obiecywali nawet zawrzeć przymierze. Cesarz prośby te odrzucił, pozwolił im wszakże bezpiecznie wrócić do ojczyzny. Posunięcie było zręczne, pozostawiało bowiem Jutungów w niepewności, czy Rzymianie nie zamierzają podjąć wkrótce wyprawy karnej na ich terytoria. Najeźdźcy więc odchodzili za Dunaj przekonani, że doznali wielkiej łaski cesarza, który darował im życie. Nie wiedzieli, że nie mógł on pozostawać tu dłużej, w samym bowiem Rzymie doszło do groźnych zamieszek.

Sprawcami rozruchów byli ludzie zatrudnieni w mennicy, którą Aurelian kazał zamknąć z powodu ogromnych nadużyć, jakich tam się dopuszczano. Zrozumiałe, że wieści o klęsce pod Placencją i o rzekomej śmierci cesarza, a potem o jego wyprawie za Alpy, wzbudziły wielkie nadzieje byłych pracowników, którzy dotychczas świetnie zarabiali tworząc — jak można się domyślać — prawdziwy gang przestępczy, obecnie zaś pozostali bez jakichkolwiek dochodów. Było ich tysiące — ludzi wolnych i niewolników: rachmistrzów, skrybów, nadzorców, przedstawicieli wielu innych służb. Przewodził im niejaki *Felicissimus*, zarządca rachunkowości, a buntowi sprzyjało sporo senatorów, niechętnych Aurelianowi, ponieważ był niskiego rodu i został narzucony przez wojsko. Ale cesarz stanął w stolicy nadspodziewanie szybko. Doszło w mieście do bitwy, *monetarii* bowiem, czyli pracownicy mennicy, ufortyfikowali się na wzgórzu

Celiusz. Padło tysiące zabitych. Aurelian karał bezlitośnie zarówno buntowników, jak też tych, którzy choćby skrycie popierali ich sprawę. Wielu senatorów zapłaciło za to głową i majątkiem, a wystarczyło za podstawę wyroku nawet błahe podejrzenie.

Wydarzenia te rozegrały się w ciągu 270 roku i na początku 271. Jednakże w wielu opracowaniach, zwłaszcza starszych, przyjmuje się nieco odmienny obraz wydarzeń: Aurelian najpierw pokonał Jutungów i dotarł aż nad Dunaj, potem był w Rzymie, następnie wyprawił się do Panonii przeciw Wandalom, znowu powrócił do Italii, albowiem Jutungowie wdarli się tutaj po raz wtóry, i wprawdzie poniósł klęskę pod Placencją, ale ostatecznie najeźdźców wyparł i zajął się buntem w stolicy. Taka kolejność wojen, a zwłaszcza teza o dwóch najazdach Jutungów w ciągu roku, nie zmienia oczywiście istoty tego, co wówczas się działo, zwiększa natomiast podziw dla energii i rzutkości cesarza, który tyle zdołał dokonać, tyle dróg przemierzyć w tak krótkim czasie.

Dodajmy jeszcze to, że zapewne właśnie w tym okresie pojawili się trzej samozwańczy cesarze: Septymiusz w Dalmacji, na innych zaś terenach Domicjan i Urbanus. Były to jednak postaci zupełnie efemeryczne, nic o nich nie wiemy, a uzurpacje chyba rychło zostały stłumione.

Ogromną natomiast troskę Aureliana stanowiły dwa wielkie, faktycznie niezależne państwa, które ukształtowały się przed dziesięciu laty w granicach imperium i wciąż utrzymywały swą odrębność. Jedno z nich, zachodnie, dziedzictwo Postumusa, obejmowało Galię i Brytanię. Drugie, wschodnie, miało stolicę w Palmirze i stopniowo rozszerzało strefę wpływów korzystając z osłabienia Rzymu. Panował tam syn Odenata, Wabalat (*Lucius Aurelius Septimius Vaballathus Athenodorus*), pod opieką swej matki, niezwyle utalentowanej i energicznej Zenobii. Państwo zachodnie, choć tak bliskie Italii, w istocie stanowiło mniejsze zagrożenie, miotały nim bowiem walki wewnętrzne o tron. Właśnie mniej więcej wtedy, gdy przywdziewał purpurę Aurelian, a więc w początkach 270 roku, w Galii został zamordowany Wiktoryn, jeden z następców Postumusa, a władzę przejął namiestnik Akwitanii, senator

Tetrykus. Nie żywił on żadnych wojowniczych zamiarów, od tej więc strony cesarz mógł być na razie spokojny.

Sytuacja na wschodzie budziła natomiast obawy. Władcy Palmiry, formalnie będący sprzymierzeńcami, a nawet wysokimi dostojnikami imperium, w rzeczywistości prowadzili politykę samodzielną. Któż zresztą na ich miejscu postępowałby inaczej? Owszem, osłaniali ziemie rzymskie przed Persami, ale natychmiast po śmierci Klaudiusza II, gdy groził wybuch wojny domowej — obwołano bowiem cesarzami Kwintyllusa i Aureliana — a zza Dunaju najazd barbarzyńców, Palmireńczycy śmiało podporządkowali sobie bezpośrednio całą Syrię i Palestynę, prawie wszystkie prowincje w Azji Mniejszej aż po Bitynię, a nawet Egipt. Kraj nad Nilem zajęli korzystając z tego, że tamtejszy namiestnik Probus — którego nie należy mylić z późniejszym cesarzem Markiem Probusem! — wypłynął na czele floty przeciw piratom germańskim grasującym na wschodnich wodach Morza Śródziemnego. Mieli też Palmireńczycy wsparcie antyrzymskiego stronnictwa wśród samych Egipcjan. Wprawdzie Probus powróciwszy zdołał wyprzeć najeźdźców, lecz wkrótce potem zginął w zasadzce na terenach Syrii. Wabalat znowu stał się panem Egiptu, a przynajmniej znacznej jego części.

Palmireńczycy już byli więc faktycznie wrogami imperium, Aurelian jednak nie reagował. To zrozumiałe, skoro musiał odpierać ataki Jutungów i Wandalów bezpośrednio grożących Italii. Zdawał się nie dostrzegać owych zmian na wschodzie — nieprzyjaciele uchodzili za sprzymierzeńców. Ale Wabalat i Zenobia również zachowywali pewne pozory, o czym świadczą choćby monety wybijane wtedy w Aleksandrii; po jednej ich stronie widnieje głowa Aureliana, po drugiej zaś Wabalata z napisem łacińskim obwieszczającym, że to *Imperator, dux Romanorum.*

W 271 roku cesarz przystąpił w samej stolicy do dzieła ogromnego, a mianowicie do budowy wielkich murów obronnych. Bezpośrednią przyczyną rozpoczęcia prac tak niesłychanie kosztownych, wymagających tyle wysiłku, były dni grozy, które Rzym przeżył przed kilkoma miesiącami, gdy po bitwie pod Placencją germańskie hordy mogły dotrzeć i wtargnąć aż do stolicy — bo nic jej nie osłaniało. Istniały wprawdzie dawne mury miejskie, pochodzące jeszcze z IV wieku p.n.e., były jednak słabe, zaniedbane i obejmowały tylko część faktycznie zamieszkanych terenów. Pewne partie tych starszych umocnień zachowały się jeszcze tu i ówdzie. Są to właściwie murki z żółtawych bloków kamiennych, sterczące nawet tuż przy hali obecnego dworca centralnego, *Stazione Termini*. Zwie się je umownie i tradycyjnie Murami Serwiańskimi, co by miało oznaczać, że budował je jeszcze Serwiusz Tuliusz, przedostatni król rzymski — ale to nieprawda. Przez wiele stuleci, w czasach świetności republiki i cesarstwa, Rzym mógł nie troszczyć się o fortyfikacje miejskie, jego bowiem rzeczywistymi murami były obozy legionowe nad Renem i Dunajem. Ale wydarzenia lat ostatnich, a zwłaszcza roku minionego, pokazały brutalnie, jak słaby to łańcuch obronny, jak łatwo pęka.

Mury, które zaczęły powstawać za Aureliana, imponują do dziś. Zachowały się na wielu odcinkach i na znacznej długości w stanie całkiem dobrym, a dzięki różnym śladom i resztkom można wytyczyć bardzo dokładnie ich bieg wokół miasta. Pełny obwód miał prawie 19 km, a ceglany mur 6 m wysokości, grubości zaś 3,5 m. Co sto stóp, czyli mniej więcej co 30 m, wznosiła się kwadratowa wieża, a przy bramach stały po dwie półokrągłe. Łącznie było wież prawie czterysta, bram głównych kilkanaście. Prowadzono prace z ogromnym pośpiechem, włączając do murów pewne budowle już istniejące, na przykład koszary pretorianów lub łuki jednego z akweduktów. Jako materiału używano często nawet elementów z różnych grobowców. Dzięki temu mur był prawie gotów po kilku latach, jeszcze przed śmiercią Aureliana. Jednakże wszystkie prace ukończył dopiero cesarz Probus w latach 276–282. Potem wielu następnych władców Rzymu — zwłaszcza Maksencjusz i Honoriusz — rozbudowywało umocnienia, głównie przez podwyższanie zarówno samych murów, jak i wież.

Traktując rzecz tylko materialnie, to jest pod względem

ilości i wagi budulca, mury te, zwane Aureliańskimi, są największym dziełem architektury, jakie pozostało do naszych czasów po Rzymie cesarzy. Są też czymś bardzo symbolicznym. Serce imperium musi się bronić i zabezpieczać, czasy pokoju i poczucia pewności odchodzą na zawsze. I chyba takie myśli nawiedzały mieszkańców stolicy podziwiających tempo, w jakim rósł wokół ich miasta kręty pas murów, najeżony wieżami. Te prace jednak dopiero się rozpoczynały, gdy Aurelian opuszczał Rzym, aby podjąć nowe walki.

Aurelian i Zenobia

W 271 roku Aurelian wyruszył nad dolny Dunaj. Najpierw oczyścił Mezję i Trację z wciąż tam grasujących barbarzyńców, potem zaś przeprawił się przez rzekę i rozgromił Gotów już na ziemiach Dacji; odtąd przestali oni być groźni dla imperium na mniej więcej sto lat.

I oto natychmiast po tym imponującym zwycięstwie przyszła decyzja zdumiewająca: ewakuacja prowincji Dacji z rzymskich wojsk i ludności cywilnej! Cesarz dobrowolnie rezygnował z ziem, które przed stu pięćdziesięciu laty zdobył Trajan! Wycofywał się z potężnego bastionu po północnej stronie Dunaju, choć pozornie nic go do tego nie zmuszało. Cóż więc skłoniło Aureliana do przedsięwzięcia, które na pewno kosztowało go wiele, a raniło dumę wszystkich obywateli?

Powodów było kilka. Najpierw to, że granice Dacji zostały już wcześniej, bo za Galiena, mocno uszczuplone i ścieśnione; w rękach Rzymian pozostawała tylko część dawnego terytorium. Dalej — czy opłacało się utrzymywać garnizony na północ od Dunaju, skoro jednocześnie trudno było ustanowić mocny kordon wzdłuż samej rzeki i barbarzyńcy wciąż się przeprawiali na tę stronę? Mezja, Tracja, Panonia zostały wyniszczone i wyludnione wskutek najazdów, przesiedlenie więc mieszkańców z Dacji na te ziemie dawało szansę gospodarczej odnowy. Wreszcie — i to był powód wówczas chyba najważniejszy — należało jak najrychlej wyprawić się przeciw władcom Palmiry; to zmuszało do zabrania części wojsk naddunajskich, którą można było zastąpić tylko garnizonami ściągniętymi z Dacji.

Ewakuacja była w ówczesnych warunkach sprawą bardzo trudną, dokonano jej wszakże szybko i składnie. Oddziały z Dacji osadzono w dwóch miejscowościach nad rzeką, na ziemiach obecnej Bułgarii. Aby jednak duma rzymska nie doznała zbytniej ujmy i by formalnie nie zmieniła się liczba prowincji, cesarz ukonstytuował dwie nowe jednostki administracyjne na terytoriach Mezji i Tracji. Pierwsza, zwana *Dacia Ripensis*, czyli Dacja Nadbrzeżna, miała za stolicę Ratiarię, druga zaś, *Dacia Mediterranea*, czyli Śródziemska — Serdykę (to obecna Sofia).

Przesiedlono również ludność cywilną. Czy całkowicie? Uczeni rumuńscy twierdzą, że odeszły tylko warstwy zamożniejsze, miejskie, pozostała natomiast zromanizowana masa mieszkańców wsi i ona to dała później początek nowej narodowości. Ale w nauce reprezentowany jest również pogląd, że ewakuacja za Aureliana nie pozostawiła żadnych romańskich grup ludnościowych na północ od Dunaju. Owszem, utrzymują zwolennicy tego stanowiska, napłynęły one tam znowu, ale dopiero w kilka wieków później, gdy rzymska ludność z terenów obecnej Jugosławii uciekała przed Słowianami, szukając schronienia aż w górach Dacji, za Dunajem; wtedy więc dokonałaby się wtórna romanizacja tego kraju. Spór trwa od dawna i chyba niełatwo będzie go zakończyć.

Jedno jest pewne: decyzja Aureliana miała wymiar historyczny. Na opuszczonych przez Rzymian ziemiach usadowili się Terwingowie, Goci zachodni, czyli Wizygoci, i uformowali tam swoją państwowość. Odegrali ogromną rolę później, w czasach upadku cesarstwa, kiedy to pod naporem Hunów opuścili po 370 roku Dację i stopniowo przemierzyli w zbrojnym pochodzie kraje bałkańskie, potem Italię — gdzie w 410 roku zdobyli Rzym — i przez Galię dotarli do Hiszpanii. Na razie jednak przez czas dłuższy zachowywali spokój.

Właśnie dzięki temu cesarz mógł wreszcie podjąć rozprawę z państwem palmireńskim. Tego nie dało się już odwlekać. Zenobia i Wabalat władali Syrią i większą częścią Azji Mniejszej, a nawet Egiptem, spichlerzem imperium, skąd co roku płynęły transporty zboża do stolicy; jak się wydaje, w 271 roku okrętów tych nie wypuszczono z portu Aleksandrii. A jednocześnie Zenobia i jej syn przyjęli tytuły cesarskie — augusty i augusta. Zaczęli też wybijać monety z odpowiednimi napisami. Być może oba te posunięcia zostały spowodowane tym, że Aurelian z góry odrzucił możliwość kompromisu w sprawie ziem zagarniętych ostatnio przez władców pustynnej oazy.

Armia pod wodzą cesarza przeprawiła się z Bizancjum na brzeg azjatycki. Maszerowała nie napotykając oporu przez ziemie Bitynii i potem Galacji — gdzie głównym miastem była Ancyra, obecna Ankara, stolica Turcji. Dopiero Tiana w Kapadocji, niedaleko łańcucha potężnych gór Taurus, zamknęła swe bramy przed Aurelianem. Cesarz rozwścieczony tym krzyknął: „Nie zostawię tam ani psa żywego!" Słowa te dały żołnierzom nadzieję, że po zdobyciu miasta będą mogli bezkarnie rabować i gwałcić, atakowali więc mury z furią. Niepotrzebnie, zjawił się bowiem zdrajca, który wskazał, że opanowanie pewnego miejsca zmusi tiańczyków do kapitulacji. Tak też się stało. Tymczasem cesarz ochłonął z gniewu i zabronił jakichkolwiek rabunków. Wierny wszakże danemu słowu rozkazał wybić w mieście wszystkie psy — i zgładzić zdrajcę.

Krążyła też inna opowieść wyjaśniająca, dlaczego Aurelian okazał taką łaskawość opornemu miastu. Podobno miał widzenie: objawił mu się sławny mędrzec i cudotwórca sprzed dwóch wieków, Apoloniusz, rodem stąd właśnie, i wezwał go po trzykroć: „Aurelianie, jeśli chcesz zwyciężyć, nie myśl o rzezi moich współobywateli! Aurelianie, jeśli chcesz władać, powstrzymaj się od przelewu krwi niewinnej! Aurelianie, postępuj łagodnie, jeśli chcesz żyć!" Cesarz zastosował się do tych przykazań, osłonił Tianę przed wściekłością swych żołnierzy, a wieść o tym rozeszła się natychmiast po wszystkich krainach sąsiednich. Gdy zatem przekroczył góry Taurus, grody Cylicji poddawały się mu jeden po drugim.

Wojska Zenobii pod wodzą Zabdasa — ciężkozbrojna jazda i piesi łucznicy — zastąpiły Rzymianom drogę w pobliżu Antiochii. Dzięki zręcznej taktyce Aurelian odniósł zwycięstwo: rozkazał swoim ustępować, gdy atakowała jazda przeciwnika, następnie odczekał, póki nie umęczył jej skwar — i dopiero wtedy uderzył. Zenobia i Zabdas wycofali się do Antiochii. Aby nie dopuścić do zamieszek, rozgłaszali tam, że to oni są

zwycięzcami, a na dowód kazali przeprowadzić ulicami miasta człowieka w stroju cesarskim — miał to być pojmany do niewoli imperator. Wskutek tego podstępu mogli spokojnie opuścić miasto w nocy. Następnego dnia wkroczył w jego mury Aurelian. Wbrew obawom antiocheńczyków i tutaj okazał wielką wyrozumiałość. Nie dopuścił do żadnych rabunków, ogłosił nawet amnestię dla tych, którzy uciekli wraz z Zenobią.

Następną potyczkę stoczono na przedmieściach Antiochii, w Dafne, ale do bitwy decydującej doszło pod Emesą (obecnie Homs), mieście tak sławnym z kultu boga Słońca, gdzie swego czasu arcykapłanem był młodziutki Heliogabal. Walka miała początkowo przebieg niepomyślny dla Rzymian, ale — tak opowiadano — w momencie krytycznym zjawiła się wśród rzymskich żołnierzy niezwykła postać i dodała im sił i odwagi; było to samo bóstwo Słońca. Właśnie dlatego — tak twierdzono — cesarz wspaniale obdarował jego świątynię w Emesie, a potem zbudował mu jeszcze większą w samym Rzymie.

Te dwie opowieści — o ukazaniu się Apoloniusza pod Tianą i boga Słońca podczas bitwy — są o tyle ważne, że zapewne stały się bodźcem do ułożenia w kilkadziesiąt lat później tak sławnej do dziś opowieści o widzeniu Konstantyna Wielkiego; cesarz sprzyjający chrześcijanom nie mógł być gorszy od cesarza czciciela Słońca, toteż i jemu ukazywać się musiały znaki cudowne. W każdym razie, kto wierzy w historyczność wizji Konstantyna, nie może odmawiać jej tym objawieniom i znakom, które rzekomo dane były Aurelianowi. Podstawa bowiem źródłowa w obu wypadkach jest tak samo wątła, a funkcja propagandowa widzeń równie ewidentna.

Armia rzymska przemierzyła pustynię i przystąpiła do oblegania Palmiry. Zenobia i jej poddani nie upadali na duchu, gdyż miasto miało mocne mury i było dobrze zaopatrzone, a liczono też na odsiecz perską. Rzymianie natomiast ponieśli duże straty w obu bitwach i podczas marszu przez pustynię, a także cierpieli z powodu uciążliwości klimatu; mieli ponadto kłopoty z zaopatrzeniem w żywność i wodę, gdyż koczownicy przerywali im dostawy. Aurelian wszakże, choć sam został ranny strzałą wypuszczoną z murów, uporczywie prowadził prace oblężnicze. Zdołał przekupić koczowników i rozgromił Persów. Wreszcie, gdy miastu zaczął doskwierać głód, Zenobia skrycie przedostała się za mury i z małym orszakiem uciekała ku granicy na wielbłądach; pościg dopadł ją tuż nad Eufratem. Wkrótce potem Palmira skapitulowała. Było to prawdopodobnie w 272 roku.

Aurelian i tutaj powstrzymał się od aktów zemsty. Pozostawił miasto nietknięte, zabierając tylko Zenobię, Wabalata, ich doradców i wodzów, a także ogromne skarby. W Emesie odbył sąd nad pojmanymi, byli bowiem formalnie i faktycznie buntownikami. Podczas przesłuchań Zenobia nie popisała się odwagą, zrzucając całą winę na swych ministrów, a zwłaszcza na Kasjusza Longinusa; poniósł on śmierć, zachowując się do końca bardzo godnie. Wojsko domagało się także, by zgładzić Zenobię i jej syna, pozostawiono ich wszakże przy życiu, mieli bowiem zdobić triumf cesarza w Rzymie.

Podczas przeprawy przez Bosfor zatonął okręt, na którego pokładzie znajdowali się palmirscy wielmoże, Zenobia wszakże i jej syn uratowali się. Jakie były ich dalsze losy? Podobno szli jako jeńcy w triumfalnym pochodzie Aureliana. Zenobia miała później otrzymać rezydencję w miejscowości *Tibur*, późniejszym Tivoli, a jej potomkowie rzekomo mieszkali w Rzymie jeszcze w sto lat później. Tak więc Aurelian potrafił okazywać pokonanym wrogom więcej wspaniałomyślności niż chrześcijanin Konstantyn Wielki, mściwy i okrutny.

Z pobytem Aureliana w Syrii wiąże się pewna sprawa mająca znaczenie w historii Kościoła. Otóż w antiocheńskiej gminie było wówczas dwóch biskupów: Paweł, uznawany przez większość za heretyka, a politycznie związany z Zenobią, oraz nowo wybrany — Domnus. Przedmiotem sporu był dom biskupi, którego złożony z urzędu Paweł nie chciał opuścić. Przedłożono spór cesarzowi, ten zaś zadecydował, że dom ma należeć do tego, kogo wskażą biskupi italscy i miasta Rzymu; ci opowiedzieli się za Domnusem. Wydarzenie to świadczy najlepiej, że chrześcijanie cieszyli się wówczas pełnią swobód. Jest także dowodem autorytetu biskupa stolicy imperium. Podobno nastawienie Aureliana do chrześcijan zmieniło się pod koniec rządów i rzekomo już przygotowywano edykt w sprawie nowych prześladowań, ale nagła śmierć cesarza przecięła te zamiary. Czy to prawda, nie da się dziś stwierdzić. Niektóre źródła wspominają o męczennikach z tego okresu, zapewne jednak chodzi o pomylenie podobnych imion cesarzy: Aureliusz i Aurelian.

Triumf Aureliana

Tymczasem wieści o najeździe ludu Karpów na prowincję Mezję Dolną nad Dunajem zmusiły cesarza do opuszczenia krain Wschodu. Pośpieszył tam natychmiast i zadał barbarzyńcom ciężkie klęski — szczególnie w bitwie pod Karzjum (*Carsium*) — a resztę ich osiedlił na spustoszonych ziemiach bałkańskich. Szczycąc się tytułami *Parthicus Maximus*, za zwycięstwa na Wschodzie, i *Carpicus Maximus*, za pokonanie Karpów, zamierzał powrócić do Italii, aby przygotować wyprawę nad Ren, gdy przyszedł alarmujący meldunek: w Palmirze i w Egipcie doszło do buntu, grozi ruina wszystkiego, co zostało tam osiągnięte z takim trudem.

Sprawcą rebelii w Palmirze był niejaki Apsajos. Próbował on najpierw namówić rzymskiego dowódcę Marcellinusa, aby ogłosił się cesarzem, ten jednak poprosił o czas do namysłu i bezzwłocznie powiadomił Aureliana. Wtedy Apsajos obwołał cesarzem niejakiego Antiocha, człowieka niskiego rodu. Zapewne w tymże czasie powstał w Aleksandrii przeciw władzy rzymskiej kupiec Firmus — może związany interesami handlowymi z Palmirą? — nie przybierając jednak tytułu cesarza.

Aurelian zareagował z właściwym sobie zdecydowaniem i z prawdziwie piorunującą szybkością. Stanął w Antiochii, kiedy cały lud zebrany na stadionie obserwował wyścigi rydwanów. Stąd ruszył wprost na Palmirę i zajął miasto bez walki; nikt nie stawiał oporu, wszyscy bowiem byli kompletnie zaskoczeni. Teraz wszakże spotkała Palmirę kara surowa: została gruntownie złupiona, część ludności zapewne przepędzono, miasto — do niedawna tak potężne i bogate — nigdy już nie odzyskało

świetności. Pozostały jednak aż po nasze dni ogromne, imponujące ruiny, teren intensywnych prac archeologicznych po II wojnie, w których znakomite rezultaty osiągnęli polscy uczeni: K. Michałowski, M. Gawlikowski, A. Sadurska, by tylko tych wymienić.

Samozwańca Antiocha cesarz nie ukarał; z pogardą puścił go wolno. Z Palmiry podążył do Aleksandrii, gdzie Firmus usiłował się bronić, widząc jednak beznadziejność sytuacji popełnił samobójstwo. Buntownicze miasto ukarano zburzeniem murów.

Wymienione dotychczas wydarzenia — walki z Gotami nad Dunajem, ewakuacja Dacji, pierwsza i druga wyprawa przeciw Palmirze, stłumienie rebelii w Aleksandrii — zajęły prawie dwa lata, 271 i 272, a zapewne też połowę 273 roku. Przyszła obecnie kolej na Galię, gdzie panował od trzech lat Gajusz Pius Ezuwiusz Tetrykus, przybrawszy sobie na współwładcę syna, Tetrykusa II. Ale były to rządy słabe. Zza Renu atakowali Alamanowie i Frankowie, od strony morza piraci różnych plemion, wewnątrz zaś wciąż dochodziło do buntów i zamieszek. Sam Tetrykus czuł się przede wszystkim Rzymianinem odpowiedzialnym za losy całego imperium, a ta odpowiedzialność nakazywała uznanie władzy tylko jednego cesarza. Gdy zatem Aurelian na czele swej armii przekroczył Alpy, starszy Tetrykus wręcz dezorganizował opór, choć miał pod swymi rozkazami liczne wojska. Podobno w tajnych listach błagał cesarza, aby wyzwolił go od nieszczęsnego ciężaru panowania. A kiedy wreszcie doszło do bitwy w okolicach *Catalaunum* (obecnie Châlons sur Marne w Szampanii), w pewnej chwili po prostu zdradził swych żołnierzy i przeszedł na stronę Aureliana. Zwycięzca nie tylko darował życie jemu i jego synowi, ale potwierdził im obu godność senatorską i przyznał wysokie urzędy.

W początkach 274 roku odbył się w Rzymie wspaniały triumf, w którym jako pokonani ukazali się oczom mieszkańców

władcy Palmiry i Galii. Był to rzeczywiście moment wielki, historyczny: po piętnastu latach rozbicia, buntów i uzurpacji imperium miało jednego tylko władcę, któremu podlegały wszystkie prowincje od Brytanii po Syrię i Mezopotamię.

Tak więc Aurelian okazał się jednym z najwybitniejszych wodzów w historii cesarstwa. A jakim był władcą w sprawach wewnętrznych? Zastał w gospodarce sytuację fatalną. Pusty skarb, inflacja, zadłużenie ludności, a i ciągłe wojny wymagały nakładania nowych ciężarów. W tych warunkach szybkie zaradzenie złu nie było możliwe. Trzeba jednak na chwałę Aureliana zapisać, że nie pozostawał bezczynny. Zdając sobie sprawę, jak ważny jest zdrowy pieniądz i zaufanie do niego, zaczął wprowadzać pewne zmiany w systemie monetarnym, które mogłyby stać się podstawą prawdziwej reformy, na co jednak zabrakło czasu. Pozostała wszakże na stałe drobna innowacja formalna, ważna jednak dla numizmatyków — oto poczynając od tego panowania znaczono odpowiednimi symbolami na monetach, w której mennicy zostały wybite, co zapewne miało dopomagać w wykrywaniu nadużyć i fałszerstw. Zdobycie ogromnych skarbów palmireńskich pozwoliło na jednorazowe umorzenie wszystkich długów wobec państwa. Odbyło się spektakularnie przez spalenie odpowiednich dokumentów na Forum. Możliwa też stała się rozbudowa systemu rozdawnictwa żywności wśród ubogiej ludności stolicy: chleba, oliwy, mięsa wieprzowego, soli.

Godność cesarską traktował Aurelian z wielką powagą. Kult boga Słońca jako głównego, a może nawet jedynego bóstwa, oraz kult władzy jako zwieńczenia całego gmachu imperium wzajem się dopełniały. A na niektórych napisach i monetach, nielicznych co prawda, określa się cesarza wyrazami: *Deus et Dominus*, „Bóg i Pan". Nie była to jeszcze polityka oficjalna, ale jakby zapowiedź rozwoju w tym kierunku na przyszłość.

W jakiś czas po swym świetnym triumfie, ale jeszcze w 274 roku, Aurelian opuścił stolicę. Najpierw uśmierzył niepokoje w Galii, potem odparł barbarzyńców nad górnym Dunajem, następnie zaś, już późnym latem 275 roku, zaczął przygotowywać wyprawę do Azji. I właśnie wtedy stał się ofiarą spisku. Zorganizował go jeden z zaufanych sekretarzy cesarskich, Mnesteusz, przyłapany na fałszowaniu dokumentów i kłamstwie. Obawiając się kary, przekonał kilku oficerów, że to właśnie oni mają zostać ukarani przez cesarza. Gdy więc Aurelian wyjechał bez należytej eskorty z Peryntu, gdzie miał główną kwaterę podczas przeprawy wojsk z Europy na brzeg azjatycki, grupa oficerów straży rzuciła się nań niespodziewanie w małej miejscowości Cenofrurium, zadając mu mieczami rany śmiertelne. Tak zginął — przedwcześnie i właściwie przypadkowo — jeden z najwybitniejszych cesarzy rzymskich.

Tacyt

Marcus Claudius Tacitus
Ur. w 200 r.,
zm. późną wiosną 276 r.
Panował od jesieni 275 r.
do śmierci jako *Imperator Caesar Marcus Claudius Tacitus Augustus.*

Spiskowcy dokonali zamachu na cesarza Aureliana szybko i jakby nerwowo, chcieli bowiem uprzedzić niebezpieczeństwo rzekomo zagrażające im z jego strony. Mieli tylko jeden cel — zgładzić Aureliana; nie mieli żadnych innych zamiarów, nie upatrzyli sobie nawet kandydata do purpury! Sądzili zapewne, iż wszystko potoczy się trybem normalnym, czyli że wśród dowódców natychmiast znajdzie się chętny następca, który skorzysta z okazji, skupi popleczników, każe okrzyknąć się cesarzem, im zaś wszystko wybaczy, a może nawet czyn ich hojnie wynagrodzi.

Zawiedli się wszakże ogromnie. Aurelian, choć surowy, twardy, porywczy, cieszył się wielkim mirem wśród oficerów i żołnierzy, jego więc nagłe odejście wywołało szok i przeraziło wszystkich. Nikt więc nie śmiał występować w roli pretendenta do spadku po nim.

Urządzono cesarzowi uroczysty pogrzeb tam, gdzie zginął, dowódcy zaś postanowili zwrócić się do senatu, by wyznaczył następcę. Była to decyzja niezwykła w dziejach imperium, dotychczas bowiem w podobnych sytuacjach wojsko stawiało senat przed faktem dokonanym, domagając się tylko formalnego potwierdzenia swego wyboru. Dlaczego więc obecnie stało się inaczej? Można wskazać pewne przyczyny. Wyżsi dowódcy, spośród których wypadałoby kogoś wybierać, patrzyli na siebie wzajem zawistnie i podejrzliwie, wzajem też utrącali starania rywali usiłujących potajemnie pozyskać poparcie żołnierzy. Wielką niewiadomą stanowiła też postawa innych armii, zwłaszcza Renu i Eufratu, gdyż nad Bosforem, gdzie zginął Aurelian, znalazły się formacje ściągnięte znad Dunaju. Czy tamte legiony byłyby skłonne zaakceptować wybór, którego dokona się tutaj? Ostatecznie więc uznano, że najwygodniej i najbezpieczniej będzie, jeśli przerzuci się całą odpowiedzielność na senat. Dowód to zresztą, że cieszył się on wciąż jeszcze ogromnym autorytetem, może nawet większym, niż na to zasługiwał.

Ale senat był zaskoczony i zdumiony takim obrotem wydarzeń, od dawna bowiem odwykł od rzeczywistego decydowania o czymkolwiek. Nie zamierzał więc i w tym wypadku czynić żadnego kroku, poniekąd słusznie. Mogło przecież się zdarzyć, że tymczasem wojsko jednak okrzyknie cesarzem któregoś z dowódców, a ten z konieczności natychmiast stanie się wrogiem senatorów i ich kandydata, mając zaś siłę za sobą łatwo wywrze na nich srogą zemstę — i to tylko za to, iż zbyt zawierzyli żołnierzom i pośpieszyli się z wyborem. Senat więc uchwalił konsekrację Aureliana, czyli zaliczył go w poczet bogów, powiadomił jednak wojsko, że to najpierw ono powinno wypowiedzieć się w kwestii najgodniejszego następcy tak świetnego cesarza. Żołnierze wszakże nie przystali na to.

Ta niebywała sprawa — uchylanie się od dokonania wyboru i przerzucanie odpowiedzialności za to z jednej strony na drugą — trwała ponad miesiąc. Był to więc okres zwany *interregnum*, „bezkrólewie”, a w dziejach Rzymu zdarzył się dotychczas raz tylko — jeśli wierzyć legendzie — po śmierci pierwszego króla, Romulusa, a więc w VIII wieku p.n.e. Obecnie oczywiście należałoby mówić raczej o okresie bezcesarskim.

Ostatecznie jednak nowego władcę wybrał senat. Został nim były konsul, Marek Klaudiusz Tacyt, liczący sobie 75 lat.

Pochodził z miasteczka Interamna w środkowej Italii. Twierdził, że jego przodkiem był sławny dziejopis Tacyt, zmarły przed stu pięćdziesięciu laty, ten sam, z którego dzieł tylekroć korzystaliśmy przedstawiając sylwetki kilkunastu pierwszych cesarzy. Ale twierdzenie o takim powiązaniu genealogicznym trzeba uznać za zupełnie bezpodstawne, a nawet jawnie fałszywe, gdyż wielki pisarz należał do rodu Korneliuszy, cesarz zaś miał nazwisko Klaudiusz! Ale ów snobizm, który kazał senatorowi w III wieku uważać się za potomka wielkiego, może nawet największego historyka piszącego po łacinie, miał pozytywny, bardzo doniosły skutek dla naszej wiedzy o dziejach Rzymu. Oto Marek Klaudiusz Tacyt, już jako cesarz, rozkazał, aby prace jego wielkiego imiennika znalazły się we wszystkich bibliotekach i by przepisywano je corocznie w dziesięciu księgach. Nie ulega żadnej wątpliwości, że właśnie to pomnożenie egzemplarzy zdecydowanie pomogło w uratowaniu dzieł, którym inaczej groziłaby całkowita zagłada i zapomnienie, jak utworom tylu świetnych pisarzy świata starożytnego. A o ileż uboższa byłaby nasza znajomość Rzymu za Tyberiusza i Nerona, gdyby nie *Roczniki* Tacyta, o ileż niższy i opóźniony w rozwoju poziom historiografii, jeśliby zabrakło pokoleniom Europejczyków źródła głębokiej refleksji, wzoru pięknego stylu, jaki stanowi do dziś każda stronica pism tego mądrego myśliciela i utalentowanego pisarza!

Zbiór biografii władców *Pisarze historii cesarskiej* zawiera wyjątki z przemówień i z protokołu posiedzenia senatu, na którym dokonano wyboru Tacyta. Jest to wszakże materiał w całości zmyślony, choć nie bezwartościowy. Treść mianowicie owych rzekomych mów i uchwał odzwierciedla ideały i poglądy Rzymian schyłku IV wieku — wtedy bowiem powstawała książka *Pisarze historii cesarskiej* — a pozwala też zrozumieć, jak oni sami widzieli swoją przeszłość. Na przykład w jednej z mów rzekomo wygłoszonych podczas wyboru Tacyta chwali się jego podeszły wiek. Sens wywodów jest taki: skoro wie on dzięki swemu doświadczeniu i obserwacji przez wiele lat różnych cesarzy, jaki powinien być władca dobry — sam będzie takim. Jeśli bowiem przypomnieć dawnych cesarzy występnych, owych Neronów, Heliogabalów, Kommodusów, łatwo zauważyć, że postępowali źle zarówno na skutek przyrodzonych cech charakteru, jak i wad właściwych młodości.

„Niechże więc bogowie nas strzegą przed nadawaniem tytułów pana i ojca ojczyzny dzieciom i młodzieniaszkom! Owym chłopaczkom, których ręce przy składaniu podpisów prowadzić muszą nauczyciele! I których skłania się, by przyznali konsulat temu lub owemu ofiarowując słodycze, kółka lub inne zabawki dziecinne!"

Autor żywotu Tacyta, rzekomy Flawiusz Wopiskus, czyni zeń władcę wręcz idealnego, który już w mowie programowej zapowiedział ścisłą współpracę z senatem, a później rzeczywiście tak postępował oraz wprowadził wiele zbawiennych reform. Najpierw oddał hołd pamięci Aureliana — wzniósł mu liczne posągi i ukarał jego zabójców. Sam żył skromnie i usiłował ograniczyć w stolicy luksus, zakazując na przykład noszenia jedwabnych szat przez mężczyzn. Postanowił również wprowadzić obyczajność w wielkich łaźniach i w tym celu zalecił zamykanie ich o zmroku. Trudno jednak orzec, w jakim kierunku poszłoby jego panowanie, gdyby nie musiał wkrótce opuścić Rzymu.

Zapewne w początkach 276 roku pośpieszył do Azji Mniejszej, pustoszonej przez watahy Gotów i Alanów. Byli to prawdopodobnie żołnierze najemni, ściągnięci na wyprawę wojenną przeciw Persom przez Aureliana; obecnie, korzystając z zamieszania i okresu niepewności po jego śmierci, dali upust instynktom grabieży, mordu, niszczenia. Cesarz wyprawił się przeciw nim wraz ze swym przyrodnim bratem Florianem, którego mianował prefektem pretorium. Odniósł zwycięstwo stosunkowo łatwo i szybko; barbarzyńcy zostali wyparci z półwyspu.

Sam fakt, że cesarz w wieku tak podeszłym decydował się na trudy kampanii w odległych krainach, wystawia mu, jego poczuciu obowiązku, świadectwo jak najlepsze. Ale była to jego ostatnia podróż w życiu, zmarł bowiem późną wiosną 276 roku, zapewne w maju lub w czerwcu. Okoliczności zgonu nie są dokładnie znane, a relacje źródeł antycznych są sprzeczne. Według jednych śmierć nastąpiła wskutek choroby, co nie

 byłoby dziwne; według innych cesarza zabili spiskowcy, którzy poprzednio zgładzili namiestnika Syrii Marcellinusa i obawiali się kary. Tak samo nie ma zgody co do miejsca zgonu: jedni mówią o mieście Tars (*Tarsus*) w Cylicji, inni o Tianie w Kapadocji, a jeszcze inni ogólnie o obszarach Bitynii lub Pontu.

Florian

Marcus Annius Florianus
Ur. po 200 r.,
zm. późnym latem 276 r.
Panował ponad dwa miesiące latem 276 r. jako *Imperator Caesar Marcus Annius Florianus Augustus.*

Tym razem bezkrólewia nie było, natychmiast bowiem po śmierci cesarza Tacyta przywdział purpurę jego brat przyrodni, Marek Anniusz Florian. Senat uznał go bezzwłocznie i chętnie, o czym świadczą napisy, a zwłaszcza monety z jego wizerunkiem, stosunkowo licznie znajdowane na terenach zachodnich prowincji cesarstwa. Lecz było to panowanie bardzo krótkie, nie trwało trzech miesięcy, a Florian nawet nie zdążył opuścić Azji Mniejszej. Zamordowany został przez własnych żołnierzy w Tarsie, mieście położonym na południowo-wschodnim wybrzeżu półwyspu. Według innych przekazów Florian opuszczony popełnił samobójstwo podcinając sobie żyły. W Tarsie zaś podobno znalazł się, aby zagrodzić drogę rywalowi do tronu, który tymczasem został okrzyknięty przez legiony w Syrii i rozpoczął marsz na ich czele. Owym rywalem był Probus.

Probus

Marcus Aurelius Probus
Ur. 19 sierpnia 232 r.,
zm. latem 282 r.
Panował jako *Imperator Caesar Marcus Aurelius Probus Augustus* od późnej wiosny 276 r. do śmierci.

Marek Aureliusz Probus pochodził, jak przed nim Aurelian i Klaudiusz II, z prowincji naddunajskich — urodził się bowiem w Sirmium — należał zatem do tak zwanych Iliryjczyków. Był popularny wśród żołnierzy, służył bowiem w wojsku zawodowo od młodości i kolejno zdobywał coraz wyższe stopnie. Walczył w różnych formacjach i na rozmaitych frontach za panowania Waleriana, Galiena oraz ich następców. Przywdziewając purpurę miał 44 lata. Był człowiekiem niezwykle energicznym i doświadczonym w wojennym rzemiośle, toteż zapisał się w dziejach imperium jako jeden z najlepszych władców.

Najpierw ukarał śmiercią tych zabójców Aureliana, których nie dosięgła ręka Tacyta. Może pomścił też śmierć tego ostatniego, jeśli istotnie zginął on zamordowany. Potem przyjechał do Rzymu, na krótko jednak, już bowiem wiosną 277 roku pośpieszył do Galii, aby odeprzeć najazd Franków i Lugiów zza Renu. Barbarzyńcy spustoszyli tam ponad 60 miast. Okręty Franków docierały nawet do brzegów Luzytanii (Portugalii). Armia rzymska podzieliła się na dwa korpusy, a jednym z nich — przeciw

Lugiom — dowodził sam cesarz. Oba odniosły zwycięstwa, odzyskując łupy i jeńców. W ręce Probusa dostali się nawet wódz Lugiów Semnon i jego syn, toteż lud ten zawarł z Rzymianami pokój. Pozwolono Lugiom powrócić do siedzib, a potem wypuszczono z niewoli także ich wodza. Gdyby przyjąć, jak czynią niektórzy badacze, że Lugiowie to Słowianie, chodziłoby o fakt z dziejów naszych przodków — jest to wszakże wątpliwe.

Tymczasem z pomocą Frankom przyszli Burgundowie. Probus pokonał ich połączone siły, choć wojska miał mniej liczne. Gdy zaś barbarzyńcy złamali układ pokojowy nie zwracając łupów i jeńców, uderzył na nich raz jeszcze. Wzięci do niewoli Germanie częściowo otrzymali działki ziemi, które mieli uprawiać jako kolonowie, czyli drobni dzierżawcy, a częściowo zostali w małych grupach przydzieleni do garnizonów rzymskich w różnych prowincjach.

Aby umocnić zwycięstwo, cesarz przekroczył Ren i szedł przez ziemie między górnym biegiem tej rzeki a Dunajem, już od dawna opuszczone przez rzymskie oddziały, choć istniał tam niegdyś potężny system fortyfikacji, *limes Germanicus,* którego szczątki do dziś pozostały. Nie mogło być mowy o przywróceniu dawnych granic, wydaje się jednak, że obsadzono pewne miejsca na prawym brzegu Renu, aby przynajmniej kontrolować przeprawy przez tę rzekę.

W 278 roku Probus toczył walki w prowincjach bałkańskich wypierając wdzierających się zza Dunaju Wandalów. W następnym roku był już w Azji Mniejszej, gdzie oczyszczał z rozbójników góry, a z piratów wybrzeża Licji i Pamfilii na południu półwyspu. Ze względu na konfigurację terenu nie były to operacje łatwe; główną fortecę w miejscowości Kremna zdobyto tylko dzięki zdradzie człowieka, który wskazał słaby punkt tego niedostępnego gniazda skalnego. Wiele ziem w tamtych krainach rozdano weteranom, pod tym jednak warunkiem, że ich synowie podejmą służbę w armii. W 280 roku ujrzały cesarza znowu prowincje naddunajskie. Usiłowali tam wtargnąć Bastarnowie; zostali pokonani i osiedleni jako rzymscy poddani w liczbie około stu tysięcy na ziemiach Tracji.

 Taką politykę osadzania obcych ludów w granicach imperium w celu uprawy ziem opuszczonych i wyniszczonych stosowali niektórzy cesarze już poprzednio, nigdy jednak tak konsekwentnie i w takich rozmiarach jak Probus. Miała ona oczywiście pozytywne skutki ekonomiczne, kryła wszakże wielką groźbę na przyszłość; równie niebezpieczne okazało się wcielanie pojmanych barbarzyńców do rzymskiej armii, praktykowane coraz szerzej.

W 281 roku ludność Rzymu oglądała wspaniały wjazd triumfalny Probusa. Cesarz mógł być rzeczywiście dumny ze swych czynów. Był godnym następcą Aureliana, w ciągu zaledwie pięciu lat przywrócił wszędzie pokój u granic i wyparł lub poddał swej woli wrogie ludy. Pokonał też samozwańczych cesarzy, a pojawiło się ich kilku: Prokulus w Lugdunum, czyli Lyonie, Bonozus w Kolonii, ktoś — nie znany nawet z imienia — w Brytanii, Juliusz Saturnin w Syrii. Co prawda wszyscy oni zostali szybko usunięci, niektórzy nawet przez wojska miejscowe, pokazali jednak, że w imperium nawet pod rządami energicznego i doświadczonego w bojach władcy znajdą się śmiałkowie gotowi wiele ryzykować dla purpury.

Niektórzy historycy przypuszczają, że właśnie z powodu owych buntów w prowincjach Probus wprowadził istotną zmianę w polityce rolnej. Zezwolił mianowicie na zakładanie lub też rozszerzanie plantacji winorośli w różnych krainach, na przykład w Galii, Panonii, Mezji, gdzie było to zakazane lub ograniczane od czasów ustawy cesarza Domicjana sprzed dwustu lat, nakazującej oddawanie ziemi przede wszystkim pod uprawę zbóż.

Zapewne podczas uroczystości triumfalnych wyrzekł Probus słowa dumne i pełne nadziei: „Wkrótce nie będziemy już potrzebowali żołnierzy”. Zgodnie z przekonaniem, że wreszcie wracają czasy niezmąconego pokoju, cesarz zaczął kierować oddziały wojsk do pracy przy budowie dróg, mostów, kanałów, a także do robót polnych. Tak działo się w epoce świetności imperium, Probus zatem nawiązywał do dawnych, zdrowych tradycji. I chyba właśnie żołnierze brali udział we wznoszeniu murów obronnych wokół Rzymu, rozpoczętych przez cesarza Aureliana. Ale owe próby przywrócenia karności w armii i zmuszanie żołnierzy do wykonywania ciężkich prac fizycznych miały srodze zemścić się na inicjatorze.

Latem 282 roku podczas pobytu w rodzinnym mieście Sirmium nad Sawą cesarz rozkazał załodze tamtejszego garnizonu kopać kanały odwadniające i zbiorniki. Spowodowało to rozruchy wśród wojsk, które odwykły od wszelkiej pracy. Ofiarą tego buntu padł sam cesarz Marek Aureliusz Probus. A był on, jak twierdzi rzymski historyk, równy Aurelianowi sławą wojskową, wyższy zaś od tamtego obyczajnością i kulturą.

Karus

Marcus Aurelius Carus
Ur. około 230 r.,
zm. w lecie 283 r.
Panował od lata 282 r.
do śmierci jako
Imperator Caesar Marcus Aurelius Carus Augustus.
Po śmierci został zaliczony
w poczet bogów.

Gdy latem 282 roku cesarz Probus legł od śmiertelnych ciosów żołnierzy w Sirmium nad Sawą, Karusa tam nie było, to pewne. Piastował on wówczas urząd prefekta pretorium i znajdował się daleko od tej miejscowości; przebywał bowiem aż nad górnym Dunajem. Nie da się wszakże ustalić — gdyż informacje źródłowe w tej sprawie są niepełne, a nawet wręcz sprzeczne — czy Karus został obwołany przez swoje wojska cesarzem jeszcze przed śmiercią Probusa, czy też dopiero wtedy, gdy przyszła wiadomość o jego losie i tron był pusty. W pierwszym wypadku Karus okazałby się jako samozwaniec w pewnej mierze pośrednim sprawcą rebelii w Sirmium — niektórzy nawet twierdzą, że Probus już wysłał przeciw niemu wojska — w drugim natomiast nie obciążałaby go żadna wina.

Tak czy inaczej nikt nie oponował, gdy Karus przywdział purpurę. Senat oczywiście wyraziłby natychmiast swoją aprobatę, ale nowy cesarz był pierwszym w dziejach imperium, który nawet nie raczył zwrócić się doń z prośbą o potwierdzenie aktu dokonanego przez wojsko. Wzgardliwe pominięcie przez Karusa tej tradycyjnej formalności to fakt ważny i znamienny. „Odtąd umocniła się władza żołnierzy, a senatowi odebrano moc rozkazywania i prawo mianowania cesarzy aż po dni nasze. Nie wiadomo zaś, czy stało się to z woli samego Karusa czy też skutkiem niedbałości, obawy lub przewidywania konfliktów". Słowa te, które wyszły spod pióra historyka z IV wieku, Aureliusza Wiktora, są z pewnością przesadne, z senatem bowiem już od dawna nikt się nie liczył i nie miał on żadnych możliwości powoływania władców — chyba że samo wojsko tego żądało, jak w wypadku Tacyta — tak jednak odczuwano wówczas to, że Karus demonstracyjnie odrzucił tradycyjny zwyczaj.

Kim był nowy pan imperium? O jego rodzie i karierze nie potrafimy powiedzieć nic pewnego. Pochodził, jak się wydaje, z Narbo, stolicy prowincji *Gallia Narbonensis*, ale źródła mówią też o Panonii i Ilirii, o Mediolanie i nawet o samym Rzymie. Jeśli za Probusa został prefektem pretorium, to widocznie cesarz ów darzył go szczególnym zaufaniem — a był to władca umiejętnie dobierający najlepszych współpracowników. Karus okazał się natychmiast po objęciu władzy najwyższej godnym spadkobiercą i jego, i Aureliana.

Znad górnego Dunaju pośpieszył natychmiast do Sirmium. Przywrócił tu porządek, stłumił żołnierskie rozruchy, sprawców zabójstwa Probusa ukarał przykładnie. I chyba tutaj też dał swym synom Karynusowi i Numerianowi, tytuły cezarów, co oznaczało, że czyni ich współwładcami i przewiduje na następców. Potem zajął się poskramianiem Kwadów, którzy usiłowali wtargnąć w głąb rzymskich prowincji naddunajskich. Działo się to jesienią 282 roku. Następnie podjął Karus wyprawę przeciw Persji jako pierwszy władca imperium po cesarzu Walerianie. Zapewne więc nie miał czasu, aby zawitać do stolicy nad Tybrem, a jeśli nawet to uczynił, to tylko na krótko. Na pierwszym miejscu stawiał sprawę bezpieczeństwa państwa, co dobrze świadczy o jego rozumieniu obowiązków.

Przygotowania do wyprawy wschodniej poczynił może już Probus koncentrując wojska pod Sirmium. To ułatwiło Karusowi wykonanie wielkiego planu. Chyba jeszcze pod koniec 282 roku przeprawił się wraz z armią do Azji Mniejszej, mając u boku syna młodszego, Numeriana, starszy bowiem, Karynus, pozostał na straży prowincji zachodnich.

Nie zachował się żaden opis tej wojny, zdani jesteśmy tylko na krótkie wzmianki, wiadomo jednak, że uwieńczył ją sukces szybki i olśniewający. Nie napotykając poważniejszego oporu wkroczono do Mezopotamii, opanowano Seleucję i Ktezyfon nad Tygrysem, Karus więc w pełni zasłużył sobie na tytuł *Persicus Maximus,* „Największy Zwycięzca Persów". Wydaje się, że upojony tak łatwym zwycięstwem, a także wskutek namów prefekta pretorium Arriusza Apra — którego córkę poślubił Numerian — postanowił iść jeszcze dalej na wschód.

I wtedy to, już latem 283 roku, zdarzyło się nieszczęście: cesarz zmarł nagle. Czy powaliła go niespodziewana choroba, czy raził piorun, czy też dokonano zamachu? Zdania były podzielone już w starożytności, śmierć bowiem nastąpiła w okolicznościach niezwykłych. W księdze *Pisarze historii cesarskiej* przytacza się rzekomy list kierownika sekretariatu Karusa, podający pewne szczegóły tego zdarzenia. Jeśli nawet ów list uznać, jak zresztą większość dokumentów w tym dziele, za sfałszowany, to w każdym razie daje wyobrażenie o tym, co sobie opowiadano w stolicy o tajemniczej sprawie jeszcze w dziesiątki lat później.

„Gdy Karus, nasz cesarz prawdziwie drogi [gra słów: *Carus,* przydomek cesarza, i *carus* — po łacinie „drogi"], chorował i leżał w namiocie, niespodziewanie rozpętała się taka nawałnica, że świat pokryły ciemności i człowiek nie widział człowieka. Potem nieustanna wibracja błyskawic i piorunów, niby gwiazdy ognistej, wszystkim nam odebrała świadomość tego, co dzieje się wokół. Nagle rozległ się krzyk: Cesarz nie żyje! A stało się to właśnie po tym piorunie, który najbardziej przeraził wszystkich. Dołączyło się to jeszcze, że służba osobista bolejąc z powodu śmierci swego pana, podpaliła jego namiot. Stąd zaraz poszła pogłoska, że zginął od pioruna, choć, o ile nam wiadomo, przyczyną śmierci była choroba".

Dziwaczna relacja. Większość źródeł opowiada się za poglądem, że śmierć spowodował piorun. Niektórzy zbudowali nawet na tej podstawie całą teorię: to przeznaczenie wyznaczyło Ktezyfon jako najdalszy punkt na wschodzie, poza który żaden cesarz rzymski iść dalej nie może, Karus więc zginął rażony gromem, ponieważ chciał przekroczyć to, co los ustanowił. Polemizując z tym przesądnym twierdzeniem autor cytowanej książki woła z oburzeniem: „Pozostawmy te wybiegi tchórzostwu na własny jego użytek, męstwo nasze i tak je podepta; z pewnością można i zawsze będzie można zwyciężać Persów, a nawet iść jeszcze dalej, poza ich ziemie!"

Karynus i Numerian

Marcus Aurelius Carinus
Ur. około 250 r.,
zm. latem 285 r.
Panował od lata 282 r. jako cezar wraz z ojcem, augustem Karusem i młodszym bratem, Numerianem, a od lata 283 r. do śmierci jako *Imperator Caesar Marcus Aurelius Carinus Augustus.*

Marcus Aurelius Numerius Numerianus
Ur. około 260 r.,
zm. jesienią 284 r.
Młodszy syn Karusa, brat Karynusa.
Panował od lata 282 r. jako cezar wraz z ojcem i bratem, a od lata 283 r. jako *Imperator Caesar Marcus Aurelius Numerius Numerianus Augustus.*

Natychmiast po śmierci Karusa obaj jego synowie przyjęli tytuły augustów, cesarstwo miało więc dwóch równorzędnych władców. Jednemu z nich winny by przypaść prowincje wschodnie, drugiemu zaś zachodnie. I taki też był stan faktyczny — młodszy brat, Numerian, już się bowiem znajdował w Azji, starszy zaś, Karynus, w Galii lub Italii. Żoną tego drugiego brata Magnia Urbika, nosząca tytuł augusty; ich syn, Nigrynian, do historii przeszedł głównie dlatego, że był ostatnim ubóstwionym po śmierci członkiem rodziny cesarskiej. Do bezpośredniego spotkania bracia na razie nie dążyli, choć

Numerian uznał wojnę z Persami za zakończoną i po pewnym czasie rozpoczął powolną podróż przez kraje Azji Mniejszej do Europy.

Numerian miał podobno zamiłowanie i zdolności literackie, układał i wygłaszał publicznie mowy popisowe, był również dobrym poetą, co zresztą niewiele mówi, poziom bowiem twórczości w tym okresie był niski, nie pojawił się na polu piśmiennictwa nikt prawdziwie utalentowany. Na pewno jednak nie dorównywał ojcu energią, autorytetem, doświadczeniem wojskowym. Nie cieszył się też najlepszym zdrowiem, a latem i jesienią 284 roku, gdy w asyście wojska podróżował ku Bosforowi, nabawił się choroby oczu, podobno na skutek intensywnej lektury nocami. Niesiono zatem Numeriana w zasłoniętej lektyce, nikt nie miał doń dostępu, a straż nad chorym sprawował osobiście jego teść, prefekt pretorium, Arriusz Aper. Przez wiele dni żołnierze pytali, jak ze zdrowiem młodego władcy, Aper zaś oświadczał niezmiennie: „Nie pokazuje się, albowiem wiatr i słońce szkodzą słabym oczom".

Wreszcie pod samą Nikomedią — było to już w drugiej połowie listopada — smród rozkładających się zwłok zdradził, że Numerian nie żyje od dawna i że przez wiele dni dźwigano trupa. Doszło do rozruchów. Podejrzenie padło na Apra: to on dopuścił się zbrodni, zamordował cesarza i taił to, aby we właściwym momencie zagarnąć władzę! Tego oczywiście wykluczyć nie można. Ale równie możliwe jest i to, że Numerian zmarł śmiercią naturalną, Aper zaś nie wyjawił tego od razu, aby nie dopuścić do niepokojów, zamieszek, prób uzurpacji; chciał doprowadzić wojsko możliwie daleko na zachód i tam przekazać je Karynusowi, jedynemu w danym momencie władcy prawowitemu. Tajemnica tego nieszczęsnego zgonu, podobnie jak poprzedniego, Karusa, była i pozostaje nie wyjaśniona. A może nawet byli tacy, którym właśnie zależało na pośpiechu, na obarczeniu całą winą Apra, na usunięciu tego niewygodnego i wpływowego świadka możliwie szybko?

Tłum żołnierzy rzucił się na prefekta. Wyciągnięto go na główny plac obozowy, gdzie trzymano godła legionów i zazwyczaj obradowało dowództwo. Zebrały się wzburzone masy,

w mgnieniu oka wzniesiono trybunę. Stanęli na niej wyżsi oficerowie oraz prefekt Aper. Relacja, którą przekazują *Pisarze historii cesarskiej,* jest górnolotna: „Szukano człowieka, który by najwłaściwiej pomścił śmierć Numeriana i najlepiej władał. Wówczas to z boskiego natchnienia zgodnie okrzyknięto cesarzem Dioklecjana. Już przedtem, jak powiadano, wiele znaków wskazywało, że będzie kiedyś władcą, a w owym czasie sprawował dowództwo cesarskiej straży przybocznej. Był to mąż znamienity, bystry, oddany zarówno państwu, jak też swoim bliskim, przygotowany zawsze na wszystko, co niesie zmienność wydarzeń. Zamysły żywił głębokie, postępował niekiedy bardzo bezwzględnie, roztropnością wszakże i aż nadmiernym uporem tłumił porywy niespokojnego serca. Gdy tylko wszedł na trybunę i przyjął tytuł augusta, zaraz zaczęto pytać, w jaki to sposób zginął Numerian. Wówczas wyciągnął miecz, wskazał na Apra i przebił go ostrzem wołając: Oto jest sprawca zabójstwa! Mój dziad opowiadał, że uczestniczył w tym wiecu i że Dioklecjan dodał wtedy takie słowa: Możesz się szczycić, Aprze, powaliła cię bowiem prawica wielkiego Eneasza!"

Wyraz *aper* po łacinie znaczy „dzik", aż się zatem prosiło, aby w związku z tym zmyślić jakąś wróżebną opowieść. Zręczny, obdarzony fantazją autor nie ominął takiej okazji.

„Dziad mój przekazał również, czego się dowiedział od samego Dioklecjana. Otóż swego czasu przebywał on w Galii, w kraju Tungrów jako oficer niższego stopnia. Stał kwaterą w jakiejś gospodzie, a gdy płacił za utrzymanie, gospodyni — a była ona zarazem kapłanką druidką — powiedziała: Zbyt jesteś chciwy, zbyt oszczędny! On zażartował: Jako cesarz okażę się bardzo szczodry! Na co kapłanka: Zostaniesz cesarzem, gdy zabijesz dzika. Mówię to poważnie! Dioklecjan, jako człowiek bardzo skryty, roześmiał się tylko i zamilkł. Ale potem, ilekroć nadarzyła się sposobność podczas polowań, zawsze zabijał dziki własnoręcznie. Cesarzem jednak został najpierw Aurelian, następnie zaś Probus, Tacyt, Karus. Mawiał więc żartem, że to on zabija dziki, ale ich mięsem pożywia się kto inny. Dopiero gdy przebił mieczem Apra, westchnął: Wreszcie zabiłem tego dzika, którego los mi wyznaczył! Mój dziad powtarzał takie słowa Dioklecjana: Nie miałem żadnej innej przyczyny, aby zabić go własną ręką, prócz tej tylko, że chciałem wypełnić wróżbę druidki. Zabiłem więc z wyroku losu".

My cenimy wyłącznie uzasadnienia rzeczowe i racjonalne, starożytni lubowali się w znakach wieszczych, przepowiedniach, tajemnych powiązaniach wydarzeń. Taki był duch epoki — lub też taka była znajomość zapomnianego dziś języka wróżb. Nie mając więc pretensji do antycznego autora, musimy z kolei postawić konkretne pytania i wyjawić nasze wątpliwości co do przebiegu wypadków, a zwłaszcza roli Dioklecjana, który wówczas zwany był jeszcze Dioklesem.

Jeśli Aper rzeczywiście zgładził Numeriana, jakim sposobem mógłby tego dokonać bez wiedzy i pomocy straży przybocznej, a więc właśnie Dioklesa? Może więc zabójcami byli obaj? Jeśli tak, to śmielszy z nich musiał w odpowiednim momencie usunąć swego rywala i wspólnika, wskazując go jako mordercę. Jeśliby natomiast założyć, że Numerian zmarł śmiercią naturalną, to właśnie lojalność Apra wobec jego brata, Karynusa, ułatwiła Dioklesowi wysunięcie oskarżenia o morderstwo.

A kto właściwie okrzyknął Dioklesa cesarzem? Cytowany autor powiada ogólnikowo i patetycznie, że wszyscy jednomyślnie, z boskiego natchnienia. Trudno temu uwierzyć i chyba ma rację inny historyk z IV wieku, Aureliusz Wiktor, stwierdzając krótko, że wybrali go oficerowie. Nasuwa się więc przypuszczenie, że w powracającej ze wschodu armii powstał spisek oficerski, zwrócony zarówno przeciw Numerianowi, jak i przeciw jego teściowi, Aprowi.

Godne uwagi jest również to, że Diokles nigdy nie mienił się mścicielem śmierci Numeriana — choć tak utrzymuje cytowana relacja. Wręcz przeciwnie, dokładał starań, aby wymazać tamtego cesarza z pamięci współczesnych. Dowodnie świadczą o tym napisy, z których starannie usunięto imiona

Numeriana i jego brata Karynusa, oczywiście na polecenie władz. Nowy cesarz twierdził nawet, że zgodził się objąć rządy tylko po to, aby położyć kres krwawej tyranii.

Obwołano Dioklesa cesarzem pod Nikomedią w dniu — jak obecnie przyjmuje się najczęściej — 20 listopada 284 roku. Wielu wtedy sądziło zapewne, że będzie to panowanie równie efemeryczne, jak tylu cesarzy w minionym półwieczu. Jeszcze jeden uzurpator! I rzeczywiście, z legalnego punktu widzenia Diokles był tylko uzurpatorem, z chwilą bowiem śmierci Numeriana jedynym prawym władcą imperium stawał się brat zmarłego — Marek Aureliusz Karynus.

Ten faktyczny pan krajów zachodnich i samego Rzymu już od dwóch lat nie cieszył się jednak popularnością. Przeciwnie, nienawidzono go z powodu okrucieństwa, zamiłowania do przepychu, lubieżnych orgii, ekscesów różnego rodzaju. Toteż gdy tylko rozeszła się wieść, że Numerian zmarł, a legiony Wschodu dały purpurę Dioklesowi, pojawił się nowy samozwaniec, właśnie na Zachodzie.

Julian, namiestnik kraju Wenetów na pograniczu Italii i Ilirii, ogłosił się cesarzem; zdołał również opanować Panonię. Tę rebelię Karynus stłumił szybko, chyba w początkach 285 roku. Pozostał wszakże w prowincjach naddunajskich, aby zagrodzić drogę wojskom uzurpatora Dioklesa, które już przeszły z Azji Mniejszej na Bałkany.

Bitwę decydującą stoczono nad rzeką Margus, dzisiejszą Morawą, niedaleko jej ujścia do Dunaju, w lecie 285 roku. Zmagania miały najpierw przebieg niezbyt korzystny dla Dioklesa, w chwili krytycznej pomogli mu jednak oficerowie samego Karynusa — dokonali zamachu na swego cesarza i zasiekli go mieczami. Podobno byli to ci, których żony uwodził, a działali zarówno powodowani żądzą zemsty, jak też obawą, że Karynus, gdyby zwyciężył, stałby się jeszcze gorszym potworem.

Tak więc bitwa nad rzeką Margus przyniosła ostatecznie triumf Dioklesowi-Dioklecjanowi. Imperium przeżyło, zwłaszcza w ostatnich dziesięcioleciach, wiele bratobójczych bitew, ta jednak miała wymiar prawdziwie historyczny: wraz z tym Dioklecjanowym zwycięstwem cesarstwo — z czego oczywiście nikt wtedy nie zdawał sobie sprawy — wkraczało w nową epokę.

Dominat

Dioklecjan

Gaius Valerius Diocles
Ur. około 240 r.,
zm. 3 grudnia 313 lub 316 r.
Panował od 20 listopada 284 r.
do 1 maja 305 r. jako *Imperator Caesar Gaius Aurelius Valerius Diocletianus Augustus.*

Źródła

Pochodził, jak większość cesarzy trzeciego wieku, z niskich warstw społecznych. Urodził się w Dalmacji, a więc na ziemiach dzisiejszej Jugosławii, chyba w okolicach Salony (na przedmieściach dzisiejszego Splitu), w której później wzniósł swój słynny pałac. Gdy przez aklamację wojsk został cesarzem 20 listopada 284 roku pod Nikomedią, miał zapewne 44 lata. O jego rodzinie nawet współcześni niewiele wiedzieli, oficjalnie bowiem w ogóle o nich nie wspominano. Przeważnie twierdzono, że ojciec był skromnym urzędnikiem; a rzymska biurokracja zatrudniała całe zastępy ubogich pisarczyków, skrybów. Według innych źródeł późniejszy władca w czasach młodości pracował jako wyzwoleniec w dalmackich dobrach pewnego senatora, co wydaje się mało prawdopodobne.

Aż do chwili wstąpienia na tron nosił nazwisko *Valerius Diocles*. Ten ostatni człon wskazywałby, że któryś z przodków był Grekiem, zwał się Diokles, i został wyzwolony przez jakiegoś Waleriusza. Już jako cesarz przybrał sobie do nazwiska człon *Aurelius*, tak bowiem zwało się wielu poprzednich władców, a do greckiego przydomka Diokles dodał końcówkę *-tianus*, co sprawiło, że całość, *Diocletianus*, brzmiała dostojniej i bardziej po rzymsku.

Wstąpił w szeregi armii jako młody człowiek i szybko awansował aż do wysokiej godności w przybocznej straży cesarza, widocznie więc odznaczał się odwagą i energią. Wszystko zawdzięczał tylko sobie; nie urodzeniu, nie majątkowi, nie czyjemuś poparciu. Trudno dociec, jaką rolę odegrał w ostatnich dniach życia Numeriana, możliwe jednak, że na tron wyniósł go spisek oficerów, zawiązany podczas powrotu armii ze wschodu, a skierowany zarówno przeciw cesarzowi, jak też jego prefektowi i teściowi zarazem, Arriuszowi Aprowi. Faktem jest, że tego ostatniego Diokles zabił własnoręcznie i publicznie na żołnierskim wiecu, wołając: „To Aper zgładził Numeriana!" Ale może chciał tylko usunąć współwinnego i niewygodnego świadka? W rok później, latem 285 roku, prawowity cesarz Karynus zginął z rąk własnych ludzi podczas bitwy niedaleko ujścia Margus do Dunaju. Z tą chwilą Diokles, chyba już jako Dioklecjan, stał się władcą jedynym.

Mieszkańcy cesarstwa od dziesięcioleci przywykli do raptownych zmian na tronie. Byli też na pewno przekonani, że Dioklecjan nie utrzyma się dłużej niż którykolwiek z jego poprzedników. On zaś miał panować lat 20, jak nikt z cesarzy od mniej więcej półtora wieku; ostatnim bowiem, który władał dłużej, był Antoninus Pius (138–161). A jeszcze bardziej niezwykłe było to, że po owych dwudziestu latach Dioklecjan zrzekł się władzy całkowicie dobrowolnie! Schyłek życia spędził jako człowiek prywatny, choć cieszący się autorytetem ogromnym, podobno zajęty wyłącznie hodowlą jarzyn w ogrodach dalmatyńskiego pałacu. W dziejach cesarstwa owa nieprzymuszona abdykacja stanowiła wydarzenie bez precedensu. Zresztą również w innych epokach i państwach niewiele by można wskazać gestów podobnych. Nasuwa się więc pytanie: jakie przyczyny sprawiły, że po okresie nieustannych burz i przewrotów nadeszły lata stabilizacji? Jaki jest obraz długotrwałych rządów Dioklecjana, jak wpłynęły one na sytuację imperium?

I tu nowy paradoks: to wieloletnie panowanie, a przy tym,
 jak zobaczymy, wręcz przełomowe w dziejach wewnętrznych

imperium, nie jest tak dobrze znane, jak na to zasługuje, gdyż źródła o nim mówiące są nader skąpe. Poprzednio, poczynając od czasów Hadriana, towarzyszyło nam — prócz innych — dzieło łacińskie noszące tytuł *Scriptores Historiae Augustae (Pisarze historii cesarskiej)*, nie we wszystkim wprawdzie wiarygodne, ale przecież podające sporo informacji. Jednakże kończy się ono opisem śmierci Numeriana i krótką relacją o rządach i upadku Karynusa, panowania zaś Dioklecjana już nie obejmuje. Odtąd więc zdani jesteśmy tylko na wzmianki w różnych dziełach greckich i łacińskich, z których jednak żadne nie daje pełnego obrazu wydarzeń.

Wśród autorów starożytnych piszących w czasach i o czasach Dioklecjana miejsce szczególne zajmuje Laktancjusz. Po pierwsze — był naocznym świadkiem wielu spraw, znał lub przynajmniej widział wiele osobistości. Po drugie — jego dziełko *De mortibus persecutorum*, czyli *Jak umierali prześladowcy*, zawiera sporo danych i stanowi zwartą, choć niekompletną i bardzo stronniczą relację o tamtych latach. Żył Laktancjusz prawdopodobnie w latach 250–330, pochodził chyba z Afryki, a właśnie dzięki Dioklecjanowi otrzymał stanowisko profesora wymowy łacińskiej w Nikomedii. Stracił wszakże to miejsce, gdy przyjął chrześcijaństwo, a cesarz zaczął tę religię prześladować. To oczywiście wywołało głęboki uraz w psychice Laktancjusza. Dziełko więc jest rodzajem pamfletu politycznego, wymierzonego w tych cesarzy, którzy wrogo odnosili się do chrześcijaństwa. Autor nawet nie ukrywa swej pasji. Nienawiść oczywiście zawsze zniekształca widzenie spraw, ale zarazem czyni, że nawet po wiekach obraz jest żywy i barwny, a namiętne słowa potępienia najlepiej wprowadzają w problemy i konflikty tak odległe. Oto więc fragmenty Laktancjuszowych wywodów.

„Dioklecjan, pełen pomysłów zbrodniczych, sprawca nieszczęść, niszczył wszystko; nawet przeciw Bogu ręce swe podniósł. On to sprowadził zgubę na świat cały, zarówno przez swoją chciwość, jak też bojaźliwość. Uczynił bowiem jeszcze trzech wspólnikami władania. Podzielono świat na cztery części, a armie pomnożono, ponieważ każdy z rządzących pragnął mieć więcej wojsk niż cesarze poprzedni, którzy panowali sami. Toteż liczba utrzymywanych tak bardzo przewyższała liczbę utrzymujących, że ogrom świadczeń wyczerpał siły kolonów; opuszczali swe ziemie, uprawne pola zamieniały się w lasy.

Ażeby zaś terror stał się wszechobecny, także prowincje podzielono na małe części. Mnogość namiestników i urzędników obsiadła wszystkie krainy, a nawet miasta: ciżba funkcjonariuszy finansowych, przewodniczący agend rządowych, zastępcy prefektów. A wszyscy oni nader rzadko zajmowali się sprawami cywilnymi, często natomiast skazywali, konfiskowali, wyjmowali spod prawa. Przeróżne zaś zobowiązania egzekwowano bezustannie. A w trakcie tych czynności dopuszczano się oburzających nadużyć. Trudno też było ścierpieć to wszystko, co się wiązało z poborem żołnierzy.

Powodowany nienasyconą chciwością Dioklecjan nigdy nie zezwalał na uszczuplanie zasobów skarbu. Bez przerwy gromadził dodatkowe zapasy i bogactwa, aby rezerwy trwały nietknięte. A gdy wreszcie jego przeróżne krzywdzące posunięcia doprowadziły do niezmiernej drożyzny, usiłował narzucić ustawę o maksymalnych cenach wszelkich towarów. Drobiazgi bez wartości stawały się przyczyną wielkiego przelewu krwi, tak że ze strachu w ogóle nie wystawiano niczego na sprzedaż. Drożyzna szalała jeszcze srożej, póki same wymogi życia nie usunęły ustawy. Przedtem jednak przyniosła ona zgubę wielu ludziom.

Była też w Dioklecjanie jakaś bezgraniczna żądza budowania. Toteż prowincje znosiły ucisk niemały, musiały bowiem dostarczać robotników, rzemieślników, wozów i materiałów. Tu powstawały bazyliki. Tam cyrk. Tu mennica. Tam zakład płatnerski. Tu dom dla żony, tam dla córki. Niespodziewanie burzy się dużą dzielnicę miasta. Wszyscy wywędrowują z żonami i dziećmi, jakby uciekając przed barbarzyńcami. A kiedy już ukończono dzieło za cenę ruiny wielu prowincji, cesarz nagle orzeka: To źle wykonane, trzeba inaczej! Znowu więc burzy się i zmienia, po to tylko, aby może raz jeszcze wszystko obalić. Tak szalał bez przerwy, pragnął bowiem, aby jego Nikomedia dorównała Rzymowi".

Czytając powyższe słowa chciałoby się uznać, że panowanie Dioklecjana stanowiło tylko przedłużenie owych wszystkich plag i nieszczęść, które gnębiły cesarstwo w poprzednim półwieczu. Jednakże w sprzeczności z takim poglądem pozostaje fakt zasadniczy i niepodważalny: cesarz władał ponad 20 lat, purpurę złożył dobrowolnie, zmarł śmiercią naturalną. Widocznie więc sprawy przedstawiały się inaczej, niż to opisuje Laktancjusz. Poczynania Dioklecjana, choć na pewno surowe, musiały spotykać się z jakimś zrozumieniem mieszkańców imperium i odpowiadać potrzebom sytuacji.

Tetrarchia

Na czoło oskarżeń Laktancjusz wysuwa powołanie współwładców jako źródło wszelkiego zła, a zatem wypada zająć się tą sprawą jako pierwszą w kolejności. Sformułowanie: „podzielono świat na cztery części" — nie jest ścisłe. Wprawdzie Dioklecjan rzeczywiście wprowadził system czwórwładztwa, co zwykle określa się greckim terminem *tetrarchia*, ale doszło do tego stopniowo i nigdy nie było mowy o rzeczywistym podziale imperium. Chodziło raczej o rozłożenie odpowiedzialności za jego części i ułatwienie bezpośredniego nadzoru.

W 286 roku do godności augusta podniesiony został Maksymian. Miał on ten sam tytuł co Dioklecjan, nie mógł się jednak mierzyć ze swym kolegą autorytetem. Przejawiało się to nawet w przydomkach, jakie dodali do swych nazwisk. Dioklecjan zwał się *Iovius*, czyli Jowijski, od najwyższego bóstwa Rzymu, Jowisza, Maksymian natomiast otrzymał *cognomen Herculius*, czyli Herkulijski. A jak wiadomo Herkules był synem Jowisza i tylko dzięki bohaterskim czynom dostał się na Olimp.

W 293 roku ci dwaj dobrali sobie młodszych kolegów zwanych tytularnie cezarami. Przy Dioklecjanie został nim Gajusz Galeriusz, przy Maksymianie Gajusz Flawiusz Konstancjusz; otrzymali oni odpowiednio przydomki swych augustów: *Iovius* i *Herculius*. Można by więc co najwyżej mówić o podziale imperium na część wschodnią i zachodnią; pierwszą władał Dioklecjan, drugą Maksymian. Tylko ci dwaj wydawali ogólne rozporządzenia i podejmowali najważniejsze decyzje, cezarowie jedynie wprowadzali w życie ich wolę, przede wszystkim zaś stali na straży najbardziej zagrożonych granic.

Wyznaczono pewne strefy wpływów. Dioklecjan rezydował w bityńskiej Nikomedii i zajmował się sprawami Azji Mniejszej, Syrii, Palestyny, Egiptu. Jego cezar Galeriusz czuwał nad prowincjami bałkańskimi, a swą siedzibę miał w Sirmium nad Sawą. Maksymianowi, przebywającemu głównie w Mediolanie, podlegała Italia, kraje alpejskie, Hiszpania i północna Afryka, a Konstancjuszowi, którego rezydencją było miasto *Augusta Treverorum*, czyli Trewir — Galia i Brytania. Mimo to imperium stanowiło formalnie i faktycznie jedność, przed Dioklecjanem bowiem trzej pozostali kornie się chylili.

Tetrarchowie połączyli się również związkami rodzinnymi. Galeriusz rozwiódł się i poślubił córkę Dioklecjana, Walerię. Konstancjusz zaś rozstał się z Heleną, która dała mu już syna imieniem Konstantyn, i wziął za żonę Teodorę, pasierbicę Maksymiana. Niezależnie od tego obaj cezarowie zostali adoptowani przez swych augustów, aby w przyszłości przejąć spadek polityczny jako ich synowie. A więc cezarowie byli formalnie i synami, i zięciami augustów!

Podział władzy nie wynikał ze strachliwej małoduszności, jak to utrzymuje Laktancjusz. Przeciwnie, Dioklecjan postąpił jak człowiek, któremu chodzi nie o własną chwałę, lecz głównie o dobro państwa. To poprzedni cesarze zazwyczaj kurczowo trzymali wszystko w swym ręku — i dlatego tak łatwo i szybko tracili wszystko. Zresztą i wśród nich niektórzy podejmowali próby współrządów, niekonsekwentne jednak i ograniczone. Dioklecjan natomiast wprowadził system, dając tym dowód wielkiego rozumu politycznego. Pokazał, że nie jest małostkowy i stać go na ryzyko. Pojął, że imperium jest zbyt wielkie, aby jeden człowiek mógł sprostać wszystkim obowiązkom.

Od dziesiątków lat cesarstwem wstrząsały bunty wodzów i namiestników prowincji, ludzi z reguły ambitnych i zdolnych, a mających wojska pod swymi rozkazami. Sięgali po władzę, ponieważ nie uważali się za gorszych od tych, których okrzyknęły cesarzami armie w innych prowincjach. Należało więc rozładować te ambicje, dzieląc się władzą z kilkoma już niemal w początkach panowania.

Jednocześnie w ten sposób uregulowana została ważna

i zawsze rodząca konflikty sprawa następców. Każdy august miał dobierać sobie cezara, aby po dwudziestu latach przekazywać mu władzę i purpurę, a ten z kolei powoływać wówczas nowego następcę, który jako cezar u boku władcy przygotowywałby się do roli augusta. System racjonalny, mający działać konsekwentnie i niejako automatycznie, chroniący cesarstwo od wojen domowych, uzurpacji, wstrząsów, a także od przypadkowości uzdolnień, którą charakteryzuje się zasada dziedziczenia. Nie brał on tylko pod uwagę pewnego drobiazgu: ułomności, czy też przywary ludzkiej psychiki, która każe każdemu człowiekowi przekazywać dziedzictwo zarówno ubogiej chaty, jak i pałacu — własnemu potomstwu. Nie wińmy jednak zbytnio Dioklecjana, wspólna to bowiem cecha wszelkich reformatorów wszystkich epok, że nigdy nie dbają o takie drobnostki, jak przyrodzone skłonności człowiecze. Liczy się tylko zbawcza idea i doskonałość wydumanego modelu.

Z wprowadzeniem tetrarchii wiązała się też inna reforma, a mianowicie nowy podział administracyjny. I znowu Laktancjusz ma rację twierdząc, że prowincje wówczas rozdrobniono, ale racja to tylko częściowa, gdyż proces ten zaczął się znacznie wcześniej, a Dioklecjan tylko przyśpieszył go i rozwinął. Przed jego panowaniem prowincji było mniej więcej 50, później zaś liczono ich ponad sto. Dlaczego sprawa szła w tym kierunku? Laktancjusz ma oczywiście odpowiedź gotową: „aby terror stał się wszechobecny". Naprawdę jednak chodziło głównie o ukrócenie potęgi namiestników oraz sprawiedliwe rozdzielenie zadań między krainy cesarstwa; a także o to, by mieszkańcy każdego regionu mieli łatwiejszy dostęp do ośrodków administracji.

Jednocześnie wszakże dokonywał się proces jakby odwrotny: organizowano po kilka prowincji w całość nowego typu, którą zwano diecezją. Było ich po sześć w części wschodniej i zachodniej. Te pozornie przeciwstawne posunięcia staną się może bardziej zrozumiałe, jeśli wskażemy, że tworzeniu u nas małych województw towarzyszy dążność do formowania makroregionów. Na czele każdej diecezji stał wikariusz, czyli zastępca; zastępował on bowiem prefekta pretorium. Tych ostatnich było odtąd czterech, po jednym u boku każdego augusta i cezara.

A czy odpowiada prawdzie zdanie Laktancjusza, że każdy z tetrarchów pragnął mieć armię liczniejszą od wojsk cesarzy poprzednich? Za Dioklecjana liczba jednostek taktycznych i ogólna liczba ludzi pod bronią wyraźnie wzrosły, ale na pewno nie czterokrotnie. Zreformowano natomiast w sposób zasadniczy strukturę armii, opierając się na pewnych pomysłach z czasów cesarza Galiena. Dzieło to kontynuowali później następcy Dioklecjana, zwłaszcza Konstantyn Wielki, trudno więc określić precyzyjnie, jaki był w tym udział każdego z owych cesarzy.

Zaczęto dzielić wojska na dwie kategorie. Pogranicznicy, zwani *limitanei*, stacjonowali na rubieżach i stanowili obsadę fortyfikacji granicznych, czyli *limeus*. Doborowe oddziały natomiast stały w głębi, skąd można było przesuwać je swobodnie ku odcinkom zagrożonym; zwały się *comitatenses*, albowiem należały do otoczenia władcy, do jego *comitatus*. Pomysł wprowadzenia owych dwóch kategorii wynikał z trafnej oceny sytuacji: zbyt długie granice nie pozwalały na to, by obsadzić je równomiernie silnymi jednostkami, *limitanei* zatem mieli wytrzymać tylko pierwsze uderzenie i czekać na przyjście armii polowej — *comitatus*.

Ta reorganizacja okazała się zbawienna. Utrzymano granice państwa od Brytanii poprzez Ren i Dunaj aż po Eufrat i katarakty Nilu oraz pustynie Afryki. Ludność umęczonych prowincji odetchnęła, tym bardziej że w imponujący sposób rozbudowano graniczne umocnienia. Ale nakładom na armie i fortyfikacje musiał odpowiadać wzrost świadczeń od tejże ludności. Z tym poradził sobie Dioklecjan wprowadzając nowy system podatkowy, uwzględniający ilość i jakość ziemi oraz liczbę rąk do pracy, a także pogłowie bydła i rodzaj upraw. Podatek płatny był głównie w naturze, a wysokość świadczeń co 15 lat poddawano rewizji, przeprowadzając spis i szacunek ziemi oraz spis uprawiającej ją ludności; była to tak zwana indykcja. Spisu pierwszego, czyli pierwszej indykcji, dokonano w 297 roku. Ludność — wbrew temu, co mówi Laktancjusz — odczuwała ów system chyba jako ulgę, gdyż kryteria, choć surowe, były jednak jasne, poprzednio natomiast panowała dowolność zarówno co do wysokości, jak i terminów świadczeń.

Cesarz Dioklecjan myślał zdumiewająco nowocześnie.

Podróże, ceremoniał, ceny

Naiwnością byłoby sądzić, że ktokolwiek zdoła dokonać rzeczywistych reform gospodarczych, ustrojowych, społecznych i wydobyć państwo z głębokiego kryzysu w ciągu kilku miesięcy lub lat. Rekonwalescencja po ciężkiej chorobie jest zawsze procesem długotrwałym — i tak było w starożytności, tak też się dzieje w wieku XX. Toteż wszystkie już omówione reformy wewnętrzne Dioklecjana — oraz inne, które jeszcze przedstawimy — nie zostały przeprowadzone jednorazowo, nie były wynikiem jednego aktu ustawodawczego, nie zawsze też miały takie skutki, jakich się spodziewano. Ale droga, na którą wszedł cesarz, wiodła we właściwym kierunku, przesilenie nastąpiło, choroba mijała.

Należy również pamiętać, że Dioklecjan przeistaczając stopniowo strukturę imperium nie tracił też z pola widzenia — bo tracić nie mógł — spraw zewnętrznych. Przenosił się niezmordowanie do wciąż innych krain, zmagał się z ościennymi nieprzyjaciółmi, toczył boje u różnych granic. W latach 286–288 przebywał głównie w prowincjach Wschodu, ale gdy tylko zawarł tymczasowy układ z królem perskim, pośpieszył na zachód; tu udzielił pomocy swemu współwładcy Maksymianowi, walczącemu w północnej Galii z uzurpatorem Karauzjuszem, i odparł Alamanów nad górnym Renem. W 289 roku pokonał Sarmatów nad Dunajem, a w roku następnym musiał znowu stanąć u granic wschodnich, którym zagrażały arabskie plemiona wspomagane przez Persów; wtedy też osadził na tronie Armenii króla Tirydatesa III. Zimował w Sirmium nad Sawą, a w 291 roku odbył spotkanie z Maksymianem. Rok 292 był ciężki; wypadło najpierw odpierać Sarmatów nad Dunajem, a potem tłumić wrzenie wzburzonej ludności nad Nilem. Cesarz udręczony ciągłym przerzucaniem się z jednego krańca imperium na drugi utworzył ostatecznie — jak była już o tym mowa — pełny system tetrarchii: 1 marca 293 roku powołał dwóch cezarów, Galeriusza i Konstancjusza. W 294 roku obchodził w Nikomedii dziesięciolecie swego panowania. Wiosną 295 roku ruszył przez Azję Mniejszą i Syrię do Egiptu, gdzie doszło do rebelii, której przewodził samozwaniec Domicjusz Domicjan, a po jego śmierci Aureliusz Achilles. Powody owego buntu były przede wszystkim gospodarcze, władze rzymskie nakładały bowiem na urodzajny kraj szczególnie duże ciężary. Aleksandrię oblegano 18 miesięcy i zdobyto ją dopiero w początkach 297 roku — tylko dlatego, że udało się odciąć dopływ słodkiej wody. Przywódców powstania cesarz ukarał z całą bezwzględnością, następnie zaś przeprowadził w Egipcie pewne reformy administracyjne i wojskowe. W tymże roku 297 i w następnym Dioklecjan i Galeriusz walczyli zwycięsko przeciw Persom w Mezopotamii i w Armenii. Nieco wcześniej, bo zapewne w 296 roku, cezar Zachodu Konstancjusz usunął samozwańczego władcę Brytanii Allektusa. Tak więc u schyłku III wieku imperium dzięki Dioklecjanowi i jego towarzyszom władzy miało granice bezpiecznie i spokojne, wewnątrz zaś nie było żadnych uzurpatorów — sytuacja, jakiej nie pamiętano od wielu lat.

Odtąd cesarz przeważnie przebywał w Nikomedii, w Azji Mniejszej na wybrzeżu Propontydy, czyli morza Marmara. Rozbudował to miasto wspaniale. Owe względy Dioklecjana płynęły częściowo stąd, że właśnie pod Nikomedią został wyniesiony na tron przez wojsko, częściowo zaś były usprawiedliwione samym położeniem miasta u granic Azji i Europy, przy morskim szlaku ku Morzu Czarnemu. Tak więc — fakt godny uwagi! — zaczął się dokonywać proces przenoszenia ośrodka imperium ku prowincjom wschodnim. A niezbyt daleko od Nikodemii, lecz po stronie europejskiej, leżało miasto Bizancjum; już niedługo miało ono zmienić nazwę i odegrać wielką rolę w historii.

Jednakże stolicą państwa był nadal tylko Rzym. Dioklecjan i współwładca Maksymian usilnie dbali o jego uświetnienie. Odrestaurowano więc *Forum Romanum*, zniszczone przez wielki pożar w 283 roku. Przy tymże Forum odnowiono dawną bazylikę Julijską oraz kurię, czyli salę posiedzeń senatu. Odbudowano teatr Pompejusza. Ulepszono wodociąg zwany *Aqua*

Marcia. Na wzgórzu awentyńskim wzniesiono monumentalną fontannę zasilaną wodami trzech akweduktów, które tam miały swe ujście. Najsławniejszym jednak dziełem Dioklecjana w Rzymie były ogromne termy, czyli łaźnie, noszące jego imię. Do dziś pozostały z nich imponujące resztki opodal głównego dworca kolejowego, *Stazione Termini*. W jednej z sal mieści się od wieków wspaniały kościół renesansowy *Santa Maria degli Angeli*, inną część zajmują przebogate zbiory starożytne rzymskiego Muzeum Narodowego, jeszcze inną — planetarium, a ogromna, półkolista *exedra*, czyli sala zebraniowa, przekształciła się w plac noszący do dziś nazwę *Piazza Esedra*.

Dzisiejsze jugosłowiańskie miasto Split, tak masowo odwiedzane przez turystów, niejako gnieździ się w ruinach olbrzymiego kompleksu pałacowego wznoszonego w ciągu lat z woli cesarza. Zresztą sama nazwa Split jest tylko zniekształceniem łacińskiego *Palatium* — „pałac".

To zamiłowanie do ogromu, przepychu, blasku, tak uchwytne w architekturze tego okresu, znalazło też wyraz w rozwoju ceremoniału dworskiego, wzorowanego w dużej mierze na perskim. Władca występował w szacie purpurowej, błyszczącej złotem i drogimi kamieniami. Przed jego oblicze dopuszczano tylko najwyższych dostojników, w sali zaś czuwali nad porządkiem i ciszą specjalni urzędnicy; inni unosili w stosownym momencie zasłonę, za którą się znajdował. Wszyscy, nawet członkowie najbliższej rodziny, padali wówczas na kolana i kornie całowali rąbek jego szaty. Ten akt hołdu zwał się adoracją, *adoratio*, i miał charakter niemal religijny. Już samo udzielenie audiencji, a tym bardziej zezwolenie na dotknięcie szaty ustami, było dowodem wielkiej łaski.

Podczas narad, nawet z urzędnikami najwyższej rangi, siedział tylko cesarz, wszyscy inni stali z uszanowaniem. Dlatego też cesarska rada otrzymała później, chyba już po Dioklecjanie, nazwę *consistorium*, od łacińskiego wyrazu *consistere* — „stać wespół". Zamiast więc naszych posiedzeń były „postania", co na pewno wpływało na to, że wypowiadano się zwięźlej i bardziej rzeczowo. Na monetach widnieją nawet takie wyobrażenia: Dioklecjan i Maksymian siedzą na krzesłach, a bogowie Jupiter i Herkules stojąc wkładają im wieńce na głowy. Śmiertelni siedzą w obliczu bóstw stojących! A przecież pierwsi cesarze z uszanowaniem wstawali przed senatem, a nawet przed poszczególnymi senatorami. Obecni jednak władcy uważali się za czcigodniejszych nawet od bogów.

Dbano też usilnie o to, aby nimb boskości otaczał wszystko co cesarskie. Coraz częściej do określenia spraw i rzeczy dotyczących władcy używano słowa *sacer*, czyli „święty". Były więc święte zarządzenia, święte podpisy, święte listy, święty pałac, święta komnata, święta szczodrobliwość.

W ciągu trzech pierwszych wieków cesarstwa zachowywano przynajmniej pozory, że władca to tylko najwyższy urzędnik rzeczypospolitej, głowa senatu, pierwszy z obywateli. Dlatego też przyjęło się nazywać ten ustrój pryncypatem od łacińskiego wyrazu *princeps* — „przywódca". Natomiast poczynając od Dioklecjana mówi się o dominacie. Wyraz ten, pochodny od łacińskiego *dominus* — „pan", wskazuje, że cesarz stał się władcą absolutnym, który już nie dba o żadne preteksty i pozory.

W istocie jednak panowanie Dioklecjana stanowiło tylko jakby ukoronowanie tendencji, które stopniowo narastały już znacznie wcześniej. Również ów ceremoniał dworski — sam przez się może nie tak istotny, ale będący przecież symbolem głębszych zjawisk — wykształcił się za poprzednich cesarzy. Strój, adoracja, nimb boskości — wszystkie te elementy kultu osoby panującego występowały, choć w różnym stopniu, już w ciągu III wieku, a sporadycznie nawet wcześniej. Zasługą Dioklecjana było ujęcie owych zaczątków i prób w pewien system.

Jednakże panującego otaczali nie tylko dworacy. Ceremoniał był tylko majestatyczną fasadą mającą budzić korny strach i uwielbienie w ludziach patrzących z zewnątrz. Właściwym natomiast mózgiem imperium i miejscem rzeczywistej pracy cesarza były rozliczne sekretariaty i urzędy, cywilne i wojskowe, zwane *officia*; ich kierownicy stale przebywali w pałacu. Wszystkie istotne decyzje zapadały w trakcie narad z owymi wysokimi urzędnikami. Nosili oni tytuł komesów, od wyrazu *comes*, „towarzysz", byli bowiem towarzyszami władcy w jego pracach.

 Potem już za następców Dioklecjana tytułu udzielano tak hojnie, że powstały trzy kategorie komesów. Wyraz ten żyje do dziś w językach romańskich, na przykład we francuskim *comte*, jako określenie wysokiego stopnia szlachectwa.

Niezmordowana działalność cesarza i jego współpracowników obejmowała wszystkie dziedziny życia społecznego. Postanowił też — jak niektórzy władcy przed nim i bardzo wielu po nim — kierować gospodarką za pomocą zarządzeń odgórnych. W szczególności pragnął otoczyć opieką warstwy najsłabsze, ukrócić spekulację, unormować ceny i płace. Temu miała służyć długa i bardzo dokładna taryfa cen maksymalnych za towary i usługi. Została opublikowana w 301 roku, a dzięki napisom zachowały się obszerne jej fragmenty; przede wszystkim zaś wstęp, niezmiernie pouczający.

„Czyż jest ktoś o tak stępiałym sercu i tak pozbawiony ludzkości, że nie dostrzega powszechnej samowoli w oznaczaniu cen w wielkim i drobnym handlu? I że wyuzdana żądza grabieży nie daje się ułagodzić ani obfitością rzeczy, ani urodzajem lat? Tym powodowani postanowiliśmy ustanowić nie ceny na towary — bo takie zarządzenie byłoby niesłuszne wobec faktu, że niekiedy wiele prowincji chlubi się szczęściem upragnionej taniości — lecz granicę cen, aby w razie pojawienia się fali drożyzny chciwość, która nie zna umiaru, znalazła kres w granicach naszego rozporządzania oraz w wytycznych prawa. Jest więc naszą wolą, aby ceny, które podaje spis załączony, były przestrzegane w całym naszym państwie i by wszyscy wiedzieli, że ich przekraczać nie wolno. Przy tym jednak nie usuwa się bynajmniej błogosławieństwa taniości w tych miejscowościach, gdzie panuje obfitość towarów.

Postanawiamy zarazem, że kto by wbrew brzmieniu tego edyktu postąpił zuchwale, ma być karany śmiercią. Niech nikt nie uważa tego wymiaru kary za srogi, skoro z łatwością może się uchylić od niebezpieczeństwa przestrzegając miary. Od kary i ten nie będzie wolny, kto by mając artykuły potrzebne do życia czy też do użytku pragnął je ukryć po ogłoszeniu edyktu; w takim wypadku kara powinna nawet być sroższa, ponieważ powodowanie braku towarów na rynku jest cięższym przestępstwem niż samo naruszanie zarządzeń.

Odwołujemy się więc do sumienia wszystkich, aby przestrzegali z życzliwym posłuszeństwem i z należytą pilnością tego postanowienia, które służy dobru ogółu. Tym bardziej że ma ono na celu przyjść z pomocą nie pojedynczym miastom, ludom i prowincjom, ale całemu światu, na którego zgubę zaciekle działa nadzwyczaj mała garstka ludzi powodowanych chciwością; garstka, której nie nasyci i nie złagodzi ani obfitość wszystkiego w naszych czasach, ani nawet bogactwa, stanowiące cel jej wysiłków".

Po tym ojcowskim upomnieniu następuje długa lista towarów i usług; maksymalne ceny i płace podane są w denarach. Chodzi w tym wypadku o jednostkę obliczeniową, a nie obiegową, o niewielkiej zresztą, jak zobaczymy, wartości. Często spotykany od czasów Aureliana tzw. *nummus*, mała monetka z brązu, ledwie kąpana w srebrze, odpowiadała nominalnie pięciu denarom. Zresztą sam Dioklecjan przeprowadził również reformę monetarną. Zwiększył liczbę mennic, wybijał pieniądze złote, srebrne, brązowe. Aureus ważył nieco ponad 5 g złota, argenteus ponad 3 g srebra, moneta zaś z brązu początkowo 10 g, później znacznie mniej. Tę ostatnią określa się często w numizmatyce mianem *follis*, chyba niesłusznie. Wiadomo w każdym razie, że w czasach późnego cesarstwa ze względu na nikłą wartość monet z brązu często pakowano je w worki i tak płacono — piękny przejaw inflacji; a wyraz *follis* znaczy po łacinie właśnie „worek".

Nas interesują jednak przede wszystkim relacje cen i płac, a nie bezwzględna wartość umownego denara. Na przykład funt mięsa wieprzowego kosztował 12 denarów, wołowego — 8, para dobrych butów męskich — 120, trzewików damskich — 60. Za 10 ogórków miano płacić 4 denary, tyleż samo za 10 jabłek pierwszego gatunku; maksymalna cena jajka — 1 denar. Najprzedniejsze gatunki wina — 30 denarów za *sextarius* (nieco ponad pół litra), najlichsze zaś — 2 denary.

Robotnik rolny miał zaś otrzymywać za dzień pracy 25 denarów i utrzymanie, murarz — 50 i utrzymanie, poganiacz osłów — 25 i utrzymanie; malarz pokojowy — 75 i utrzymanie; fryzjer za strzyżenie — 2 denary. Nauczyciel czytania i pisania — 50 denarów miesięcznie od ucznia; gimnastyki — tyleż; rachunków — 75; stenografii — 75; architektury — 100; literatury — 200; geometrii — 200; retoryki — 250.

A więc nauczycieli nawet najwyższych kategorii wynagradzano marnie. Retor mający tylko dziesięciu uczniów otrzymałby miesięcznie niewiele więcej niż trzykrotny zarobek poganiacza osłów, któremu ponadto zapewniano całodzienne utrzymanie. Ale historia zna wiele epok, kiedy nauczanie było powszechne i oficjalnie poważane, pobory zaś nauczycieli skandalicznie niskie — na poziomie zarobków właśnie tych, którzy poganiają osły.

Intencje cesarza, jak wynika z cytowanej przedmowy, były godne wszelkiej pochwały. Jednakże rezultaty okazały się opłakane, i w tym ma rację Laktancjusz, surowy krytyk Dioklecjana. Nie pomogły najbezwzględniejsze kary — ustawy nie przestrzegano. Handel zstąpił w podziemia, rozkwitły spekulacje, szerzyła się korupcja aparatu urzędniczego. A tymczasem na rynku brak towarów dawał się we znaki jeszcze dotkliwiej niż poprzednio. Ustawa, choć oficjalnie nigdy i przez nikogo nie anulowana, zmarła powoli śmiercią naturalną. Była szlachetna w założeniach, nie liczyła się wszakże zupełnie z dwoma drobiazgami: z realiami gospodarki i ze skłonnościami psychiki ludzkiej.

Manichejczycy

W dniu 31 marca 297 roku, a więc wkrótce po stłumieniu buntu w Aleksandrii, ukazał się edykt cesarski, którego treść zasadniczą — po usunięciu retorycznych ozdób i powtórzeń — przytaczamy poniżej.

„Zdarza się, że głęboki pokój zachęca ludzi, aby przekraczali miarę, którą wyznaczyła natura. Wprowadzają wtedy całkowicie bezsensowne i wręcz odpychające rodzaje wierzeń, a lekko traktując swój błąd pociągają za sobą rzesze innych. A przecież bogowi nieśmiertelni raczyli sprawić w swej opatrzności, że myśl i działalność wielu znamienitych, mądrych mężów przeszłości wypróbowała i ustanowiła, co dobre i prawdziwe. Temu nie wolno się sprzeciwiać i opierać. Nowe wierzenia nie powinny zwracać się przeciw starym. Największą bowiem zbrodnią jest ganić to, co ustanowili i określili już przodkowie, a co wciąż zachowuje swą wartość. Dlatego dokładamy wszelkich starań, aby ukarać zatwardziałą przewrotność ludzi niegodziwych, to jest tych, którzy przeciwstawiają nowe wyznania starym wierzeniom, a na podstawie dowolnego osądu odtrącają dawny dar bogów.

Manichejczycy przybyli do nas od Persów, wrogiego nam ludu, w czasach ostatnich; przybyli jako nowe i niezwykłe cudactwo. Popełniają wiele zbrodni. Wprowadzają zamieszanie wśród ludu i wyrządzają ogromne szkody w miastach. Należy się obawiać, że z biegiem czasu będą usiłowali zatruć ludzi niewinnych, to jest naród rzymski, skromny i spokojny, oraz cały nasz świat, jadem przeklętych obyczajów i wstrętnych praw perskich.

Toteż rozkazujemy, by ogień pochłonął przywódców manichejskich i ohydne ich pisma. Wyznawcy, gdyby zachowywali się krnąbrnie, niech zapłacą za to głową; ich majątki przejmie skarb państwa. Jeśli jacyś urzędnicy lub znamienitsi obywatele przyłączą się do bezecnej, nienawistnej i niesłychanej sekty i nauki Persów, utracą majątek na rzecz skarbu, sami zaś będą zesłani do kopalń. Zarazę niegodziwości należy z korzeniami wykarczować z najszczęśliwszego naszego wieku!”

Kim byli manichejczycy? Z jakich powodów cesarz atakuje ich tak gwałtownie? Na czym polegały ich rzekome zbrodnie?

Mani urodził się około 215 roku w Babilonii. Pochodził z arystokratycznego rodu irańskiego. Jego ojciec żywo interesował się sprawami religii i może nawet związał się z którąś ze wspólnot gnostycznych. Greckim wyrazem *gnosis*, czyli poznanie, określa się synkretyczny prąd religijny, który powstał w początkach naszej ery i miał rzesze zwolenników, choć nigdy nie wykształcił się w zwarty system wyznaniowy i nie utworzył żadnej organizacji. Nauki gnostyków były zgodne między sobą tylko w samym jądrze: drogę do zbawienia można osiągnąć jedynie przez mistyczne poznanie ostatecznej, boskiej Prawdy.

Około 240 roku Mani odbył podróż do Indii, gdzie zetknął się z buddyzmem. Potem wrócił do ojczyzny. Wiernie służył wielkiemu królowi Persów Szapurowi I i chyba nawet piastował wysoką godność podczas wyprawy przeciw rzymskiemu cesarzowi Walerianowi; zakończyła się ona, jak pamiętamy, świetnym zwycięstwem Persów i pojmaniem władcy imperium. Ale może już wtedy Mani zaczął rozwijać działalność misyjną, stał się bowiem twórcą nowej religii, która łączyła elementy wierzeń irańskich z mistyką gnostyków oraz z pewnymi poglądami chrześcijan.

We Wszechświecie trwa — głosili manichejczycy — nieprzerwana walka Światła i Ciemności. Rozgrywa się ona również w każdym człowieku, gdyż w jego umyśle zamknięte są cząstki światłości, ukradzione i uwięzione w materii przez szatana. Obowiązkiem naszym jest dopomóc owym elementom Jasności i Dobra, by osiągnęły wyzwolenie. W tym celu należy prowadzić zbożny tryb życia i stosować praktyki ascetyczne. Prorocy — Budda, Jezus, sam Mani — właśnie po to się pojawiają, aby wciąż na nowo wskazywać ludzkości prawdę.

Początkowo w Persji odnoszono się do działalności Maniego dość tolerancyjnie, później jednak został on uwięziony i poniósł, jak się wydaje, śmierć męczeńską. Jego wszakże nauki szerzyły się szybko, także w granicach imperium rzymskiego. To musiało wywołać zaniepokojenie władz, podejrzewano bowiem, że manichejczycy są organizacją na usługach obcego mocarstwa i prowadzą działalność szpiegowską oraz wywrotową. Toteż gdy w 297 roku doszło do konfliktu z Persją, macierzą manicheizmu, powzięto najostrzejsze środki represyjne. Ale prześladowania nic nie dały. Religia ta, choć ograniczona, przetrwała w niejednym ośrodku. W kilkanaście lat po edykcie Dioklecjana pisarz chrześcijański, Euzebiusz z Cezarei, skarży się, że manicheizm wciąż żyje. Słowa jego w tej sprawie wykazują zadziwiającą zbieżność z poglądami cesarza.

„Mani był barbarzyńcą w mowie i obyczaju, a w istocie był też opętany i szalony; takie również były zamysły jego. Fałszywe i bezbożne zasady pozbierał i połatał z niezliczonych herezji, równie bezbożnych, a już dawno wygasłych, i z Persji wylał je na nasze kraje jakby śmiercionośną truciznę".

Można by mniemać czytając te wywody, że cesarz i chrześcijanie byli wówczas sprzymierzeńcami. Tak — ale tylko wobec wspólnego wroga. Wnet zaś miało dojść między nimi do otwartego konfliktu.

Wielkie prześladowania

Dioklecjan, wierny i praktykujący wyznawca starej religii, nigdy nie skąpił bydląt ołtarzom świątyń, kapłani zaś i wróżbici tłumaczyli mu, jak ofiary zostały przyjęte. „Jednakowoż — pisze Laktancjusz, człowiek tamtych czasów — niektórzy spośród jego służby znali już naszego Pana. Ci asystując przy ofierze uczynili na swych czołach znak nieśmiertelny. Sprawił on, że złe duchy pierzchły i ofiara się nie udała". Główny haruspeks Tages — to wciąż relacja Laktancjusza — oznajmił wówczas, że ofiary nie dają odpowiedzi, ponieważ w ceremonii uczestniczą ludzie niewierzący. Szalejący z gniewu Dioklecjan rozkazał, by wszyscy w pałacu złożyli ofiary pod groźbą chłosty.

Opowieść ta właśnie dzięki swej szczerej naiwności daje znakomity wgląd w mentalność ludzi tamtej epoki. Nie ma powodu wątpić, że takie wydarzenie istotnie się rozegrało. W czasie składania ofiar ktoś z obecnych się przeżegnał, co dostrzegli i na swój sposób wyzyskali kapłani. Zakrzyknęli, że ofiara jest nieważna, przeszkadzają bowiem w jej spełnieniu wrogowie bogów. Obie strony — to należy podkreślić — traktują wierzenia i możliwości przeciwnika z całą powagą. Chrześcijanie, wśród nich także uczony Laktancjusz, wcale nie przeczą, że pogańscy kapłani potrafią rozpoznawać przyszłość; uważają jednak, że moce, które służą wróżbitom, są złe, demoniczne. I na odwrót — wróżbici przypisują obecności chrześcijan zgubny wpływ na przebieg ceremonii. A więc jedni i drudzy stawiają się na tej samej płaszczyźnie i walczą tą samą bronią. Cały problem sprowadza się do tego, czyi opiekunowie są dobrzy i prawdziwie silni, nikt bowiem nie neguje, że istnieją oni realnie.

Cesarz, choć bardzo wzburzony, na razie ograniczył się tylko do rozkazu, by dworzanie i żołnierze złożyli ofiary na ołtarzach bogów. Potem władca wyjechał do swej ulubionej siedziby, do Nikomedii, gdzie spędził zimę z 302 na 303 rok. Przybył tam również jego cezar, Galeriusz. Przez cały ten czas w pałacu odbywały się poufne narady. Podobno ich przedmiotem była polityka wobec chrześcijan. Dioklecjan — jak utrzymywano — opierał się stanowczo naleganiom Galeriusza, bezwzględnego i krwiożerczego przeciwnika nowej religii, ostatecznie jednak musiał mu ustąpić; tak przynajmniej przedstawia to Laktancjusz.

Nigdy nie będziemy mogli stwierdzić, że wina za rozpętanie prześladowań chrześcijan obarcza głównie Galeriusza. Sam Dioklecjan był z pewnością niechętny tej religii, jak w ogóle wszelkim nowinkom i organizacjom wymykającym się spod kontroli państwowej, co wyłożył z całą otwartością we wstępie do edyktu przeciw manichejczykom. Uważał też, że należy konsekwentnie usuwać z życia społecznego wszystko, co grozi starorzymskim ideałom i tradycjom oraz zwartości państwa. Ewentualne naciski Galeriusza mogły tylko dodać mu odwagi i przyśpieszyć wszczęcie akcji.

O pierwszym brzasku 23 lutego 303 roku przed budynkiem kościoła w Nikomedii zjawił się prefekt pretorianów wraz z wyższymi oficerami i urzędnikami skarbowymi. Wyłamano bramy i wdarto się do środka. Szukano najpierw posągów i obrazów, ale chrześcijanie jeszcze się wówczas obywali bez tego rodzaju przedmiotów kultu — i bardzo się tym szczycili. Znaleziono natomiast i od razu spalono księgi liturgiczne, pozwolono też grabić ruchomości kościelne. Potem pretorianie zrównali z ziemią całą budowlę, bardzo okazałą.

W dniu następnym, a więc 24 lutego, ukazał się na murach Nikomedii edykt w sprawie chrześcijan, a jego odpisy docierały do odleglejszych prowincji w ciągu marca i kwietnia. Główne postanowienia, jak możemy je odtworzyć na podstawie różnych wzmianek, były tej treści: wszystkie budynki kościelne należy zburzyć, a pisma święte wydać władzom i spalić; chrześcijan usuwa się z urzędów, ludzie stanu wyższego stracą przywileje, jeśli będą wierni nowej religii; żaden chrześcijanin nie może występować przed sądem, nawet gdyby spotkała go osobista krzywda.

Edykt nie przewidywał kary śmierci za przynależność do gminy chrześcijańskiej, ustawodawcom chodziło tylko o zniszczenie organizacji i o zastraszenie jej członków, a nie o ich fizyczną likwidację. Już wprawdzie 24 lutego wykonano w Nikomedii wyrok śmierci na chrześcijaninie, popełnił on jednak czyn obłożony karą najcięższą w każdym wypadku, ośmielił się bowiem zerwać edykt cesarski i potargał go śmiejąc się szyderczo; nawet Laktancjusz nie pochwala tego występku współwyznawcy. Kara była surowa: przestępca został spalony żywcem.

Potem w odstępie piętnastodniowym wybuchły w pałacu w Nikomedii dwa pożary. Podejrzewano oczywiście, że tak mszczą się chrześcijanie, ale dochodzenia nie wykazały niczego. Galeriusz wszakże opuścił miasto zarzekając się, że nie chce śmierci w płomieniach. Dioklecjan natomiast wyładował swój gniew na wszystkich, a zwłaszcza na najbliższych, podejrzewał bowiem całe otoczenie. Ofiary bogom musiały złożyć nawet jego żona Pryska i córka Galeria Waleria. Co jeszcze nie oznacza, by były one chrześcijankami, mogły wszakże okazywać pewną sympatię prześladowanym. Wielu chrześcijan natomiast znalazło się wśród niewolników i wyzwoleńców. Ci ponieśli śmierć. Oczywiście pojmano też i stracono duchownych w Nikomedii. We wszystkich świątyniach zasiedli sędziowie, a ludność musiała w ich obecności oddawać cześć bóstwom.

Odpowiednie zarządzenia wysłano również do augusta Zachodu, to jest Maksymiana, i do jego cezara, Konstancjusza. Ten pierwszy wykonał je dość dokładnie, Konstancjusz natomiast ograniczył się do zburzenia budynków kościelnych. Później bardzo go chwalono za tę powściągliwość, jako cichego poplecznika nowej religii, jednakże rzeczywisty powód był inny: w Galii i w Brytanii chrześcijaństwo nie miało tylu zwolenników, ilu na Wschodzie, toteż nasilenie akcji represyjnych mogło być słabsze.

Wiosną 303 roku wybuchły rozruchy w Syrii, wywołane zapewne trudną sytuacją gospodarczą i nieurodzajem. Ale ponieważ było tam wielu chrześcijan, ich przede wszystkim oskarżono o spowodowanie zamieszek. W związku z tym wydano nowy edykt cesarski, nakazujący uwięzienie kapłanów chrześcijańskich w całym imperium. Wreszcie jesienią tegoż roku Dioklecjan w trzecim edykcie ogłosił, że wszyscy, którzy porzucą chrześcijaństwo, zostaną uwolnieni, oporni natomiast mogą być torturowani. Ponieważ w wielu okręgach więzienia były przepełnione, namiestnicy przyjęli edykt z ulgą i stosowali jego postanowienia bardzo liberalnie. Z lęku przed torturami załamało się mnóstwo uwięzionych, innych zaś siłą przymuszono do wykonania odpowiednich obrzędów. Władze starały się unikać krwawych prześladowań, jednakże wielu chrześcijan wręcz pragnęło męczeństwa — choć taką postawę potępiały nawet niektóre synody, namiestnicy zaś gotowi byli zadowolić się nawet pozorem ustępstwa.

Sam Euzebiusz z Cezarei, świadek prześladowań na terenie Palestyny, podaje znamienne przykłady. Niektórych chrześcijan, powiada, siłą ciągnięto do złożenia ofiar — i potem zaraz ich wypuszczano, choć w istocie ofiary nie złożyli. O innych znowu rozgłaszano, że zastosowali się do żądania, a jeśli temu nie zaprzeczyli, natychmiast ich zwalniano. Byli jednak tacy, którzy nawet torturowani nie chcieli pokłonić się bogom; tych, omdlałych z bólu, wleczono tam, gdzie już znajdowali się ci, którzy ofiarę złożyli.

Jeśli taki właśnie przebieg miała akcja prześladowań, to liczba zamęczonych nie mogła być zbyt wielka. Na przykład w Palestynie w latach 303–305 poniosło śmierć 12 osób, które zresztą niemal domagały się męczeństwa. Edykty przeciw chrześcijanom formalnie obowiązywały wprawdzie przez osiem lat, czyli do 311 roku, ale w rzeczywistości represji karnych nie stosowano systematycznie i w tym samym stopniu nasilenia. Istniały też różnice lokalne. Na obszarze całego imperium zapłaciło wtedy życiem za swe przekonania kilkaset osób; byli to przeważnie kapłani. Należy także pamiętać, że tortury, jakim ich poddawano, w ustawodawstwie rzymskim nakazywane były wobec wszystkich występujących przeciw władzy, nie wymyślono ich specjalnie dla chrześcijan. Trzeba również wziąć pod uwagę, że obraz ówczesnych wydarzeń jest niepełny, znamy bowiem relacje z jednej strony — właśnie prześladowanej, a ta z oczywistych względów pragnęła przedstawić cierpienia wiernych w barwach jak najczarniejszych oraz zwielokrotnić liczbę męczenników. Pewne jest natomiast — wynika to bezpośrednio z różnych wypowiedzi pisarzy kościelnych, pośrednio zaś z dalszego biegu wypadków — że liczba odstępców od wiary była ogromna, a znaleźli się wśród nich nawet biskupi, co z kolei stworzyło później wielki problem moralny i doprowadziło do rozłamów wewnątrz Kościoła.

Jesienią 303 roku zbliżała się dwudziesta rocznica objęcia władzy przez Dioklecjana (wliczając rzymskim zwyczajem rok 284 jako pierwszy). Główne uroczystości rozpoczęły się w Rzymie 20 listopada, a zaszczycił je obecnością sam cesarz. Potem przez cały miesiąc aż do 20 grudnia odbywały się igrzyska, przedstawienia, zabawy. Dioklecjan jednak okazał się niezbyt hojny, w każdym zaś razie nie tak, jak spodziewał się tego lud stolicy imperium. Cesarz niezbyt zadowolony z przyjęcia go przez Rzymian wyjechał stąd jeszcze przed 20 grudnia, choć rozpoczynała się surowa zima, padał śnieg i deszcz.

Nowy rok powitał w Rawennie. Potem, jak przed laty, przeprowadził inspekcję prowincji naddunajskich. Utrudzony podróżą i chłodami nabawił się choroby — lekkiej, lecz chronicznej, toteż stale noszono go w lektyce. Tak minęło lato 304 roku. Do Nikomedii władca wrócił już poważnie chory. Mimo to jeszcze pokazał się publicznie, aby dokonać dedykacji cyrku, który zbudował w tym mieście; od święta Dwudziestolecia minął już rok. Potem zasłabł i błagano bogów, by utrzymali go przy życiu. 13 grudnia zapanowała w pałacu żałoba, a nad całym miastem ciążyła cisza przerażenia. Opowiadano szeptem, że cesarz nie tylko zmarł, lecz już został pogrzebany. Niespodziewanie dnia następnego rozeszła się wiadomość, że żyje; oblicza dworzan znowu promieniały radością. Niektórzy wszakże podejrzewali, że to nieprawda i że ukrywa się śmierć Dioklecjana, póki nie przybędzie Galeriusz, a to z obawy, by wojsko nie dokonało przewrotu i nie obwołało augustem kogoś innego.

Jednakże 1 marca 305 roku Dioklecjan pojawił się publicznie. Zaledwie można go było rozpoznać, tak był wycieńczony długotrwałą chorobą, po owym zaś krytycznym dniu, 13 grudnia, odzyskał siły tylko częściowo, stał się też bardzo pobudliwy nerwowo. Wkrótce potem przybył do Nikomedii Galeriusz.

1 maja na równinie pod miastem, z której wyrastał niewielki wzgórek, odbył się wiec żołnierski. Przed frontem zbrojnych oddziałów i legionowych znaków stanęli na trybunie władcy oraz dostojnicy. Zabrał głos Dioklecjan. Mówił ze łzami w oczach. Stwierdził, że jest chory i potrzebuje wytchnienia po tylu trudach, dlatego pragnie przekazać władzę w młodsze ręce.

Zdjął swój purpurowy płaszcz i narzucił go Galeriuszowi, który w ten sposób stał się augustem, a sam Dioklecjan prywatnym człowiekiem, zwykłym śmiertelnikiem. Gdy zstąpiono z trybuny, niedawy pan imperium wsiadł na prosty wóz i skierował się do swej ojczyzny, do Dalmacji. Nadal jednak, choć formalnie nic już nie znaczył, otaczał go nimb majestatu, nadal też zachował ogromny autorytet; wtedy nawet, gdy w swym pałacowym ogrodzie Salony zajmował się hodowlą jarzyn.

Maksymian Herkuliusz

Marcus Aurelius Valerius Maximianus
Ur. przed 250 r., zm. w 310 r.
Panował od wiosny 285 r. jako cezar Dioklecjana, a od wiosny 286 r. wespół z nim jako august — *Imperator Caesar Marcus Aurelius Valerius Maximianus Augustus Heraculius* — do 1 maja 305 r.
Powrócił do władzy w latach 307–308.

Laktancjusz, współczesny wydarzeniom i wielokrotnie już tu cytowany, wydaje taki sąd o Maksymianie, który jako współwładca Dioklecjana miał pieczę nad prowincjami zachodnimi.

„Cóż mam rzec o bracie Dioklecjana, Maksymianie, który otrzymał przydomek Herkulijskiego? Otóż ci dwaj nie różnili się niczym. Nie mogliby zresztą nigdy związać się przyjaźnią tak wierną, gdyby nie identyczność ducha, tożsamość myśli i pragnień, zgodność poglądów we wszystkim. Odbiegali od siebie w tym tylko, że Dioklecjan był bardziej chciwy, lecz i bardziej trwożliwy, podczas gdy Maksymian, mniej zachłanny, wykazywał więcej zapału — oczywiście wcale nie do tego, by czynić dobrze, lecz do wszelkiego zła.

Miał pod bezpośrednim władaniem stolicę imperium oraz Italię, a także prowincje najbogatsze, to jest Afrykę i Hiszpanię, nie musiał więc tak pilnie jak Dioklecjan czuwać nad stanem skarbu, skoro miał do dyspozycji mnóstwo wszelkich majętności. A gdy tylko zaczynało brakować pieniędzy, byli przecież w zasięgu ręki najbogatsi senatorzy. Jakże łatwo mógł oskarżać ich przez podstawionych donosicieli, że knują spiski antypaństwowe! W ten sposób, by rzec obrazowo, ustawicznie łupiono najświetniejsze gwiazdy senatu, a okrutny skarbiec Maksymiana zawsze opływał w dobra krwią splamione. Pożądliwość tego potwora zwracała się nie tylko ku mężczyznom, co jest wstrętne i godne przekleństwa, lecz kazała mu również gwałcić córki najwybitniejszych osobistości. Gdziekolwiek się zjawił podczas swych podróży, natychmiast dostarczano mu dziewczęta wyrwane z objęć rodziców. Uważał, że jego osobiste szczęście oraz błogosławieństwo rządów na tym się zasadzają, by niczego nie odmawiać swej pożądliwości i zbrodniczej rozpuście".

Tyle Laktancjusz. Jest to z całą oczywistością obraz zaprawiony jadem nienawiści, choć może w jakiejś mierze prawdziwy. Należy pamiętać, że w owych czasach oskarżano władców o zwyrodnienia seksualne często i łatwo, stało się to nawet jakby nieodzownym rysem portretu tyrana, wywołującym oburzenie i potępienie — a wiarygodności nie sposób było sprawdzić. W tym jednak wypadku opinię Laktancjusza zdaje się potwierdzać inna charakterystyka, przekazana w późniejszym, anonimowym dziełku łacińskim, podającym skrótową historię cesarzy aż po Teodozjusza włącznie; jest to tak zwana *Epitome de Caesaribus*. Czytamy tam: „Aureliusz Maksymian, z przydomkiem Herkulijski, z natury dziki, płonący żądzą, umysłu ograniczonego, pochodzenia wiejskiego z Panonii; jeszcze i teraz niezbyt daleko od Sirmium widać pałac zbudowany w miejscu, gdzie jego rodzice pracowali jako najemnicy".

Służbę w wojsku zaczął Maksymian jako prosty żołnierz. Walczył w różnych krainach — nad Dunajem, Renem, Eufratem, w Brytanii — za panowania Aureliana i Probusa. Awansował do stopni dowódczych. Wtedy też, w czasie owych walk i wypraw, poznał Dioklesa, późniejszego Dioklecjana. Związali się przyjaźnią tym łatwiej, że obaj byli krajanami — pochodzili z terenów dzisiejszej Jugosławii — mieli podobne, to jest niskie pochodzenie społeczne, i tak samo obrali karierę wojskową, zaczynając ją od stopni najniższych. Właśnie ta przyjaźń zadecydowała o świetności dalszych losów Maksymiana. Dioklecjan mianowicie dobrze poznał i ocenił jego właściwości, a więc talenty dowódcze i organizatorskie, lojalność i energię, ale też niewielkie możliwości umysłowe; był to, krótko mówiąc, świetny wykonawca cudzych pomysłów, uzdolniony pomocnik. Toteż wiosną 285 roku, gdy tylko Dioklecjan pokonał Karynusa, stając się w ten sposób jedynym panem imperium, mianował właśnie Maksymiana cezarem i wysłał go natychmiast do Galii, aby stłumił tam powstanie ubogiej ludności wiejskiej, tak zwanych bagaudów, przeciw wielkim właścicielom ziemskim. W rok później otrzymał Maksymian tytuł augusta, władzę trybuna ludowego i godność kapłana najwyższego, a także przydomek *Herculius*, Herkulijski, stał się więc formalnie współwładcą państwa, ustępując Dioklecjanowi tym tylko, że tamten miał przydomek *Iovius*, Jowijski. Imperium jednak nie zostało podzielone, cesarze mieli tylko inne tereny działania, faktycznie zaś o sprawach najistotniejszych decydował nadal tylko jeden, Dioklecjan, pewien całkowitej lojalności swego młodszego „brata" — bo tak go nazywał.

Po stłumieniu ruchu bagaudów Maksymian musiał odpierać germańskie plemiona Burgundów, Alamanów i Herulów, wciąż wdzierające się do Galii. Wojownicy germańscy stanęli pod samym Trewirem dokładnie 1 stycznia 287 roku, gdy Maksymian uroczyście obejmował w tym mieście swój pierwszy konsulat. Ale jeszcze w tym roku i w następnym cesarz przekroczył dla postrachu Ren, zmusił do uległości króla Franków, a u wybrzeży morskich pokonał piratów saskich.

Tymczasem w toku tych pomyślnych walk niespodziewanie pojawiło się nowe niebezpieczeństwo wewnętrzne. Oto niejaki Mauzeusz Karauzjusz, obywatel rzymski rodem z wybrzeży dzisiejszej Belgii, który poprzednio odznaczył się w starciach z bagaudami, a na morzu i żeglarstwie znał się doskonale — za młodu bowiem służył na statkach jako sternik — otrzymał od Maksymiana zadanie zorganizowania floty i odpierania pirackich napaści. Wywiązał się z tej misji dobrze. Przywrócił w dużym stopniu bezpieczeństwo nadmorskiego pasa od Armoryki po ujście Renu, zdobył wiele okrętów barbarzyńców. Rychło jednak powstało podejrzenie, że tylko część łupów zwraca poszkodowanym i skarbowi państwa, a resztę po prostu przywłaszcza. Ba, krążyły nawet pogłoski, że niekiedy umyślnie przepuszcza piratów, aby później atakować ich powracające, obładowane zdobyczą okręty; tak więc bogacił się — jeśli było to prawdą — obrabowując bezpośrednio piratów, pośrednio wszakże samą ludność. Jak było w rzeczywistości — ani wtedy, ani też dziś nikt by dojść nie mógł. W każdym razie Maksymian uwierzył oskarżeniom i gotów był ukarać dowódcę floty śmiercią jako przeniewiercę i zdrajcę. Ten dowiedział się wszakże w porę i wybrał jedyną pozostałą mu drogę ratunku — rebelię.

Karauzjusz na czele swej floty popłynął do Brytanii, okrzyknął się cesarzem — było to w 286 roku — przeciągnął na swoją stronę stacjonujące tam wojska i szybko zawładnął całą rzymską częścią wyspy nie napotykając prawie żadnego oporu. Miał też w swym ręku pewien obszar północnej Galii wraz z obecną Boulogne; wtedy dolne miasto zwało się Gezoriakum (*Gesoriacum*), górne zaś Bononia, i to ostatnie, jak się zdaje, pozostało wierne Maksymianowi nawet w tej niezwykłej sytuacji. W każdym razie mając flotę i panując na morzu Karauzjusz czuł się zupełnie bezpieczny. Wybijał nawet własne monety i tytułował się w 287 roku *Imperator Caesar Marcus Aurelius Mausaeus Carausius Augustus*.

Fakt, że Brytania tak łatwo poddała się Karauzjuszowi, musiał mieć oczywiście przyczynę. Była to pierwsza od lat prawie stu, to jest od czasów Klodiusza Albina, udana i długotrwała próba rzeczywistego, choć nie formalnego oderwania się od imperium i usamodzielnienia się wyspy. Jej ludność, a nawet wojska i administracja przeszły na stronę samozwańca niewątpliwie dlatego, że miały poważne pretensje wobec rządu centralnego: o lekceważenie i zaniedbywanie spraw tych peryferyjnych, północnych prowincji, o nieskuteczną ich obronę, o wyciąganie z nich tylko korzyści. Pretensje słuszne lub nie, nikt tego dziś nie wyważy, w każdym razie były widocznie powszechnie podzielane i żywo odczuwane.

Maksymian oczywiście usiłował zdławić ów bunt, rozkazał więc wybudować flotę i wyprawił ją do Brytanii. Jednakże znaczną jej część zniszczyło lub rozproszyło wzburzone morze; resztę okrętów cesarskich zdobyła lub zatopiła flota Karauzjusza. Krótko mówiąc los tej wyprawy morskiej — a wyruszyła ona najprawdopodobniej w 288 roku — był starożytnym

odpowiednikiem czy też zapowiedzią tego, co wydarzyć się miało na tychże wodach dokładnie w 1300 lat później, gdy Wielka Armada hiszpańska płynęła ku wybrzeżom wyspy, by rzucić na kolana oporną Anglię królowej Elżbiety. Wtedy również morze pomogło obrońcom Brytanii.

Niewątpliwie właśnie ta nieudana wyprawa stała się przyczyną przybycia do Galii samego Dioklecjana. Odbył on rozmowy z Maksymianem i obaj ostatecznie uznali, że w danej sytuacji jedynym honorowym wyjściem będzie zawarcie układu z uzurpatorem. Karauzjusz, jak się wydaje, otrzymał oficjalnie urząd namiestnika i powierzono mu obronę Brytanii oraz wybrzeży Galii przed atakiem barbarzyńców od strony morza; oczywiście nie uznano jednak jego cesarskiego tytułu oraz aspiracji do samodzielności. On zaś pozornie na to przystał, lecz wcale nie zaniechał wybijania własnych monet i nie wyrzekł się tytułu. Pojawiły się nawet takie monety, na których widnieją podobizny jego oraz Dioklecjana i Maksymiana, napis zaś głosi: *Carausius et fratres sui* — „Karauzjusz i jego bracia".

Cesarze byli poniekąd zmuszeni do pójścia z Karauzjuszem na kompromis również dlatego, że w Afryce tamtejsze plemiona górskie atakowały zaciekle miasta i żyzne równiny Mauretanii. Na razie napastników poskromił namiestnik tej prowincji, a sam Maksymian odbył zimą 291 roku konferencję z Dioklecjanem w Mediolanie. Później przez dwa lata prowadził walki z Germanami za górnym Renem i Dunajem. 1 marca 293 roku zgodnie z wolą i decyzją Dioklecjana powołał podczas uroczystej ceremonii w Mediolanie swego cezara, a więc młodszego pomocnika i przewidywanego następcę. Został nim Gajusz Flawiusz Konstancjusz. 23 maja tegoż roku Dioklecjan podczas podobnej ceremonii w Nikomedii obwieścił, że jego cezarem jest Galeriusz. Dopiero w tym momencie powstał faktycznie i formalnie system tetrarchii, czyli czwórwładzy. Obaj cezarzy zostali jednocześnie adoptowani przez swych augustów, a także połączyli się z ich rodzinami jeszcze ściślej: Konstancjusz wziął za żonę pasierbicę Maksymiana, Teodorę, Galeriusz zaś córkę Dioklecjana, Walerię.

Postaciom Konstancjusza i Galeriusza poświęcony zostanie oczywiście oddzielny rozdział. Ale tutaj trzeba wskazać — bo wiąże się to bezpośrednio z panowaniem Maksymiana — że młody cezar Zachodu dowiódł już w roku swego powołania, jak trafny był to wybór. Otóż zdołał on odebrać Karauzjuszowi jego posiadłości na kontynencie wraz z Gezoriakum, co wywołało przeciw uzurpatorowi rewoltę w Brytanii. Przewodził jej minister finansów, *rationalis summae rei*, Allektus. Wykorzystał on upadek prestiżu Karauzjusza i przekupując żołnierzy doprowadził do otwartego buntu. Władcę Brytanii zamordowano, a purpurę przywdział Allektus. Utrzymał się on jako władca Brytanii przez trzy lata, to jest do 296 roku, kiedy to cezar Gajusz Konstancjusz dokonał śmiałej inwazji na wyspę. Maksymian ubezpieczał te działania stojąc ze swoją armią nad Renem.

Ostateczne stłumienie — dzięki Konstancjuszowi — buntu w Brytanii pozwoliło Maksymianowi na pozostawienie swemu cezarowi krajów północnych i na udanie się do prowincji afrykańskich. Przebywał tam przez kilka lat od 297 roku, zwłaszcza w Mauretanii, gdzie zadał ciężkie klęski górskim plemionom, które Rzymianie określali mianem *Quinquegentiani* — może oznaczało to pierwotnie „Pięć szczepów" lub „Pięcioszczepowcy"? Maksymian upamiętnił pobyt na ziemiach Afryki wzniesieniem wielu budowli w różnych jej miastach, szczególnie w Kartaginie, oraz umocnieniem fortyfikacji granicznych od strony pustyni. Gdy doszły do jego rąk edykty Dioklecjana nakazujące wszczęcie surowych prześladowań najpierw manichejczyków, a wkrótce potem także chrześcijan, zastosował zawarte w nich zarządzenia z całą bezwzględnością, głównie na terenach Italii i Afryki, podczas gdy jego cezar zachował na obszarze Galii i Brytanii pewną powściągliwość pod tym względem.

Jesienią 303 roku Maksymian i Dioklecjan znowu się spotkali, tym razem w samej stolicy imperium, w Rzymie. Tutaj drugi z nich święcił dwudziestolecie panowania i tutaj też obaj odbyli wspaniałe triumfy z powodu pokonania wielu nieprzyjaciół, uświetnione oczywiście igrzyskami. Dioklecjan opuścił Rzym w niespełna miesiąc po tych uroczystościach, Maksymian natomiast pozostał tu jeszcze przez czas jakiś, urządzając w 304 roku, jak się zdaje, święto 21 kwietnia. W dniu tym od wielu wieków obchodzono rocznicę „narodzin" Rzymu, a tradycja trwa aż po nasze czasy.

Ale zbliżał się już kres panowania, i to właśnie wtedy, gdy pokonano najgorsze niebezpieczeństwa, a sytuacja zdawała się stabilizować. Maksymian miał wyrzec się władzy, miał odrzucić purpurę i powrócić znowu do życia prywatnego, tak bowiem życzył sobie jego kolega, górujący nad nim jak Jowisz nad Herkulesem. Maksymian, dotychczas zawsze lojalny i posłuszny wobec tego, któremu zawdzięczał wszystko, tym razem oponował, i to stanowczo, nie ukrywając swego gniewu, a echa jego sprzeciwu jeszcze się zachowały w źródłach antycznych. Zasmakował we władzy, jak tylu przed nim i po nim, czepiał się jej kurczowo. Dioklecjan chciał jednak konsekwentnie wcielać w życie swój system ustrojowy, toteż żądał nieustępliwie, aby Maksymian porzucił wszystko i oddał purpurę Konstancjuszowi, który jako nowy august dobierze sobie cezara. Miał prawo tego żądać, bo i sam gotów był tak postąpić. Maksymian znalazł jednak słaby punkt w argumentacji Dioklecjana. Jeśli mianowicie w myśl proponowanych zasad zmiana u steru rządów ma się dokonywać co lat dwadzieścia, to jemu, Maksymianowi, pozostaje jeszcze rok — formalnie bowiem został obdarzony tytułem augusta dopiero w 286 roku. Nie pomogły wszakże te wybiegi i wykręty. Dioklecjan obstawał przy tym, aby odejście ich obu dokonało się równocześnie.

Tak też się stało. 1 maja 305 roku odbyła się w Mediolanie ceremonia identyczna w treści i formie z tą, która stała się faktem w tymże dniu w Nikomedii. W tamtym małoazjatyckim mieście Dioklecjan publicznie przekazał władzę i tytuł augusta Galeriuszowi, tutaj zaś Maksymian oddał to samo Konstancjuszowi. Sam udał się już jako człowiek prywatny do swego majątku na południu Italii, w Lukanii. Towarzyszyła mu żona Eutropia, z którą miał syna Maksencjusza i córkę Faustę. Córka natomiast Eutropii z poprzedniego małżeństwa, Teodora, była już małżonką Konstancjusza. Wymieniamy wszystkie te osoby, gdyż miały one odegrać jeszcze duże role w historii lat następnych. Podobnie zresztą jak sam Maksymian. W przeciwieństwie do Dioklecjana akt złożenia przezeń purpury był czysto zewnętrzny. Ambicja i żądza władzy pozostały w sercu, może nawet jeszcze się wzmogły.

Galeriusz i Konstancjusz I

Gaius Galerius Maximianus Armentarius
Ur. około 250 r.,
zm. 5 maja 311 r.
Panował jako cezar u boku Dioklecjana
od 23 maja 293 roku,
a od 1 maja 305 r. do śmierci
jako august — *Imperator Caesar Gaius Galerius Valerius Maximianus Augustus.*

Gaius Flavius Constantius
Ur. 31 marca około 250 r.,
zm. 25 lipca 306 r.
Panował jako cezar
u boku Maksymiana
od 1 marca 293 roku,
a od 1 maja 305 r. do śmierci
jako august — *Imperator Caesar Gaius Flavius Valerius Constantius Augustus.*
Przydawany mu później przydomek *Chlorus* nie występuje nigdzie, a w źródłach pojawia się dopiero od VI wieku.
Po śmierci obaj zostali zaliczeni w poczet bogów.

Galeriusz i Konstancjusz podobnie jak ich poprzednicy, Dioklecjan i Maksymian, również pochodzili z krain Półwyspu Bałkańskiego, nazywanych wtedy *Illyricum*, choć chyba z różnych stron tego regionu. Galeriusz, to wiadomo na pewno, urodził się w pobliżu Serdyki, czyli dzisiejszej Sofii, trudno natomiast wskazać, w jakich okolicach Ilirii przyszedł na świat Gajusz Konstancjusz.

Rodzice Gajusza Galeriusza byli wieśniakami, on sam za młodu pasał stada bydła, *armenta*, stąd też jego przezwisko *armentarius*, którego nieco pogardliwy wydźwięk najtrafniej oddałby w naszym języku wyraz „pastuch". Ród natomiast Konstancjusza pochlebcy wywodzili później od panującego w latach 268–270 cesarza Klaudiusza Gockiego, co jednak było fikcją. Ale takie zabiegi genealogiczne praktykowano zawsze w dziejach ludzkości.

Obaj służyli w wojsku i awansowali tylko dzięki zdolnościom — na czyje bowiem poparcie mogli liczyć? — dość wysoko jeszcze za Aureliana i Probusa. Konstancjusz należał do cesarskiej straży przybocznej, był trybunem, a wreszcie namiestnikiem prowincji Dalmacji. Ale chyba jeszcze wcześniej, zapewne gdy stacjonował w Naissus, związał się z dziewczyną imieniem Helena, posługującą w tamtejszej gospodzie, a rodem z małego miasteczka w Bitynii w Azji Mniejszej. Miał z nią jedno tylko dziecko, syna, który jako Konstantyn zdobył wielkie imię w historii, choć początkowo jego los nie zapowiadał się świetnie. Przede wszystkim związek z Heleną nie był, jak się zdaje, małżeństwem prawowitym. Co gorsza, Konstancjusz musiał w późniejszych latach w ogóle odsunąć ją od siebie — żonę czy nie żonę — nakazano mu bowiem ze względów politycznych poślubić inną kobietę. Gdy mianowicie stał się w 293 roku cezarem u boku Maksymiana, zgodnie z zasadami nowego porządku dynastycznego wziął za żonę jego pasierbicę, Teodorę. Miał z nią trzech synów i trzy córki. Tak samo zresztą Galeriusz jako cezar porzucił swoją żonę i poślubił córkę Dioklecjana, Walerię, która zresztą dzieci mu nie dała. Miał natomiast córkę z poprzedniego małżeństwa, Maksymillę, i syna Kandydiana z jedną ze swych konkubin.

Jakimi byli ci dwaj, Galeriusz i Konstancjusz, jako władcy? Pierwszego z nich Laktancjusz odmalowuje w barwach jak najwstrętniejszych, twierdząc wprost, że był on gorszy od wszystkich poprzednich cesarzy. „Było w tej bestii jakieś przyrodzone barbarzyństwo i dzikość, cechy najzupełniej obce krwi rzymskiej. I nic dziwnego: jego mianowicie matka pochodziła z ziem zadunajskich, ale gdy lud Karpów najechał tamte okolice, przeprawiła się przez rzekę i uciekła do prowincji *Dacia Nova*. A postać Galeriusza odpowiadała jego charakterowi. Odznaczał się bowiem wysokim wzrostem i potężną masą ciała, rozlaną jednak i rozdętą do przeraźliwych rozmiarów. Także jego słowa i postępowanie, na równi z wyglądem, wzbudzały u wszystkich lęk i przerażenie. Bał się go nawet teść, sam Dioklecjan".

Podobnie ostre są inne wypowiedzi Laktancjusza o Galeriuszu; niektóre z nich jeszcze przytoczymy. Nie ulega wszakże wątpliwości, że jest to charakterystyka stronnicza, podyktowana głównie tym, że Galeriusz należał do najbardziej zaciętych przeciwników chrześcijaństwa — a Laktancjusz był chrześcijaninem. Jednakże oceny podane przez innych pisarzy starożytnych wypadają znacznie korzystniej; niestety, są to wzmianki bardzo krótkie. Na przykład w dziełku *Epitome de Caesaribus* czytamy opinię zwięzłą i wyrazistą: „Galeriusz był — choć poczucie sprawiedliwości miał nie pielęgnowane i prostackie — dość godnym pochwały, pięknej postawy, wojownikiem zaś znakomitym i szczęsnym".

Rzeczywiście, Galeriusz jako cezar i wódz odniósł sporo sukcesów. Najpierw bronił granicy Dunaju, gdzie odparł ataki różnych ludów: Sarmatów, Karpów, Bastarnów, zapewne też Gotów. Ale już w 296 roku pośpieszył ze swej kwatery w Sirmium do Syrii, gdyż do Armenii wtargnęli Persowie i wojna z nimi była nieunikniona. Armia pod wodzą Galeriusza przekroczyła Eufrat i wbrew radom Dioklecjana rozpoczęła działania nie czekając na posiłki — toteż poniosła klęskę pod Karrami (*Carrhae*). Galeriusz zdołał się wycofać, musiał jednak ścierpieć straszliwe upokorzenie od cesarza. Dioklecjan oczekiwał swego cezara siedząc na rydwanie, a gdy ten się zbliżył, rozkazał woźnicy popędzić konie. I tak na oczach wszystkich pokonany Galeriusz musiał w purpurowym płaszczu biec spory kawał drogi za rydwanem swego augusta!

To działo się w 297 roku. Ale rok następny przyniósł wspaniałą nagrodę za te gorzkie chwile. Galeriusz wszedł do Armenii na czele potężnej armii, wzmocnionej posiłkami ściągniętymi znad Dunaju, i pokonał samego króla Persów, którym był wówczas Narse. W toku tej kampanii cezar Wschodu wykazał zarówno zdolności strategiczne, jak też osobistą odwagę, niekiedy udając się na zwiady z kilkoma tylko jeźdźcami. Zdobył obóz króla perskiego wraz z haremem, rodziną i skarbami, a jego samego ścigał daleko na wschód. Tym razem Dioklecjan przyjął Galeriusza uroczyście w Antiochii. Sława owych zwycięstw i baśniowej zdobyczy wywarła niesłychane wrażenie na współczesnych. Jeszcze w dziesiątki lat potem twierdzono, że Galeriusz dokonał czynów porównywalnych z podbojami Aleksandra Wielkiego. On sam oczywiście podsycał ten rozgłos jak najgorliwiej. Upatrywał w sobie — i kazał upatrywać! — jakby wcielenie króla Macedończyków sprzed siedmiu wieków. Rozpowszechniano też inną legendę, oplatając ją wokół faktu, że matka Galeriusza miała na imię Romula, a założyciel Rzymu zwał się Romulus. Ponieważ mit głosił, że ojcem Romulusa był bóg Mars, więc i Galeriusz uznawał w nim swego ojca. Podobno bóg wojny zbliżył się do Romuli pod postacią węża lub smoka. Na Galeriuszowych monetach ukazywały się napisy: *Marti patri semper victori* — „Ojcu Marsowi zawsze zwycięskiemu".

Zimą 302/303 roku Galeriusz przybył do Nikomedii podobno już z gotowym zamiarem nakłonienia Dioklecjana, by ostatecznie rozprawił się z chrześcijanami. Powiadano — tak przynajmniej utrzymuje Laktancjusz — że z kolei za Galeriuszem stała jego matka. Romula bowiem należała do gorliwych czcicielek opiekuńczych bóstw pól i lasów; była to trójca: Sylwan, Diana, *Liber Pater*. Ich kult rozkwitał właśnie w prowincjach naddunajskich, w których osiedliła się rodzina matki Galeriusza, uciekając przed barbarzyńcami, wpływy zaś chrześcijaństwa były tam znikome. Składając ofiary bóstwom pobożna matka cesarza często zapraszała na biesiady swych krajanów; oczywiście chrześcijanie zawsze odmawiali i właśnie to miało się stać powodem jej zdecydowanej niechęci. Tak więc zdaniem Laktancjusza to Galeriusz przyczynił się najbardziej do rozpętania prześladowań wyznawców nowej religii. Pewne jest, że postanowienia odpowiednich edyktów wcielał w życie

z całą bezwzględnością. Jednakże właśnie Galeriusz, jak zobaczymy, był pierwszym władcą, który wydał edykt tolerancyjny, na dwa lata przed sławnym edyktem Konstantyna Wielkiego.

Powiadano również, że Dioklecjan abdykował pod wpływem namów, a nawet gróźb Galeriusza, który po tylu latach ,,cezarowania" pragnął wreszcie władzy najwyższej. To na pewno nieprawda, gdyż system tetrarchii i zasada rotacji na tronie — a raczej na tronach — co lat dwadzieścia były dziełem Dioklecjana; i on to osobiście wymusił na niechętnym temu Maksymianie złożenie purpury. Faktem jest natomiast, że Galeriusz odegrał istotną rolę w doborze cezarów, czyli tych, którzy mieli stanąć u boku nowych augustów jako ich pomocnicy, a w przyszłości następcy. Gdy zatem w Nikomedii 1 maja 305 roku Dioklecjan składał władzę w ręce Galeriusza, na cezara powołano siostrzeńca tego ostatniego — Maksymina Daję. Tego samego dnia w Mediolanie ustępujący august Maksymian uczynił swym następcą Konstancjusza, a jako cezara przydał mu Flawiusza Sewera, który zaliczał się do najbliższych przyjaciół Galeriusza. Tak więc właśnie Galeriusz, mając oddanych sobie ludzi jako cezarów na Wschodzie i na Zachodzie, faktycznie stawał się władcą o największych wpływach, choć ze względów czysto formalnych za augusta starszego, a więc za symbol jedności imperium, uchodził Konstancjusz. Nominacje nowych cezarów zaskoczyły wielu, tym bardziej że Konstancjusz miał dorosłego syna, Konstantyna. Syna miał też Maksymian, choć nieco młodszego; zwał się Maksencjusz. Obaj jednak zostali pominięci, gdyż zasada nowego systemu sukcesji władzy, obmyślana przez Dioklecjana, głosiła: przekazuje się purpurę nie dziedzicznie, lecz wybranym spośród najgodniejszych.

Na wszelki jednak wypadek Konstantyn przebywał chyba już od swych lat chłopięcych nie przy ojcu, lecz na dworze Dioklecjana; był jakby honorowym zakładnikiem, rękojmią lojalności Konstancjusza. Była to w każdym razie dobra szkoła poznawania ludzi, polityki, wojskowości — a także geografii, gdyż dwór Dioklecjana często zmieniał miejsce pobytu, wędrując po różnych, zwłaszcza wschodnich, krainach imperium. Miasta Azji Mniejszej, Syrii, Egiptu słynęły ze wspaniałych budowli i zabytków sztuki. Bogactwo ich życia gospodarczego i kulturalnego było mimo tylu klęsk wciąż imponujące, przewyższając wszystko, co miał wtedy do pokazania i zaoferowania Zachód.

Konstancjusz był jednak wierny prowincjom zachodnim, zwłaszcza Galii, zarówno jako cezar, jak i później, gdy został augustem. Spośród czterech tetrarchów tylko on znalazł uznanie w oczach surowego Laktancjusza, który mówi o nim krótko, lecz znamiennie: „Jeden on był godny, by samodzielnie władać światem". Ale również inne źródła antyczne wystawiają mu dobre świadectwa. Eutropiusz, historyk żyjący kilkadziesiąt lat później, pisał o nim z zachwytem.

„Był to człowiek wybitny, pełen świetnych cnót obywatelskich. Pragnął, by bogacili się mieszkańcy prowincji i w ogóle ludzie prywatni, niezbyt zabiegał natomiast o korzyści dla skarbu państwa. Mawiał bowiem: Lepiej jest, gdy zasoby znajdują się w posiadaniu publicznym, niż zamknięte w jednym skarbcu! Prowadził dwór tak skromny, że w dniach świątecznych, gdy wydawał przyjęcia dla większej liczby przyjaciół, stoły zastawiano srebrem, które pożyczano chodząc od domu do domu. Mieszkańcy Galii nie tylko go kochali, lecz wręcz czcili, dzięki bowiem jego rządom uniknęli zarówno podejrzanej roztropności Dioklecjana, jak też wybuchowej lekkomyślności Maksymiana".

Jako cezar Konstancjusz zdołał szybko zawładnąć wybrzeżami Galii i Brytanią, gdzie od kilku lat utrzymywał się samozwaniec Karauzjusz, a po jego zamordowaniu — Allektus. Rozgromił Franków nad dolnym Renem, odbudował gospodarkę Galii, niszczonej najazdami germańskimi oraz powstaniami kolonów, osadzając w miastach rzemieślników z Brytanii, po wsiach zaś jeńców wojennych.

Edyktów przeciw chrześcijanom nie wprowadzał w życie, jak się rzekło, zbyt surowo. Stąd życzliwe oceny Laktancjusza

oraz Euzebiusza z Cezarei, ówczesnego historyka Kościoła. Ten drugi pisał: „Jedyny spośród władców dni naszych z poczuciem godności sprawował rządy przez cały czas panowania swego. Wszystkim okazywał łaskawość, a w wojnie nam wytoczonej nigdy żadnego nie brał udziału; owszem, podległych sobie ludzi bogobojnych chronił przed szkodą i pokrzywdzeniem, nie burzył nawet budynków kościelnych" (przekład ks. A. Lisieckiego). Laktancjusz natomiast twierdzi, że cesarz ograniczył prześladowania tylko do burzenia kościołów! Jak wyjaśnić tę sprzeczność?

Sam Konstancjusz był zapewne czcicielem bóstwa *Sol Invictus*, Słońca Niezwyciężonego, możliwe jednak, że wśród kobiet jego rodziny istniały sympatie dla chrześcijaństwa. I tak imię jego córki Anastazji urobione jest od greckiego wyrazu *anastasis*, którym chrześcijanie — ale i żydzi! — określali zmartwychwstanie.

Wiosną 306 roku Galeriusz otrzymał listy z Galii. Konstancjusz zawiadamiał, że jest poważnie chory i prosi, aby syn pierworodny, Konstantyn, jak najrychlej przyjechał. Podobne prośby nadchodziły poprzednio, ale zbywano je niczym, Galeriusz bowiem wolał nie wypuszczać z rąk tak cennego zakładnika. Tym jednak razem ostatecznie wyraził zgodę, gdyż odmowa mogłaby mieć niebezpieczne dlań następstwa polityczne; u schyłku dnia przyłożył swoją pieczęć na piśmie zezwalającym Konstantynowi posługiwać się w podróży końmi poczty państwowej. Ale jednocześnie polecił mu, by wyjazd odłożył do jutra, wtedy otrzyma dodatkowe instrukcje. Gdy jednak w południe dnia następnego cesarz rozkazał wezwać Konstantyna do siebie, stwierdzono po długich poszukiwaniach, że już go nie ma w pałacu; wyjechał wczoraj wieczorem. Pchnięto pościg, ale żołnierze wnet wrócili meldując, że na najbliższej stacji pocztowej znaleźli wszystkie konie martwe. Konstantyn zabijał te, na których przyjechał, a zabierał z postoju wypoczęte. Podobno bowiem przejrzał zamysły Galeriusza, który już dawniej umyślnie narażał go na niebezpieczeństwa podczas wojen i prowokował do ryzykownych walk — nawet z lwami — na arenie pałacu cyrkowego, obecnie zaś zezwolił na wyjazd po to tylko, aby przygotować zasadzkę i zgładzić zdradziecko podczas podróży przez niespokojne, górzyste krainy.

Ojca zastał Konstantyn w nadmorskim mieście Galii — w Gezoriakum (obecnie Boulogne). Właśnie z portu wypływała flota, Konstancjusz bowiem szykował wyprawę przeciw Piktom, wciąż niepokojącym Brytanię z Kaledonii, obecnej Szkocji. Cesarz Zachodu był rzeczywiście chory, ale jeszcze poprowadził tę kampanię. Zmarł wkrótce po jej zakończeniu, w obozie wojskowym Eburakum (dzisiejszy York) 25 lipca 306 roku. W tejże miejscowości niemal przed wiekiem, bo w 211 roku, zmarł cesarz Septymiusz Sewer. Powszechnie żałowany Konstancjusz zaliczony został w poczet bogów — pierwszy z tetrarchów.

Oficjalnie głoszono później, że natychmiast po jego zgonie żołnierze zmusili Konstantyna, by przyjął purpurę. W kilka lat później autor łacińskiego panegiryku na jego cześć pisał o tym w stylu oracji.

„Bogowie dobrzy, jakimże szczęściem obdarzyliście Konstancjusza jeszcze w chwili jego zgonu! Odchodzący do nieba imperator ujrzał swego dziedzica. Natychmiast bowiem, gdy tylko zabrano go z ziemi, całe wojsko jednomyślnie wyraziło zgodę na ciebie. Myśli i oczy wszystkich ciebie wyznaczyły następcą. I choć ty przekazałeś sprawę starszym władcom, zapał żołnierski uprzedził to, co tamci wkrótce aprobowali. Gdy tylko pokazałeś się po raz pierwszy, żołnierze mając na uwadze nie twoje uczucia, lecz dobro powszechne, narzucili ci purpurę — choć ty łzy miałeś w oczach. Nie godziło się jednak, by płakał władca uświęcony. Powiadają też, że usiłowałeś uciec przed naleganiami własnego wojska i konia bodłeś ostrogami. Musisz obecnie usłyszeć słowa prawdy: czyniąc tak, błądziłeś skutkiem młodocianego wieku".

A więc Konstantyn rzekomo odpychał godność, którą żołnierze narzucili mu siłą. Ci, którzy od lat walczyli pod rozkazami jego ojca, uważali za naturalne, że spadkobiercą zmarłego augusta winien być syn. Oczywiście akt ten równał się zburzeniu całego porządku tetrarchii. Przecież po śmierci Konstancjusza starszym augustem stawał się Galeriusz, młodszym zaś Flawiusz Sewer; oni to powinni wyznaczyć nowego cezara. A tymczasem żołnierze okrzyknęli Konstantyna nawet nie cezarem, lecz od razu augustem! W gruncie rzeczy stanowiło to nawrót do groźnych praktyk III wieku, gdy poszczególne armie ogłaszały cesarzami swoich wodzów. Dlatego też urzędowa propaganda utrzymywała później, że Konstantyn nie chciał władzy i przekazał sprawę do rozstrzygnięcia legalnym panom imperium. Naprawdę jednak po prostu postawił ich przed faktem dokonanym.

Latem roku 306 posłowie Konstantyna pośpieszyli z Brytanii na wschód, do Galeriusza, wioząc listy swego pana oraz jego podobiznę ozdobioną laurami; jej przyjęcie oznaczałoby akceptację wszystkiego, co dokonało się w Eburakum po śmierci Konstancjusza, to jest uznanie Konstantyna za augusta.

Galeriusz długo się zastanawiał, co począć, miał bowiem zupełnie odmienne plany. Zamierzał mianowicie po Konstancjuszu uczynić augustem swego najbliższego przyjaciela i doradcę, Licyniusza. Podobno w pierwszym napadzie furii chciał spalić podobiznę samozwańca, i to wraz z posłami, jednakże odwiedziono go od tego zamiaru wskazując, że odmowa uznania równałaby się wszczęciu wojny domowej. Ostatecznie więc, choć z wielką niechęcią, Galeriusz przyjął wizerunek i posłał Konstantynowi purpurę; nie augusta wszakże, lecz tylko cezara. W istocie obaj poszli na honorowy kompromis. Konstantyn utrzymał się jako władca legalny, lecz dopiero na czwartym miejscu, po auguście Galeriuszu, po auguście Flawiuszu Sewerze — bo on automatycznie zajął miejsce Konstancjusza — i wreszcie po Maksyminie Dai. Galeriusz natomiast pokazał, że jest jedynym spośród nich, który może udzielać prawnych nominacji. Rychło wszakże objawiły się groźne skutki tego ustępstwa i wyłomu w systemie.

Flawiusz Sewer i Maksencjusz

Flavius Severus
Ur. zapewne po 250 r.,
zm. pod koniec 307 r.
Panował jako cezar
od 1 maja 305 r.,
a jako august —
Imperator Caesar
Flavius Valerius Severus
Augustus — do wiosny 307 r.

Marcus Aurelius Valerius
Maxentius
Ur. około 280 r.,
zm. 28 października 312 r.
Panował od 28 października 306 r.
jako cezar, a od 307 r. do śmierci
jako august — *Imperator Caesar*
Marcus Aurelius Valerius
Maxentius Augustus.

Walka o Rzym

Późnym latem 306 roku cesarstwo rzymskie miało czterech władców, tetrarchów. Wschodnimi i południowymi prowincjami rządzili Galeriusz i jego cezar, Maksymin Daja, Zachodem zaś august Flawiusz Sewer i Konstantyn, niedawno uznany za cezara. Ten ostatni jednak objął władzę po swym ojcu, cesarzu Konstancjuszu, co było pierwszym odstępstwem od Dioklecjanowej zasady przekazywania władzy. A jeżeli w jednym wypadku zgodzono się na dziedziczenie tronu, to na jakiej podstawie miano by odmówić tego prawa komuś innemu? Nie tylko bowiem Konstantyn był synem augusta.

W Italii, pod samym Rzymem, przebywał Maksencjusz, którego ojciec, Maksymian Herkuliusz, w 305 roku wbrew swej woli złożył purpurę równocześnie z Dioklecjanem. Maksencjusza nie uczyniono wówczas cezarem, ponieważ, jak powiadano, zraził sobie Galeriusza, choć był jego zięciem. Zresztą podobno nie darzył go sympatią nawet ojciec, Maksymian; krążyły nawet plotki, że w rzeczywistości nie był jego synem. Mówiono, że gdy żona Maksymiana, Eutropia, urodziła córkę zamiast upragnionego chłopca, tuż po porodzie dziewczynkę tę usunięto, a zamiast niej pokazano ojcu zabrane innej kobiecie niemowlę płci męskiej. W każdym razie Maksencjusz odczuł boleśnie, że nie został cezarem i tylko czekał na sposobność, by przywdziać purpurę. Fakt, że udało się to Konstantynowi, dodawał odwagi.

A sposobna chwila nadarzyła się już jesienią tegoż 306 roku. Galeriusz i Flawiusz Sewer popełnili wówczas dwa błędy. Po pierwsze, zamierzali opodatkować ludność Rzymu, wolną dotychczas od wszelkich ciężarów, i to już od wielu wieków. Przecież to oni, Rzymianie znad Tybru, byli twórcami i panami imperium, władcami wszystkich podbitych ziem i ludów! Przybycie urzędników mających dokonać spisu i szacunku majątków wywołało niesłychane oburzenie. Drugim błędem augustów była decyzja rozwiązania kohort pretorianów, które od początku istnienia cesarstwa stacjonowały w stolicy i w Italii. Decyzję można uznać za słuszną o tyle, że pretorianów jako siły wojskowej już nie potrzebowano, gdyż władcy rezydowali w różnych miastach imperium; nawet Flawiusz Sewer — pan Rzymu — przebywał częściej w innych miastach Italii, w Mediolanie, Rawennie, Akwilei. Jednakże pretorianie, którym żyło się dobrze i spokojnie, wcale nie zamierzali pogodzić się z rozkazem. Wybuchły rozruchy. Zamordowano urzędników cesarskich. Nie sposób dziś ustalić, czy to Maksencjusz wyzyskując nastroje ludności i pretorianów sprowokował zajścia przez swoich agentów, czy też odwrotnie — zjawił się na scenie dopiero wtedy, gdy krew się już lała i tłum wołał o przywódcę. W każdym razie 28 października włożył purpurę; sądził zapewne, że Galeriusz znowu ustąpi i uczyni go cezarem, aby zachować pozory legalności. A miał Maksencjusz wszelkie dane, aby spodziewać się takiego obrotu sprawy; czym bowiem jego sytuacja różniła się od Konstantynowej? Przecież obaj głosili, że przyjęli władzę tylko wskutek nalegań żołnierzy!

Jednakże Galeriusz nie mógł już akceptować piątego współwładcy. Polecił więc Sewerowi, znajdującemu się wówczas w Mediolanie, by stłumił powstanie rzymskie. Popełnił nowy błąd — nie docenił determinacji ludności, gotowej bronić do końca władcy, którego sama wyniosła. Nie wziął też pod uwagę, że armia Sewera składa się z oddziałów pozostających jeszcze przed rokiem pod rozkazami Maksymiana, ojca Maksencjusza.

Tymczasem samozwaniec bardzo zręcznie wyzyskał tę okoliczność. Przyzwał do stolicy swego ojca i sprawił, że Maksymian został obwołany augustem po raz drugi. Gdy Flawiusz Sewer stanął pod murami Rzymu, opuściła go większość żołnierzy i przeszła na stronę dawnego wodza i jego syna. Prawowity władca z resztkami wojsk wycofał się w popłochu do Rawenny, miasta obronnego i dobrze zaopatrzonego; miał nadzieję, że Galeriusz wkrótce pośpieszy z odsieczą. Ale nastała zima, przejścia alpejskie były nie do przebycia. Obawiając się więc, że żołnierze nie wytrzymają dłuższego oblężenia i wydadzą go wrogom, Sewer nawiązał rokowania z Maksencjuszem i jego ojcem. Wreszcie wczesną wiosną 307 roku zgodził się na kapitulację, ale pod warunkiem, że zachowa życie. Flawiusz Sewer — niedawny pan wielkiej części imperium — został przywieziony do Rzymu i internowany w jego okolicach. Zginął zapewne pod koniec 307 roku. Jedni twierdzili, że go powieszono z rozkazu Maksencjusza, inni zaś, że w drodze łaski mógł sam podciąć sobie żyły i tak rozstać się z życiem.

Zwycięski Maksencjusz kazał obwołać się augustem; cesarstwo obecnie miało zatem aż trzech władców z tym tytułem — Galeriusza, Maksymiana (po raz drugi) i Maksencjusza — a ponadto dwóch cezarów: Maksymina Daję na Wschodzie oraz Konstantyna w Brytanii i Galii.

Galeriusz na wydarzenia te zareagował natychmiast: z bałkańskich i azjatyckich prowincji imperium zebrał wojska i ruszył na zachód. Po wkroczeniu do Italii armia ta nie napotykając oporu pomaszerowała prosto na Rzym. Tu jednak cesarz stanął bezradny. Podobno dotychczas nigdy nie widział stolicy imperium, toteż nie zdawał sobie sprawy ani z ogromu miasta, ani też z potęgi jego obwarowań; mury obronne, zbudowane przed przeszło trzydziestu laty przez cesarza Aureliana, wciąż bowiem wzmacniano. Ponieważ było fizyczną niemożliwością zamknąć cały ich obwód regularnym oblężeniem, Galeriusz odstąpił od Rzymu i stanął obozem w mieście Interamna, kilkadziesiąt kilometrów na północ od stolicy. Stamtąd zamierzał pustoszyć okolice wypadami. Zresztą jego żołnierze nie zdradzali chęci szturmowania groźnych murów także dlatego, że choć pochodzili z krain odległych, w większości byli i czuli się Rzymianami. Najeźdźca widząc, że siłą nie zyska niczego, chciał jesienią przystąpić do rokowań z Maksencjuszem. Ten zaś usiłował przez swych agentów przekupić żołnierzy przeciwnika. Doszło do tego, że Galeriusz — obawiając się powszechnego odstępstwa i losu Flawiusza Sewera — rzucał się do nóg swym ludziom i błagał, by nie wydawali go wrogom. Wreszcie, zapewne w listopadzie 307 roku, nakazał odwrót, pozwalając żołnierzom rabować i niszczyć wszystko wokół, a to umocniło wśród mieszkańców Italii przekonanie, że Galeriusz to w istocie barbarzyńca pożądający zguby świata rzymskiego.

Rządy Maksencjusza

Gdy Maksencjusz zwycięsko zmagał się z augustem Wschodu, Maksymian usiłował zjednać sobie i synowi przychylność cezara Konstantyna. Udał się do niego do Trewiru *(Augusta Treverorum)* i prosił o pomoc, a gdy Konstantyn nie zgodził się na to, próbował przynajmniej zapewnić sobie jego neutralność w wojnie z Galeriuszem. Rękojmią tego miał być związek małżeński władcy Galii z córką Maksymiana, Faustą. Po dość długich rokowaniach doszło wreszcie do owego ślubu, a także uroczystości związanych z obwołaniem Konstantyna augustem, już czwartym w cesarstwie.

Maksymian powrócił więc do Rzymu i przez kilka miesięcy rządził wspólnie z Maksencjuszem. Rychło wszakże doszło między nimi do ostrego konfliktu, obaj bowiem mieli równe prawa i kompetencje — oraz ogromne ambicje. Starcza drażliwość Maksymiana nie pozwalała mu ścierpieć, że jego synowi okazywano więcej poważania, oficerowie bowiem i urzędnicy woleli wiązać swe nadzieje z człowiekiem młodym. Maksymian sądził jednak, że może liczyć całkowicie na swych żołnierzy, toteż w kwietniu 308 roku dokonał zamachu stanu przeciw własnemu synowi. Podczas wiecu wojska i ludu, gdy obaj augustowie stanęli na trybunie, starzec najpierw przedstawił ogrom nieszczęść, które ostatnio spadły na imperium, a w pewnym momencie niespodziewanie i ku całkowitemu zaskoczeniu wszystkich zwrócił się w stronę Maksencjusza wołając, że ten oto jest sprawcą wszelkich klęsk. Potem na oczach tłumów gwałtownym ruchem zerwał z syna płaszcz purpurowy. Młody człowiek, przerażony, zeskoczył z trybuny prosto w szeregi swych żołnierzy, a ci zgodnie wraz z ludem stanęli w jego obronie. Maksymian musiał uciekać z Rzymu. Pośpieszył za Alpy, do swego zięcia Konstantyna.

Ten przyjął teścia z szacunkiem, nie udzielił mu jednak żadnej konkretnej pomocy. Maksymian, zaślepiony nienawiścią do syna, postanowił zatem pojednać się ze swym dotychczasowym śmiertelnym wrogiem, Galeriuszem, i nie zważając na ryzyko udał się do prowincji naddunajskich. Na szczęście dlań Galeriusz, upokorzony klęską 307 roku, pragnął jakiegoś układu normalizującego sprawy. Odwołał się do Dioklecjana, który w tak rozpaczliwej sytuacji, gdy cały jego system szedł w ruinę, zdecydował się opuścić swój dalmacki pałac i ogród warzywny, aby spotkać się z obecnym cesarzem. Wielka trójka — Dioklecjan, Galeriusz, Maksymian — rozpoczęła rozmowy w listopadzie 308 roku w obozie wojskowym pod Karnuntum; miejscowość ta leżała nad Dunajem, nieco na wschód od Windobony, czyli późniejszego Wiednia. Najpierw nalegano tam na Dioklecjana, aby znowu przywdział purpurę; odmówił stanowczo. Co więcej, skłonił Maksymiana, by ten raz jeszcze zrzekł się władzy. Augustem w miejsce zmarłego Flawiusza Sewera uczyniono Licyniusza, który objął tę godność w dniu 11 listopada.

Zapewne na zakończenie zjazdu odprawiono ceremonię, którą uwiecznił napis zachowany do dziś na kamiennej tablicy: „Bogu Słońcu, Niezwyciężonemu Mitrze, opiekunowi ich władzy, odnowili święty przybytek Augustowie i Cezarowie, pełni kornej czci, Jowijscy i Herkulijscy".

Jednakże polityczne efekty zjazdu były nikłe. Imperium miało nadal aż sześciu władców faktycznych. Czterech z nich panowało legalnie i wzajem się uznawało: Galeriusz w prowincjach bałkańskich i w Azji Mniejszej, Licyniusz w Panonii i może w Recji, Maksymin Daja w Syrii i Egipcie, Konstantyn w Galii i Brytanii. Ale było również dwóch uzurpatorów: Maksencjusz, władający Italią i Hiszpanią, oraz Lucjusz Domicjusz Aleksander, pan prowincji afrykańskich od lata 308 roku.

Późniejsza literatura chrześcijańska przedstawiała Maksencjusza jako krwawego tyrana i zwyrodniałego rozpustnika. Jeśli wszakże odsunąć zwały tych oszczerstw, ukazuje się obraz odmienny. Maksencjusz, oczywiście nie pozbawiony wad, nie rządził gorzej i surowiej od pozostałych panów imperium. Nie miał natomiast talentów wojskowych i w ogóle zrozumienia dla spraw militarnych. Rezydował niemal wyłącznie w Rzymie, nawet swój pałac opuszczał niechętnie; podobno spacer po parku był dlań już wyprawą. Stolica już dawno nie gościła tak długo żadnego władcy, ten zaś, tu wychowany i wyniesiony na tron przez lud tego miasta, uważał Rzym nadal za ośrodek państwa i mawiał z dumą: „Tamci cesarze muszą walczyć u granic w mojej obronie". Nawiązywał świadomie do najstarszych tradycji, uświetniał stolicę wspaniałymi budowlami.

Przy *Forum Romanum* wzniósł ogromną bazylikę swego imienia. Odznaczała się śmiałą konstrukcją sklepień i łuków, a jej zachowane szczątki do dziś imponują. Właśnie architektura tej bazyliki posłużyła w czasach Odrodzenia na wzór budowniczym kościoła św. Piotra w Watykanie. Także świątynia Wenery i Romy obok Koloseum zawdzięcza Maksencjuszowi gruntowną restaurację. Poza murami miasta, przy *via Appia*, zbudował duży cyrk, czyli stadion, w pobliżu zaś wspaniały grobowiec swego młodo zmarłego syna Romulusa oraz pałac. Godna uwagi jest również jego troska o budowę i konserwację dróg na wszystkich podległych mu terenach: świadczy o tym wiele słupów milowych z jego nazwiskiem.

Początkowo Maksencjusz cieszył się dużą popularnością wśród ludu stolicy, który nie tylko uczynił go cesarzem, ale dwukrotnie stawał w jego obronie odpierając najpierw wojska Flawiusza Sewera, a potem Galeriusza. Jeśli stopniowo tracił poparcie, to nie z powodu rzekomych wybryków tyrańskich, jak utrzymują wrogie mu źródła, lecz wskutek czynników niezależnych od jego woli. W Italii, jak się zdaje, przez kilka lat z rzędu nie było urodzaju, prowincje zaś afrykańskie, skąd głównie dostarczano zboża, opanował na jakiś czas uzurpator Domicjusz Aleksander. Drożyzna i głód w stolicy doprowadziły do rozruchów, a potem do zaciętej bitwy między ludnością a pretorianami, w której zginęło podobno 6000 osób. Przerwała ją dopiero osobista interwencja Maksencjusza, ale nienawiść doń pozostała.

W stosunku do chrześcijan władca ten zachowywał się przyjaźnie, choć był przywiązany do dawnych tradycji. Wynikało to częściowo stąd, że prześladowca chrześcijan Galeriusz odmawiał legalności jego rządom, był więc wspólnym wrogiem. Pan Rzymu nie tylko zezwolił na swobodne wyznawanie nowej wiary, lecz nawet zwrócił gminom własności poprzednio skonfiskowane. Ale z kolei poczucie swobody i bezpieczeństwa doprowadziło, jak to często się dzieje, do konfliktów w łonie samej społeczności chrześcijan. W 304 roku zmarł biskup Rzymu Marcellinus, o którym powiadano, że w czasie prześladowań splamił się odstępstwem, toteż gmina podzieliła się później na dwa obozy. Rygoryści opowiadali się za bezwzględnym wykluczeniem odstępców, większość wszakże skłaniała się ku wyrozumiałości. Kłótnie wyrodziły się w bójki, doszło do rozlewu krwi. Cesarz musiał usunąć dwóch kolejnych biskupów, Marcelego i Euzebiusza, aż miejsce ich zajął wybrany w 311 roku Milcjades.

W tym też czasie doszło do ważnych wydarzeń, które zapowiadały już następną wojnę domową. Otóż Maksencjusz zdołał wyrwać Afrykę z rąk Domicjusza Aleksandra, sam jednak utracił Hiszpanię na rzecz Konstantyna. A ponieważ ten ostatni związał się sojuszem i małżeństwem swej przyrodniej siostry Konstancji z Licyniuszem, Maksencjusz zbliżył się do Maksymina Dai; ośmielony jego poparciem wyraźnie prowokował sąsiada z północy. Rozkazał mianowicie obalić w Rzymie posągi Konstantyna oraz wymazać z napisów jego nazwisko; dotychczas bowiem w Italii podobizny innych współcesarzy tak samo oficjalnie wystawiano i szanowano, jak jego własne.

Wojna była nieuchronna, ale ponieważ jej przebieg, jak też dalsze losy Maksencjusza, a wcześniej dzieje Maksymiana, jego ojca, splecione są w historii nierozerwalnie z postacią Konstantyna Wielkiego, poświęcimy im miejsce w biografii tego właśnie cesarza.

Licyniusz i Maksymin Daja

Licinius
Ur. około 250 r.,
zm. w 325 r.
Panował od 11 listopada 308 r. do 18 września 324 r. jako *Imperator Caesar Valerius Licinianus Licinius Augustus.*

Daia lub *Daza*
Rok urodzenia nie znany,
zm. zapewne w lecie 313 r.
Adoptowany przez Galeriusza, zwał się *Galerius Valerius Maximinus.*
Panował od 1 maja 305 r. jako cezar przy Galeriuszu, a od 309 lub 310 r. jako august — *Imperator Caesar Galerius Valerius Maximinus Augustus.*

Na wschodzie imperium

Licyniusz, podobnie jak niemal wszyscy władcy tego okresu, pochodził z naddunajskich krain Ilirii, z terenów prowincji Nowa Dacja *(Dacia Nova)*; jego rodzice pracowali na roli. Wiązała go z Galeriuszem serdeczna przyjaźń, umocniona wspólną służbą wojskową, trudami i niebezpieczeństwami razem odbytych walk i wypraw, zwłaszcza podczas kampanii perskiej. I tylko Galeriuszowi zawdzięczał wspaniałą karierę, uwieńczoną przyznaniem tytułu augusta na zjeździe w Karnuntum jesienią 308 roku. Ten zaś wynosząc aż tak wysoko długoletniego towarzysza broni kierował się przekonaniem, że może w każdej sytuacji polegać na nim całkowicie, człowiek to bowiem twardy, energiczny, nie pozbawiony talentów dowódcy, a nade wszystko lojalny.

Licyniusz jako władca wykazał wiele cech pozytywnych. Ponieważ wywodził się z ubogiej rodziny wiejskiej, dobrze rozumiał warunki życia i potrzeby tej warstwy. Usiłował otoczyć ją opieką — jak zresztą czyniło to wielu cesarzy podobnego pochodzenia — co oczywiście wywoływało wrogość warstw wyższych. A ponieważ właśnie one miały największy wpływ na twórczość historiograficzną, zdeformowało to portret zarówno tego władcy, jak też innych prowadzących podobną politykę. W wypadku Licyniusza rzecz przedstawiała się tym gorzej, że jako człowiek niewykształcony odnosił się do świata kultury z podejrzliwością i pogardą. Szczególnie nie znosił prawników, uważając zapewne, że ich formalizm, kruczki i wybiegi tylko przesłaniają prawdziwy stan rzeczy każdego sporu i przeszkadzają w szybkim, zdecydowanym wymiarze sprawiedliwości. Twierdził na przykład, że ludzie uczeni to zaraza i trucizna społeczna; taka postawa nie mogła oczywiście zjednać mu sympatii osób piszących. Miało to wszakże i dobre strony, tępił bowiem zastępy dworskich darmozjadów, których nazywał szkodliwymi insektami i gryzoniami pałacowymi. W wojsku utrzymywał twardą dyscyplinę, biorąc wzór z takich poprzedników, jak Aurelian, Probus czy Dioklecjan. W obejściu bywał przykry i wybuchowy, a do jego wad szczególnie groźnych zaliczano chciwość i lubieżność.

Formalnie podlegała Licyniuszowi Italia, prowincje północnej Afryki, zapewne Hiszpania, a także Panonia i kraje alpejskie aż po Dunaj. Faktycznie jednak miał w ręku tylko te dwa ostatnie obszary — dzisiejsze południowe Niemcy, Austrię, część Węgier i północnej Jugosławii — Italię bowiem i Hiszpanię dzierżył uzurpator Maksencjusz, Afrykę zaś Domicjusz Aleksander. Wojny z tym samozwańcami, zwłaszcza z Maksencjuszem, nie śmiał Licyniusz wszczynać. W rzeczywistości zatem panowanie nowego augusta było tylko podporą i zabezpieczeniem od północy włości Galeriusza, który miał pod sobą prawie całe Bałkany i krainy Azji Mniejszej. Obaj rządzili jednak zgodnie i podobnie, jak podobne były ich umysłowości.

Od południa natomiast równie mocnym wsparciem władzy

i wiernym wykonawcą woli Galeriusza był jego siostrzeniec Daja, pan Syrii i Egiptu, który jako cezar — od 1 maja 305 roku — zwał się: Galeriusz Waleriusz Maksymin. W 309 lub 310 roku zmusił Galeriusza, aby ten przyznał mu godność augusta. Wrogowie określali go pogardliwie mianem półbarbarzyńcy, Laktancjusz zaś przedstawia jego karierę w kilku bardzo złośliwych słowach: „Daja dopiero co wzięty spośród trzód i lasów natychmiast został żołnierzem tarczownikiem, bezpośrednio potem członkiem straży przybocznej, wkrótce oficerem trybunem, a już nazajutrz — cesarzem". Bliskie pokrewieństwo z Galeriuszem na pewno przyśpieszyło jego awans z nizin społecznych na same szczyty władzy, on zaś odwdzięczał się lojalnością.

Zgodnie z wytycznymi Galeriusza surowo prześladował chrześcijan, szczególnie licznych właśnie w jego prowincjach. Nic więc dziwnego, że wyznawcy nowej religii przedstawiali Maksymina Daję w barwach najczarniejszych jako pijanicę, sadystę, rozpustnika, a zarazem człowieka strachliwego i zabobonnego. Ale identyczne lub podobne zarzuty powtarzają się niemal zawsze, gdy mowa o jakimkolwiek prześladowcy. Łaciński autor dziełka *Epitome de Caesaribus* maluje jednak portret bardziej stonowany: „Daja czcił wszystkich prawdziwie uczonych i literaturę, umysłu był spokojnego, nazbyt jednak lubił wino, a zamroczony nim wydawał rozkazy surowe; ponieważ później ich żałował, zalecił, aby wykonanie odwlekano do rana, gdy będzie trzeźwy". Znamienna i zastanawiająca jest informacja, że Daja był wielbicielem i protektorem kultury — różnił się więc pod tym względem diametralnie od Licyniusza, a chyba i Galeriusza. Są jednak inne dowody, iż tak rzeczywiście było. Ale pochodzący z Palestyny i współczesny temu władcy biskup Euzebiusz, autor *Historii kościelnej,* wystawia mu świadectwo jak najgorsze: „Najprzedniejsi kuglarze i magowie zajmowali u niego najwyższe dostojeństwa. Do ostatecznych granic był bojaźliwy i zabobonny, a największą wagę przykładał do obłędnej wobec bożyszcz i demonów służby. Bez przepowiedni i wyroczni nie śmiał, jak się mówi, palcem nawet ruszyć. Z tego też powodu prześladował nas gwałtowniej i zacieklej aniżeli poprzednicy jego. W każdym mieście wznoszono z jego rozkazu świątynie, a przybytki z biegiem czasu podupadłe z wielką odnawiano gorliwością. Ustanawiał też dla bożyszcz kapłanów w każdym mieście i stawiał w każdej prowincji na ich czele jako arcykapłana jednego z urzędników, który się wyróżnił w spełnianiu wszelkiego rodzaju publicznych obowiązków. Przydzielał ponadto do jego boku straż obywatelską i gwardię zbrojną" (przekład ks. A. Lisieckiego).

Następnie wylicza Euzebiusz przeróżne bezeceństwa Maksymina, prawdziwe lub zmyślone, a w każdym razie zgodne z wyobrażeniem, jaki powinien być prześladowca. Ale przytoczone słowa relacji pozwalają na wyciągnięcie bardzo interesującego wniosku: Maksymin Daja, głęboko przywiązany do dawnych bogów, usiłował odnowić stare kulty i wzmocnić pogaństwo organizacyjnie, słusznie uważając, że właśnie pod tym względem chrześcijanie wyraźnie górują dzięki sieci swych gmin i urzędom kościelnym. Przypomnijmy bowiem raz jeszcze, że nie istniał żaden „kościół pogański", a każdy kult i każda świątynia stanowiły jednostkę odrębną. Monety zaś świadczą, że Maksymin Daja — podobnie jak Galeriusz i Konstantyn — żywił szczególną cześć dla Słońca Niezwyciężonego, *Sol Invictus.*

Edykt Galeriusza

Wiosną 310 roku nadeszła wiadomość o ciężkiej chorobie Galeriusza, który przebywał wówczas w Serdyce, dzisiejszej Sofii. Jeden z opisów choroby pochodzi od Laktancjusza, a ten upatrywał w niej przejaw pomsty bożej za poprzednie czyny cesarza; słowa jego zioną nienawiścią triumfującą. W pewnym skrócie przebieg choroby można przedstawić następująco.

Na genitaliach powstał rodzaj szybko rosnącego wrzodu. Lekarze przecięli go, lecz rana wnet się otworzyła i nastąpił groźny krwotok, z trudem powstrzymany, ale powtarzający się nawet po lekkim ruchu ciała. Chory był całkowicie wycieńczony, a tymczasem rak wypuszczał swe macki na wszystkie części pobliskie. Zewsząd przyzywano najsławniejszych lekarzy, ale ręce ludzkie niczego nie potrafiły dokazać. Zwrócono się więc o pomoc do bogów, błagano Apollona i Eskulapa, ale gdy zastosowano ich rady, choroba jeszcze się wzmogła. Gniły wnętrzności wraz z miednicą, zalęgło się robactwo. Ciało straciło swój kształt. Jego górna część całkowicie wyschła, a żółta skóra zaledwie powlekała kości, część dolna natomiast wydęła się niby wór, nogi zaś uległy deformacji.

Podobny opis daje Euzebiusz z Cezarei.

Nagle otworzył mu się wrzód pośrodku części wstydliwych, potem ropna fistuła, szerząca nieuleczalne spustoszenie w głębi jego trzewi. W ranach roiło się nieprzeliczone mnóstwo robaków i rozchodził się z nich trupi zaduch. Zresztą cała bryła cielska już przed chorobą zamieniła się w potworne zbiorowisko tłuszczu, które obecnie zaczęło się rozkładać. Jedni lekarze nie mogli znieść smrodu, więc ich pozabijano, a innych znowu stracono, ponieważ nie potrafili przynieść ratunku tej bryle opuchłej i olbrzymiej.

U obu chrześcijańskich pisarzy próżno by szukać choć śladu współczucia dla cudzego cierpienia. Słowa ich są wyrazem tej samej mentalności, która kazała utrzymywać, że największą rozkoszą zbawionych będzie przyglądanie się wiecznym i potwornym katuszom tych, którzy zostali potępieni. Jednakże obie relacje są pomyślane jako narzędzie propagandy; mają pokazać, jak potworne kary czekają każdego, kto ośmieli się podnieść rękę na lud boży. Sam pomysł nie jest całkowicie nowy, podobnie jak pewne szczegóły opisu choroby. Wzorem było dawniejsze piśmiennictwo żydowskie, na przykład relacje o śmierci króla Antiocha w II księdze Machabeuszów. Ale fakt podstawowy był w obu relacjach zgodny z prawdą. Galeriusz stał się rzeczywiście ofiarą złośliwego nowotworu i cierpiał straszliwie, co potwierdzają inne przekazy.

Niespodziewanie w dniu 30 kwietnia 311 roku na murach wielu miast bałkańskich i azjatyckich ukazały się odpisy edyktu cesarskiego. W nagłówku jako autorzy wymienieni zostali wszyscy czterej legalni władcy, to jest Galeriusz, Licyniusz, Maksymin Daja, Konstantyn, jednakże prawdziwym inicjatorem był tylko pierwszy z nich, co zgodnie potwierdzają źródła współczesne. Oto osnowa postanowień edyktu.

Pragnęliśmy uzdrowić całość organizmu państwa zgodnie z istotą dawnych ustaw i ładu rzymskiego, zmierzaliśmy też do tego, aby chrześcijanie, którzy porzucili religię swych przodków, powrócili do rozsądku. Z niewiadomego bowiem powodu ogarnął owych chrześcijan taki upór i takie zawładnęło nimi urojenie, że nie szli za ustawami ludzi starożytnych, lecz według uznania lub zachcianki sami sobie czynili prawa, gromadząc się w różnych miejscach. Gdyśmy zaś objawili naszą wolę, by powrócili do wiary przodków, wielu z nich zostało pociągniętych do odpowiedzialności, wielu też poniosło karę, wszelako część największa trwała w swych przekonaniach. Doszło też do naszej wiadomości, że spotyka się takich, którzy nie oddają czci bogom, ale też nie dochowują wierności swemu bogu. Spojrzeliśmy na te sprawy poprzez naszą niezmierzoną łagodność i zgodnie z naszym stałym obyczajem okazywania łaski wszystkim. Osądzilimy więc, że należy również im objawić wyrozumiałość. Niechże znowu będą chrześcijanami i niech budują miejsca zebrań, pod tym wszakże warunkiem, że niczego nie uczynią przeciw porządkowi imperium. Innym listem wskażemy namiestnikom, jak mają postępować. Zgodnie więc z naszym obecnym zezwoleniem chrześcijanie winni modlić się do swego boga prosząc o dobro dla nas, dla państwa i dla nich samych, aby państwo trwało niewzruszone, oni zaś żyli bezpiecznie w swych siedzibach.

Czy edykt był, jak to sugerują pisarze chrześcijańscy, aktem skruchy prześladowcy zdającego sobie sprawę, że stoi w obliczu śmierci? Takie wyjaśnienie powodów może być przekonujące, ale Galeriusz złagodził swój stosunek do nowej religii chyba jeszcze przed chorobą, a prześladowania najsroższe rozgrywały się wówczas w prowincjach podległych Maksyminowi.

Ten zaś podobno przyjął edykt tolerancyjny z najwyższą niechęcią. Jego treść najpierw przekazał urzędnikom tylko ustnie, a list okólny w tej sprawie kazał podpisać jednemu z dostojników, nie chciał bowiem odwoływać poprzednich zarządzeń wprost i we własnym imieniu. W każdym razie liczne rzesze więzionych mogły powrócić do stron ojczystych; Maksymin Daja rzadko bowiem skazywał na śmierć, najczęściej wtrącał do kopalń i kamieniołomów. W zachodnich krainach cesarstwa edykt miał natomiast mniejsze znaczenie, gdyż tamtejsi władcy już od dawna wobec chrześcijan postępowali wyrozumiale.

W maju 311 roku rozeszła się wieść o śmierci Galeriusza. Przy jego łożu obecny był Licyniusz i jemu to zlecił umierający opiekę nad żoną Galerią Walerią i nieślubnym synem Kandydianem. Maksymin Daja natychmiast pośpieszył z Syrii na północ, aby uprzedzić Licyniusza i zająć prowincje małoazjatyckie. Ten przejął natomiast wszystkie krainy bałkańskie. Tak więc wojska obu cesarzy stały wzdłuż cieśnin wiodących ku Morzu Czarnemu i zdawało się, że dojdzie do nowej wojny domowej. Ostatecznie jednak władcy spotkali się osobiście — wypłynąwszy okrętami na środek Bosforu — i uzgodnili, że każdy zatrzymuje to, co obecnie ma w swym ręku.

Maksymin był teraz panem całego Wschodu, gdzie chrześcijaństwo miało najwięcej wyznawców. Początkowo przestrzegał edyktu tolerancyjnego, ale już po sześciu miesiącach powrócił do dawnej polityki ucisku, zmieniając wszakże jej formy.

Zabroniono odbywania nabożeństw na cmentarzach. Potem zaczęli przyjeżdżać przed oblicze Maksymina delegaci różnych miast i domagali się, by nie pozwalano chrześcijanom budować kościołów. Podrobiono — trudno orzec, czy za wiedzą cesarza — protokół przesłuchania Chrystusa przed Piłatem i rozesłano go w odpisach po wszystkich prowincjach i miejscowościach, gdzie wkrótce stał się obowiązkową lekturą szkolną. Osobę i nauki oskarżonego przedstawiał on w niekorzystnym świetle.

Euzebiusz z Cezarei w *Historii kościelnej* cytuje pewien dokument, którego autor — rzekomo słowami samego cesarza — przekazuje poglądy religijne i motywy polityki antychrześcijańskiej Maksymina Dai. Było to pismo wystosowane do mieszkańców fenickiego Tyru. Ponieważ w mieście tym powzięto uchwałę przeciw chrześcijanom, tyryjczycy tekst owego listu kazali wyryć na spiżowej tablicy. Fragmenty warte są przytoczenia.

„Któż jest tak nierozsądny i tak do cna pozbawiony rozumu, by nie dostrzegał, co zawdzięczamy miłościwej opiece bogów? Ziemia nie na próżno przyjmuje siew i nie zwodzi nadziei rolników. Groza zbrodniczej wojny nie tak łatwo może straszyć. Żywioły niebios nie tracą równowagi i nie pchają wyschniętych ciał ku śmierci. Morze wzburzone porywami nieokiełznanych wichur nie piętrzy bałwanów, nie zrywają się znienacka gwałtowne nawałnice i nie rozpętują się burze. Ziemia, żywicielka i matka, nie trzęsie się w swych czeluściach i nie zapada. A przecież wiadomo, że takie i jeszcze straszniejsze nieszczęścia dawniej zdarzały się często. Wszystko to działo się z winy bezecnych ludzi opętanych omamem próżnej głupoty. Błąd panoszył się w ich duszach i niemal całą ziemię okrywał hańbą.

Niechże więc spojrzą na szerokie pola! Oto łany stoją w rozkwicie i kołyszą się kłosy, a zroszone deszczem łąki śmieją się ziołami i kwieciem, powietrze zaś tchnie łagodnością i słodyczą. Niechże radują się wszyscy, że dzięki naszej pobożności, świętym ceremoniom i czci oddawanej bogom ucichły wichury niegdyś tak gwałtowne i uporczywe. Niechże rozkoszują się pogodą pokoju i odpoczywają w bezpiecznej ciszy. A jeszcze bardziej niech ci się weselą, którzy porzucili ślepy obłęd i bezdroża, odzyskali bowiem zdrowe i najlepsze rozumienie rzeczy — tak właśnie jak gdyby przeżyli gwałtowną burzę lub ciężką chorobę, w przyszłości zaś mieli zbierać tylko słodycz życia".

Słowa tak piękne i pełne polotu wyszły niewątpliwie spod pióra literata filozofa, a sam fakt, że człowiek o takiej kulturze znajdował się w otoczeniu Maksymina Dai, wystawia temu cesarzowi dobre świadectwo. List pokazuje też, dlaczego władca Wschodu zwalczał chrześcijaństwo. Po pierwsze, był szczerze przywiązany do wiary przodków, po drugie zaś obwiniał chrześcijan za nieszczęścia i katastrofy, które gnębiły państwo. Pogląd ten podzielało wówczas bardzo wielu, argumentacja zaś była prosta: dokąd wszyscy kornie czcili bogów i wyznawali wiarę ojców, Rzym był potężny, obecnie zaś, gdy szerzy się odstępstwo i pustoszeją świątynie, bogowie cofają tarczę swej opieki.

Bitwa na *Campus Ergenus*

Jeszcze chyba w 311 roku na dwór Maksymina Dai przybyła rodzina zmarłego Galeriusza: syn Kandydian, żona Galeria Waleria oraz jej matka Pryska, małżonka Dioklecjana. Widocznie wszyscy troje nie czuli się bezpieczni pod opieką Licyniusza, bezpośredniego spadkobiercy Galeriusza. Maksymin zaproponował Walerii małżeństwo, a gdy ta się nie zgodziła, skonfiskował jej majątek i rozpędził dwór. Ją samą i jej matkę kazał deportować w pustynne okolice w Syrii. Mimo to Waleria zdołała powiadomić swego ojca, Dioklecjana, o swym losie. Starzec błagał, by mu odesłano żonę i córkę. Daremnie.

W 312 roku nieurodzaj i głód trapiły krainy Maksymina, on zaś wyprawił się nad górny Tygrys, gdzie uśmierzył bunt miejscowej ludności. Politycznie popierał Maksencjusza, Licyniusz natomiast mocno związał się z Konstantynem; toteż gdy ten ostatni stał się jedynym panem Zachodu, Maksymin Daja wiedział już, że wkrótce nadejdzie chwila rozstrzygnięć na Wschodzie. Postanowił uderzyć pierwszy.

W lutym 313 roku Licyniusz spotkał się z Konstantynem w Mediolanie. Pierwszy z nich poślubił tam siostrę drugiego, Konstancję. Była ona już od trzech lat narzeczoną Licyniusza. Przy sposobności obaj władcy dokonali przeglądu sytuacji i uzgodnili pewne posunięcia. Wiadomo było, że tylko oni mają podzielić się cesarstwem.

Licyniusz bezpośrednio z Mediolanu pośpieszył na wschód, przyszła bowiem alarmująca wiadomość, że Maksymin Daja przerzucił swoje wojska z Azji do Europy i oblega Bizancjum. Załoga tego miasta poddała się po krótkim oporze i Maksymin posunął się w głąb lądu. Licyniusz zastąpił mu drogę w pobliżu Adrianopola, obecnego Edirne na pograniczu turecko-bułgarskim. Tutaj — tak opowiada Laktancjusz — w nocy poprzedzającej bitwę ukazał się Licyniuszowi anioł i pouczył go, jakimi słowy mają modlić się żołnierze przed walką. Modlitwę tę natychmiast przepisano w wielu egzemplarzach i rozesłano po wszystkich oddziałach.

Rankiem 30 kwietnia obie armie uszykowały się na pustkowiach zwanych *Campus Ergenus.* „W pewnym momencie ludzie Licyniusza złożyli swe tarcze, zdjęli hełmy, wyciągnęli ręce ku niebu; za przykładem oficerów i cesarza odmówili słowa modlitwy. Przeciwnik dobrze słyszał ich głosy. Oni zaś trzykrotnie powtórzyli modlitwę, a potem, pełni odwagi, przywdziali hełmy i podnieśli tarcze". Obaj władcy przed frontem swych wojsk odbyli jeszcze między sobą rozmowę, lecz do porozumienia nie doszli. A gdy ozwały się trąby wzywające do ataku, żołnierze Licyniusza ruszyli pierwsi, tamci natomiast nawet nie podnieśli broni i wnet tchórzliwie zawrócili ku tyłom. Widząc to Maksymin zrzucił purpurę i uciekł w łachmanach niewolnika. Większość jego wojsk poddała się lub rozpierzchła.

Maksymin nie liczył już na żadną pomoc, wymknął się z Europy i uciekał dalej. Zatrzymał się dopiero w Kapadocji, na wschodzie Azji Mniejszej, gdzie skupił wokół siebie żołnierzy i zaczął organizować obronę. Oczywiście i on musiał zmienić politykę religijną. Wydał więc edykt przyznający chrześcijanom swobody, jakie przysługiwały wyznawcom innych kultów. Lecz los jego już się dopełniał i to nie tylko skutkiem zagrożenia ze strony Licyniusza. Zachorował ciężko i zmarł w cylicyjskim mieście Tars *(Tarsus)* na przełomie sierpnia i września 313 roku.

Laktancjusz i Euzebiusz kreślą obraz jego cierpień wręcz z sadystyczną rozkoszą. Według Euzebiusza zginął trawiony gorączką i głodem, podobny do szkieletu, tarzając się po ziemi w bólach straszliwych. Laktancjusz natomiast utrzymuje, że nieznośne cierpienia doprowadziły go do szału, przez cztery dni jadł tylko ziemię i usiłował popełnić samobójstwo bijąc głową o ścianę. Obaj zgodnie podają, że pod koniec choroby oślepł całkowicie. Ani śladu w tych relacjach współczucia dla losu bliźniego.

Zwycięski Licyniusz ukarał śmiercią dostojników Maksymina, i to po straszliwych torturach. Równie srogo obszedł się z jego rodziną, bez względu na wiek i płeć. Zginął ośmioletni synek Maksymina i siedmioletnia córeczka, żonę zaś utopiono. Również wszystkie osoby, które poprzednio szukały schronienia na jego dworze, zapłaciły życiem, między innymi Sewerianus, młody syn nieszczęsnego cesarza Flawiusza Sewera. Wśród ofiar Licyniusza znalazł się także naturalny syn jego przyjaciela i dobroczyńcy Galeriusza, niespełna dwudziestoletni Kandydian. Szczególnie żałosny był koniec Pryski, żony Dioklecjana oraz jego córki Galerii Walerii, wdowy po Galeriuszu. Obie przez wiele miesięcy ukrywały się w przebraniu prostych kobiet.

 Ujęto je dopiero po półtora roku w Grecji, w Tesalonice,

i natychmiast ścięto, a ciała wrzucono do morza. Tak mścił się Licyniusz za to, że po śmierci Galeriusza panie te wyjechały na południe, do Maksymina, dając w ten sposób do zrozumienia, że u jego boku nie czują się bezpieczne. Co prawda i Maksymin nie postępował z nimi zbyt łaskawie, życiu ich wtedy jednak nic nie groziło.

Dioklecjan chyba wówczas już nie żył, choć niektórzy twierdzą, że twórca tetrarchii zmarł dopiero w 316 roku. Jedno jest pewne: starzec jeszcze oglądał ruinę swego dzieła.

Imperium wkraczało w 314 rok mając tylko dwóch cesarzy, pozornie sobie przyjaznych i nawet skoligaconych, Konstantyna na Zachodzie i Licyniusza na Wschodzie. Cesarzy, których zdawała się łączyć przyjazna postawa wobec chrześcijaństwa oraz wzniosła tolerancyjność wobec wszelkich wierzeń, o czym tak pięknie mówili. W istocie jednak obaj byli drapieżnymi i bezwzględnymi politykami, obserwującymi się wzajem podejrzliwie i czujnie. Było tylko kwestią krótkiego czasu, który z nich pierwszy skoczy drugiemu do gardła. Zmieniała się bowiem polityka religijna, nie zmieniała natura ludzka i obyczaje.

Konstantyn Wielki

Gaius Flavius Valerius Constantinus
Ur. 27 lutego około 280 r., zm. 22 maja 337 r.
Panował od 25 lipca 306 r. wraz z innymi cesarzami, a od 18 września 324 r. do śmierci samodzielnie jako *Imperator Caesar Gaius Flavius Valerius Constantinus Augustus.*

Władca Galii i Brytanii

25 lipca 306 roku w Eburakum w Brytanii zmarł cesarz Konstancjusz; tego samego dnia obwołano tam augustem jego syna pierworodnego, Konstantyna. Wkrótce też wyprawiono posłów do cesarza Galeriusza, aby zawiadomić go o tych wydarzeniach i prosić o zaakceptowanie nowego współwładcy, odpowiedzialnego za północne obszary imperium. Galeriusz jednakże — o tym była już mowa — uznał Konstantyna tylko za cezara.

Tymczasem nowy pan Galii i Brytanii opuścił wyspę i przeprawił się na kontynent, by stawić czoło zastępom Franków, którzy usiłowali wyzyskać zgon Konstancjusza, niedawnego ich pogromcy. Syn okazał się godny sławy ojca — nadspodziewanie szybko znalazł się na zagrożonych terenach i rozgromił najeźdźców, którzy przeszli już Ren, a nawet pojmał ich dwóch królów; obu kazał zgładzić. Nieco później przekroczył rzekę i spustoszył ziemie ludu Brukterów na dzisiejszym niemiecko-holenderskim pograniczu. Najazd przeprowadzono tak błyskawicznie, że ludność nie mogła się schronić w lasach i wśród bagien. Autor panegiryku wygłoszonego ku czci Konstantyna w kilka lat później wykrzykiwał z zachwytem: „Wyrżnięto nieprzeliczone mnóstwo ludzi, wzięto do niewoli masy. Całe bydło zagarnięto lub wzięto. Wszystkie osiedla spalono. Mężczyźni byli zbyt zdradliwi, by móc służyć w naszym wojsku, a zbyt dumni, by pracować jako niewolnicy, wyprowadzono więc ich podczas igrzysk na arenę cyrku. Było ich tylu, że nasyciły się nawet krwiożercze bestie".

Walki te toczyły się w roku 306 i na początku 307, potem jednak sprawy wewnętrzne cesarstwa odwołały Konstantyna na jakiś czas znad Renu. Gdy bowiem późną wiosną 307 roku Galeriusz rozpoczął działania przeciw Maksencjuszowi i Maksymianowi w Italii, wiele zależało od postawy właśnie Konstantyna. Gdyby opowiedział się po stronie legalizmu i poparł Galeriusza, tamci dwaj uzurpatorzy zagrożeni z dwóch stron nie mogliby się utrzymać, jego neutralność natomiast dałaby im duże szanse przetrwania. Zdając sobie z tego sprawę Maksymian pośpieszył do Galii, choć był znacznie starszy od Konstantyna wiekiem i godnością. Rozmowy toczyły się zapewne w Trewirze *(Augusta Treverorum)*, który stanowił wówczas prawdziwą stolicę krain zaalpejskich. Konstantyn z jednej strony nie miał powodów, by darzyć Galeriusza sympatią, ale z drugiej zwykła roztropność nakazywała czekać, jak rozwiną się wypadki. Toteż rokowania były długie, a jednocześnie pilnie nasłuchiwano wieści, co dzieje się Italii. Maksymian ofiarowywał mu tytuł augusta oraz rękę swej córki, Fausty. Małżeństwo to, jak się wydaje, było już raz projektowane, jeszcze za życia Konstancjusza, niedługo po 293 roku. Otóż autor pewnej mowy panegirycznej twierdzi, że w cesarskim pałacu w Akwilei widział malowidło przedstawiające małą dziewczynkę, Faustę, która podaje chłopcu dar zaręczynowy ponad jej siły, a mianowicie złoty hełm wysadzany klejnotami i zdobny piórami. Później wszakże odstąpiono od tego projektu, Konstantyn zaś wziął sobie dziewczynę imieniem Minerwina, a ta dała mu około 303 roku syna Kryspusa.

Pod wpływem wieści z Italii Konstantyn przychylał się do propozycji swego gościa, sprawy bowiem Galeriusza przedstawiały się coraz gorzej. Najeźdźca się wycofywał, siejąc mord i pożogę wśród ludności cywilnej. Ale Maksencjusz nawet go nie ścigał; wiadomo już było, że obronił swą władzę w Italii.

W tej sytuacji władca Galii przyjął ofertę Maksymiana. Ceremonia ślubu z Faustą oraz obwołanie Konstantyna augustem odbyły się tego samego dnia w 307 roku — zapewne 25 grudnia. Dzień ten bowiem poświęcony był Bogu Słońcu, gdyż właśnie wtedy zwycięża on moce ciemności i rozpoczyna nowy okres pochodu światła. A Konstantyn był i wówczas, i jeszcze wiele lat później wyznawcą Słońca Niezwyciężonego. Zachowała się mowa pochwalna, wygłoszona przez pewnego retora podczas obrzędu zaślubin, wynosząca pod niebiosa zarówno zięcia, jak i teścia.

Gdy jednak Maksymian po krótkich współrządach z Maksencjuszem zmuszony został w 308 roku do ucieczki z Italii i zwrócił się o pomoc do Konstantyna, zięć zachował jak zwykle roztropną powściągliwość. Przyjął teścia z szacunkiem, lecz nie podjął żadnych konkretnych zobowiązań.

Rozpoczęty w Italii ciąg najważniejszych wydarzeń 308 roku zakończył się — jak już wiemy z biografii Maksencjusza — jesiennym zjazdem w Karnuntum, w którym jako doradca brał udział twórca systemu tetrarchii, Dioklecjan. W wyniku dokonanych tam ustaleń — co warto jeszcze powtórzyć — Maksymian ponownie musiał zrzec się purpury, nowym augustem z władzą nad Panonią, Norikum i Recją został Licyniusz, Konstantynowi natomiast pozostawiono godność tylko cezara i panowanie nad Galią i Brytanią. Najważniejszym formalnie cesarzem był nadal Galeriusz, a jego domeną prowincje bałkańskie i Azja Mniejsza. Jego cezar, Maksymin Daja, rządził Syrią i Egiptem. Reszta cesarstwa pozostawała w rękach uzurpatorów — Afrykę bowiem zagarnął kilka miesięcy wcześniej Lucjusz Domicjusz Aleksander, a w Italii i Hiszpanii utrzymywała się władza Maksencjusza.

W 309 roku Konstantyn ruszył na wyprawę za Ren przeciw Frankom; uprzednio na wielkiej rzece zbudował stały most w pobliżu Kolonii. W Trewirze rozstał się z teściem, Maksymianem, który natychmiast wyjechał na południe Galii. Tam w mieście Arelate, dzisiejszym Arles w Prowansji, ów stary człowiek, wciąż zżerany żądzą władzy, dokonał niespodziewanego zamachu stanu przywdziewając po raz trzeci w życiu purpurę cesarską, choć złożył ją uroczyście zaledwie w jesieni roku poprzedniego na zjeździe w Karnuntum! Znowu proklamował się augustem rozpowiadając, że Konstantyn nie żyje. Rozdawał też hojnie pieniądze żołnierzom. Osiągnął tymi sposobami tylko to, że niektóre oddziały przyjęły postawę wyczekującą, bez zastrzeżeń zaś uznały go jedynie formacje straży przybocznej.

Powiadomiony o tym Konstantyn przerwał działania za Renem i szybko podążał na południe. Żołnierze, jak zapewnia autor mowy pochwalnej ku jego czci, śpieszyli z niesłychanym zapałem, by rozprawić się z wiarołomcą. Gdy jednak stanęli pod potężnymi murami Masylii (*Massilia*), gdzie tymczasem przeniósł się Maksymian, pierwszy ich szturm nie powiódł się, choć uderzyli z furią. Konstantyn usiłował przekonać buntownika słowami, lecz ten w odpowiedzi miotał obelgi. Czego wszakże nie zdołał wywalczyć oręż, czego nie dokonała perswazja, to osiągnęła zdrada ludności i części żołnierzy, którzy niemal za plecami Maksymiana otworzyli bramy miasta. Starzec musiał stanąć przed obliczem młodego cesarza, swego zięcia, który zdarł zeń purpurę, darował jednak życie.

Wkrótce rozegrał się dalszy ciąg dramatu. Według jednej wersji Maksymian, nie mogąc znieść upokorzenia i dysząc żądzą władzy, zaczął namawiać własną córkę, Faustę, żonę Konstantyna, aby pomogła mu w dokonaniu zamachu na życie męża zostawiając drzwi wspólnej sypialni otwarte. Przyrzekła, że tak uczyni — i natychmiast powiadomiła o wszystkim Konstantyna. Przygotowano więc zasadzkę, kładąc w łożu cesarza jednego z eunuchów; tym sposobem schwytano zbrodniarza na gorącym uczynku, ze sztyletem w ręku. Pozwolono mu wybrać rodzaj śmierci. Zawisł na pętli.

Tak opowiada Laktancjusz. Pozostali autorzy mówią o tej sprawie tylko pobieżnie. Jedni podają, że Maksymian popełnił samobójstwo, inni zaś, że zgładzono go z rozkazu Konstantyna, wszyscy wszakże wspominają o śmierci przez powieszenie. Lecz opowieść o rzekomym zamachu na życie władcy i próbie wciągnięcia w to jego żony czyni wrażenie zmyślonej, jakby zaczerpniętej z jakiegoś romansu; i można by wskazywać pewne wzory w czytywanej wówczas literaturze pseudohistorycznej. Prawda zaś wyglądała chyba tak, że Konstantyn zgładził swego teścia wnet po zajęciu Masylii, aby zaś usprawiedliwić ten mord polityczny, kazał rozpuścić wieści, jak to w ostatniej chwili wykryto zbrodniczy spisek, gdy morderca już się gotował do zadania ciosu. Należy bowiem pamiętać — przykładów przytoczymy jeszcze sporo — że Konstantyn był zawsze politykiem zimno kalkulującym, w razie potrzeby — a niekiedy i bez potrzeby — bezlitosnym, zarazem zaś doceniającym znaczenie propagandy, czułym na opinię publiczną oraz na możliwości jej kształtowania. Konstantyn usiłował odsunąć od siebie podejrzenia związane ze śmiercią Maksymiana także ze względu na syna zmarłego, Maksencjusza, pana Italii. Przypuszczano nawet, że Maksymian działał w cichym z nim porozumieniu. A może siewcą takich pogłosek był sam Konstantyn? W każdym razie oznaki wrogości między władcami zachodnich prowincji stawały się od tego momentu coraz wyraźniejsze.

Tymczasem nadeszły meldunki, że Germanie zza Renu już się zwiedzieli o rebelii Maksymiana i przygotowują najazd. Konstantyn pośpieszył więc na północ, ale po drodze okazało się, że alarm był fałszywy. Cesarz więc zamiast na pole walki udał się do świątyni dawnego bóstwa celtyckiego, zapewne nad górną Mozą w dzisiejszej miejscowości Grand, gdzie odbierał wtedy cześć Apollon z przydomkiem *Grannus*. Tam to, jeśli wierzyć panegirykowi w 310 roku, miał niezwykłe przeżycie, ujrzał bowiem na własne oczy samego boga. W każdym razie tak brzmiała oficjalna wersja wydarzenia, gdyż mowy pochwalne wygłaszane przez retorów odgrywały wtedy rolę podobną do obecnych przemówień programowych, a tekst ich z góry ustalano.

„Wierzę, Konstantynie, że ujrzałeś Apollona, który wraz z Wiktorią ofiarowywał ci wieńce laurowe, a każdy z nich zawierał wróżbę lat trzydziestu. Czemu jednak używam słowa: wierzę? Ujrzałeś boga i w jego postaci rozpoznałeś samego siebie; boga, który ma królować nad całym światem, jak mówią natchnione pieśni wieszczów. Sądzę, że ta przepowiednia dopiero teraz się urzeczywistnia. Ty bowiem jesteś jak ów bóg — młody, wdzięczny, zbawienie przynoszący, przepiękny!

Słusznie też uczciłeś ów wspaniały przybytek takimi darami, że nie ma już co wspominać ofiar dawnych".

Jak wyglądały owe znaki w wieńcach laurowych, można się tylko domyślać. Chodzi albo o cyfry rzymskie pełne, a więc XXX, albo też o T, pierwszą literę łacińskiego wyrazu *ter* („trzy razy"), wpisaną w cyfrę X, co oznaczało „trzy razy po dziesięć". Jeśli Konstantyn tak sobie wyobrażał ów znak, jako rodzaj monogramu, rzecz byłaby szczególnie interesująca ze względu na rzekome późniejsze widzenie oraz znak chrześcijański.

Cała sprawa jest ze wszech miar godna uwagi i zapamiętania. Po pierwsze stanowi bezsporne świadectwo ówczesnych przekonań religijnych Konstantyna, po drugie zaś wskazuje, jak ambitne i dalekosiężne były jego plany polityczne. Cesarz nawiązywał do pradawnych marzeń o złotym wieku, który nadejdzie, gdy Słońce sprawiedliwości i szczęścia zajaśnieje nad ziemią. Poetycką wizję owej promiennej przyszłości dała sławna czwarta ekloga Wergiliusza i retor niewątpliwie ją miał na myśli, gdy wspominał o natchnionych pieśniach wieszczów. Propaganda Konstantyna głosiła, że szczęsny wiek już blisko, cesarz bowiem jest wcieleniem samego boga, w każdym zaś razie jego najbliższym towarzyszem. To ostatnie wyobrażenie rozpowszechniano głównie na monetach, których legendy głosiły w różnych wersjach hasło: *Soli Comiti Constantini Augusti* — Słońcu Towarzyszowi Konstantyna Augusta.

W tymże panegiryku podano też rodowód Konstantyna, zastrzegając się zresztą, że znają go dotychczas tylko nieliczni. Otóż jego przodkiem miał być Klaudiusz II Gocki, panujący w latach 268-270. Pokrewieństwo to było oczywiście całkowitą fikcją, zostało zmyślone, aby lepiej ugruntować prawa Konstantyna do tronu, mówca zaś wskazuje na to bez obsłonek: „Spośród wszystkich uczestników twego majestatu wyróżnia cię szczególnie fakt, że urodziłeś się cesarzem. Władcą uczyniła cię nie jakaś przypadkowa zgoda ludzi lub nagły, sprzyjający zbieg okoliczności; rodząc się uzyskałeś cesarstwo".

Ta mowa została wygłoszona w Trewirze, ale sam mówca pochodził z miasta Augustodunum, czyli dzisiejszego Autun, między Loarą a Saoną. Patrzył on z zawiścią na dzieło odbudowy dokonane przez Konstantyna w Trewirze, wzniesiono tu bowiem nowe mury, cyrk, pałac, bazyliki. Wyraził w związku z tym pobożne życzenie, by łaska cesarza spłynęła też na Augustodunum: „Również u nas znajduje się święty przybytek Apollona, jego gaj i źródło, a więc twoje bóstwo mieszka i na naszej ziemi". I już z góry się radował, że władca nie poskąpi swych darów, nada przywileje, powodowany czcią należną miejscom świętym. Nie pomylił się — bo też kancelaria cesarska z pewnością już wcześniej aprobowała jego życzenia i prośby. Konstantyn odwiedził Augustodunum w roku następnym, 311. Uroczystość nie różniła się w charakterze i przebiegu od tego, co przy podobnych okazjach powtarza się nieodmiennie we wszystkich krajach i epokach od czasów faraonów aż po obecne. Witały cesarza tłumy na pięknie udekorowanych ulicach, stawiły się wszelkie kolegia miejskie ze swymi godłami, wyniesiono ze świątyń posągi miejscowych bóstw. Orkiestra — jedna tylko w tej zubożałej miejscowości — przygrywała mu kilkakrotnie w różnych punktach, przebiegając na skróty bocznymi uliczkami, podczas gdy orszak kroczył powoli. Łaskawy władca umorzył całkowicie zaległości podatkowe za poprzednie pięciolecie, dzięki czemu powróciło do swych domostw wielu ukrywających się dotąd po lasach lub mieszkających w stronach dalekich. Obniżono też daninę, jaką winno wpłacać Augustodunum do skarbu — o 1/5. Wszystko to znane nam jest z innej mowy pochwalnej, wygłoszonej także w Trewirze wczesną wiosną 312 roku.

Ale słuchając tego panegiryku Konstantyn był chyba myślami daleko; największą jego troskę stanowił wówczas nieuchronny już konflikt z Maksencjuszem, władcą Italii, narastający od lat.

Most Mulwijski

Maksencjusz wydawał się łatwą ofiarą, miał bowiem wojska mniej bitne od legionów północnych, w Italii srożył się głód, ludność była niezadowolona, a w samym Rzymie dochodziło do rozruchów. Co więcej, Maksencjusz nie miał sojusznika, podczas gdy Konstantyn nawiązał porozumienie z Licyniuszem, obiecując mu rękę swej przyrodniej siostry, Konstancji. Obaj zamierzali podzielić się imperium: Konstantyn objąłby wszystkie prowincje zachodnie, Licyniusz zaś cały Wschód. To z kolei zaniepokoiło Maksymina Daję, pana tamtego obszaru, nie mógł on jednak dać władcy Rzymu żadnej konkretnej pomocy, i to nie tylko z powodu odległości. Musiał strzec granicy wschodniej, przygotowywał wyprawę do Armenii, a na domiar wszystkiego po skąpych opadach deszczu rok 312 zapowiadał się w rolnictwie źle; przyszedł nieurodzaj, głód, zaraza — jakaś choroba wrzodowa, atakująca głównie oczy.

Tak więc tetrarchowie patrzyli na siebie podejrzliwie, a stosunki między nimi układały się tak, jakby chodziło o wrogie mocarstwa. Euzebiusz, świadek wydarzeń, przedstawia owe dni przed nieuchronnie zbliżającą się wojną domową zapewnie z przesadą, lecz barwnie: „Morza stały się niebezpieczne, a ci, którzy skądkolwiek przypływali na okrętach, musieli być przygotowani, że zostaną wzięci na męki i tortury, wśród przeróżnych katuszy będzie się ich badać, czy nie przybywają od nieprzyjaciół, a wreszcie poniosą śmierć na krzyżu lub na stosie. Wszędzie kuło się miecze, tarcze, pancerze, pociski, włócznie oraz wszelki sprzęt wojskowy, wszędzie przygotowywano triery i oręż do walki na morzu. Myślało się tylko o tym, że każdego dnia może wtargnąć nieprzyjaciel".

Przygrywką do prawdziwej wojny między cesarzami było odzyskanie Afryki przez Maksencjusza, zapewne w 310 roku; jednakże z kolei w roku następnym utracił on Hiszpanię na rzecz Konstantyna. Było oczywiste, że atak na Italię przyjdzie zza Alp, toteż Maksencjusz rozmieścił w dolinie Padu ogromne zastępy swych wojsk, 170 000 pieszych i 16 000 jeźdźców. Magazyny i kwatera dowództwa naczelnego armii znajdowały się w Weronie oraz w jej okolicach. Wynikałoby stąd, że liczono się raczej z atakiem ze wschodu lub od północy, czyli z terenów podległych Licyniuszowi. A może to Maksencjusz zamierzał uderzyć pierwszy? Mógł przecież szybkim marszem w górę doliny Adygi dotrzeć do Alp, sforsować przełęcze i zająć ziemie nad górnym i środkowym Dunajem.

Jednakże Konstantyn uprzedził wszelkie plany przeciwnika. Przeszedł Alpy pod koniec lata przez przełęcze zachodnie. Miał siły stosunkowo niewielkie, około trzydziestu tysięcy żołnierzy, ale doborowych, w dużej części pochodzenia germańskiego.

Zdobyto najpierw miasto *Segusio,* dzisiejszą Suzę w Piemoncie, a Konstantyn surowo zakazał dokonywania jakichkolwiek rabunków. Wieść o tym rozeszła się natychmiast po Italii sprawiając, że podczas walk ludność zachowywała się biernie. Pod Turynem *(Augusta Taurinorum)* pokonano jazdę Maksencjusza i miasto otwarło bramy, potem poddał się Mediolan. Powtórnie rozgromiono Maksencjuszową jazdę pod Bryksją *(Brixia),* obecną Brescią, i przystąpiono do oblegania Werony. Doszło do krwawej bitwy, gdy prefekt Maksencjusza, Rurycjusz Pompejanus, usiłował przyjść miastu z pomocą. Konstantyn zwyciężył, Werona poddała się, potem zaś zajęto Mantuę i Akwileję.

Tak więc w ręku najeźdźcy znalazły się wszystkie ziemie na północ od Apeninów. Konstantyn przekroczył te góry zapewne pod koniec września 312 roku i śmiało ruszył na południe, wprost na Rzym.

Maksencjusz najpierw zamierzał bronić się w murach miasta, lecz w ostatniej chwili zmienił plan; chyba nie był pewny postawy ludności i bał się zdrady. A może liczył na to, że bliska już szósta rocznica władzy, 28 października, okaże się szczęsna? W każdym razie stanął z wojskiem przy moście Mulwijskim *(pons Mulvius* lub *Milvius),* nieco na północ od Rzymu, gdzie łączyły się ważne szlaki. Jak się zdaje, kamienny most uprzednio częściowo rozebrano, by utrudnić Konstantynowi przejście rzeki. Potem jednak naprędce go naprawiono, obok zaś sklecono most drewniany na łodziach i barkach, aby umożliwić przeprawę własnej armii; zajęto bowiem pozycje na tamtym brzegu Tybru, na szerokiej równinie.

Przebieg samej bitwy — a toczyła się ona właśnie 28 października — trudno odtworzyć. Po stronie Maksencjusza kohorty pretoriańskie biły się dzielnie, ale i one musiały ustąpić, gdy reszta wojsk nie wytrzymała naporu przeciwnika. Podczas ucieczki drewniany most runął pod ciężarem stłoczonych mas, wzajem się tratujących i spychających do rzeki wezbranej od jesiennych deszczy. Maksencjusz przepłynął Tyber na koniu, który jednak poślizgnął się na urwistym brzegu i wpadł z jeźdźcem do rzeki. Ciężka zbroja nie pozwoliła cesarzowi podnieść się i ratować. Utonął, a zwłoki odnaleziono później w mule i błocie. Konstantyn rozkazał odciąć głowę, wbić na włócznię i obnosić po Rzymie ku uciesze motłochu. Ten zaś szydził i opluwał — nie tyle z nienawiści do Maksencjusza, co z samej satysfakcji, że ma tę sposobność. Pospólstwu zawsze sprawia radość naigrawanie się z upadłej wielkości — jak i płaszczenie się przed każdym, kto jest u władzy.

Bitwę przy moście Mulwijskim oplotły różne podania, a pewne fakty interpretuje się w sposób szczególny. I tak w kilka lat po tych wydarzeniach zaczęto głosić, że tuż przed rozstrzygającym starciem Konstantyn miał widzenie — ujrzał znak, jaki winien wymalować na tarczach swych żołnierzy, jeśli chce zwyciężyć. Był to monogram Chrystusa: literę X (w alfabecie greckim oznacza ona Ch) przecinała zagięta u góry litera I, mająca więc kształt zbliżony do P (w alfabecie greckim odpowiada naszemu R). Nieco później, chyba nawet już po śmierci Konstantyna, pojawiła się znacznie dłuższa i bogatsza opowieść o tym, jak to ukazał się mu na niebie nowy sztandar jego armii, sztandar o symbolice chrześcijańskiej; stać się to miało również przed rozprawą z Maksencjuszem. Pierwszą z tych opowieści podaje Laktancjusz, drugą natomiast *Żywot Konstantyna* przypisywany, chyba niesłusznie, Euzebiuszowi z Cezarei. Cel i wymowa obu są jasne: bitwa przy moście Mulwijskim to zwycięstwo cesarza, który zaufał Chrystusowi, nad pogańskim tyranem; triumf znaku i symboli nowej wiary nad dawnymi bogami.

Jednakże — była już mowa o tym — Maksencjusz nie prześladował chrześcijan, trudno więc uważać bitwę za rozprawę zwolennika z wrogiem nowej wiary. Tym bardziej trudno, że Konstantyn na pewno nie był wtedy chrześcijaninem formalnie — stał się nim dopiero ćwierć wieku później, na łożu śmierci. Można się nawet zastanawiać, czy w 312 roku należał rzeczywiście do zdecydowanych sympatyków chrześcijaństwa. Jeszcze co najmniej przez kilka lat pochodzące z jego otoczenia wypowiedzi w sprawach religii miały charakter ogólny, niejednoznaczny; można je rozumieć jako odnoszące się do bóstwa jedynego, ale niekoniecznie chrześcijańskiego. Może chodzić o jakiś najwyższy byt pojmowany filozoficznie albo też po prostu o Słońce. Na monetach i medalach Konstantyna aż do 315 roku nie spotykamy żadnego symbolu, który by można interpretować jako chrześcijański, często natomiast występują znaki i napisy związane właśnie z kultem Słońca. Mennice jego emitowały monety o tematyce wyraźnie pogańskiej jeszcze co najmniej do 320 roku.

Czy Konstantyn miał w ogóle jakieś niezwykłe widzenia? Można powiedzieć tylko tyle, że powołując się na objawione mu znaki cesarz ten kontynuował odwieczną, pogańską tradycję. Iluż to władców i wodzów poprzednio utrzymywało, że w decydujących momentach wyższe moce wskazywały im swoją wolę przez najróżniejszego rodzaju znaki wieszcze, przez sny i słowa! Zastęp owych władców otwierają bohaterowie Homera pod Troją, zwłaszcza zaś król Agamemnon. W ciągu wieków, poczynając od Iliady, wzmianki o wszelkich wróżbach i objawieniach — które rzekomo zawsze się sprawdzały — stały się nieodzownym elementem przekazów historycznych, a nawet orężem propagandy politycznej. Poddani mieli wierzyć, że ich pan pozostaje pod szczególną opieką sił wyższych, wszystko więc, co czyni, jest realizacją ich planów. Przytaczaliśmy już relację o tym, jak to temuż Konstantynowi ukazał się bóg Apollon — w 310 roku, na dwa lata przed bitwą przy moście Mulwijskim! Niektórzy chcieliby przypisywać mu skłonności mistyczne. Byłby to jednak mistyk na usługach polityka.

A jak przedstawia się sprawa znaku, który miał widnieć na tarczach wojsk Konstantyna podczas bitwy? Prawdopodobnie był to znak sześcioramiennej gwiazdy, to jest X przekreślone kreską pionową, spotykany w różnych krajach i w wielu odmianach jako symbol solarny lub astralny. Był on używany także przez chrześcijan, ponieważ stanowił monogram ich Pana (w alfabecie greckim *Christos* i *Iesus*), a zarazem jego symbol jako Słońca Sprawiedliwości. Konstantyn, wyznawca Słońca Niezwyciężonego, posłużył się owym znakiem na tarczach swych wojsk. Później, w zmienionej sytuacji, można było głosić, że już wtedy chodziło o symbol chrześcijański, a nawet utrzymywać, że litera I była zagięta, przypominając P, czyli greckie R. Nikt tego wówczas nie potrafiłby sprawdzić.

Zjazd w Mediolanie

Następnego dnia po bitwie, 29 października 312 roku, Konstantyn uroczyście wjechał do stolicy, witany entuzjastycznie przez ludność i senat. Nowy pan Rzymu dał dowód mądrości politycznej, odnosząc się z ostentacyjnym szacunkiem do senatu i przyjmując odeń tytuł *Maximus Augustus*, czyli „Największy August". Dzięki temu stał się formalnie głową imperium. Maksencjusz natomiast pośmiertnie uznany został za wroga ludu i tyrana, a jego imię polecono wymazać z wszystkich oficjalnych dokumentów.

Konstantyn przebywał nad Tybrem niecałe trzy miesiące, od końca października 312 roku do ostatnich dni stycznia roku następnego. W tym czasie wydał sporo aktów prawnych, niektóre o wielkiej doniosłości. Rozwiązał na przykład kohorty pretorianów, główną podporę rządów Maksencjusza. Był to ostateczny koniec tej formacji, która w ciągu trzech wieków decydowała często o losach władców. Opublikował również edykt gwałtownie piętnujący donosicieli, którzy wówczas pojawili się masowo, gdyż — jak sądzili — nadarza się świetna sposobność, by załatwić prywatne porachunki z dostojnikami poprzedniego władcy.

Czytamy w edykcie słowa znamienne: „Należy zniszczyć jedno z największych nieszczęść ludzkości, przeklętą plagę donosicieli. Od razu przy pierwszych próbach trzeba chwytać ich za gardło, a język zawiści odciąć i wyrwać z korzeniem. Sędziom nie wolno przyjmować ich oskarżeń ani nawet głosu donosicieli. Gdy stawi się ktoś taki, winien ponieść karę śmierci". Oczywiście była to raczej retoryka — sądownictwo ówczesne musiało korzystać z usług donosicieli, nie znało bowiem instytucji oskarżyciela publicznego — ale w danym momencie edykt na pewno powściągnął nadmierną gorliwość chciwców i zawistników. Świadczy to dobrze przynajmniej o intencjach Konstantyna.

W lutym 313 roku spotkał się on w Mediolanie ze swym sojusznikiem Licyniuszem, władcą prowincji bałkańskich i naddunajskich, który poślubił tu Konstancję, przyrodnią siostrę Konstantyna, swoją narzeczoną prawie od trzech lat. Przy sposobności obaj władcy uzgodnili dalszą politykę. Jeśli chodzi o chrześcijaństwo — postanowili kontynuować i nawet umocnić tolerancję, zapoczątkowaną edyktem Galeriusza przed dwoma laty. Na tej podstawie obaj wydali pisma okólne do swych urzędników. Nam znane jest dzięki odpisom tylko to, które Licyniusz wystosował w tej sprawie do namiestnika Bitynii w czerwcu 313 roku, ale Konstantynowe musiało brzmieć podobnie.

„Gdyśmy się zeszli szczęśliwie w Mediolanie — ja, cesarz Konstantyn, i ja, cesarz Licyniusz — dla omówienia spraw dobra i bezpieczeństwa publicznego, uznaliśmy za konieczne wydać wśród innych zarządzeń, zdaniem naszym pożytecznych dla wielu, także to, które odnosi się do czci bóstwa, a mianowicie, by chrześcijanom i wszystkim dać zupełną wolność wyznawania religii, jaką kto zechce. Tak będzie można zjednać i usposobić łaskawie niebiańskie bóstwo dla nas i dla wszystkich naszej władzy poddanych.

Uważamy, że nikomu nie należy czynić przeszkód, czy kto odda swoją duszę wyznaniu chrześcijańskiemu, czy tej religii, którą sam osądzi za najodpowiedniejszą dla siebie. A to dlatego, by najwyższe bóstwo, któremu oddajemy cześć według swobodnego przekonania, mogło nam we wszystkich okolicznościach okazać zwykłą przychylność i życzliwość.

Dlatego niechaj Twoja Dostojność przyjmie do wiadomości, że po usunięciu wszelkich zastrzeżeń, które zdawały się dotyczyć chrześcijan w poprzednich pismach wystosowanych do Twego urzędu, teraz otwarcie i po prostu każdy, kto pragnie wyznawać religię chrześcijańską, może to czynić nie narażając się na żadne dochodzenia i przykrości. (...) A skoro tym udzieliliśmy zezwolenia, to rozumie Twoja Dostojność, że w interesie pokoju naszego wieku także innym zostawiamy nieograniczoną i pełną swobodę wyboru religii czy wyznania, by każdy mógł swobodnie czcić to bóstwo, jakie sobie wybrał. Nie chcemy bowiem żadnej religii czynić z naszej strony jakiejkolwiek ujmy" (przekład L. Piotrowicza).

W dalszym ciągu nakazywano nieodpłatnie zwrócić gminom skonfiskowane budynki i majątki, polecono też podać to do wiadomości ogółu, „iżby niniejsza czynność prawodawcza naszej dobroci nie mogła pozostać nie znana nikomu".

To jeden z najpiękniejszych w swej treści dokumentów w całej historii ludzkości. Ale zarazem nasuwa bardzo smutne refleksje. Okazuje się bowiem, że ludzkość ani wtedy, ani później, ani dziś nawet nie dorosła do tak pełnej tolerancji, jaką pragnęli ci cesarze wprowadzić. Rok 313 zamyka erę prześladowań chrześcijaństwa przez państwo, które trwały — oczywiście z przerwami — prawie 250 lat, a spowodowały łącznie śmierć kilku, może kilkunastu tysięcy osób. Odtąd miała panować błogosławiona era pokoju religijnego i swobody wyznania. Jednakże niemal natychmiast wybuchły gwałtowne konflikty pomiędzy chrześcijanami, a jednocześnie rozpoczęło się prześladowanie pogan przez chrześcijan, co prawda raczej bezkrwawe, lecz bardzo przykre i powodujące niesłychane straty w zakresie kultury: niszczenie posągów i malowideł, a nawet książek. W wiekach zaś późniejszych rozpętał się obłęd wojen religijnych, tępienie pogan i kacerzy ogniem i mieczem, polowań na czarownice, inkwizycji, wypędzania innowierców. Popłynęła krew milionów ofiar fanatyzmu religijnego, nienawiści wyznaniowej, nietolerancji. Chrześcijanie zadawali sobie wzajem rany okrutniejsze i bardziej krwawe niż najgorsi cesarze rzymscy. To jeden z najtragiczniejszych rozdziałów historii rozpoczynającej się — paradoksalnie — jakże wzniosłą zapowiedzią tolerancji w 313 roku. Tego wszakże Licyniusz i Konstantyn przewidzieć nie mogli.

Ten pierwszy opuścił wkrótce Mediolan na wieść o wkroczeniu do Europy wojsk władcy Wschodu, Maksymina Dai. Wojna między tymi cesarzami zakończyła się — jak wiemy z poprzednich biografii — walną bitwą na *Campus Ergenus,* gdzie najeźdźca poniósł klęskę. Pokonany Maksymin uciekł w głąb Azji Mniejszej, a cztery miesiące później zmarł na skutek wyniszczającej choroby.

To świetne zwycięstwo Licyniusz odniósł przeciągając na swoją stronę chrześcijan bardzo licznych w armii Maksymina. Odmawiając modlitwę na polu bitwy uczynił gest, który wyznawcy nowej religii po tamtej stronie zrozumieli jednoznacznie; i nie widzieli przyczyny, dla której swoją krwią mieliby umacniać panowanie cesarza prześladowcy. Gdy tylu nie chciało walczyć, inni poszli za ich przykładem. Odstąpiła od Maksymina nawet jego gwardia przyboczna. Nie było żadnego cudu, była natomiast zwykła zdrada, co prawda motywowana względami religijnymi. Lecz sprawa ta stanowi nowy przykład tego, jak niesprawiedliwa bywa historia: bitwa przy moście Mulwijskim, w której czynnik religijny nie odgrywał właściwie żadnej istotnej roli, przeszła do legendy i podręczników jako symbol zwycięstwa nowej wiary nad starą; ta natomiast na polach pod Adrianopolem, gdzie rzeczywiście ów czynnik zadecydował, została po prostu zapomniana — nawet przez chrześcijan. Dlaczego tak się stało? Odpowiedź jest prosta: w kilkanaście lat później Licyniusz został pokonany i zginął z woli Konstantyna, nikt więc nie ośmielał się sławić jego czynów.

Gdy rozważa się takie fakty, przychodzi refleksja, że historię ludzkości — w tym także naszego kraju — należałoby właściwie przebadać i przedstawić od nowa, odrzucając zwały obiegowych, a często zupełnie bezpodstawnych lub wręcz opacznych sądów, ocen i wyobrażeń, jakie narosły wokół wielu wydarzeń i osób bezmyślnie powtarzane przez wieki.

Licyniusz wszakże, podobnie jak Konstantyn, nie opowiadał się wprost i otwarcie po stronie chrześcijaństwa. Modlitwa, którą przed bitwą odmówiło jego wojsko, zwracała się wprawdzie do jakiegoś najwyższego, świętego, wszechmocnego bóstwa, ale w słowach ogólnych i bez żadnych imion własnych. Ułożono ją rzeczywiście w duchu wzniosłej tolerancji wobec uczuć religijnych ludzi różnych wyznań. Podobnie zresztą sformułowano w Mediolanie cytowane wyżej urzędowe rozporządzenie wprowadzające tolerancję. Jego odpisy ukazały się 13 czerwca 313 roku na murach Nikomedii, gdzie Licyniusz przybył w pościgu za Maksyminem Dają.

Początek drugiego dziesięciolecia IV wieku przyniósł załamanie się systemu tetrarchii. W okresie tym śmierć co roku zabierała któregoś z cesarzy: w 311 — Galeriusza, w 312 — Maksencjusza, wreszcie w 313 — Maksymina Daję. Obecnie cesarstwo miało już tylko dwóch władców — cały Wschód należał do Licyniusza, Zachód zaś do Konstantyna.

Zapewne już w kwietniu 313 roku, a więc wnet po mediolańskich rozmowach z Licyniuszem, Konstantyn opuścił Italię i wyjechał do Galii. Przebywał tam głównie w Trewirze, rozwijając żywą działalność ustawodawczą; ale musiał też odpierać Franków nad dolnym Renem i zająć się gwałtownymi sporami, jakie wstrząsały Kościołem chrześcijańskim w Afryce.

Doszło tam do poważnego rozłamu, schizmy. Jej korzenie sięgały prześladowań za Dioklecjana i Maksymiana, kiedy to załamało się w różny sposób wielu kapłanów, obecnie zaś rygoryści żądali wykluczenia ich ze wspólnoty bez względu na stopień winy. A ponieważ Cecylian, biskup Kartaginy, postępował w tej sprawie z rozsądnym umiarkowaniem, zaczęli głosić, że jeden z konsekrujących go skalał się grzechem śmiertelnym, rzekomo bowiem wydał władzom podczas prześladowań święte księgi. Wybrali więc swojego biskupa, Majoryna, a później Donata, człowieka energicznego i wielkich zdolności; miał on przewodzić ruchowi przez mniej więcej 40 lat i od niego to pochodzi nazwa schizmy — donatyzm.

Spory i wzajemne oskarżenia stawały się coraz gwałtowniejsze. Obie strony wprost lub pośrednio zwracały się do cesarza, a ten musiał zająć się konfliktem, zależało mu bowiem na spokoju w prowincjach tak ważnych gospodarczo i politycznie.

Poparł zdecydowanie Cecyliana, zgodnie ze wskazówkami swego doradcy w sprawach kościelnych, Hozjusza, biskupa Korduby (dzisiejszej Kordowy). Wywierał on silny wpływ na kształtowanie się poglądów religijnych Konstantyna. Był zaś przeciwnikiem rygorystów i ekstremistów, gdyż sam sporo od nich wycierpiał. Powołano do rozpatrzenia tej sprawy najpierw komisję biskupów, która obradowała w Rzymie jesienią 313 roku, a latem 314 roku zebrał się synod biskupów w Arelate (Arles). Tu i tam potępiono donatystów, ale schizma nadal trwała, aż przerodziła się w odrębny kościół, który miał utrzymywać się w Afryce przez wieki — do najazdu Arabów. W istocie bowiem konflikt miał korzenie głębsze niż różnica zdań w kwestiach personalnych i religijnych; był mianowicie przejawem także sprzeczności socjalnych i etnicznych w rzymskiej Afryce. Wśród donatystów, jak się wydaje, przeważali ludzie z warstw niższych i z terenów słabiej zromanizowanych, katolicy natomiast związani byli raczej z warstwami posiadającymi i z aparatem władzy. Konstantyn, w tym wypadku na pewno pełen dobrej woli i szczerze dążący do załagodzenia sporów, po raz pierwszy zetknął się tu z zaciekłością i zacietrzewieniem religijnych fanatyków, głuchych na głos rozsądku i wszelkie perswazje. Był to i tak tylko przedsmak tego, co czekało w przyszłości i jego samego, i wielu następców, gdy stawali wobec podziałów w łonie chrześcijaństwa.

Problem donatyzmu i stosunku doń cesarza jest dobrze udokumentowany, gdyż pisarze chrześcijańscy poświęcali schizmie afrykańskiej dużo uwagi. Ale mylny byłby wniosek, że Konstantyn głównie tą kwestią wówczas się zajmował. Z całą pewnością najbaczniej śledził wszystko, co dotyczyło Licyniusza, ten bowiem jako władca bogatych prowincji wschodnich mógł wkrótce stać się bardzo groźny.

Obaj na zjeździe w Mediolanie podzielili się imperium w ten sposób, że Italia miała stanowić wspólną domenę obu, wszystko natomiast, co było na zachód od niej, przypadło Konstantynowi, co zaś na wschód — Licyniuszowi. Ta zasada była jednak nie do utrzymania z powodu wzajemnej podejrzliwości. Doszło więc — w okolicznościach dla nas niezbyt jasnych — do wojny domowej; według jednych toczyła się ona w 314 roku, według innych dopiero w 316. Prawdopodobnie były jednak dwie wojny w tych latach. W pierwszej stroną atakującą był chyba Konstantyn. Do wielkiej bitwy doszło 8 października w Panonii, na ziemiach dzisiejszej Jugosławii, pod miejscowością Cybale *(Cibalae)*, między rzekami Sawą i Dunajem. Po całodziennych krwawych zmaganiach Licyniusz musiał się wycofać, ale stanął do walki raz jeszcze, już na terenach Tracji. I tu górą był Konstantyn. Gdy jednak maszerował na Bizancjum, zorientował się, że wojska Licyniusza mogą zagrozić mu od flanki. Przystał więc na rokowania. Zawarto pokój i postanowiono, że w ręku Konstantyna pozostaną wszystkie prowincje bałkańskie, czyli iliryjskie, z wyjątkiem Tracji i Mezji.

21 lipca 315 roku — a więc według jednych podczas przygotowań do wspomnianej wyprawy, według innych już po

niej — Konstantyn przybył do Rzymu, aby w stolicy imperium święcić *decennalia*, czyli dziesięciolecie swych rządów. Teraz dopiero mógł ujrzeć łuk triumfalny, którego wzniesienie senat uchwalił już w 312 roku dla uczczenia zwycięstwa nad Maksencjuszem przy moście Mulwijskim. Obecnie monument był niemal gotów. Zachował się do dzisiaj z niewielkimi tylko ubytkami; jest jednym z najpiękniejszych i najlepiej znanych zabytków starożytności. Niegdyś zdobiło Rzym kilkadziesiąt łuków triumfalnych, pozostały z nich w całości tylko trzy. Dwa stoją na przeciwległych krańcach *Forum Romanum:* łuk Tytusa upamiętniający zdobycie Jerozolimy w 70 roku oraz łuk Septymiusza Sewera z 203 roku. Konstantynowy natomiast zbudowano w pobliżu Koloseum, pomiędzy wzgórzami Celiusz i Palatyn.

Budowla ma 21 metrów wysokości i składa się z trzech arkad. W attyce nad środkową arkadą znajduje się napis głoszący, że cesarz zwyciężył tyrana, to jest Maksencjusza, *instinctu divinitatis,* czyli „z natchnienia boskości”. Pod określenia tak ogólnikowe można podkładać różne nazwy i pojęcia, a termin *divinitas* często występuje wówczas w filozofii neoplatońskiej. Dowód to, że Konstantyn prowadził wtedy ostrożną politykę religijną i nie deklarował się jako chrześcijanin. Cały monument jest bogato zdobiony kolumnami, posągami i płaskorzeźbami, ale wiele części wystroju przeniesiono tu z innych, starszych budowli. I tak osiem posągów nad kolumnami wzięto z Forum Trajana, osiem medalionów nad bocznymi arkadami z jakiegoś pomnika Hadriana, a płaskorzeźby w płycinach attyki zabrano z łuku triumfalnego Marka Aureliusza. Rabunki tego rodzaju powtarzają się we wszystkich wiekach, także w naszym. Pewne jednak ozdoby wykonano specjalnie za Konstantyna. Poziomem artystycznym ustępują one dziełom okresów wcześniejszych, mają wszakże swój program ikonograficzny. Dolny fryz nad bocznymi arkadami przedstawia sceny z życia Konstantyna: jego czyny, gdy walczył u boku Galeriusza, triumfy nad Frankami i Alamanami, zwycięstwo nad Maksencjuszem. Medaliony na ścianach bocznych wyobrażają zachód księżyca i bóstwo Słońca wznoszące się na rydwanie. Nie ma natomiast żadnych symboli chrześcijańskich.

Zapewne na *Forum Romanum* stanął olbrzymi posąg Konstantyna — może ten sam, którego części znajdują się obecnie na dziedzińcu Pałacu Konserwatorów na Kapitolu. Przedstawiał on prawdopodobnie władcę w postaci boga Apollona.

Podczas pobytu w Rzymie cesarz po raz pierwszy spotkał się z nowym biskupem miasta, Sylwestrem. Objął on ten urząd po Milcjadesie w roku 314, a miał go sprawować długo, bo aż do 335 roku; był to więc jeden z najdłuższych pontyfikatów, a niemal w pełni pokrywał się z panowaniem Konstantyna. Mimo to Sylwester jest dla nas postacią prawie nieuchwytną, gdyż źródła mówią o nim niewiele. Ponieważ jednak święto jego przypada na ostatni dzień roku, imię to należy do najpowszechniej znanych i używanych przenośnie; od niego to przecież wzięły nazwy zabawy sylwestrowe.

Skoro jednak historia tak mało wie o biskupie, tym wymowniejsza jest legenda, później bowiem nie umiano sobie wyobrazić, by dwie osoby żyjące współcześnie prawie się nie znały. Powstała więc fantastyczna opowieść o tym, jak to Konstantyn, zaciekły prześladowca chrześcijan, zachorował na trąd, został jednak uzdrowiony przez Sylwestra i przyjął chrzest. Ochrzcił też matkę cesarza, Helenę, która wcześniej skłaniała się ku judaizmowi, została jednak przekonana i nawróciła się wraz ze swymi rabinami po wielkiej dyspucie teologicznej w Rzymie.

Ta całkowicie niehistoryczna, zmyślona opowieść oddziaływała jednak na wyobrażenia wielu pokoleń we wczesnym średniowieczu, co z kolei umożliwiło dokonanie jednego z najśmielszych fałszerstw, jakie znane są w dziejach. W ósmym lub dziewiątym wieku sfabrykowano dokument, zwany umownie donacją Konstantyna. W jego pierwszej części cesarz opowiada, w jaki sposób został uzdrowiony i przyjął chrzest z rąk Sylwestra, czym uzasadnia swoją wdzięczność oraz darowizny i nadania, wyliczone w części drugiej. Tak więc biskup Rzymu i jego następcy otrzymują prymat nad różnymi kościołami, panowanie nad Rzymem, Italią i wszystkimi krajami Zachodu, prawo do insygniów i honorów cesarskich, prawo do sądownictwa nad całym klerem. Niemal przez całe średniowiecze donacja ta była traktowana poważnie, nawet przez wrogów papiestwa, i odgrywała wielką rolę w ówczesnych sporach religijnych oraz konfliktach politycznych. Dopiero w XV wieku wykazano bezspornie, że cały dokument jest nieudolnym falsyfikatem.

Konstantyn opuścił Rzym już pod koniec września 315 roku, potem zatrzymał się w Mediolanie, a w styczniu stanął znowu w Trewirze. Zdenerwowany i zmęczony ciągłymi sporami kościelnymi wysłał ze swej galijskiej stolicy znamienny list do namiestnika Afryki: „Gdy przyjadę, mój jasny wyrok wskaże w sposób najoczywistszy zarówno Cecylianowi, jak też jego przeciwnikom, jak należy czcić bóstwo najwyższe i jaki kult odpowiada mu najbardziej". A więc w tym czasie Konstantyn traktował katolików i donatystów niemal na równi. Co ważniejsze, uważał się za uprawnionego do ingerowania w wewnętrzne sprawy chrześcijan. Jest to w istocie deklaracja cezaropapizmu; nie tylko sprawy personalne i organizacyjne, lecz nawet sposoby kultu mają być określane przez władcę. Ale dla Konstantyna ważne były tylko cele polityczne. Ład i spokój w Afryce należy przywrócić za wszelką cenę, jeśli więc nie udało się to samym chrześcijanom, to cesarz odpowiedzialny przed „najwyższym bóstwem" za całe imperium dokona tego osobiście. Później wszakże, już w 317 roku, w postawie Konstantyna znowu zaszła zmiana: wydał rozkazy, by siłą stłumić schizmę afrykańską, wyganiając ich biskupów i konfiskując budynki kościelne. Z tego wszystkiego wynika, że politykę cesarza cechował w tej dziedzinie brak zdecydowania i konsekwencji.

Konstantyn przebywał w Galii aż do wczesnej jesieni 316 roku, najpierw w Trewirze, potem na południu, w Arelate. Tam Fausta dała mu syna, który otrzymał imię ojca, a zwany jest Konstantynem II lub Młodszym. Nie był to jednak syn pierworodny, bo już przed kilkunastu laty przyszedł na świat Kryspus, którego matką była Minerwina. Później cesarz przez północną Italię przeniósł się do prowincji bałkańskich i stanął w Serdyce. Przyczyną tej podróży była prawdopodobnie nowa wojna z Licyniuszem, w wyniku której Konstantyn uzyskał zapewne jakieś nabytki w zachodniej Tracji.

1 marca 317 roku cesarz proklamował w Serdyce nowy system współrządów. Do godności cezarów wyniesieni zostali obaj jego synowie: mniej więcej dwunastoletni Kryspus i kilkunastomiesięczny Konstantyn II oraz kilkuletni syn Licyniusza, zwany Licynianem, który w prowincjach ojca nosił ten tytuł już od grudnia 314 roku, ale bez zgody Konstantyna. Tak więc utrzymując system współwładzy wprowadzony przez Dioklecjana nadano mu sens zupełnie odmienny, uznano bowiem za zasadę prawo do rodzinnego dziedziczenia tronu.

W prowincjach bałkańskich Konstantyn przebywał przez lat osiem, bo aż do lata 324 roku; tylko w roku 317 wyjechał na kilka miesięcy do północnej Italii. Najczęściej rezydował w Serdyce i niekiedy w Sirmium nad Sawą. Odwiedził także miasto, w którym przyszedł na świat — Naissus, obecny Nisz. Umacniał fortyfikacje w rejonach pogranicznych i rozgromił jakieś zagony barbarzyńców wdzierające się zza Dunaju, nade wszystko jednak rozwijał żywą działalność ustawodawczą. Spośród około trzystu pięćdziesięciu aktów prawnych zachowanych pod imieniem Konstantyna niemal 150 pochodzi właśnie z tego okresu. Dotyczą wymiaru sprawiedliwości, prawa majątkowego, cywilnego, karnego, postępowania administracyjnego. Ogólnie biorąc widoczna w nich jest chęć obrony warstw niższych przed uciskiem i wyzyskiem przez możnych, choć różnice między stanami są respektowane. Karami bardzo srogimi cesarz szafował hojnie. Na przykład porywacze dzieci byli dotychczas wtrącani do kopalń, obecnie jednak postanowiono, że jeśli zbrodnię tę popełni niewolnik lub wyzwoleniec — rzuci się go dzikim zwierzętom podczas igrzysk; gdy winnym okaże się człowiek wolny, będzie musiał walczyć jako gladiator, ale dotąd aż zginie. Były wszakże w tym ustawodawstwie tendencje stosunkowo humanitarne. Na przykład zalecano, by więźniów podczas śledztwa nie skuwać zbyt ciasnymi kajdanami i nie przetrzymywać ich w lochach, lecz wyprowadzać na światło słoneczne z brzaskiem dnia. Zakazano również piętnowania twarzy, została ona bowiem ukształtowana „na obraz niebiańskiej piękności", wszelkie znaki należy więc wypalać przestępcom na nogach lub rękach.

Jeden z najbardziej interesujących edyktów ukazał się w 321 roku. Postanawiał on: czcigodny dzień Słońca (*venerabilis dies Solis*) winien być wolny od rozpraw sądowych i od wszelkich zajęć ludności miejskiej, ale mieszkańcy wsi mogą w tym dniu swobodnie uprawiać rolę, często bowiem się zdarza, że właśnie wtedy wypada najkorzystniejszy moment orania ziemi lub sadzenia winorośli, nie należy więc tracić sposobności danej przez niebiańską opatrzność. W reskrypcie zaś z 21 lipca tegoż roku cesarz wyjaśnił, że choć wydaje się czymś niestosownym zakłócać czcigodny dzień Słońca sporami i kłótniami w sądach, to jednak byłoby miłe spełnianie wówczas spraw pożądanych, wolno zatem w tym dniu wyzwalać niewolników oraz dokonywać prawnego wypuszczania dzieci spod władzy ojcowskiej.

Można rzec bez żadnej przesady, że ten edykt Konstantyna dotychczas obowiązuje w większości krajów świata, gdyż dzień Słońca to po prostu niedziela. Wszystkie późniejsze zarządzenia w różnych epokach i państwach dotyczące tej sprawy są tylko tego powtórzeniem lub adaptacją. Oczywiście, cesarz nie stwarzał swym postanowieniem czegoś z gruntu nowego, tylko sankcjonował stan już istniejący. Tydzień siedmiodniowy rozpowszechnił się w krajach śródziemnomorskich w czasach cesarstwa nie tyle dzięki Żydom, lecz z powodu popularności wierzeń astrologicznych. Przypisywały one każdy dzień jednej planecie, a starożytni znali ich właśnie siedem, wliczając Słońce i Księżyc, nie uwzględniając zaś Ziemi. Po dziś w językach romańskich i pośrednio germańskich trwają ślady owych astrologicznych powiązań. Wystarczy przypomnieć francuskie nazwy dni — *lundi, mardi, mercredi, jeudi, vendredi* — urobione z łacińskich określeń: *Lunae dies, Martis dies, Mercurii dies, Iovis dies, Veneris dies.* Otóż nakazując święcić dzień Słońca, Konstantyn czynił zadość czcicielom tego bóstwa, wyznawcom astrologii — byli zaś nimi wtedy prawie wszyscy — a jednocześnie chrześcijanom. Ci odprawiali nabożeństwa w dniu Słońca, aby odróżnić się od Żydów oraz dlatego, że w tym dniu zmartwychwstać miał Chrystus. Wszystko to znakomicie ilustruje świadomą wieloznaczność polityki religijnej Konstantyna w tym okresie. Szedł na rękę chrześcijanom, czynił to jednak w taki sposób, aby nie narazić się wyznawcom innych kultów.

A oto inne przykłady. W 317 roku cesarz surowo zabronił praktyk magicznych, jeśliby mogły one szkodzić czyjemuś zdrowiu lub budzić pożądania miłosne, pozwolił natomiast na tego rodzaju zabiegi, jeśli były pomocne w lecznictwie lub w uprawie winorośli. W dwa lata później zakazał wróżbitom wstępu do domów prywatnych, ale zezwolił na dokonywanie wróżb publicznie. Radził nawet, by zwracać się do kapłanów o wyjaśnienie pewnych znaków danych przez bogów, na przykład w razie uderzenia gromu w pałac cesarski lub budynek państwowy.

Ukazywały się również prochrześcijańskie edykty Konstantyna. Jeden z nich zezwalał na przenoszenie procesów z trybunałów świeckich pod sądy biskupie. Może cesarz dobrze znający bezduszność i korupcję świeckiego wymiaru sprawiedliwości pragnął w ten sposób przyjść z pomocą ludności najuboższej? W praktyce jednak te zbyt hojnie przyznane uprawnienia sądów biskupich nie zdały egzaminu i późniejsi władcy, zresztą gorliwi chrześcijanie, musieli je ograniczać znowu na rzecz trybunałów świeckich.

Spotyka się też w niektórych ustawach Konstantyna pogardliwe określenia dawnych wierzeń: przesąd, stara praktyka. Dowód to, że w kancelarii cesarskiej pracowało coraz więcej chrześcijan. Znamienne jest również, że już w roku 317 Konstantyn powierzył nauczanie swego pierworodnego syna, Kryspusa, wybitnemu pisarzowi chrześcijańskiemu. Był nim Laktancjusz; jego dziełko *O śmierciach prześladowców* cytowaliśmy wielokrotnie. Napisane ono zostało właśnie wtedy, gdy autor jako nauczyciel i opiekun młodego Kryspusa przebywał wraz z nim w Galii, w Trewirze. Jest oczywiście pełne pochwał wobec Konstantyna i jego rodu. Gdybyż to Laktancjusz mógł przewidzieć, jak straszny los spotka Kryspusa właśnie z ręki bogobojnego ojca!

A jak rządził w tym czasie, to jest po roku 313, Licyniusz na Wschodzie? Antyczne przekazy malują jego portret w barwach ponurych, o czym była mowa, nazywając go okrutnikiem i skąpcem, tyranem i lubieżnikiem. „Wydał prawo, że nikomu nie wolno przejawiać ludzkich uczuć wobec nieszczęśliwych więźniów i dawać im żywność; że nie wolno okazywać litości tym, co jęczą w kajdanach i giną z głodu (...). Wytaczał mnóstwo oskarżeń przeciw ludom sobie poddanym, często ściągał złoto i srebro, a nawet jakieś kary od osób, które już zmarły. (...) Ilu mężów znakomitego rodu i dostojeństwa wtrącił do więzień, a następnie rozwiódł z młodymi ich małżonkami, aby je dać swym ohydnym sługom na pohańbienie! Ilu zamężnym kobietom i młodym dziewczętom ten rozpity starzec kazał zaspokajać jego żądze!" To słowa Euzebiusza z Cezarei; świadek to jednak stronniczy, całkowicie bowiem oddany Konstantynowi.

Dzisiejsi badacze skłonni są nieco łagodzić ów osąd dyszący nienawiścią. Licyniusz był raczej oszczędny niż skąpy. Wydatki na wojsko starał się utrzymać w rozsądnych granicach, w przeciwieństwie do Konstantyna, który hojnie wynagradzał żołnierzy — kosztem ludności. Poddał wojsko żelaznej, starorzymskiej dyscyplinie. Uciskał wprawdzie bogaczy, ale jednocześnie wspomagał podupadłe miasta i ubogą ludność wiejską. Jeden z pisarzy starożytnych mówi wprost: „Był użyteczny prostakom i wieśniakom, bo wśród nich wyrósł". Ale jako człowiek prymitywny i niewykształcony zionął wręcz patologiczną nienawiścią do inteligencji, a ta odpłaciła mu wzajemnością przekazując potomności jak najgorszą o nim pamięć.

Kłopotliwa stawała się sytuacja religijna w podległych Licyniuszowi krainach. W Egipcie najpierw doszło wśród chrześcijan do schizmy, gdy biskup Melitios zajął nieprzejednane stanowisko wobec kapłanów, którzy załamali się podczas prześladowań. Potem zaś zrodziła się tam wielka herezja. Aleksandryjski prezbiter Ariusz — po grecku Arejos — zaczął w kazaniach głosić doktrynę odbiegającą od nauki Kościoła. Można w skrócie tak ją ująć: tylko Bóg jest wieczny, Chrystus natomiast został przezeń stworzony, nie jest więc mu równy i współistotny, choć stanowi pierwsze i szczególne dzieło boże.

Synod biskupów egipskich ekskomunikował Ariusza, ale poparli go niektórzy biskupi w Palestynie i w Azji Mniejszej, w tym dwaj Euzebiuszowie, jeden z Cezarei, tak sławny do dziś historyk Kościoła, drugi z Nikomedii. Nowy synod uchylił wyrok poprzedni, Ariusz powrócił do Egiptu, a konflikt rozgorzał ze zdwojoną siłą. Stopniowo wciągnięte doń zostało całe chrześcijaństwo wschodnie, gdyż dyskusje, pozornie tylko teologiczne, wydobywały na jaw przeróżne animozje narosłe w łonie poszczególnych gmin. Istotę zaś sporu można również rozumieć jako protest greckiego sposobu myślenia, przepojonego wielką kulturą filozoficzną, przeciw nieprecyzyjnym pojęciom, które dominowały w ówczesnej teologii.

W toku tych wydarzeń, a częściowo także pod ich wpływem, Licyniusz zaczął zmieniać swój stosunek do chrześcijan. Usuwał ich z dworu, armii i administracji, zakazał odbywania synodów biskupich, utrudniał działalność misyjną, ale krwawych prześladowań nie było. Ważną przyczynę tej nowej polityki religijnej stanowił fakt, że Konstantyn, wróg Licyniusza, zajmował coraz wyraźniej postawę prochrześcijańską.

Obaj władcy przygotowywali się jawnie do nowej wojny. Rozpoczęła się ona wiosną 324 roku, była jedną z największych i najkrwawszych, jakie kiedykolwiek wstrząsały imperium. Do pierwszej bitwy doszło 3 lipca pod Adrianopolem. Pokonany Licyniusz wycofał się do Bizancjum i zza potężnych murów miasta bronił się skutecznie. Tam też, aby łatwiej sprostać sytuacji, powołał na cezara wysokiego urzędnika swego dworu, Martyniana. Jednakże Kryspus, pierworodny syn Konstantyna, zdołał na czele swej floty rozbić okręty Licyniusza blokujące cieśninę Hellespontu. Władca Wschodu i jego cezar opuścili zatem Bizancjum, pozostawiając tam załogę, i przenieśli się na wybrzeże azjatyckie, aby nie dopuścić do przeprawy wojsk przeciwnika. Konstantyn wszakże zmylił ich czujność i wylądował na wybrzeżach Półwyspu Chalcedońskiego, gdzie we wrześniu pod miastem Chryzopolis stoczono decydującą bitwę. Licyniusz i Martynian, pokonani, schronili się za murami Nikomedii. Bizancjum poddało się od razu.

Dzięki pośrednictwu Konstancji, żony Licyniusza, a zarazem przyrodniej siostry Konstantyna, zawarto układ. Tamci dwaj zrzekli się swych godności, w zamian zaś zwycięzca zaprzysiągł, że daruje im życie. Licyniusz został odesłany do Tesaloniki, Martynian zaś do wschodniej Azji Mniejszej. W kilka miesięcy później z rozkazu cesarza zabito obu za rzekome zmowy z barbarzyńcami. Licynian, syn Licyniusza, pozostał przy życiu i majątku, lecz po latach i on stał się ofiarą mściwości Konstantyna.

Bitwa pod Chryzopolis jest jedną z ważniejszych w historii, gdyż w jej wyniku imperium po długiej przerwie znowu miało tylko jednego pana. Co wszakże sprawiło, że zwyciężył właśnie on? Starożytni pisarze chrześcijańscy przedstawiają jego zmagania z Licyniuszem jako starcie nowej wiary z bóstwami pogańskimi; tak sprawę ujmując można mówić, że była to pierwsza wojna religijna w dziejach Europy. Ale konflikt miał — co oczywiste — charakter czysto polityczny, wszystko zaś zależało od przebiegu działań militarnych, a zatem od sprawności obu armii, w tych zaś po obu stronach wciąż przeważali czciciele dawnych bogów.

Konstantyn zwyciężył, ponieważ miał doświadczonych żołnierzy, doskonałą bazę rekrutacyjną w prowincjach naddunajskich i nadreńskich, łatwiej też było mu zaciągać najemników germańskich. Swoją szczodrobliwością zyskał sobie wielki mir wśród żołnierzy. Tymczasem w armii Licyniusza przeważał element bliskowschodni, mniej odporny na trudy. Żołnierze zaś nie darzyli sympatią swego wodza surowego i bardzo oszczędnego. Trudno dziś dociec, jaki efekt wywierała propaganda religijna usilnie rozwijana przez Konstantyna jako jeden z elementów walki, wydaje się jednak, że w tej wojnie nie miała większego znaczenia.

Ludność, i to nie tylko chrześcijańska, powitała zakończenie wojen domowych z radością, jednolitość bowiem władzy zapowiadała stabilizację, a pokój wewnętrzny pozwalał ufać, że zmniejszą się ciężary na wojsko i zbrojenia. Konstantyn zaś rozpoczął swe rządy w prowincjach wschodnich od anulowania zarządzeń „tyrana". Obalano posągi i wymazywano z napisów imiona Licyniusza i Licyniana. Cofnięto wszelkie ograniczenia, krępujące gminy chrześcijańskie. Wydaje się nawet, że niektórzy wyznawcy nowej religii, źle rozumiejąc postawę cesarza, chcieli zamykać świątynie pogańskie. Odpowiedzią był edykt wzywający do wyrozumiałości oraz zaprzeczający, by przybytki bóstw miały być likwidowane.

Sobór w Nicei

Od czasu zwycięstwa, a więc od jesieni 324 roku, Konstantyn przebywał w Nikomedii, dawniej ulubionej rezydencji Dioklecjana. Nosił się z zamiarem podróży do Syrii i Egiptu, poczyniono już pewne przygotowania, lecz niespodziewanie cesarz zmienił plany. Powstrzymały go zapewne wieści o nasilaniu się sporów religijnych w Aleksandrii, a nie chciał opowiadać się tam po którejś ze stron; z podobnych przyczyn zrezygnował przed laty z podróży do Afryki. Do Egiptu więc wyjechał tylko biskup Hozjusz, jego doradca, z listem wzywającym do zgody; potrafią zdobyć się na nią filozofowie, o ileż więc bardziej harmonia przystoi sługom bożym! List kończył się słowami: „Przywróćcie pokój moim nocom i beztroskę moim dniom, abym mógł rozkoszować się blaskiem światła i radością cichego życia!" Hozjusz oczywiście nie załatwił niczego, ale wrócił przekonany, że rację ma tamtejszy biskup Aleksander, a nie Ariusz.

W tej sytuacji cesarz uznał, że najlepiej będzie przekazać sprawę zgromadzeniu biskupów, i to możliwie wszystkich. Tak doszło do pierwszego w dziejach soboru powszechnego. Inicjatorem i zwołującym był sam Konstantyn, który wystosował pełne szacunku zaproszenia. Na miejsce spotkania wyznaczono małoazjatycką Niceę *(Nicaea),* dzisiejszy Iznik, w pobliżu Nikomedii. Konstantyn chciał bowiem, aby obrady toczyły się pod jego okiem. Państwo pokrywało koszty podróży i pobytu zaproszonych. Wielu jednak odmówiło przybycia; był to w istocie zjazd biskupów tylko wschodnich, z Zachodu przyjechało zaledwie kilku. Biskup Rzymu Sylwester wymówił się podeszłym wiekiem i przysłał dwóch przedstawicieli. Przyczyna obojętności Zachodu leżała, jak się zdaje, w tym, że nie zdawano tam sobie sprawy z istoty i powagi sporu, niższa bowiem była kultura filozoficzna. Spoza granic imperium — z Armenii, Krymu, Persji — przybyło pięciu biskupów. Według tradycji łącznie uczestniczyło trzystu osiemnastu, faktycznie jednak obradowało dwustu kilkudziesięciu.

Pierwsza sesja odbyła się 20 maja 325 roku w sali pałacu. Konstantyn zjawił się w całym blasku swego majestatu, ale bez straży przybocznej, zebrani zaś powitali go wstając i usiedli dopiero na znak przezeń dany. Następnie cesarz wygłosił mowę chwalącą Kościół i wzywającą do jedności. Przemawiał po łacinie, a sekretarz powtórzył jego słowa po grecku. W toku dwumiesięcznych obrad wielokrotnie wchodził do sali i obejmował przewodnictwo, spotykał się też z biskupami indywidualnie. Każde ugrupowanie starało się przeciągnąć go na swoją stronę; zasypywano cesarza listami, wzajem oskarżając się o przeróżne występki. Nie czynił wprawdzie żadnego użytku z tych materiałów, ale też ich nie niszczył. Usiłował zachować pozory bezstronności, choć w istocie sprzyjał przeciwnikom Ariusza.

Sobór musiał przede wszystkim ułożyć możliwie precyzyjne wyznanie wiary. Proponowano różne sformułowania, ostatecznie jednak zwyciężył tekst przygotowany przez biskupów Hozjusza i Aleksandra, którym na pewno pomagał młody wówczas diakon, sekretarz Aleksandra, Atanazjusz (Atanazy). To nicejskie wyznanie wiary powtarzane jest po dzień dzisiejszy, choć w nieco rozszerzonej formie, w większości kościołów chrześcijańskich. Stwierdza wyraźnie, że Chrystus jest *homousios*, czyli współistotny Bogu. Jego przyjęcie było równoznaczne z potępieniem doktryny Ariusza, co uczyniono również w dodatkowych punktach.

Wśród innych postanowień soboru na uwagę zasługuje również określenie warunków koniecznych do wyboru biskupów oraz ustalenie hierarchii episkopalnej, to jest zależności zwykłych biskupów od tych, którzy zasiadali w większych miastach, co z kolei odpowiadało w znacznym stopniu schematowi administracyjnego podziału. Potwierdzono też szczególne przywileje biskupów Aleksandrii, Rzymu, Antiochii oraz częściowo Jerozolimy. Warto zapamiętać, że właśnie ten sobór wyznaczył datę świąt wielkanocnych na pierwszą niedzielę po tej pełni Księżyca, która następuje po wiosennym zrównaniu dnia z nocą. Taką praktykę stosowano od dawna w gminach egipskich i rzymskich, w wielu innych natomiast święto zmartwychwstania obchodzono biorąc za podstawę kalendarz żydowski.

25 lipca cesarz obchodząc dwudziestolecie panowania wy-

dał przyjęcie dla przebywających w Nicei biskupów, co zarazem stanowiło zamknięcie pierwszego soboru ekumenicznego. Jego uchwały obowiązują bezpośrednio lub pośrednio znaczną część chrześcijaństwa do dziś, jednakże cel główny, to jest doprowadzenie do zgody między skłóconymi stronami, nie został osiągnięty. Konflikt trwał, choć ramię świeckie dzielnie pomagało Kościołowi, karząc biskupów, którzy nie chcieli przyjąć uchwał większości. Cesarz postępował tak, gdyż pragnął jedności w organizacji, na której coraz silniej się opierał. Problemy teologiczne traktował natomiast dość obojętnie — jego poglądy w tej materii cechowały się pewną mglistością. Toteż w dwa lata później, w 327 roku, zwołano drugą sesję soboru nicejskiego, na której przyjęto do wspólnoty Ariusza i jego zwolenników, co wywołało opór wielu biskupów.

Wcześniej jednak, latem 326 roku, Konstantyn odwiedził Rzym. Przebywał tam miesiąc i była to jego ostatnia wizyta w stolicy nad Tybrem. Doszło wtedy do zatargu między nim a senatem i ludnością miasta, cesarz bowiem odmówił udziału w ceremonii pogańskiej na Kapitolu. Mieszkańcy Rzymu byli wciąż jeszcze w ogromnej większości wyznawcami dawnych bogów, wierząc, że to one dały im panowanie nad światem. Ten pobyt zapewne wzmógł niechęć Konstantyna do Rzymu i może wpłynął na zamiar rozbudowy nowej rezydencji gdzie indziej.

Najważniejszym wszakże wydarzeniem 326 roku była tragedia, która wstrząsnęła rodziną cesarską. Najpierw, wiosną lub wczesnym latem, Konstantyn zgładził swego pierworodnego syna, Kryspusa, tak wsławionego podczas ostatniej wojny z Licyniuszem. Podobno żona cesarza, a macocha Kryspusa, oskarżyła młodego człowieka o próbę uwiedzenia. Kryspus zginął w Poli, czyli obecnej jugosłowiańskiej Puli na półwyspie Istri. Wkrótce potem, już w Rzymie, przyszła kolej na Faustę, oskarżoną o popełnienie cudzołóstwa. Konstantyn kazał zamkąć ją w rozgrzanej łaźni, gdzie się udusiła. Podobno do zguby Fausty najwięcej przyczyniła się matka cesarza, Helena, która nie mogła przeboleć śmierci swego wnuka i uważała, że to nie on był winien, lecz właśnie macocha; przekonała więc syna, że zbrodnię najlepiej zmyć zbrodnią.

Stosunki w rodzinie cesarskiej układały się jak najgorzej. Fausta na pewno nienawidziła Kryspusa, gdyż pragnęła, aby dziedzicami tronu zostali tylko jej synowie, a ostatnie sukcesy Kryspusa jeszcze wzmogły nienawiść; prawdopodobnie więc uknuła intrygę, mającą na celu zdyskredytowanie go i usunięcie, co później wykryła Helena. O tej znowu wiadomo, że bezwzględnie prześladowała przyrodnich braci Konstantyna, a więc tych, których jego ojciec, Konstancjusz, miał ze swoją ślubną żoną, Teodorą. Na skutek zabiegów Heleny obaj oni, Dalmacjusz i Juliusz Konstancjusz, musieli przez wiele lat przebywać z dala od dworu, w Akwitanii.

Już w starożytności utrzymywano, że Konstantyn zabijając syna i żonę splamił się zbrodniami godnymi Nerona. I rzeczywiście, w galerii cesarzy ci dwaj są sobie najbliżsi — jeśli chodzi o krew przelaną w rodzinie. Co za paradoks: pierwszy prześladowca chrześcijaństwa i pierwszy jego wyznawca!

Zapewne pod koniec 326 roku Helena opuściła Rzym i udała się w podróż do Palestyny. Gdziekolwiek zawitała, wspierała hojnie ubogich i okazywała łaskę uciśnionym, podróż więc miała charakter nabożnej i dobroczynnej pielgrzymki. Może prawdziwą jej przyczyną była niedawna tragedia rodzinna i pragnienie zmazania zbrodni aktami ofiarności? Oficjalnym celem było zbadanie, jak posuwają się prace nad budową kościołów, które Konstantyn polecił wznieść w miejscach świętych. Spośród owych kościołów najznaczniejszy powstał w Jerozolimie nad grotą uchodzącą za grób Chrystusa. W miejscu tym za cesarza Hadriana zbudowano świątynię Afrodyty. Obecny władca rozkazał zburzyć ją do gruntu i usunąć nawet ziemię spod fundamentów, twierdząc, że skalały ją demony. Bazylika, ostatecznie wykończona około 335 roku, zwana jest kościołem Zmartwychwstania lub Grobu Świętego, a jej kształt pierwotny znamy głównie dzięki opisom, gdyż w ciągu wieków wielokrotnie ją niszczono i restaurowano niemal od nowa. Inny bardzo sławny kościół stanął nad grotą w Betlejem, gdzie według tradycji Chrystus przyszedł na świat. Wreszcie trzeci kościół wzniesiono na Górze Oliwnej.

Pielgrzymka Heleny stała się źródłem i przedmiotem wielu legend. Do najbardziej znanych należy opowieść o tym, jak matka cesarza odnalazła krzyż Chrystusowej męki. Jego kawałek zabrała do Rzymu, do swego pałacu *Sessorium* w pobliżu Lateranu, gwoździe natomiast kazała przetopić i wprawić w hełm syna. Legenda ta, mająca różne wersje i formy, zaczęła się kształtować już pod koniec wieku czwartego.

W drodze powrotnej Helena zmarła, w Nikomedii lub w okolicy. Aby uczcić jej pamięć, Konstantyn nazwał jedno z miast Bitynii — Helenopolis. Zwłoki przewieziono do Rzymu i pochowano w mauzoleum, które zbudowała dla Konstancjusza, swego nieżyjącego od lat dwudziestu męża, przy drodze wiodącej ku Preneste *(Praeneste)*. Resztki tej okazałej, ośmiobocznej budowli znane są obecnie pod nazwą *Tor Pignatarra*. Wielką salę pałacu Heleny zmieniono na kościół, później oczywiście przebudowywany, a obecnie noszący imię *Santa Croce in Gerusalemme*.

Nie jest to jedyny kościół rzymski sięgający początkami czasów Konstantyna. Dwa z nich należą do bardzo znanych.

Pierwszy powstał na miejscu pałacu rodziny Lateranów, potem cesarzowej Fausty. Był to pierwszy wielki kościół w obrębie murów miasta. Jako katedra biskupów Rzymu nosi tytuł „matki i głowy wszystkich kościołów miasta i świata". Zwał się najpierw bazyliką Zbawiciela, później otrzymał jako patrona świętego Jana Chrzciciela. Od starożytności aż do 1309 roku papieże mieszkali w pobliskim pałacu; obecny pochodzi z XVI wieku i służy za muzeum sztuki starochrześcijańskiej. Kościół drugi to bazylika świętego Piotra, wzniesiona w Watykanie nad miejscem, gdzie — według tradycji — spoczywają zwłoki apostoła. Była to budowla wspaniała, pełna dzieł sztuki, została jednak zburzona w początkach XVI wieku za pontyfikatu Juliusza II. Ustąpiła miejsca bazylice obecnej, imponującej ogromem. Wygląd bazyliki dawnej, Konstantynowej, odtworzono dopiero na podstawie wykopalisk poczynionych w ostatnich dziesięcioleciach. Odsłoniły one również grobowce rzymskie z początków cesarstwa, zasypane w trakcie budowy pierwszej bazyliki.

Konstantynopol

Cesarz, jak się wydaje, nie lubił Rzymu i nigdy nie przebywał w nim dłużej niż dwa lub trzy miesiące. Gdzie jednak miał ustanowić swoją główną rezydencję, gdy po usunięciu Licyniusza stał się jedynym władcą całego imperium? Oczywiście należało ją umiejscowić gdzieś na terenach prowincji bałkańskich lub małoazjatyckich, tu bowiem znajdowało się w istocie centrum olbrzymiego państwa, tędy przebiegały najważniejsze szlaki handlowe i strategiczne, stąd też najłatwiej było czuwać nad granicą dunajską i wschodnią. Sirmium i Serdyka leżały zbyt blisko granic i w głębi lądu, co utrudniało komunikację oraz transport żywności. Nikomedia była usytuowana dogodniej, ale wiązały się z nią wspomnienia Dioklecjana, Galeriusza i Licyniusza. Podobno przez czas jakiś Konstantyn myślał o rozbudowaniu Ilionu — dawnej Troi, skąd według legendy mieli się wywodzić przodkowie Rzymian — ale nie było tam żadnego portu naturalnego. Ostatecznie wybór padł na Bizancjum *(Byzantium)*.

Miasto leżało na pagórkowatym półwyspie, u wejścia do Cieśniny Bosforskiej, między Propontydą, zwaną dziś morzem Marmara, a wąską Zatoką Złotego Rogu. Ponieważ krzyżowały się tu szlaki lądowe z morskimi, odgrywało ważną rolę już od wieków, od czasów Grecji klasycznej. Sam Konstantyn musiał zwrócić uwagę na niezwykłe walory Bizancjum podczas wojny 324 roku, gdy odpierało ono tak skutecznie szturmy jego armii. Nie jest wykluczone, że właśnie w tym roku, zaraz po kapitulacji załogi Licyniusza, zwycięzca dał mu nowe imię: *Constantinopolis*, Miasto Konstantynowe. To wszakże jeszcze nie oznaczało, że chciał tu już wtedy ustanowić swoją rezydencję. Przecież przed kilkunastu laty kazał rozbudować Cyrtę w Numidii i dał jej nazwę *Constantina,* choć nigdy tam się nie zjawił.

Decyzja, by Bizancjum uczynić stałą siedzibą, zapadła może dopiero w 326 roku, po wydarzeniach w Rzymie, które wzmogły awersję cesarza do stolicy imperium jako miasta z gruntu wrogiego nowej religii. Od tego momentu rozpoczęły się nad Bosforem prace na wielką skalę, tak że już 11 maja 330 roku można było uroczyście dokonać inauguracji Konstantynopola. Odtąd dzień ten był święcony corocznie jako urodziny miasta w jego nowym kształcie, podobnie jak w Rzymie obchodzono 21 kwietnia. Podczas inauguracji, co jest charakterystyczne, zachowano dawny rytuał pogański i podobno nawet zasięgano rady astrologa, by wybrać dobrą konstelację planet. Uroczystości trwały 14 dni. Złożono ofiary bogom, jak nakazywał zwyczaj, a wokół stadionu przed rozpoczęciem wyścigów rydwanów obnoszono posąg cesarza, trzymający w prawej ręce figurkę bogini Tyche, czyli Pani Losów Miasta. Sam Konstantyn podobno wówczas po raz pierwszy wystąpił publicznie w diademie na głowie. Ale odbyły się również chrześcijańskie procesje i nabożeństwa — aby zyskać przychylność i nowej, i starej wiary. Typowo Konstantynowa polityka.

Choć zachowano sporo z Bizancjum dawnego, to jednak obecne miało charakter i wygląd z gruntu odmienny. Było przede wszystkim czterokrotnie większe, przesunięto bowiem daleko na zachód mur obronny biegnący w poprzek półwyspu, od morza Marmara do Zatoki Złotego Rogu. Wzniesiono wiele świetnych budowli. Wzorując się na dawnym Rzymie postawiono także tutaj Kapitol, dalej Kurię, czyli gmach posiedzenia senatu, Forum — oczywiście Konstantyna! — a nawet Drogę Świętą. Pałace cesarskie położone były wśród parków opadających ku morzu. Wiele najokazalszych budowli usytuowano przy placu zwanym *Augusteum.* Jak w każdym mieście rzymskim, także i tutaj były stadiony, termy oraz bazyliki, czyli hale. Aby je ozdobić, bezlitośnie ogałacano różne miasta imperium z dzieł sztuki — zewsząd zwożono kolumny, płaskorzeźby, posągi i malowidła. Z Delf zabrano ogromny trójnóg z brązu, pamiątkę zwycięstwa, które państewka greckie odniosły nad perskim najeźdźcą w 479 roku p.n.e. pod Platejami, a więc przed ośmiuset laty. Trójnóg ten zresztą zachował się do dziś — w tym samym miejscu, gdzie go za Konstantyna ustawiono, to jest na środku dawnego stadionu.

Rozbudowując miasto uszanowano jednak istniejące świątynie bogów, a nawet wzniesiono nowe: bogini Tyche oraz bogini Rei. Brązowy posąg Konstantyna na forum miał koronę promienistą, co czyniło go podobnym do Heliosa, boga Słońca. Powstały też bazyliki może chrześcijańskie, ale o imionach filozoficznych: *Sophia,* czyli Mądrość, *Eirene* — Pokój, *Dinamis* — Potęga. Były to bowiem filary władzy, wszelkiej władzy. Pierwsza z nich, później całkowicie przebudowana w VI wieku za cesarza Justyniana, to sławna Hagia Sofia, święta Zofia. W ten sposób Konstantyn stał się pośrednio twórcą kultu tej świętej. Na krańcach miasta zbudowano kościół Świętych Apostołów, a przy nim mauzoleum, w którym miano chować zwłoki cesarza i członków jego rodziny.

Liczba mieszkańców Konstantynopola rosła szybko, wprowadzono bowiem wiele udogodnień administracyjnych i podatkowych dla tych, którzy tu zakładali domy. Głównie wszakże napływali Grecy z sąsiednich prowincji, gdyż tylko nieliczne rodziny arystokratyczne zdecydowały się przenieść z Italii nad Bosfor. Tak więc język łaciński był od początku w tym mieście językiem przede wszystkim dworu i wojska.

Terytorium Konstantynopola zwolniono od ciężarów i danin, wprowadzono, jak w Rzymie, rozdawnictwo zboża, ustanowiono też senat, niższy jednak rangą od tamtego znad Tybru. Cesarz więc nie myślał o utworzeniu tu nowej stolicy, formalnie pozostała nim nadal kolebka imperium. Ale rezydencja władcy musiała stać się stopniowo także faktycznym ośrodkiem państwa, co już po Konstantynie znalazło odbicie również w aktach prawnych. Tak rodził się Rzym Nowy czy też Drugi.

Konstantyn więc miał swoją nową, wspaniałą siedzibę, samodzielnie władając ogromnym imperium. Wydawało się, że przed jego wolą i rozkazami muszą korzyć się wszyscy. Byli jednak ludzie, były sprawy, wobec których majestat cesarski okazywał się bezsilny.

Schizmatycy, armia i cesarskie ustawy

W 328 roku nowym biskupem Aleksandrii został Atanazjusz, człowiek wówczas młody, niespełna trzydziestoletni, zhellenizowany Egipcjanin, władający zarówno greką, jak też językiem koptyjskim, nieustępliwy w przekonaniach, nie cofający się przed niczym, aby zrealizować swoje cele i ideały. Miał zaś przeciw sobie nie tylko arian, którzy tymczasem zyskiwali coraz większe wpływy na dworze cesarskim, lecz również melitian, fanatycznych schizmatyków w samym Egipcie. Wszystkie strony wzajem oskarżały się przed cesarzem o przeróżne nadużycia i występki, zwoływano synody biskupie, aż wreszcie spadł na Atanazjusza wyrok surowy: został deportowany daleko na północ, aż do Trewiru w Galii, skąd miał powrócić dopiero po śmierci Konstantyna. Ariusz natomiast zmarł nad Bosforem; nienawidzący go Atanazjusz głosił, że wyzionął ducha w latrynie.

Dochodziło też do niepokojów w Antiochii w związku z obsadą tamtejszej stolicy biskupiej, w prowincjach zaś afrykańskich wciąż potęgą byli donatyści. We wspomnianym już mieście Cyrta (Konstantyna) zagarnęli oni dla siebie nowy, ogromny kościół, wzniesiony z rozkazu cesarza — a ten zdobył się tylko na gromy słowne. Tak więc chrześcijaństwo, które w zamyśle Konstantyna miało stanowić ideologiczną i organizacyjną podporę jego władztwa, samo przysparzało niespodziewanych trudności i coraz częściej odwoływało się do autorytetu świeckiego.

Równie dotkliwe, choć innego rodzaju, kłopoty i problemy stwarzała sytuacja gospodarcza. Wynikały one głównie z ogromnych kosztów budowy Konstantynopola oraz z wydatków na wojsko. Szybko zużyto rezerwy nagromadzone przez oszczędnego Licyniusza, a potem zaczęto konfiskować drogocenne przedmioty ze złota, srebra, brązu i miedzi, które w ciągu wieków nagromadziły świątynie bóstw; przyjęto też, jak się zdaje, majątki ziemskie świątyń. Chrześcijanie wyzyskiwali tę akcję, przeprowadzaną niekiedy bardzo brutalnie, do szydzenia z pogańskich kultów i z bezsilności „demonów". Same jednak świątynie pozostały przeważnie nadal czynne. Libaniusz z syryjskiej Antiochii, pamiętający tamte czasy, pisał później: „Świątynie były wprawdzie ubogie, lecz spełniano w nich wszystkie ceremonie kultowe".

Konstantyn zresztą pozostał do końca życia najwyższym kapłanem starej religii rzymskiej. Nigdy nie zrzekł się tytułu *pontifex maximus*. Pozwalał też ustanawiać kolegia kapłańskie i budować świątynie ku czci swego rodu, traktując ten kult jako rodzaj oficjalnej religii państwowej na użytek pogan.

Zagarnięcie bogactw świątynnych dało zyski tylko jednorazowe, trzeba więc było zaostrzać system podatków pieniężnych. Jeden obciążał majątki ziemskie, inny — płatny co pięć lat — dochody kupców, rzemieślników, a nawet prostytutek. Dzięki tym zabiegom udało się przynajmniej w części uzdrowić system monetarny. Jego podstawową jednostkę stanowił złoty solid *(solidus)*, wprowadzony przez Konstantyna jeszcze w 312 roku, a ważący 1/72 funta rzymskiego, czyli 4,4 grama. Nazwa tej jednostki żyje do dziś także w naszym języku w różnych określeniach pochodnych. Kto wie, kto by odgadnął, że od niej to wywodzi się nasz wyraz „żołnierz"? A jednak tak jest: Rzymianie płacili wojskowym, w tym także najemnikom germańskim, solidami, stąd niemieckie *Sold*, czyli żołd i następnie *Söldner* — „żołnierz", czyli ten, który pobiera złote solidy.

Utrzymanie dużej armii było nadal koniecznością ze względu na stałe zagrożenie granic, zwłaszcza nad Dunajem i nad Renem. Sam cesarz oraz jego syn Konstantyn II prowadzili tam walki i kampanie, pokonując Sarmatów, Alamanów, Gotów. Część Sarmatów osiedlono w różnych krainach imperium, a Goci, którzy ponieśli wówczas straszliwą klęskę, stali się sprzymierzeńcami Rzymian i dostarczali najemników, a w zamian otrzymywali żywność. Granica wschodnia była natomiast dość spokojna; wybuch wojny zaczął tam grozić dopiero w 337 roku.

Kontynuując to, co rozpoczął Dioklecjan, przeprowadził Konstantyn konsekwentnie podział armii na *limitanei*, czyli wojska nadgraniczne, i *comitatenses*, czyli oddziały bojowe, stacjonujące nieco w głębi kraju. Od niego wywodzi się również podział na dwa rodzaje broni, podległe osobnym dowództwom: piechotę miał pod swymi rozkazami *magister peditum*, jazdę zaś *magister equitum*. Wyraz *magister* oznacza tu naczelnika. Liczbę legionów powiększono, ale odtąd były to jednostki słabsze, mające średnio tysiąc piechurów. Formacje jazdy zwały się *vexillationes*. W miejsce rozwiązanych po 312 roku kohort pretorianów cesarz wprowadził tak zwane *scholae palatinae*, czyli gwardyjskie oddziały jazdy, wybrane głównie z zaciężnych wojowników germańskich. Konstantyn bowiem chętnie brał na służbę barbarzyńców spoza granic imperium, a jego następcy czynili podobnie. Oficerowie germańscy, zaledwie zromanizowani, dochodzili często do najwyższych godności, armia zaś stopniowo stawała się obcym ciałem w stosunku do ludności, co miało katastroficzne skutki polityczne.

Ale cesarz — zresztą nie on pierwszy — musiał sięgać do takiego sposobu rekrutacji, gdyż mieszkańcy imperium uchylali się wszelkimi sposobami od służby w armii. Zdarzały się nawet wypadki samookaleczenia przez obcięcie palców. A przecież żołnierzom powodziło się nieźle! Byli dobrze wynagradzani, po dwudziestu zaś lub dwudziestu kilku latach służby otrzymywali dla siebie i dla rodzin zwolnienie od ciężarów. Weterani mogli również zajmować ziemie nieuprawne otrzymując zasiłek na zagospodarowanie się i zwolnienie od danin na zawsze. Ale synowie weteranów winni byli służyć w wojsku.

Wiąże się to z ogólną tendencją ówczesnego ustawodawstwa, by przynależność do stanów i zawodów stała się dziedziczna. Była to reakcja państwa na takie zjawiska, jak powszechny brak rąk do pracy oraz powrót do ekonomiki opartej w dużej mierze na świadczeniach w robociźnie i daninach w naturze. Proces ten trwał od dawna i stale przybierał na sile, panowanie zaś Konstantyna stanowiło tylko jeden z etapów owych przemian. Takie tendencje i zjawiska powtarzają się w dziejach i są zawsze groźnym sygnałem, że społeczeństwo zmierza ku kastowości i skostnieniu, a niekiedy — śmierci.

Ważna historycznie jest ustawa z 30 października 332 roku. Postanawia ona, że właściciel posiadłości, w której ukrywa się zbiegły kolon, musi nie tylko go wydać, lecz również zapłacić podatek za cały okres, w którym ów zbieg u niego przebywał. Kolonowie byli to wolni dzierżawcy działek ziemi w wielkich majątkach, ale w niektórych krainach imperium w rzeczywistości już wcześniej przywiązano ich do miejsc pracy. Dopiero jednak od dnia wydania tej ustawy przypisanie do ziemi, tak ważny filar feudalizmu, stało się obowiązującą normą prawną.

Pewne zawody i to typowo inteligenckie, darzył Konstantyn szczególną łaskawością. Na przykład już w 321 roku zwolnił od wszelkich ciężarów lekarzy, nauczycieli i profesorów — zarówno ich samych, jak też ich majątki. Potwierdził te przywileje w ustawach następnych, rozciągając je również na rodziny przedstawicieli tych zawodów. Postanowił dodatkowo, że wymienieni nie podlegają obowiązkowi służby wojskowej, a ich mieszkań nie wolno zajmować na kwatery — „aby mogli oni łatwiej szkolić w naukach wyzwolonych oraz w podanych umiejętnościach jak najwięcej uczniów". W liście zaś do namiestnika Afryki pisał: „Potrzeba wielu architektów, lecz ich nie ma. Niechże więc Wzniosłość Twoja nakłania do takich studiów ludzi w prowincjach afrykańskich, którzy mają około dwudziestu lat i przeszli już kurs nauk wyzwolonych. Aby im to ułatwić, zwalniamy ich samych oraz ich rodziców od ciężarów personalnych, a w czasie pobierania nauk winni oni otrzymywać wynagrodzenie".

Cesarz Konstantyn prawdziwie zasługuje na wdzięczność tych wszystkich, którzy dziś czują się spadkobiercami nauczycieli, lekarzy i architektów sprzed szesnastu wieków.

Ostatnie lata

Ostatnie lata życia władcy nie należały do najspokojniejszych. W Syrii wybuchły rozruchy głodowe, spowodowane nieurodzajem w tamtych stronach. Następnie na Cyprze pojawił się samozwaniec. Stosunki z Persami stały się naprężone. Prześladowali oni chrześcijan, traktując wyznawców tej religii jako szpiegów i stronników Rzymu, istotną zaś przyczyną konfliktu był spór o tereny pograniczne. Przygotowując się do wojny Konstantyn osadził w Antiochii swego średniego syna, Konstancjusza, a we wschodniej Azji Mniejszej bratanka, Hannibaliana. Jednakże do wojny nie doszło i wczesną wiosną 337 roku rozpoczęły się rokowania.

Tymczasem cesarz poczuł się źle. Wyjechał najpierw do

miejscowości kąpieliskowej w pobliżu Konstantynopola, potem przeniósł się do Bitynii i stanął na przedmieściach Nikomedii. Przyzwał biskupa tamtejszego, Euzebiusza, i z jego rąk przyjął chrzest. Zrzucił purpurę, odział się w białe szaty, chciał żyć odtąd tylko dla spraw ducha. Ironią losu było to, że Konstantyn, inspirator antyariańskiego soboru, umierał jako arianin; Euzebiusz bowiem, który go ochrzcił i przyjął odeń wyznanie wiary, należał do najgorliwszych zwolenników Ariusza. Ale nie było to ostatnie uchybienie cesarza wobec chrześcijańskiej ortodoksji. Otóż 21 maja, już po ceremonii chrztu, Konstantyn podpisał edykt zwalniający kapłanów kultu panującej rodziny od wszelkich danin i powinności. A więc do końca i już jako chrześcijanin popierał konsekwentnie te aspekty dawnej religii, które politycznie mu odpowiadały.

Zmarł w południe 22 maja 337 roku. Zabalsamowane zwłoki przewieziono do Konstantynopola, gdzie najwyżsi dostojnicy dopełnili przed nim aktu adoracji. Uroczysty pogrzeb odbył się dopiero po przyjeździe z Antiochii jego syna, Konstancjusza II. Zwłoki spoczęły w kościele Świętych Apostołów. Porfirowy sarkofag, sprowadzony z Egiptu, stanął pośrodku dwunastu innych, rozmieszczonych półkolem; były to sarkofagi puste, symboliczne groby dwunastu apostołów. Konstantyn obrał sobie to miejsce jeszcze wiele lat przed śmiercią. Uważał się widocznie za równego tamtym budowniczym Kościoła. Dał w ten sposób wyraz swej pysze, szaleńczej zarazem i naiwnej. Odnosi się też wrażenie, że włączając samego siebie do chrześcijańskiego panteonu pragnął kontynuować w nowej szacie starą tradycję Rzymu pogańskiego; tę, która przyznawała cesarzom za ich życia cześć boską, zmarłych zaś konsekrowała, czyli oficjalnie wprowadzała w poczet niebian. Wyznawcy nowej religii mieli wielbić go jako równego apostołom, poganie zaś jako boga.

Konstantyn był człowiekiem niewątpliwie wierzącym, lecz proces przyjmowania przezeń nowej wiary trwał długo. Dopiero później zrodziła się legenda o cudownym widzeniu, którego dostąpił. Lecz ta wiara w zbawczą naukę i misję Kościoła tak ściśle splotła się w sercu cesarza z grą polityczną i z walką o umacnianie swej władzy, że nie sposób oddzielić owych dwóch nurtów jego myśli, słów i czynów. Głosił, że wszystko, co czyni, ma za cel ostateczny dobro Kościoła, w istocie zaś to, czego dokonał, utwierdzało jednocześnie jego pozycję i wpływy.

Cesarz, jak wielu ludzi władzy w starożytności i w czasach późniejszych, żywił cześć dla struktur ogromnych i monolitycznych, pragnął integrować, łączyć, ujednolicać. Chyba nie potrafiłby zrozumieć, że piękno i sens życia polega właśnie na bogactwie, różnorodności i pozornej sprzeczności wszelkich form i treści. Rozwijają się one swobodnie i samorzutnie, jakby chaotycznie i wielokierunkowo, a przecież ich rezultatem jest nie tylko zmienność, lecz i rozwój ogólny.

Idea Konstantyna była prosta, można by ją ująć w krótkiej formule: jedno imperium, jedna wiara, jeden cesarz. Ale wysiłki zmierzające do zintegrowania państwa i instytucji chrześcijaństwa zaczęły dawać nieprzewidziane skutki. W łonie nowej religii coraz częściej dochodziło do rozłamów doktrynalnych i schizm, a więc jeszcze za życia Konstantyna objawiła się klęska drugiego członu formuły: „jedna wiara". Klęskę zaś członowi trzeciemu — „jeden cesarz" — zgotował on sam i to świadomie, wyznaczył bowiem wielu spadkobierców.

Konstantyn II

Flavius Claudius Constantinus
Ur. w lutym 317 r. (?),
zm. przed 9 kwietnia 340 r.
Cezar od 1 marca 317 r.
Panował od 9 września 337 r.
jako *Imperator Caesar Flavius Claudius Constantinus Augustus.*

Konstantyn Wielki umierając pozostawił trzech synów i dwie córki. Żyło również dwóch jego braci przyrodnich oraz kilkoro ich potomstwa. Cesarz wyznaczył hojne działy dla wielu członków tej licznej rodziny w przekonaniu, że zażegna to niebezpieczeństwo walki o spadek po nim. Miało więc znowu dojść do faktycznego podziału imperium, choć formalnie nadal pozostawało ono jednością. Jeśli chodzi o synów, to sprawa przedstawiała się następująco.

Najstarszy, Konstantyn II, otrzymywał Brytanię, Galię, Hiszpanię, a więc niemal cały Zachód. Miał być głową państwa i symbolem jego integralności. Niektóre źródła podają, że urodził się w lutym 317 roku. Jeśli to prawda — musiałby być synem nie żony Konstantyna I, Fausty, lecz jakiejś jego konkubiny; wiadomo bowiem z całą pewnością, że Fausta dała swemu mężowi już w sierpniu 317 roku syna imieniem Konstancjusz. Ten — był w każdym razie synem średnim — obejmował z woli ojca kraje wschodnie, to jest Egipt z Libią, Syrię, Azję Mniejszą, w Europie zaś Konstantynopol oraz Trację. I wreszcie najmłodszy z braci, siedemnastoletni Konstans, miał dostać Italię wraz z prowincjami alpejskimi aż po górny Dunaj, część ziem bałkańskich oraz północną Afrykę, czyli obecną Tunezję i Algierię, a zatem cały szeroki pas środkowy cesarstwa.

Znaczne działy przewidywał odchodzący władca również dla swych dwóch bratanków. Jeden z nich, Dalmacjusz, rządziłby prowincjami nad dolnym i środkowym Dunajem, drugi zaś, Hannibalian, wschodnimi rubieżami Azji Mniejszej, graniczącymi z Armenią i nosiłby tytuł „króla królów", wkrótce zapewne miał zgłosić pretensje do całej Armenii, a może i Persji.

Dalmacjusz i Hannibalian byli synami przyrodniego brata Konstantyna Wielkiego, Dalmacjusza Starszego, wodza o dużych zasługach, piastującego wysokie urzędy. Drugi brat przyrodni, Juliusz Konstancjusz, były konsul, „najszlachetniejszy patrycjusz" miał dzięki pierwszemu małżeństwu dobre koneksje z senatorskimi rodami w Italii, a dzięki drugiemu — z możnymi domami w prowincjach wschodnich i w Konstantynopolu. Syn z pierwszej żony zwał się Gallus, z drugiej — Julian.

Najstarszy z synów cesarza, Konstantyn II, już od czterech lat rezydował w Galii i nie opuścił jej nawet, aby udać się na pogrzeb ojca. Również najmłodszy, Konstans, nie pośpieszył do Konstantynopola. Tylko syn średni, Konstancjusz, zjawił się nad Bosforem w początkach czerwca 337 roku. To on odprowadzał zwłoki ojca do kościoła Świętych Apostołów, gdzie spoczęły na wieki w porfirowym sarkofagu. I to on — tak utrzymywano, takie krążyły pogłoski — znalazł pod purpurowym płaszczem, którym okryte były zwłoki, zwój papirusu z krótką notatką; rzekomo nakreślił ją własnoręcznie cesarz tuż przed zgonem: „Umieram otruty przez swych braci. Dlatego tylko was, synowie, ustanawiam spadkobiercami. A zarazem błagam was i nakazuję, abyście godnie pomścili śmierć zadaną mi zdradziecko". Według innej wersji pismo przekazał Konstancjuszowi biskup Euzebiusz; ten sam, który ochrzcił Konstantyna Wielkiego na kilka dni przed jego śmiercią. Takie wieści podawano sobie z ust do ust latem 337 roku w Konstantynopolu. Stanowiły one podłoże i przyczynę, a zarazem usprawiedliwienie krwawego dramatu, jaki rozegrał się w tymże roku: wymordowano przyrodnich braci Konstantyna Wielkiego oraz ich synów, a także wielu wysokich dostojników — rzekomo wypełniając ostatnią wolę zmarłego.

Chyba pierwszymi ofiarami masakry byli Juliusz Konstancjusz i jego najstarszy syn, nie znany nam z imienia. Średni syn, Gallus, uratował się, gdyż właśnie przechodził ciężką chorobę, sądzono więc, że i tak wnet umrze; najmłodszy zaś, Julian, był jeszcze dzieckiem. Potem zgładzono Dalmacjusza Starszego i jego synów. Następnie przyszła kolej na związanych z nimi wielkich panów. Rzeź przebiegała planowo, choć była niby to dziełem wzburzonych żołnierzy, pragnących pomścić śmierć umiłowanego władcy. W całym imperium odbywały się wiece w obozach, a ich uczestnicy zgodnie żądali, aby dziedzictwo po Konstantynie Wielkim przejęli tylko synowie. Ta pozornie oddolna i spontaniczna reakcja wojsk oczywiście nie przekonała opinii publicznej. Już wtedy powszechnie zadawano sobie pytanie, kto był właściwym sprawcą owej zbrodni politycznej — i równie powszechnie gubiono się w przypuszczeniach.

Najczęściej obwiniano Konstancjusza, był bowiem na miejscu. On sam zresztą niewiele czynił, by oddalić od siebie podejrzenia. Poniekąd nawet aprobował to, co się stało, skonfiskował bowiem majątki pomordowanych. Może jednak Konstancjusz tylko uprzedził rzeczywiście istniejący spisek? A może wprowadzili go w błąd zbrodniczy intryganci pragnący rozprawić się ze swymi wrogami właśnie w krytycznym momencie zmiany rządów? Było też oczywiste, że o wszystkim musieli wiedzieć pozostali bracia. Twierdzono również, że Konstancjusz musiał z konieczności przystać na to, czego i tak nie dało się uniknąć wobec postawy rozjuszonego wojska. Ale kto podsycał owe nastroje? Rzymski historyk Eutropiusz, pamiętający tamte czasy, określił rolę Konstancjusza krótko, lecz w słowach dających do myślenia: „raczej zezwolił, niż rozkazał".

Jedno jest wszakże całkowicie pewne i oczywiste: po zgonie pierwszego chrześcijańskiego cesarza Rzymu i w jego chrześcijańskiej rodzinie dopuszczono się ponurej zbrodni politycznej. Jest to zarazem zbrodnia w stylu bizantyjskim: intryga, tajemnica, krew w pałacach, rodzina śmiertelnie się nienawidząca — i brak winnych.

 Na pewno rzezi tej nie dokonano jednego dnia lub jednej

nocy, lecz stopniowo, w ciągu co najmniej kilku tygodni. Nikt z możnych nie mógł być spokojny o swój los, każdy żył w bezustannym, trwożnym oczekiwaniu, czy żołnierze nie zaczną się dobijać do bramy ich domu. Prawdopodobnie wszystko to działo się latem 337 roku — a tymczasem synowie zmarłego prowadzili ze sobą rokowania przez posłańców. Zadecydowali ostatecznie, że w celu rozstrzygnięcia kwestii spornych muszą spotkać się osobiście. Zjazd odbył się w początkach września tegoż roku, gdzieś nad środkowym biegiem Dunaju. Przebieg rozmów nie jest znany, ale dyskretne wzmianki wskazują, że nie prowadzono ich w duchu braterskiej miłości. Zaważyła podobno pojednawcza postawa Konstancjusza. W dniu 9 września trzej bracia, dotychczas noszący tytuły cezarów, nadane im jeszcze przez ojca, obwołali się augustami, a senat rzymski natychmiast ten akt potwierdził.

Formalnie pierwszym z cesarskiej trójki był najstarszy — Konstantyn II. Pewien napis na Cyprze nazywa go *Maximus Triumphator Augustus*, czyli „Największy Triumfator August", podczas gdy jego bracia mają na tymże napisie skromniejsze tytuły — *Victores semper Augusti*, „Zawsze zwycięskich Augustów". Utrzymano podział terytorialny na trzy wielkie pasy, zlikwidowano jednak władztwa Dalmacjusza nad Dunajem i Hannibaliana na wschodzie; pierwsze z nich wcielono niewątpliwie do obszaru podległego Konstansowi, drugie zaś oddano Konstancjuszowi.

Jedna z pierwszych decyzji Konstantyna II, podjęta jeszcze przed spotkaniem z braćmi, dotyczyła spraw pozornie ściśle kościelnych, jednakże miała również aspekt polityczny. Oto od pewnego czasu przebywał na wygnaniu w Trewirze biskup Aleksandrii, Atanazjusz, osadzony tam z woli Konstantyna Wielkiego za opór wobec władzy cesarskiej i wszczynanie niepokojów w Egipcie. Zaledwie dotarła do Galii wiadomość o śmierci starego cesarza, Konstantyn II już 17 czerwca wystosował pismo do gminy chrześcijańskiej w Aleksandrii: „Atanazjusza wysłano swego czasu do Galii tylko z tej przyczyny, że zagrażali jego życiu wrogowie, należało więc chronić świętą głowę przed niebezpieczeństwem. Gdy przebywał u nas, nie brakowało mu niczego. Ojciec mój, mając na uwadze Waszą pełną oddania pobożność, zamierzał przywrócić biskupa jego dawnej siedzibie, zmarł jednak, zanim zdołał urzeczywistnić owo postanowienie. Uważam więc za swój obowiązek wypełnić wolę władcy Świętej pamięci".

Zawarte w tym piśmie twierdzenia jaskrawo mijają się z prawdą: inny był powód zesłania Atanazjusza do Trewiru, a Konstantyn Wielki wcale nie zamierzał go odwołać. Co więc sprawiło, że młody cesarz tak sformułował swe pismo i z takim pośpiechem uwolnił biskupa?

Atanazjusz na pewno pozyskał przychylność pana Zachodu, a dużą w tym rolę musiał odegrać Maksymin, biskup Trewiru. W przeciwieństwie bowiem do Wschodu, gdzie wśród kleru przeważała orientacja ariańska, biskupi zachodni prawie wszyscy opowiadali się za nicejskim wyznaniem wiary. Zresztą z braku przygotowania filozoficznego nie miano tu rozeznania w subtelnościach teologicznych; nawet słownictwo łacińskie było zbyt ubogie, aby wyrazić odcienie greckiej terminologii. Powtarzano więc przyjęte prawdy i sformułowania, unikając przez to roztrząsania kwestii drażliwych.

Nie ulega więc wątpliwości, że w sprawach religijnych Konstantyn II sprzyjał Atanazjuszowi — w przeciwieństwie do ojca. Były wszakże jeszcze inne motywy jego decyzji, i to natury politycznej. W tym samym bowiem czasie uwolnił także kilku innych biskupów wschodnich, wygnanych do różnych prowincji. Cel tej łaskawości nowego władcy wydaje się przejrzysty; chodziło o przysporzenie kłopotów Konstancjuszowi. Łatwo przecież było przewidzieć, ile zamieszania wywoła na Wschodzie powrót dostojników kościelnych, zwłaszcza że w niektórych wypadkach ich stolice były już zajęte przez rywali. Owe zaś zatargi i spory mogły służyć dalszym zamierzeniom młodego Konstantyna, początkowo przezornie skrywanym.

Rychło jednak zaczął rościć sobie prawa do środkowej części imperium, a więc do dziedzictwa Konstansa, mieniąc się opiekunem chłopca i głosząc, że jest on zbyt młody, by rządzić samodzielnie. A ten tymczasem radził sobie wcale nieźle. Najczęściej przebywał nad środkowym Dunajem, odpierając z powodzeniem ataki barbarzyńców zza wielkiej rzeki. Przyjął tytuł *Sarmaticus*, tamte bowiem plemiona zwano tradycyjnie

Sarmatami, i wykazywał dużą samodzielność w polityce wewnętrznej. Wywołało to zaniepokojenie brata, który stale rezydował za Alpami. Oświadczył niespodziewanie, że został pokrzywdzony przy podziale prowincji, winien bowiem jeszcze otrzymać Italię i Afrykę. Konstans dowiedział się o tym w marcu 340 roku — niemal jednocześnie nadeszły meldunki, że Konstantyn nie zważając na wczesną porę roku przekroczył Alpy oraz szybko zmierza przez niziny nadpadańskie prosto na wschód, aby zaś zmylić czujność głosi, iż prowadzi wojska na pomoc Konstancjuszowi, toczącemu ciężkie walki z Persami.

Konstans przebywał wówczas w Naissus, w dzisiejszej Serbii. Musiał, aby zagrodzić bratu drogę, przerzucić przez wschodnie Alpy znaczną część swej armii, co było operacją długotrwałą, na razie więc wysłał tylko silne oddziały straży przedniej. Tymczasem zaś Konstantyn II szedł naprzód. Nigdzie nie napotkał oporu. Plan miał prosty: opanować dolinę Padu i w ten sposób odciąć brata od Italii oraz Afryki; Konstans utrzymałby się tylko w tych krainach, które najeźdźca gotów był mu pozostawić, to jest w prowincjach bałkańskich.

Wojska Konstantyna II były już pod Akwileją, a więc w pobliżu obecnego Triestu. Dopiero tutaj starły się z oddziałami wyprawionymi przodem przez Konstansa. Te, znacznie słabsze, pierzchły od razu, a żołnierze Konstantyna puścili się za nimi w pościg, jak to zwykle bywa w podobnych wypadkach, radośnie i bezładnie. Lecz w pewnej chwili uciekający nagle zatrzymali się, zawrócili, znowu stanęli do walki. Jednocześnie zaś z tyłu, za plecami ścigających, podniosły się gromkie okrzyki; to ludzie Konstansa, dotychczas ukryci w zasadzce, ruszyli do ataku.

Niedawni niby zwycięzcy, nagle otoczeni z dwu stron, przerażeni niespodziewanym obrotem wydarzeń, prawie nie stawiali oporu. W chaotycznej bitwie poległ także Konstantyn II. Jeden z koni jego rydwanu, ugodzony strzałą lub włócznią, rzucał się tak gwałtownie, że cesarz, zapewne również ranny, wypadł i stoczył się w wody mulistej rzeczki Alsy. Jego zwłoki odnaleziono później w przybrzeżnym błocie. Gdy ginął w bratobójczej wojnie, którą sam rozpętał, miał zaledwie dwadzieścia trzy lub cztery lata.

Konstans

Flavius Iulius Constans
Ur. zapewne w 320 r.,
zm. pod koniec stycznia 350 r.
Cezar od 25 grudnia 333 r.
Panował od 9 września 337 r.
do śmierci jako *Imperator Caesar Flavius Iulius Constans Augustus.*

Konstans przybył znad Dunaju do Italii już po bitwie pod Akwileją, stoczonej wczesną wiosną 340 roku, w której zginął jego starszy brat i wróg zarazem, Konstantyn II. Tak też, „nieprzyjacielem naszym i ludu", nazywa tragicznie zmarłego edykt zwycięzcy wydany właśnie w Akwilei. Imię Konstantyna II miało ulec *damnatio memoriae*, czyli urzędowemu wymazaniu z pamięci; wykreślono je oficjalnie z wszystkich napisów i dokumentów. Zwykły to w cesarstwie los pokonanych. Ale Konstantyna II potępiano wówczas powszechnie i uważano, że poniósł zasłużoną karę za rozpętanie wojny domowej bez istotnej przyczyny.

Od wiosny 340 roku imperium miało zatem już tylko dwóch panów, synów Konstantyna Wielkiego, rodzonych braci. Lecz władztwa ich były nierówne. Starszy, Konstancjusz, pozostawał przy prowincjach wschodnich wraz z Konstantynopolem i Tracją w Europie. Niczego nie zyskał skutkiem ostatnich wydarzeń, a musiał wciąż odpierać Persów. Młodszy, najwyżej dwudziestoletni Konstans, miał natomiast w swym ręku dwie trzecie cesarstwa, od Atlantyku po prowincje bałkańskie włącznie, a także kraje północnej Afryki, a więc wszystkie ziemie, gdzie dominował język łaciński, oraz Grecję właściwą.

W zachowanych źródłach nie znajdziemy charakterystyki Konstantyna II, panował bowiem zbyt krótko, postać Konstansa natomiast przedstawia się nam dość wyraziście. Był to człowiek energiczny i rzutki. Wciąż przemierzał ogromne obszary podległych sobie krain, twardą ręką utrzymywał dyscyplinę w armii. Jako gorliwy chrześcijanin hojnie obdarowywał kościoły, ograniczał zaś kulty pogańskie. Przyjął chrzest, jedyny z braci. Należy przypomnieć, że w tamtych czasach często dokonywano tego obrzędu dopiero w obliczu śmierci, wierzono bowiem, że zmywa on bez śladu nawet najcięższe grzechy popełnione do momentu przyjęcia sakramentu; była to praktyka dogodna zwłaszcza dla polityków. Otóż Konstans ochrzcił się stosunkowo wcześnie. Właśnie religijne przekonania cesarza, chyba szczere, musiały pogłębiać nurtujący go bolesny konflikt psychiczny i moralny. Konstans miał miłosne skłonności do chłopców, a tymczasem chrześcijaństwo ostro potępiało homoseksualizm, świadomie odcinając się od pobłażliwości, z jaką poganie traktowali różne przejawy erotyki, nawet odbiegające od normy. Choć więc Konstans grzmiał w swych ustawach przeciw zboczeńcom, to jednocześnie gromadził wokół siebie ładnych młodzieńców; lubował się zwłaszcza w młodych Germanach, których przysyłano zza Renu jako zakładników. Nie mógł ponadto zdecydować się na poślubienie Olimpiady, córki prefekta pretorium Ablabiusza, zabitego podczas rzezi w roku 337, wkrótce po śmierci Konstantyna Wielkiego. Młody cesarz trzymał ją przez wiele lat na swym dworze jako narzeczoną, a odwlekanie aktu małżeństwa usprawiedliwiał początkowo względami politycznymi lub też niedojrzałym wiekiem dziewczyny. Później właściwa przyczyna ciągłego odsuwania ceremonii zaślubin musiała stać się publiczną tajemnicą i tylko niektórzy kapłani wywodzili ku zbudowaniu wiernych, że stroni on od narzeczonej, ponieważ tak bardzo umiłował cnotę czystości.

Tak jaskrawa sprzeczność między nakazami religii a codziennymi uciechami na pewno nie ułatwiała Konstansowi zachowania wewnętrznej równowagi. Cierpiał zresztą również na schorzenia fizyczne, w których dopatrywano się kary niebios za występne życie. Miewał mianowicie dotkliwe bóle artretyczne, a z biegiem lat stał się prawie kaleką.

Już po 340 roku ukazało się łacińskie dziełko Firmikusa Maternusa rodem z Syrakuz. Nosi ono tytuł *De errore profanarum religionum (O błędzie religii pogańskich)* i wymierzone jest przeciw kultom dawnych bogów. Firmikus był wyznawcą nowej wiary od niedawna, a poprzednio, jeszcze jako poganin, wydał duży traktat poświęcony astrologii i jej obronie. Obecnie — częste to zjawisko wśród konwertytów — zionął szczególną nienawiścią przeciw dopiero co odrzuconym przekonaniom. Zadedykował swe nowe dziełko obu współwładającym cesarzom, Konstancjuszowi i Konstansowi. Poucza ich, z jakich to przyczyn i w jaki sposób należy jak najbezwzględniej rozprawić się z pogaństwem. Traktat więc miał stanowić swoisty podręcznik nienawiści i źródło natchnienia dla władzy.

A przecież poprzednio, w okresie prześladowań, chrześcijanie domagali się tylko tolerancji, dla siebie i dla innych. Na przykład apologeta chrześcijański Tertulian ponad sto lat wcześniej pisał: „Niech sobie jeden czci Boga, a drugi Jowisza, ten niech do nieba ręce z prośbą wyciąga, a ten do ołtarza Wierności. Jeden niech liczy chmury przy modlitwie, drugi stropy na powale, ten niech ślubuje Bogu duszę swoją, a ten duszę kozłu. Przypatrzcie się bowiem, czy to nie prowadzi do zarzutu bezbożności, jeśli zabiera się swobodę religii i zabrania się wyboru bóstwa, tak że nie wolno mi czcić, kogo bym chciał, lecz zmusza się mnie czcić tego, kogo nie chcę. Przecież nikt nie będzie chciał doznawać czci od kogoś, kto czyni to niechętnie, nawet człowiek". (*Apologetyk*, przekład J. Sajdaka).

Piękne i słuszne słowa. Zmieniła się wszakże sytuacja chrześcijaństwa, a z nią i poglądy jego wyznawców na sprawę tolerancji, co najlepiej ilustrują wywody Firmikusa. Za pomocą mnóstwa przykładów, dobranych bardzo tendencyjnie, stara się on wykazać, że kulty i wierzenia pogan to dziwactwa zdrożne i ohydne, a ich bogowie to istoty występne i groźne. Firmikus bowiem — jak zresztą wszyscy wówczas chrześcijanie — wcale nie przeczy ich realnemu bytowaniu, uważa tylko, że są to podstępne i złe demony, które potrafią nawet zawładnąć człowiekiem i ustępują dopiero pod wpływem egzorcyzmów. Nawołuje zatem w swym traktacie: „Przenajświętsi cesarze! Należy wykarczować do gruntu i całkowicie wytrzebić pogańskie praktyki. Należy karcić je najsurowszymi postanowieniami Waszych edyktów. A to w tym celu, aby zgubny błąd przesądu nie kaził dłużej rzymskiego świata; aby nie porastała w siły niegodziwość zaraźliwej nauki; aby wreszcie nie panowało już więcej nad nami to, co stara się zniszczyć bożego człowieka. Są tacy, co namiętnie pragnąc własnej zguby nie chcą ratunku i stawiają opór. Mimo to przyjdźcie nieszczęsnym z pomocą, ratujcie tych, co giną! Bóg Najwyższy powierzył Wam władzę właśnie po to, abyście uzdrowili tę ranę krwawiącą!"

I dowodzi dalej, że lepiej wyzwolić pogan od błędu, choćby sami oni tego nie chcieli, niż pozwalać im, aby dobrowolnie staczali się ku ostatecznej zgubie. Zdaniem bowiem Firmikusa przymusowe leczenie jest całkowicie usprawiedliwione. Każdy przecież wie, że „chorzy lubują się właśnie w tym, co przeciwne zdrowiu. Cierpiący domagają się wbrew swemu oczywistemu dobru właśnie tego, co szkodliwe. Umysł opętany i skażony słabością pożąda jeszcze gorszego nieszczęścia. Gardzi lekami podsuwanymi przez znających się na rzeczy. Odtrąca środki medyczne i z całą namiętnością podąża ku własnej zatracie. A potem, kiedy już wzmoże się zło choroby, trzeba sięgać po środki skuteczniejsze i stosować mocne leki dla ratowania życia. Podaje się więc pacjentom, choć stawiają opór, przykre potrawy i gorzkie napoje. Przykłada się ogień, kraje się ciało żelazem. A sam chory, kiedy powróci do zdrowia, przyznaje, że cokolwiek wycierpiał wbrew swej woli, to dla dobra".

Poglądy te miały przyszłość przed sobą. Odegrały w ciągu wieków wielką rolę jako rozumowe uzasadnienie wszelkich prześladowań i przymusowego narzucania wiary. Powtarzano je we wciąż nowych ujęciach, a następujące po sobie pokolenia fanatyków religijnych uzasadniały i rozszerzały argumentację, choć niewielu wiedziało, kto pierwszy sformułował owe hasła złowieszcze i mające tyle nieszczęść wyrządzić w dziejach ludzkości.

Na razie Firmikus domagał się przede wszystkim, by

ograbić świątynie. „Zabierzcie z całym spokojem ich ozdoby. Niech ogień mennic lub płomień pieców przetopi posągi bogów! Wszelkie dary wotywne spożytkujcie dla własnej korzyści!"

Powołuje się tu na Pismo święte, nakazujące bezlitośnie karać grzech bałwochwalstwa. „Bóg więc rozkazuje, by nie oszczędzać ani syna, ani brata; by mieczem mścicielskim rozcinać umiłowane członki współmałżonka. Również przyjaciół należy prześladować z taką samą surowością. Cały lud chwyta za broń, aby rozszarpać ciała bluźnierców. Miastom, jeśli popełniły tę zbrodnię, grozi zagłada".

I wreszcie zapewnia w słowach patetycznych, że jeśli cesarze pójdą za tymi radami, miłosierdzie boże hojnie ich wynagrodzi. Lecz miłosierdzie opatrzności sprawiło, że jeden z adresatów owego podręcznika nienawiści i nietolerancji zginął wkrótce po jego otrzymaniu.

Wydawało się, że rządy Konstansa, trwające już 10 lat od śmierci Konstantyna II, przebiegają pomyślnie. Nigdzie w krajach zachodnich nie toczono wówczas wojen tak przewlekłych i zaciekłych jak te, które musiał prowadzić jego brat, Konstancjusz, u granic wschodnich z Persami. Nie zaznały też prowincje Konstansa żadnych klęsk elementarnych. Jeszcze w dziesiątki lat później z zachwytem mówiono o urodzajach tych czasów. I wreszcie, co też miało znaczenie, nie wstrząsały Zachodem żadne ważniejsze spory kościelne — oczywiście, poza wciąż trwającą schizmą donatyzmu w Afryce.

Ta sytuacja zapewne uśpiła czujność Konstansa — a tymczasem nie wszystko układało się dobrze na jego ziemiach. Przede wszystkim niezadowolona była armia. Cesarz trzymał żołnierzy twardo, a niejednokrotnie traktował ich po prostu pogardliwie. Uważał, że może sobie na to pozwolić, skoro u granic panuje spokój. Działo się źle, choć z przyczyn odmiennych, także w administracji cywilnej. Powodowany chciwością Konstans sprzedawał wiele urzędów, a ich nabywcy odbijali sobie z naddatkiem wyłożone pieniądze, co prowadziło do zdzierstw i wszelkich nadużyć. Kontrola administracji prawie nie istniała, gdyż cesarz po łatwym zwycięstwie nad bratem był pewny siebie i swej szczęśliwej gwiazdy. Nie wierzył, by ktokolwiek mógł myśleć o buncie. Nie zdawał sobie sprawy, że wokół ma tylko wrogów. Przykry w obcowaniu, otoczony złą sławą rozpustnika i uwodziciela chłopców, schorowany, niemal kaleka, niewolny od kompleksów psychicznych, odpychał od siebie niemal wszystkich.

I wreszcie doszło do zamachu stanu. Jego okoliczności są nam dość dobrze znane. Jednym z przywódców spisku był Marcelin, *comes rei privatae*, a więc minister finansów cesarza. Zaprosił on do swego domu w Augustodunum, czyli dzisiejszym Autun, wielu najwyższych dostojników wojskowych i cywilnych na dzień 18 stycznia 350 roku; pretekstem były urodziny syna. Przyjęcie trwało do późnych godzin nocnych. Wtedy to jeden z zaproszonych, Magnencjusz, oficer wysokiego stopnia, wstał i opuścił salę, podając sąsiadom bardzo prozaiczny powód: wychodzi za naturalną potrzebą. Wnet jednak wkroczył na salę w purpurowym płaszczu cesarskim, otoczony zbrojną strażą. Natychmiast, po chwili konsternacji, podniosły się tu i ówdzie okrzyki pozdrawiające nowego augusta. Było ich coraz więcej, brzmiały coraz donioślej. Najpierw bowiem wołali tylko spiskowcy, później zaś z lęku przed mieczami żołnierzy stopniowo przyłączali się biesiadnicy nie wtajemniczeni. I tak wszyscy obecni w domu Marcelina, nawet przypadkowi goście, stali się uczestnikami zamachu stanu, wszyscy więc musieli iść konsekwentnie drogą rebelii.

Nazajutrz ludność miasta entuzjastycznie powitała nowego władcę. Była to radość niekłamana. Przede wszystkim dlatego, że Konstans był tu znienawidzony, jak zresztą wszędzie. Ale był w Augustodunum również powód szczególny, lokalny. Mieszkańcy miasta spodziewali się, że cesarz, który przywdział purpurę właśnie w jego murach, okaże im nadzwyczajne względy i obdarzy takimi przywilejami, jakimi w całej Galii cieszył się jedynie Trewir, ulubiona rezydencja Konstantyna Wielkiego, a wcześniej jego ojca, Konstancjusza I. I trzeba przyznać, że obywatele Augustodunum nigdy nie ukrywali, jak bardzo są zawistni w stosunku do tamtego miasta.

Istotna wszakże dla sprawy Magnencjusza była postawa nie ludności cywilnej, lecz armii. Tutaj wszystko rozwijało się szybko i niezwykle pomyślnie: różne oddziały i formacje wojskowe opowiadały się za nim bez wahania. Widocznie spisek przygotowano od dawna i umiejętnie, a trafił on na grunt podatny.

A tymczasem Konstans polował — i to właśnie w okolicach Augustodunum. Był zresztą zapalonym myśliwym, choć krążyły plotki, że polowania stanowią tylko pretekst do obcowania w gąszczu leśnym z pięknymi chłopcami, których wszędzie wodził ze sobą. W każdym razie cesarz był przez kilka dni zupełnie odcięty od świata, a to przypieczętowało jego zgubę umożliwiając rebelii swobodne rozprzestrzenianie się po całej Galii. Gdy wreszcie Konstans wyszedł z ostępów syt triumfów łowieckich czy też miłosnych, natychmiast dowiedział się z przerażeniem o buncie i musiał stwierdzić, że jest już za późno, odstąpili go bowiem wszyscy. Pozostało tylko jedno: ratować się ucieczką, opuścić jak najszybciej Galię stojącą za Magnencjuszem, szukać pomocy w innych prowincjach, a ostatecznie u Konstancjusza. Toteż cesarz nie zwlekając ruszył wraz z garstką wiernych na południe, ku Hiszpanii.

Pościg dopadł go wreszcie w miasteczku Helena, to jest w dzisiejszym Elne, u podnóża wschodnich Pirenejów. W ostatniej chwili Konstans schronił się w tamtejszym kościele i złożył insygnia władzy, ale żołnierze — dowodził nimi germański oficer — siłą odciągnęli go od ołtarza i zabili. Stać się to musiało w ostatnich dniach stycznia 350 roku.

Z nazwy miasteczka wywiedziono później całą opowieść. Otóż, gdy tylko Konstans się urodził, ojciec polecił astrologom, by ułożyli jego horoskop. Ci orzekli zgodnie, że czeka go śmierć w objęciach jego babki, to jest Heleny. Ale ta umarła, gdy Konstans był jeszcze dzieckiem, odtąd więc ten nie pomijał żadnej okazji, aby szydzić z astrologów.

W ciągu dziesięciu lat odeszli ze świata synowie Konstantyna Wielkiego, najstarszy w 340 roku, najmłodszy zaś w 350, obaj śmiercią gwałtowną. Pozostał syn średni, Konstancjusz II.

Konstancjusz II

Flavius Iulius Constantius
Ur. 7 sierpnia 317 r.,
zm. 3 listopada 361 r.
Cezar od 8 listopada 324 r.
Panował od 9 września 337 r.
do śmierci jako *Imperator Caesar Flavius Iulius Constantius Augustus.*

Władca Wschodu

W chwili śmierci ojca, Konstantyna Wielkiego, Konstancjusz II miał 20 lat. Mimo tak młodego wieku miał już pewne doświadczenie w sprawach wojska, wojny i polityki, zetknął się bowiem z nimi bezpośrednio jako trzynastoletni chłopiec. Ojciec wysłał go wtedy do Trewiru w Galii, aby stamtąd czuwał nad granicą Renu, której stale grozili Germanie. Oczywiście, przydzielono mu do pomocy wypróbowanych urzędników i oficerów, formalnie jednak to on odpowiadał za wszystko. Musiał też przewodniczyć obradom, brać udział w ćwiczeniach i wyprawach, a zwłaszcza reprezentować majestat imperium. Stanowiło to dobrą szkołę władzy.

Ale już po trzech latach, w 333 roku, z woli ojca porzucił Galię i z kolei przeniósł się do krain wschodnich, gdzie stanął na straży granicy syryjskiej. Jest charakterystyczne, że to odpowiedzialne zadanie powierzono właśnie jemu, a nie bratu starszemu, Konstantynowi II. I rzeczywiście był Konstancjusz dobrym żołnierzem. Także fizycznie. Choć wzrostu raczej niskiego, cechował się wytrzymałością, prawie nigdy nie chorował. Prowadził wręcz spartański tryb życia, zachowywał dużą wstrzemięźliwość w jedzeniu i piciu, stronił też od uciech łoża. Schludny, zawsze gładko wygolony, okazywał jednak dbałość o swe ciemne, miękkie włosy i starannie je fryzował. Z zamiłowaniem wprawiał się we władaniu bronią, świetnie strzelał z łuku, był znakomitym jeźdźcem. Co prawda niektórzy powiadali złośliwie, że dobrze strzela mając lekko wyłupiaste oczy, podczas jazdy zaś pomagają mu nogi krótkie i nieco krzywe.

Ale Konstancjusz otrzymał też, podobnie jak jego bracia, staranne wykształcenie ogólne, zwłaszcza w zakresie tej umiejętności, która uchodziła wówczas za królową nauk. Była nią retoryka, sztuka krasomówstwa. Nigdy wszakże nie stał się mistrzem tego kunsztu, doprowadzonego wówczas niemal do wirtuozerii, i nie potrafił samodzielnie układać popisowych deklamacji. Dlatego też w kręgu miłośników retoryki mówiono niekiedy, że Konstancjusz jest niedokształcony. Jednakże nawet niechętni mu przyznawali, że ma szerokie zainteresowania i ceni naukę. Układał też poematy, zapewne niezbyt udane.

Odznaczał się też Konstancjusz niewątpliwymi talentami organizacyjnymi. Okazał je właśnie w momencie najkrytyczniejszym, gdy po śmierci ojca i po ugodzie z braćmi powrócił jesienią 337 roku na granicę wschodnią. Z zewnątrz atakowali ją Persowie, od wewnątrz osłabiała zaś rewolta wojsk oraz bezwład administracji. Młody cesarz natychmiast przystąpił do przygotowań wojennych na wielką skalę. Przezwyciężał opieszałość służb zaopatrzenia, rekrutował i formował nowe zastępy, osobiście nadzorował ich szkolenie. Wystawił oddziały jazdy uzbrojeniem i sposobem walki wzorowane na perskich. Jeźdźcy ci mieli zbroję z łusek stalowych, elastyczną i umożliwiającą swobodę ruchu, dosiadywali koni pokrytych kapami naszywanymi stalą. Formacje takiej jazdy występowały w armii rzymskiej już wcześniej, ale chyba dopiero od czasów Konstancjusza II zaczęto posługiwać się nimi śmielej i masowo. To one torowały drogę średniowiecznym broniom i taktykom wojennym.

Tę energiczną działalność Konstancjusz rozwijał nie w warunkach pokoju, lecz tocząc niemal bez przerwy walki z Persami. Uwolnił od oblężenia miasto Nisibis w Mezopotamii, choć atakował je sam król perski Szapur II. Zagrożeni przez Rzymian Persowie wycofali się za Tygrys, co pozwoliło uregulować sprawy Armenii. Przerwa w działaniach trwała zaledwie kilka miesięcy. Potem walki wznowiono i toczyły się stale. To Persowie wdzierali się do rzymskich prowincji, to z kolei Rzymianie grabili kraje podległe królowi. Ale we wszystkich kampaniach Konstancjusz unikał przyjmowania lub wydawania większych bitew w otwartym polu. Pochlebcy widzieli w tym przejaw chwalebnej przezorności, ale chyba więcej racji mieli ci, którzy kunktatorstwo i uchylanie się od ryzyka uznawali za główną wadę wodza. Nikt wszakże nie odmawiał mu osobistej odwagi. Gdy zaszła potrzeba, walczył, cierpiał głód i niewygody jak każdy prosty żołnierz. W rzymskich obozach wojskowych u wschodnich granic jeszcze w wiele lat później starzy oficerowie wspominali, jak pewnego razu po niezbyt szczęsnej utarczce oddziały rozproszyły się po przygranicznych pustkowiach, a sam Konstancjusz szukał schronienia wraz z kilkoma tylko towarzyszami w lichej wiosce, nie mając nic do jedzenia, aż wreszcie jakaś babina dała im z litości skibkę chleba, którą cesarz oraz jego żołnierze dzielili się prawdziwie po bratersku.

Poza tym jednak Konstancjusz utrzymywał swe wojska w surowej dyscyplinie i nie obdarzał żołnierzy nadmiarem przywilejów, którymi szafowało tylu jego poprzedników, w tym również Konstantyn Wielki. Nie pozwalał też na to, aby oficerowie mieszali się do spraw administracji cywilnej. Zasługi podwładnych oceniał skrupulatnie i drobiazgowo, nadając wyższe godności dworskie tylko po gruntownej ocenie kandydata.

Poważnie traktując obowiązki oraz majestat władcy, Konstancjusz II aż do przesady dbał o właściwą prezencję podczas posłuchań lub uroczystych przejazdów przez ulice miast. Siedział sztywno, patrząc wprost przed siebie i nie zwracając głowy ni w prawo, ni w lewo, jakby był martwym posągiem. Nigdy też nie zezwalał żadnemu dostojnikowi lub członkowi rodziny na zajęcie miejsca przy sobie.

I chyba z owym kultem majestatu cesarskiego wiązały się złe cechy Konstancjusza jako władcy: drażliwość, nieufność i mściwość wobec ludzi, którzy w jego mniemaniu zagrażali bezpieczeństwu lub uchybiali powadze majestatu. Srożył się więc wobec osób podejrzanych o udział w spiskach lub nawet tylko o brak szacunku wobec władzy. A w jego otoczeniu nie brakowało takich, którzy dla własnej korzyści podsycali w cesarzu ową drażliwość. Nic też dziwnego, że właśnie Konstancjusz rozbudował stanowiska i rozszerzył kompetencje funkcjonariuszy nadzoru i kontroli. Byli to tak zwani *agentes in rebus*, co znaczy w przekładzie dosłownym ,,działający w sprawach", stanowili zaś rodzaj policji politycznej. Spotyka się ich poczynając od panowania Konstancjusza II we wszystkich wyższych urzędach, a im też w praktyce podlegała poczta państwowa, wtedy najważniejszy środek łączności.

Charakterystykę osoby tego cesarza i jego rządy, jak też dwóch bezpośrednich następców, znamy głównie dzięki temu, że zachowały się odpowiednie księgi z *Rerum gestarum*, czyli *Dziejów* Ammiana Marcellinusa, właśnie wtedy żyjącego. Twórca to niezwykły, a jako artysta, oddający nastrój i koloryt tamtej epoki, może nawet genialny. Są tacy, którzy twierdzą, że gdyby łacina jego nie była tak trudna i nieprzekładalna, zaliczyć by go można do najwybitniejszych pisarzy w całej literaturze antycznej.

Ammian urodził się około 330 w Antiochii w rodzinie zamożnej i wpływowej. W jego domu mówiono po grecku, łaciny więc musiał się uczyć, najpierw chyba w szkole, potem służąc w armii, a u schyłku życia mieszkając w samym Rzymie. Wstąpił do wojska około dwudziestego roku życia i otrzymał od razu z racji swego stanu stopień oficerski. Swoje wielkie dzieło historyczne zaczął pisać chyba dopiero w Rzymie, a po łacinie zapewne dlatego, że pragnął kontynuować księgi najwybitniejszego historyka Rzymu cesarskiego — Tacyta. Ponieważ zaś tamten skończył na 96 roku, Ammian rozpoczął opowieść właśnie od tego momentu dziejowego. Jednakże pierwszych trzynaście ksiąg zaginęło, dla nas więc *Dzieje* Ammiana rozpoczynają się od księgi XIV, przedstawiającej wydarzenia 353 roku. W następnych księgach siedemnastu narracja doprowadzona została do 378 roku. Jest to główne źródło naszej wiedzy o tym ćwierćwieczu, bogate w informacje — choć niekiedy stronnicze — barwne i oryginalne w formie. A wiadomości są tym cenniejsze, że pochodzą od człowieka tamtej epoki i świadka naocznego wielu wydarzeń. Nastrój tego dzieła najogólniej można by scharakteryzować słowami Ericha Auerbacha, wybitnego przedstawiciela nowoczesnej teorii i krytyki literackiej, z jego książki *Mimesis*. ,,Świat Ammiana jest ponury. Przepełnia go zabobon, żądza krwi, przemęczenie, śmiertelny strach, gesty okrutne i w jakiś magiczny sposób zastygłe w martwocie. Jedyną przeciwwagę stwarza tu równie ponura, patetyczna determinacja, z jaką wykonuje się coraz to trudniejsze i coraz bardziej beznadziejne zadanie: zadanie obrony imperium, zagrożonego z zewnątrz i rozpadającego się od środka'' (przekład Z. Żabickiego).

Skłonny jest Ammian do mocnych, drastycznych akcentów oraz do sądów surowych. Jeśli więc chce podkreślić surowość Konstancjusza, to od razu posuwa się do twierdzenia: ,,W swej nieludzkości przewyższył Kaligulę i Domicjana''. To na pewno przesada i nieprawda. Istotnie jednak, jak się rzekło, Konstancjusz często postępował bezwzględnie, małostkowo, okrutnie. A przecież — mogłoby się wydawać — władca już od dziecka wychowywany w zasadach religii głoszącej miłość i przebaczenie, gorliwie tę wiarę wyznający i propagujący (choć chrzest przyjął dopiero pod koniec życia, podobnie jak ojciec), winien by okazywać poddanym więcej wyrozumiałości niż jego pogańscy poprzednicy. Jednakże realia polityki niemal zawsze i wszędzie zmuszają władców do łamania lub obchodzenia najszczytniejszych zasad, nawet jeśli oni sami prawdziwie w nie wierzą i nie są po prostu cynikami. O samousprawiedliwienie łatwo. Tak więc Konstancjusz, karzący surowo prawdziwych, a także często tylko rzekomych wrogów majestatu, był niewątpliwie przeświadczony, że postępuje słusznie i zgodnie z zasadami religijnymi; musi przecież za wszelką cenę utrzymać władzę nienaruszoną, gdyż właśnie ona sprzyja nowej wierze i broni jej zbawczych nauk przed reakcją pogańską.

Był bowiem zdecydowanie wrogi kultowi dawnych bogów, podobnie jak i jego bracia. Na przykład w ustawie z 341 roku wołał: ,,Niech zginie zabobon, niech ustanie szaleństwo ofiar! Kto ośmiela się składać ofiary, postępuje wbrew ustawom boskiego cesarza, naszego ojca i wbrew niniejszemu rozkazowi

Naszej Łagodności, winien więc ponieść odpowiednią karę na podstawie natychmiastowego wyroku". Lecz ustawy tej w rzeczywistości nie przestrzegano konsekwentnie, podobnie jak jeszcze ostrzejszych postanowień w tej materii z lat późniejszych. Wiele świątyń nadal otwierało swe podwoje i składano ofiary na ołtarzach różnych bóstw.

Spotyka się w ustawodawstwie Konstancjusza pewne postanowienia wypływające, jak się wydaje, z ducha nowej moralności i łagodzące nieco surowość dawnych zasad postępowania sądowego i więziennictwa. Zarządził na przykład, że osoby podejrzane o popełnienie przestępstw i przetrzymywane w więzieniu muszą być przesłuchane przed upływem miesiąca. Zabronił również zamykania mężczyzn i kobiet w tych samych celach, co widocznie dotychczas praktykowano.

Poglądy religijne cesarza musiały jednak prezentować się nieco dziwnie, skoro Ammian — poganin wprawdzie, lecz nie wróg chrześcijaństwa — zarzuca mu, że „chrześcijańską wiarę, jasną i prostą, mieszał z przesądami godnymi starej baby". I wytyka mu dalej, że przez krętą politykę w sprawach kościelnych doprowadził do wielu rozłamów w łonie społeczności chrześcijańskiej, a zastępy biskupów ustawicznie podróżowały zaprzęgami poczty państwowej, aby wziąć udział w synodach zbyt często zwoływanych w celu przywrócenia jedności; jednakże — dodaje historyk obrazowo i złośliwie — tego tylko dokazał, że naderwał ścięgna poczty.

Doradcą Konstancjusza w sprawach Kościoła był biskup Euzebiusz z Nikomedii, poplecznik arianizmu. Z woli cesarza został pasterzem Konstantynopola, po usunięciu stamtąd biskupa Pawła. Przebywał jednak nad Bosforem rzadko i krótko, najchętniej rezydując w Antiochii. Odgrywał czołową rolę wśród biskupów Wschodu dzięki talentom politycznym, wykształceniu, osobistym kontaktom z dworem. W spornych kwestiach teologicznych zajmował stanowisko pośrednie między ciasną interpretacją nicejskiego wyznania wiary a doktryną ariańską, choć ku tej ostatniej żywił wyraźną sympatię. Konsekwentnie bronił powagi synodów biskupich, twierdząc, że nikt nie ma prawa uchylania ich uchwał. A mimo ogromnych wpływów nigdy nie żądał ani dla siebie, ani dla swej stolicy biskupiej żadnych szczególnych przywilejów. Ustawicznie podkreślał też zasadę równości i współpracy wszystkich biskupów, przeciwstawiając się czyjejkolwiek supremacji. Podobnie dążył też do współdziałania z władzą świecką ani nie podporządkowując się jej biernie, ani też nie usiłując tworzyć państwa w państwie. A tymczasem wciąż trwał konflikt wokół osoby i metod postępowania Atanazjusza, który powrócił do Aleksandrii wnet po śmierci Konstantyna Wielkiego. Miał poparcie większości biskupów tego kraju, zdołał też zaprosić do Aleksandrii — co prawda tylko na trzy dni — sławnego pustelnika, starca Antoniego, żyjącego od dziesiątków lat w górach Pustyni Arabskiej i już chodzącego w glorii świętości. Lecz synod biskupów w Antiochii złożył Atanazjusza z urzędu, zarzucając mu samowolę zarówno w sprawach kościelnych, jak też wobec władzy świeckiej; jego miejsce zajął w 339 roku uczony biskup Grzegorz z Kapadocji. Nie obyło się bez rozruchów, ale ostatecznie Atanazjusz musiał opuścić swój kraj i po dłuższych wędrówkach dotarł do Rzymu, gdzie biskupem był wówczas Juliusz. Przybył tam również Marcellus, biskup Ancyry, obecnej Ankary w Turcji, wygnany skutkiem gwałtownych zajść, do których doprowadził.

Synod zwołany przez Juliusza do Rzymu uwolnił Atanazjusza i Marcellusa od stawianych im zarzutów. W odpowiedzi na to w początkach stycznia 341 roku zebrał się synod w Antiochii, gdy poświęcano tam główny kościół. Obradom przewodniczył sam Konstancjusz II. Zebrani potępili Atanazjusza za heretyckie, ich zdaniem, nauki Marcellusa oraz uchwalili nowe wyznanie wiary, kompromisowe w kwestiach spornych. W kilka miesięcy później zmarł Euzebiusz.

Natychmiast rozpoczęły się spory i walki o osierocony przezeń tron biskupi w Konstantynopolu. Powrócił tam dawny pasterz, Paweł, ale biskupi miast sąsiednich powołali prezbitera Macedoniusza. Ich zwolennicy walczyli ze sobą na ulicach, w kościołach, przy samych ołtarzach; było wielu zabitych. Konstancjusz spędzał zimę 341/342 jak zwykle w Antiochii. Rozkazał naczelnikowi jazdy Hermogenesowi, by przywrócił porządek. Jego żołnierze wyciągnęli Pawła z kościoła, ale tłum rzucił się na nich, odbił biskupa, potem zaś podpalił dom, w którym miał siedzibę dowódca. Hermogenes podczas ucieczki wpadł w ręce motłochu i zginął bestialsko rozszarpany na strzępy. Na wieść o tym Konstancjusz opuścił Antiochię i po szybkim marszu stanął nad Bosforem. Lud witał go płaczem, błagając o litość, świadom zbrodni, jakiej się dopuścił. Cesarz postąpił stosunkowo wyrozumiale, ogół bowiem mieszkańców został ukarany tylko zmniejszeniem o połowę przydziału egipskiego zboża. Paweł jednak musiał natychmiast opuścić miasto, a wybór Macedoniusza nie został zatwierdzony. Przez 10 lat Konstantynopol nie miał żadnego biskupa.

W 343 roku zebrał się w Serdyce synod stu kilkudziesięciu biskupów ze wszystkich stron imperium. Wkrótce doszło do jawnego rozłamu. Biskupi wschodni przenieśli się do Filipopolu (obecnie Płowdiw w Bułgarii), potępiając i składając z urzędów kilku biskupów, wśród nich Atanazjusza, Marcellusa, a także Juliusza z Rzymu i Hozjusza z Korduby. Ci natomiast, którzy pozostali w Serdyce, oczyścili Atanazjusza i Marcellusa z wszystkich zarzutów, zdjęli zaś z urzędów i ekskomunikowali wielu wschodnich dostojników kościelnych. Czy rozłam ów nie był zapowiedzią i sygnałem tego, co miało się następnie pogłębiać, doprowadzając ostatecznie do podziału świata chrześcijańskiego na wschodnią ortodoksję i rzymski katolicyzm?

W 346 roku, po śmierci Grzegorza, biskupa Aleksandrii, Konstancjusz zgodził się, by Atanazjusz powrócił do swego miasta. Był to powrót prawdziwie triumfalny. Wprawdzie sam biskup skromnie siedział na osiołku, ale całą drogę zaścielono najkosztowniejszymi szatami i dywanami. Entuzjazm powitania był niekłamany, ludność bowiem Aleksandrii widziała w tym człowieku, twardym i nieustępliwym, symbol swej tożsamości i odrębności. Znane to zresztą zjawisko aż po dzień dzisiejszy: separatyzm etniczny i kulturowy, nie zawsze w pełni uświadamiany, znajduje często wyraz w szacie kultów religijnych.

W latach następnych gwałtowne spory religijne nieco przycichły, zagroziły natomiast Konstancjuszowi wielkie niebezpieczeństwa polityczne. W początkach 350 roku przyszły niemal jednocześnie alarmujące wieści ze wschodu i zachodu. Za Tygrysem król Szapur II przygotowywał potężny atak na rzymskie ziemie w Mezopotamii, w Galii zaś samozwaniec Magnencjusz obalił Konstansa, który zginął podczas ucieczki. Co miał czynić, w którą stronę wpierw się obrócić, jedyny pozostały przy życiu syn Konstantyna Wielkiego?

Samozwańcy

Magnencjusz pochodził z rodziny na pół barbarzyńskiej. Urodził się wprawdzie w północnej Galii, w *Samarobriva*, obecnym Amiens, lecz jego ojciec i matka należeli do świeżo tam osiadłych. Ojciec przywędrował lub został przesiedlony z Brytanii, gdy około 300 roku Gajusz Konstancjusz jako cezar Maksymiliana Herkuliusza przerzucał z wyspy na kontynent tysiące ludzi, zwłaszcza rzemieślników, aby ożywić miasta Galii, spustoszone przez najazdy germańskie. Matka natomiast wywodziła się z ludu Franków, prawdopodobnie była branką. Towarzyszyła zresztą synowi do ostatnich chwil jego życia, a on zawsze okazywał jej szacunek i serdeczną miłość, także jako cesarz.

Wrogowie wypominali zatem Magnencjuszowi jego częściowo obce pochodzenie, ale on sam czuł się Rzymianinem. Był człowiekiem dość wykształconym, miał szerokie zainteresowania, dużą wrodzoną inteligencję, namiętnie czytywał książki, odznaczał się talentem oratorskim. Dzięki zdolnościom, ale także energii i atletycznej budowie, robił szybką karierę w armii już za panowania Konstantyna Wielkiego, a za Konstansa został dowódcą dwóch wyborowych legionów w przybocznej armii cesarza.

Gdy w Galii powstał spisek wysokich dostojników wojskowych i cywilnych przeciw cesarzowi Konstansowi, uznano Magnencjusza za najgodniejszego purpury. 18 stycznia 350 roku wtajemniczeni zebrali się w Augustodunum niby to w celu obchodów urodzin syna Marcelina, cesarskiego ministra finansów, ale właśnie gospodarz tej uroczystości należał do przywódców spisku. Podczas uczty obwołano Magnencjusza cesarzem. Miał wówczas około pięćdziesięciu lat. Mieszkańcy miasta, a potem całej Galii, przyjęli wiadomość o tym z entuzjazmem, wojska również ochoczo przechodziły na stronę nowego władcy, który tytułował się odtąd jako *Imperator Caesar Flavius Magnus Magnentius Augustus.* Może to dziwić. Przecież ród Konstansa panował tam od przeszło pół wieku: najpierw Konstancjusz I, następnie w latach młodości Konstantyn Wielki, potem syn jego Konstantyn II, a wreszcie, już od dziesięciu lat, sam Konstans. Wiadomo dzięki różnym świadectwom, że dwaj pierwsi zapisali się dobrze w pamięci poddanych. Widocznie więc rządy Konstansa stały się szczególnie znienawidzone, skoro nigdzie w Galii nie dało znać o sobie przywiązanie do dynastii — z wyjątkiem może Trewiru.

Propagandowe hasła rządów Magnencjusza można odczytać z napisów ku czci. Zbiera on w nich pochwały jako ,,wyzwoliciel świata rzymskiego, odnowiciel wolności i państwa, opiekun żołnierzy i ludności prowincjonalnej". Zaraz na początku nowy władca usunął wielu dawnych dygnitarzy Konstansa, a wśród nich nawet niektórych spiskowców. To bezwzględne rozprawienie się z najbardziej znienawidzonymi reprezentantami poprzedniej ekipy zyskało mu przychylność szerokich rzesz ubogiej ludności, i to nie tylko w Galii. Również zręczna polityka religijna umacniała jego wpływy. Sam Magnencjusz był poganinem, jak wskazują na to pewne posunięcia — na przykład zezwolenie na odbywanie nabożeństw nocnych ku czci dawnych bogów. Jednocześnie wszakże pozwalał umieszczać na swych monetach symbole chrześcijańskie: krzyż pomiędzy greckimi literami alfa i omega. Próbował też nawiązać porozumienie z biskupem Atanazjuszem w Aleksandrii i wyprawił tam swych emisariuszy.

Szczęśliwe zbiegi okoliczności oraz zręczna propaganda dały Magnencjuszowi rychłe uznanie jego władzy nie tylko w Galii, lecz także w Hiszpanii i Brytanii. Wielką pomoc okazał mu dawny prefekt pretorium Konstansa, Fabiusz Tycjan. Objął on już w lutym urząd prefekta Rzymu, a cała Italia, kraje alpejskie, Afryka poddały się nowemu cesarzowi. Tylko w prowincjach bałkańskich sytuacja przedstawiała się inaczej.

Na czele potężnej armii Dunaju stał starszy wiekiem oficer Wetranion. Jego ojczyzną były ziemie dzisiejszej Jugosławii, urodził się w domu ubogim. Nie otrzymał nawet podstawowego wykształcenia — pisać uczył się dopiero pod koniec życia — doszedł jednak do najwyższych godności wojskowych. Cieszył się wielką popularnością wśród żołnierzy, znał sztukę wojenną, miał talent wodzowski i zawsze potrafił znaleźć wspólny język z towarzyszami broni. Przyjęli oni przychylnie wiadomość o przewrocie w Galii, Konstans bowiem był tu równie nielubiany jak w pozostałych krainach. Wydawało się więc, że wojska naddunajskie uznają Magnencjusza, jak to się już stało we wszystkich prowincjach zachodnich. Wetranion wszakże zwlekał. Powodowało nim zapewne silne u starego żołnierza poczucie lojalności i przywiązanie do dynastii, zaczął bowiem służbę jako prosty żołnierz Konstantyna Wielkiego, a dzięki niemu i jego synom osiągnął wszystko.

W tym czasie na Bałkanach, w pobliżu głównej kwatery Wetraniona, przebywała Konstantyna (zwana też Konstancją), córka Konstantyna Wielkiego, rodzona siostra cesarza Konstancjusza, przed laty żona Hannibaliana, zamordowanego w 337 roku. Była to kobieta ambitna, pyszna, bezwzględna, ale też o dużym zmyśle politycznym. Zrozumiała ona w lot, że jeżeli Wetranion uzna Magnencjusza, to sprawa prawowitej dynastii, czyli jej własnej rodziny, będzie stracona ostatecznie, gdyż Konstancjusz władający tylko mniejszą, wschodnią częścią imperium, nie sprosta zjednoczonym siłom krajów zachodnich i środkowych, armii Renu i Dunaju; nie wolno więc za żadną cenę dopuścić, by Wetranion uznał Magnencjusza. Pomysł Konstantyny był genialnie prosty: zdołała przekonać starego wodza, że powinien on spowodować i zezwolić, by jego żołnierze okrzyknęli go cesarzem; w czymże bowiem ustępuje tamtemu samozwańcowi z Galii?

Popularność Wetraniona sprawiła, że przeprowadzono rzecz szybko i bez oporu w dwóch wielkich obozach wojskowych, w Sirmium nad Sawą i w Mursie, czyli w obecnym Osijeku. Stało się to 1 marca 350 roku. Konstancjusz, dobrze rozumiejący sytuację, a pewnie też informowany przez siostrę, natychmiast zaakceptował to, co się stało, i przesłał Wetranionowi

diadem, uznając go za władcę legalnego z tytułem *Imperator Caesar Vetranius Augustus.*

Rozpoczął się okres delikatnej gry politycznej trzech panujących. Konstancjusz musiał pilnować granicy wschodniej wobec wielkiej ofensywy perskiej w północnej Mezopotamii. Nie mógł więc udzielić Wetranionowi odpowiedniej pomocy w ludziach i pieniądzach, choć ten o to prosił. Ten więc z kolei zawarł układ pokojowy z Magnencjuszem, uznając go za legalnego pana Zachodu, co znowu nie było po myśli Konstancjusza, który widział w nim tylko samozwańca i zabójcę prawowitego cesarza Konstansa.

A tymczasem pojawił się nowy element w tej i tak skomplikowanej sytuacji wewnętrznej. W maju 350 roku wystąpił w Italii nowy pretendent do cesarskiej purpury. Był nim Flawiusz Nepocjan, siostrzeniec Konstantyna Wielkiego, mający więc z racji związków rodzinnych większe prawo do tronu niż obaj uzurpatorzy. Zgromadził zastęp gladiatorów, rozbójników, wszelkich straceńców. 3 czerwca zajął stolicę i został okrzyknięty cesarzem jako *Imperator Caesar Flavius Popilius Nepotianus Augustus.* Odtąd przez 28 dni w mieście szalał terror, ludzie bowiem Nepocjana zabijali dla samej rozkoszy zabijania. Wkrótce jednak stanęły pod Rzymem wojska Magnencjusza; dowodził nimi ów Marcelin, w którego domu przed kilku miesiącami odbyła się uczta urodzinowa. 30 czerwca wojska te opanowały stolicę. Nepocjan zginął. Jego głowę odcięto, wbito na włócznię i triumfalnie obnoszono po mieście, jak przed kilkudziesięciu laty głowę Maksencjusza. Wraz z Nepocjanem zabito też jego matkę, Eutropię. W ten sposób ród Konstantyna, tak uszczuplony po rzezi 337 roku, znów stracił dwoje przedstawicieli.

Rozlała się w Rzymie nowa fala terroru. Tym razem uderzono we wszystkie osoby podejrzane o sprzyjanie Nepocjanowi. Wybierano zwłaszcza bogaczy, którym konfiskowano majątki na rzecz skarbu Magnencjusza, nowy bowiem pan Zachodu stał w obliczu poważnych trudności finansowych. Wynikały one głównie z jego hojności dla armii, gdyż przez nią został wyniesiony i musiał się za to odwdzięczyć. Wprowadzono więc bezlitosny reżim podatkowy. Daniny sięgały połowy dochodów z ziemi, opieszałym groziła kara śmierci. Zachęcano niewolników, aby składali zeznania przeciw swym panom, gdyby ci usiłowali ukryć dobytek lub wprowadzać w błąd władze podatkowe. Sprzedawano też niektóre domeny cesarskie, zmuszając do ich nabywania ludzi, którzy wcale się nie kwapili do tego.

Tymczasem daleko na Wschodzie, w rzymskiej Mezopotamii, wojska Konstancjusza odparły ogromną armię perską szturmującą zaciekle pod wodzą samego króla Szapura II twierdzę Nisibis. Walki pod jej murami trwały cztery miesiące. Ostatecznie król musiał się wycofać, pozostawiając 20 000 ciał swych poległych żołnierzy, doniesiono mu bowiem, że zagrażają Persji koczownicze plemiona znad Morza Kaspijskiego. Odtąd przez osiem lat na wschodniej granicy imperium panował względny spokój, Konstancjusz zaś mógł poświęcić całą uwagę i wszystkie siły sprawom wewnętrznym.

Wczesną jesienią 350 roku przeprawił się przez Bosfor do Europy. W Heraklei zjawiło się przed nim wspólne poselstwo Wetraniona i Magnencjusza, co oznaczało, że ci dwaj już się porozumieli i zamierzają prowadzić zgodną politykę. Ale ich propozycje były umiarkowane, poniekąd nawet korzystne: przerwanie działań wojennych, wzajemne uznanie się wszystkich trzech władców, honorowy prymat dla Konstancjusza, któremu przysługiwałby tytuł *Maximus Augustus.* Ponadto Magnencjusz prosił o rękę Konstantyny, siostry cesarza, sam zaś ofiarowywał mu rękę swej córki.

Cesarz rozumiał doskonale, że odrzucając tę ofertę pokojową i rozpoczynając wojnę narazi całe imperium na niebezpieczeństwo i upust krwi, siebie zaś na ryzyko utraty wszystkiego. Uprzytomnił mu to zresztą jeden z posłów, senator Nunechiusz, w twardych słowach. Cesarz odłożył udzielenie odpowiedzi do dnia następnego, był wyraźnie przygnębiony i posępny. Ale nazajutrz oznajmił swym dostojnikom, że w nocy ukazał mu się ojciec, Konstantyn Wielki, trzymający za rękę Konstansa i żądający, by pomścił jego śmierć.

Ten rzekomy głos z nieba przeciął wszelkie wahania, wojna stała się świętym obowiązkiem, nakazanym przez zmarłego władcę. Posłowie zostali uwięzieni, pozwolono wyjechać tylko jednemu z nich, by powiadomił tamtą stronę o losie towarzyszy. Wetranion w tej sytuacji obsadził wojskami najpierw przełęcze górskie, przez które wiodła droga z Filipopolu do Serdyki, ale wkrótce całkowicie zmienił postawę. Poniechał wszelkiej myśli o walce i postanowił sprzymierzyć się z Konstancjuszem przeciw Magnencjuszowi. Stary oficer Konstantyna Wielkiego nie był w stanie podnieść ręki na jego syna. Osobiście spotkał się z Konstancjuszem w Serdyce. Stamtąd obaj podróżowali razem ku głównym obozom wojskowym. 25 grudnia 350 roku odbyła się w obozie w Naissus niezwykła ceremonia. Dwaj cesarze w purpurowych płaszczach i diademach weszli na trybunę, przed którą stanęli żołnierze i oficerowie w pełnym uzbrojeniu. Pierwszy przemówił Konstancjusz II. Przypomniał żołnierzom dobrodziejstwa, jakimi obsypywał ich jego ojciec i on sam. Powtórzył słowa przysięgi, w której zaklinali się na wszystkie świętości, że będą wiernie służyć cesarskiemu rodowi i nigdy nie dopuszczą do zdrady. Wezwał, by nie pozwolili bezkarnie ujść zabójcom Konstansa.

Podniósł się potężny okrzyk pozdrawiający Konstancjusza jako augusta. Starzec Wetranion upadł cesarzowi do nóg, zrzucając purpurowy płaszcz i diadem, a ten podał mu rękę, pomógł wstać, serdecznie uścisnął, nazwał swym ojcem. Potem zaprosił go do stołu. Jest oczywiste, że cała uroczystość została odpowiednio przygotowana, i to we wszystkich szczegółach, a sam Wetranion zgodził się wziąć w niej udział, dokładnie wiedząc, jaki będzie jego przebieg i jaką ma odegrać rolę.

W każdym razie został potraktowany wspaniałomyślnie. Osiadł w Prusie w Bitynii i żył tam jeszcze przez sześć lat jako człowiek prywatny, spokojnie i opływając we wszelkie dostatki.

Po przyjęciu pod swe rozkazy wojsk naddunajskich Konstancjusz mógł już wystąpić zaczepnie i uderzyć na Italię, gdzie przebywał wówczas Magnencjusz, jednakże zimą przełęcze alpejskie były nie do przebycia, wypadło więc czekać do wiosny. W związku z zamierzoną ofensywą należało jednak pomyśleć o zabezpieczeniu granicy wschodniej, gdzie mogłaby znowu powstać groźna sytuacja, gdyby król perski stłumił powstanie plemion koczowniczych i najechał rzymskie prowincje. Konstancjusz więc postanowił powołać młodszego współwładcę, który mając tytuł cezara objąłby w roli generalnego namiestnika czy też wicekróla odpowiedzialność za sprawy Wschodu.

15 marca 351 roku w obozie wojskowym Sirmium nad Sawą Konstancjusz zaprezentował armii swego stryjecznego brata, Gallusa, i mianował go cezarem. Ten zaś, aby umocnić związki rodzinne, poślubił Konstantynę, rodzoną siostrę Konstancjusza; tę samą, która przed czternastu laty była żoną Hannibaliana, ostatnio zaś nakłoniła Wetraniona, by ogłosił się cesarzem. Należało oczekiwać, że odpowiednio pokieruje swym mężem, od którego była starsza o lat kilka. Flawiusz Klaudiusz Konstancjusz Gallus, bo tak oficjalnie zwał się teraz nowy cezar, liczył sobie lat 25 i nie miał żadnego doświadczenia w sprawach politycznych i rozeznania w dworskich intrygach, długo bowiem wychowywał się wraz z bratem Julianem w odosobnieniu, na wsi, poświęcając się głównie polowaniom.

Zapewne nieco wcześniej, może już pod koniec 350 roku, powołał młodszego współwładcę także Magnencjusz. Cezarem został jego brat Decencjusz. Miał zarządzać Galią i bronić granicy Renu. Zarysowała się bowiem groźba, że germańskie plemiona wyzyskają, jak tylekroć w przeszłości, wojnę domową w imperium i wtargną w głąb prowincji galijskich. Rozeszły się nawet pogłoski, że tajni wysłannicy Konstancjusza krążą wśród barbarzyńców zachęcając ich do wypraw przez granice, co by odciągnęło część sił Magnencjusza.

Późną wiosną 351 roku Magnencjusz zdołał sforsować przejścia przez wschodnie Alpy i posuwał się wzdłuż Sawy i Drawy, zajmując kilka ważnych miejscowości. Do decydującej bitwy doszło dopiero 28 września pod Mursą nad Drawą. Zwycięstwo odniosły wojska Konstancjusza, przeważające liczebnie, ale żołnierze strony przeciwnej walczyli bohatersko i nieustępliwie. Sam Magnencjusz zdołał uciec, porzucając wszystkie insygnia władzy. Podobno przed bitwą za radą wróżki germańskiej rozkazał zabić młodą dziewczynę, a krew jej zmieszał z winem i podał w kielichu swym żołnierzom, podczas gdy wróżka odmawiała zaklęcia, co miało uczynić uczestników tej krwawej komunii niezwyciężonymi.

Gdy rankiem dnia następnego Konstancjusz wszedł na wzgórze i spojrzał na ogromną równinę zasłaną ciałami poległych, łzy przesłoniły mu oczy. Zginęło bowiem pod Mursą ponad 50 000 ludzi po obu stronach łącznie. W bratobójczej walce wymordował się wzajem kwiat armii Renu, Dunaju, Eufratu. Była to strata nie do powetowania. Cesarz rozkazał przystojnie pogrzebać wszystkich poległych, zarówno swoich, jak i przeciwników. Rannym zapewnił opiekę lekarską. Nikt jednak nie był już w stanie zaradzić upływowi krwi imperium.

Magnencjusz ustanowił obecnie swoją główną kwaterę po drugiej stronie Alp, w Akwilei, Konstancjusz natomiast w Sirmium, skąd wyruszył dopiero latem 352 roku. Zajął łatwo przejścia górskie, a na wieść o tym Magnencjusz, spokojnie przyglądający się wyścigom rydwanów, rzucił się do ucieczki. Oparł się aż w Galii, aby znowu za murem Alp przeczekać jesień i zimę. Zagrożony odstępstwem wszystkich widział jedyny ratunek w sadystycznym terrorze, sam przyglądając się wymyślnym torturom i egzekucjom. Próbował też innych metod, by zatrzymać marsz Konstancjusza. Na przykład wysłał do syryjskiej Antiochii agenta, który miał podstępnie zamordować Gallusa, co by na pewno doprowadziło do zamieszek i zmusiło cesarza do osobistego zajęcia się sprawami tamtych prowincji; niedoszły zabójca został jednak ujęty.

Tymczasem Konstancjusz przebywał w Mediolanie. Tam poślubił piękną Euzebię, sprowadzoną na tę ceremonię w orszaku aż z Tesaloniki. W źródłach sławiona jest nie tylko ze względu na urodę, przedstawia się ją ponadto jako kobietę sympatyczną i życzliwą ludziom. Było to już drugie małżeństwo cesarza. Latem 353 roku Konstancjusz przekroczył Alpy i stanął na ziemiach Galii. Magnencjusz próbował stawić mu czoło w dolinie Izery, poniósł jednak klęskę i wycofał się do Lugdunum (Lyonu). Słał rozpaczliwe wezwania o pomoc do Decencjusza; nim jednak ten nadszedł, Magnencjusz zorientował się, że jest więźniem własnej straży przybocznej. Żołnierze strzegli go pilnie wraz z rodziną, aby wydać Konstancjuszowi w nadziei, że uzyskają w zamian nagrodę i przebaczenie. 10 sierpnia Magnencjusz wykradzionym mieczem wymordował najpierw swą rodzinę, poczynając od matki, a potem sam się zabił. Jego głowę odcięto i wystawiono na widok publiczny. Decencjusz o tragedii dowiedział się 18 sierpnia, gdy przybył do Agendikum, obecnego Sens. I on popełnił samobójstwo przez powieszenie. Z całej rodziny ocalał tylko Dezyderiusz, najmłodszy z braci. Odniósł wprawdzie ciężkie rany z ręki Magnencjusza w Lugdunum i utracił tyle krwi, że przez kilka godzin uchodził za martwego, powrócił jednak powoli do zdrowia, a Konstancjusz wspaniałomyślnie darował mu życie.

Imperium miało znowu tylko jednego pana.

Galia

„Barbarzyńcy rabowali bogate miasta, pustoszyli wsie, burzyli mury obronne, zabierali mienie, kobiety, dzieci. Nieszczęśni gnani do niewoli szli za Ren dźwigając na swych barkach cały dobytek. Kto nie nadawał się na niewolnika lub nie mógł ścierpieć, gdy gwałcono mu żonę lub córkę, ginął. Zwycięzcy odebrali nam wszystkie posiadłości, a potem uprawiali naszą ziemię sami, tę zaś w swoim kraju rękami niewolników. Te znowu miasta, które oparły się najeźdźcom dzięki silnym murom, nie miały żadnej ziemi uprawnej prócz małych skrawków. Ich więc mieszkańcy umierali śmiercią głodową, choć rzucali się na wszystko, co wydawało się jadalne. W końcu niektóre miasta wyludniły się do tego stopnia, że same zamieniły się w pola uprawne — przynajmniej tam, gdzie przestrzeń w obrębie murów była nie zabudowana; i to wystarczało, aby wyżywić ludność ocalałą. Niełatwo więc przyszłoby orzec, kto prowadził żywot nędzniejszy: ci pognani w niewolę, czy ci pozostawieni w ojczyźnie”.

Tak przedstawia sytuację w Galii współczesny wydarzeniom, choć mieszkający w Syrii, pisarz grecki Libaniusz.

Rebelia bowiem Magnencjusza, choć trwała stosunkowo krótko, miała skutki prawdziwie katastrofalne. Walcząc z cesarzem Konstancjuszem samozwaniec musiał ściągnąć wojska znad Renu, zwłaszcza w latach 352 i 353. Tak więc w ciągu kilkunastu miesięcy runęła zapora, którą z takim trudem wznieśli i podtrzymywali cesarze kilku pokoleń. Hordy germańskie miały wolną drogę w głąb kraju. Najśmielej poczynali sobie Alamanowie; podawali się za sprzymierzeńców Konstancjusza i może istotnie działali z jego poduszczenia. Ludność zagrożonych obszarów chroniła się w miastach, nie wszystkie jednak zdołały się utrzymać.

Gdyby Konstancjusz natychmiast po samobójczej śmierci Magnencjusza w Lugdunum ruszył na północ, na pewno jeszcze wiele ziem i miast Galii można by uratować, wielu ludzi ocalić, Germanowie bowiem cofnęliby się przed zwycięskim cesarzem. Wystarczyłaby sama wieść o jego pochodzie. Lecz cesarz nie spieszył się, obojętnie wysłuchiwał rozpaczliwych wołań o pomoc. Wynikało to chyba z właściwego mu niezdecydowania, lecz opieszałość ta bardzo się przyczyniła do utwierdzenia pogłosek, że to on podburzał Germanów przeciw Magnencjuszowi i potajemnie zezwolił im na zajmowanie krain pogranicznych.

W Lugdunum Konstancjusz przebywał od początków września 353 roku. Tam wydał edykt, w którym wzywa do wykarczowania wszystkiego, co było najbardziej ponure w czasach „tyrana" (tj. Magnencjusza), i zapewnia, że obecnie każdy obywatel może cieszyć się całkowitym poczuciem bezpieczeństwa, do odpowiedzialności bowiem zostaną pociągnięte tylko te osoby, które popełniły zbrodnie zagrożone karą śmierci. Potem cesarz wyruszył powoli z biegiem Rodanu na południe i dotarł w październiku do Arelate. Tutaj zatrzymał się na dłużej, aby święcić trzydziestolecie swych rządów — licząc od otrzymania tytułu cezara w listopadzie 324 roku.

Arelate, wówczas najświetniejsze miasto południowej Galii, stanowiło wymarzoną scenerię uroczystych obchodów. Cesarz wydał wspaniałe igrzyska i urządził wyścigi rydwanów, a przeróżne zabawy, przeplatające się z oficjalnymi ceremoniami, trwały cały miesiąc.

Przybyli także biskupi z wielu, głównie jednak zachodnich krain imperium, aby złożyć hołd władcy i wyrazić radość z powodu jego zwycięstwa. Przy sposobności wzięli udział w sesjach nowego synodu. Najważniejszym przedmiotem jego obrad, a także intryg i sporów zakulisowych, była sprawa Atanazjusza, biskupa Aleksandrii, któremu zarzucano tajne kontakty z Magnencjuszem. Przewodniczył posiedzeniom Saturnin, biskup Arelate, a biskupa Rzymu Liberiusza reprezentowali jego dwaj legaci. Zebrani niezbyt dobrze orientowali się w sporach teologicznych, ale pragnęli potwierdzić przywiązanie do dynastii, w którego tradycji zostali wychowani. Toteż popierany przez cesarza wniosek, by uznać Atanazjusza za winnego, został przyjęty przez wszystkich, a jedyny oponent poszedł na wygnanie. Synod natomiast nie zajął się w ogóle kwestiami dogmatycznymi, skutkiem czego Liberiusz i niektórzy biskupi wystąpili z żądaniem zwołania nowego zgromadzenia. Wobec tego zawieszono też wykonanie wyroku i nie usunięto Atanazjusza z Aleksandrii.

Przebywając w Arelate aż do wiosny następnego roku Konstancjusz rozpoczął prześladowania stronników Magnencjusza, a nawet osób tylko podejrzanych o sprzyjanie samozwańcowi. Wystarczyła plotka, by wysocy urzędnicy cywilni i wojskowi szli do więzienia, zakuci w kajdany; częste były wyroki śmierci, konfiskaty majątku, wygnania na wyspy.

Dopiero wiosną 354 roku cesarz wyruszył z Arelate na północ przeciw Alamanom, których zagony wdzierały się głęboko w prowincje nadreńskie. Pokonawszy wiele przeszkód, także trudności z zaopatrzeniem w żywność, Rzymianie stanęli wreszcie nad górnym Renem w pobliżu Bazylii, obecnej Bazylei. Alamanowie obozowali po przeciwnej stronie rzeki. Nie udała się próba przeprawy brodem, nie można też było zbudować mostu pontonowego, prąd bowiem rwał zbyt szybko i mocno. Na szczęście Alamanowie zdecydowali się pójść na ustępstwa. Może niepomyślnie wypadły wróżby, których zawsze się radzili przed rozpoczęciem i w trakcie wojny? A może skończyły się zapasy żywności lub doszło do sporu między wodzami? Ostatecznie kilku alamańskich książąt klękło przed cesarzem, a potem zawarto z nimi pokój i przymierze. W istocie było to tylko zawieszenie broni, obie bowiem strony wolały odsunąć jeszcze na jakiś czas decydujące starcie.

Od lata 354 roku Konstancjusz rezydował w Mediolanie. Uwagą musiał darzyć obecnie przede wszystkim sprawy wschodnie.

Cezar Gallus i Konstantyna

Od wiosny 351 roku za losy Wschodu odpowiedzialny był młody cezar Gallus, stryjeczny brat Konstancjusza. Przebywał w syryjskiej Antiochii i rzadko opuszczał to piękne miasto, gdyż podległe mu kraje cieszyły się względnym spokojem. Persowie wciąż wojowali z ludami stepowymi u północnych granic swego państwa, toteż wodzowie króla królów dokonywali tylko niezbyt głębokich wypadów na rzymskie terytoria. W Nisibis, najważniejszej twierdzy rzymskiego systemu obrony Mezopotamii, komendę sprawował znakomity dowódca Ursycyn; u jego boku rozpoczynał służbę młody oficer Ammian Marcellinus, późniejszy historyk. Dokuczliwi byli koczownicy pustynni, spadający niespodziewanie na spokojne osiedla i równie szybko znikający. Wybrzeża południowej Azji Mniejszej niepokoili Izauryjczycy, mieszkańcy niedostępnych gór; dotychczas nikt ich nie ujarzmił. W Galilei powstańcy żydowscy wymordowali w nocy rzymską załogę pewnego miasteczka i okrzyknęli tam swego króla, ale ruch ten stłumiono bezwzględnie; wojsko spaliło kilka osiedli i wyrżnęło w pień tysiące ich mieszkańców, nie oszczędzając nawet dzieci.

Były to więc utarczki i rebelie stosunkowo drobne, największą zaś troskę budziło to, co się działo w samej Antiochii za wiedzą i z woli Gallusa. Ammian obserwował owe wydarzenia najpierw z pewnego dystansu, bo z Nisibis, ale później bezpośrednio, gdy przeniesiono go wraz z Ursycynem do stolicy Syrii. Wystawia cezarowi ziem wschodnich świadectwo jak najgorsze.

Zdaniem Ammiana już samo wyniesienie Gallusa na szczyty cesarskiego majestatu spowodowało wstrząs w psychice młodego człowieka, który przekraczając daleko granice powierzonej mu władzy rządził surowo i nieodpowiedzialnie, wzbu-

dzając powszechne oburzenie. Żona zaś jeszcze podniecała jego skłonności do okrucieństwa. Chlubiła się Konstantyna tym, że jest córką i siostrą cesarza, a była — twierdzi Ammian — prawdziwym potworem w niewieścim ciele, nigdy niesytym krwi ludzkiej. Małżonkowie nabierali powoli śmiałości i wprawy w czynieniu zła, głównie dzięki potajemnym donosicielom, oskarżającym najniewinniejszych ludzi o polityczne knowania lub o praktyki magiczne.

Szczególnego rozgłosu nabrała sprawa bogatego obywatela Aleksandrii, Klemacjusza. Zakochała się w nim do szaleństwa jego teściowa. Odtrącona zdołała trafić do pałacu tajnymi drogami. Ofiarowała władczyni kosztowny naszyjnik i otrzymała hojną nagrodę: formalny rozkaz natychmiastowego wykonania wyroku śmierci na Klemacjuszu. I ten zupełnie niewinny człowiek zginął nie mając nawet możności otwarcia ust w swojej obronie. Podobnie działo się w innych wypadkach: wykonywano z gorliwym pośpiechem wszystko, co tylko postanowił Gallus, uznając to za rzecz legalną.

A przecież Gallus i Konstantyna chcieli jednocześnie uchodzić za przykładnych chrześcijan i dokumentowali to nabożnymi uczynkami. I tak uczcili pamięć oraz relikwie męczennika Babylasa, który przed wiekiem poniósł śmierć podczas prześladowań za panowania Decjusza. Gallus uroczyście przeniósł jego szczątki do pięknej, podmiejskiej miejscowości Dafne, gdzie znajdowała się sławna świątynia i wyrocznia Apollona. Poganie twierdzili, że zamilkła ona natychmiast, gdy w pobliżu stanęła kaplica Babylasa. Jest to w każdym razie pierwszy dobrze udokumentowany wypadek ceremonialnego umieszczenia relikwii chrześcijańskiego świętego w ośrodku pogańskiego kultu.

Gallus wykazywał też zainteresowania teologiczne. Sympatyzował mianowicie z krańcową odmianą arianizmu, jaką stworzył wtedy diakon antiocheński Aecjusz. Twierdził on, że Syn,

Chrystus, nie jest równy Ojcu i ma odmienną istotę, został bowiem stworzony przezeń z niczego. Subtelne dysputy teologiczne, intrygi pałacowe i kościelne, okrucieństwo i krew — to już atmosfera bizantyjska.

Wiosną 354 roku urodzaje w Syrii po skąpych opadach zimą zapowiadały się źle, a tymczasem wojsko przygotowując wyprawę przeciw Persom, zgłaszało większe zapotrzebowanie. Kupcy i właściciele ziemscy podwyższyli zatem ceny zboża, a spekulanci czynili zapasy. Aby powstrzymać falę drożyzny, Gallus ogłosił ceny maksymalne — choć już wtedy wiedziano, dzięki doświadczeniom Dioklecjana sprzed pół wieku, że prostoduszne ingerencje administracyjne w życie gospodarcze są nie tylko bezskuteczne, lecz wręcz szkodliwe, powodują bowiem chaos i nowy wzrost cen; szlachetne intencje nie mają znaczenia. Zamożni obywatele Antiochii stawiali opór zarządzeniu i zostali na pewien czas uwięzieni. Potem doszło do wypadków groźniejszych.

Przed wyruszeniem na wyprawę Gallus urządził igrzyska. Kiedy tłumy zgromadzone w cyrku zaczęły skarżyć się głośnym krzykiem na drożyznę, oświadczył, że nikomu nie zabraknie chleba, jeśli tylko zadba o to namiestnik Teofil — i wskazał go ręką. Lud zrozumiał, że wszystkiemu winien jest właśnie ten dostojnik, toteż wkrótce po wyjeździe Gallusa polała się krew. Kilku kowali z antiocheńskich zakładów płatnerskich dopadło Teofila w cyrku. Zbili go, skopali, a tłum włóczył ciało po ulicach i rozerwał go na kawałki. Spalono też dom bogacza Eubulosa, ale on sam i jego synowie zdołali w ostatniej chwili cudem ujść w góry.

Na nieszczęście w początkach 354 roku zmarł prefekt Talazjusz, człowiek poważny, czuwający z ramienia Konstancjusza nad poczynaniami Gallusa. Jego miejsce zajął w kilka miesięcy później, już po powrocie Gallusa z wyprawy, niejaki Domicjan. Miał on nakłonić cezara, aby udał się do Italii, dokąd Konstancjusz zapraszał go w listach wielokrotnie. Nowy prefekt zachowywał się od pierwszych dni tak butnie i nietaktownie, że Gallus kazał swym ludziom otoczyć jego siedzibę. Inny wszakże wysoki urzędnik, kwestor Moncjusz, usiłował powstrzymać wykonanie rozkazu. Wywołało to wściekłość Gallusa. Jego żołnierze porwali najpierw Moncjusza, starca słabego i schorowanego. Skrępowali mu nogi powrozem i wlekli go po ziemi aż do domu Domicjana, którego też związali. Potem pędzili obu dostojników po ulicach, aż popękały im stawy i ciało zaczęło odpadać. Wtedy skopali ich i stratowali, a krwawą miazgę mięsa i kości wrzucili do rzeki.

Gallus rozpoczął z kolei polowanie na uczestników rzekomego spisku, na którego czele stali — tak utrzymywał — Moncjusz i Domicjan. To miało usprawiedliwić przed Konstancjuszem ich zamordowanie. Aby nadać procesom znamię jakiejś powagi i legalności, mianował przewodniczącym trybunału Ursycyna, dotychczas komendanta twierdzy Nisibis, choć stary żołnierz nie miał ani wiedzy prawniczej, ani też doświadczenia w trybie postępowania sądowego; musiał jednak stawić się w Antiochii, a Ammian Marcellinus wiernie mu towarzyszył.

W tej sytuacji wódz usiłował grać na dwie strony. Jako sędzia wykonywał polecenia Gallusa, ale jednocześnie w poufnych raportach donosił Konstancjuszowi o wszystkim, a nawet prosił o pomoc przeciw poczynaniom człowieka, w którego imieniu wydawał wyroki. Cesarz rezydujący w Mediolanie postanowił odwołać Gallusa, tak jednak, aby nie wzbudzało to jego podejrzeń, mógłby bowiem wszcząć bunt i przywdziać purpurę.

Najpierw więc wezwano do Italii Ursycyna, rzekomo na narady wobec groźby nowej ofensywy perskiej. Następnie Konstancjusz serdecznie prosił swą siostrę, aby zechciała doń przyjechać po tak długiej rozłące. Konstantyna przeczuwała, że wypadnie zdać rachunek z wszystkiego, czego dopuściła się wraz z mężem; ostatecznie jednak zwyciężyła nadzieja, iż nic złego nie spotka ją od brata, a w bezpośrednich rozmowach uda się wiele wyjaśnić, odeprzeć zarzuty, ułagodzić gniew.

Podróżowała lądem, przez kraje Azji Mniejszej. U granic prowincji Bitynii, na małej stacji pocztowej, powalił ją atak gwałtownej gorączki. Umierając miała zapewne trzydzieści kilka lat. Po jej zgonie z dzieci Konstantyna Wielkiego pozostawali już tylko Konstancjusz i Helena; on, ostatni z rodu, był wciąż bezpotomny.

Zwłoki zmarłej przewieziono do Italii i złożono w mauzoleum, które zbudowała przy *via Nomentana*, drodze wiodącej z miasta na północ. W pobliżu znajdował się cmentarz katakumbowy, jeden z najstarszych, sławny dzięki grobowi świętej Agnieszki, wielbionej jako przykład i wzór czystej dziewicy, wiernej i odważnej wyznawczyni chrześcijaństwa. Męczeństwo poniosła zapewne podczas prześladowań Dioklecjana. Nad grobem jej stanęła bazylika, jedna z pierwszych, a fundatorką była właśnie Konstantyna. Do naszych czasów niewiele dotrwało z budowy pierwotnej, gdyż w wiekach późniejszych gruntownie ją zmieniono i restaurowano.

Pozostało natomiast wznoszące się obok wspomniane mauzoleum Konstantyny, jeden z najlepiej zachowanych i najbardziej interesujących zabytków architektury rzymskiej IV wieku. Jest to ceglana rotunda nakryta kopułą, która wspiera się na dwunastu parach kolumn stojących kołem we wnętrzu budowli. Na wprost wejścia widnieje pomiędzy kolumnami ogromny, ciężki sarkofag porfirowy, pokryty płaskorzeźbami przedstawiającymi pędy winorośli oraz chłopców przy zbiorze winogron i wytłaczaniu moszczu. Równie pogodne w treści są barwne mozaiki dobrze zachowane na sklepieniu pomiędzy murem zewnętrznym a kręgiem kolumn oraz w niszach murów. Tematyka owej mozaikowej dekoracji — amorki, rośliny, owoce, ptaki, igrające delfiny — pozornie nie licuje z powagą grobowca chrześcijańskiego, nic więc dziwnego, że jeszcze w XVIII wieku mauzoleum to uważano za dawną świątynię Bachusa, boga wina. Ale każde z wyobrażeń mozaiki dopuszcza też interpretację symboliczną w duchu chrześcijańskim, wszystkie zaś razem stanowią wizję raju, do którego wstąpiła dusza zmarłej. Legenda rychło połączyła młodziutką męczennicę i cesarzową, skoro groby ich znajdowały się tak blisko siebie. Poczynając więc przynajmniej od XIII wieku Konstantyna, czyli Konstancja, odbierała cześć jak święta dziewica.

Niespodziewana śmierć żony była dla Gallusa ciosem. Dotychczas ufał, że jej pośrednictwo ułagodzi Konstancjusza, tym bardziej że i ona miała swój udział w zbrodniach pałacowych. Ogarnął go lęk: co czynić, jeśli cesarz nie przyjmie żadnych wyjaśnień i nie wybaczy błędów? Podobno zaczął medytować, czy nie obwołać się augustem, nie wiedział jednak, jak zareaguje na ten krok otoczenie.

Tymczasem z Mediolanu napływały zaproszenia, aby stawił się na dworze. Listy zawierały również pewne aluzje pocieszające i dające do myślenia. Konstancjusz pisał: „Nie można i nie należy dzielić państwa, każdy bowiem winien wspierać je według swych sił. Pomyślmy na przykład o spustoszonych prowincjach Galii". Czyżby więc, zastanawiał się Gallus, cesarz zamierzał tam go przenieść? W tym mniemaniu utwierdził go nowy wysłannik Konstancjusza, oficer Skudilon. Zapewniał, że Konstancjusz naprawdę pragnie go ujrzeć i wybaczy mu wszystko, albowiem jako człowiek doświadczony wie, iż każdy, kto rządzi, musi niekiedy popełniać błędy. Co więcej — mówił Skudilon w największym zaufaniu, przekazując rzekomo najskrytsze tajemnice — cesarz powziął już decyzję: mianuje Gallusa współtowarzyszem swego majestatu, podniesie do rangi augusta, powierzy mu prowincje północne.

Jesienią 354 roku Gallus opuścił Antiochię. Był dobrej myśli i w Konstantynopolu pozwolił sobie na dłuższy odpoczynek; urządzał wtedy wyścigi rydwanów. Wprawiło to Konstancjusza w furię: przypuszczał, że stanie przed nim grzesznik drżący o życie, a tymczasem donoszono mu o beztroskich zabawach kogoś pewnego swej sprawy i pozycji! Wysłał więc do Gallusa kilku wyższych urzędników, rzekomo, by służyli mu radą i pomocą, w istocie zaś mieli czuwać nad każdym jego krokiem.

Następnie Gallus zatrzymał się w Adrianopolu. Podobno tamtejsze garnizony usiłowały ostrzec go, by nie jechał dalej, ale nikt już nie mógł rozmawiać z nim bezpośrednio. Musiał przyśpieszyć podróż, pozostawić dwór prócz kilku osób służby, przesiąść się na zwykłe wozy poczty państwowej. Przez Serdykę i Naissus, a potem wzdłuż Dunaju i Drawy dojechał do *Poetovio* (obecnie Ptuj). Tu dwaj nowi wysłannicy Konstancjusza poprosili, by zdjął szatę cesarską i przywdział zwykłą tunikę; wciąż się zaklinali, że nie spotka go nic złego. Choć była już noc głęboka, wsadzono go na wóz, który ruszył dalej.

Ostatecznie niedawny władca krajów rzymskiego Wschodu znalazł się w więzieniu na małej wysepce w pobliżu miasta Pola;

to dzisiejsza Pula, niedaleko cypla półwyspu Istria. Właśnie tam przed prawie trzydziestu laty zginął Kryspus z rozkazu Konstantyna Wielkiego, swego ojca.

Trzej pełnomocnicy cesarza wypytywali Gallusa, jakimi kierował się motywami wszczynając procesy. Blady ze strachu odpowiedział, że skazywał na śmierć ulegając żonie. Wydał tym wyrok na siebie, cesarz bowiem odczuł ów tchórzliwy wybieg jako obrazę swej niedawno zmarłej siostry. Odcięto Gallusowi głowę jak zwykłemu łotrzykowi. Umierając tak niesławnie pod koniec 354 roku nie miał jeszcze lat trzydziestu.

Pozostało już tylko dwóch mężczyzn z rodu Konstantyna: cesarz Konstancjusz II i dwudziestokilkuletni student Julian, przyrodni brat Gallusa.

Bunt Sylwana

Latem 355 roku cesarz wyprawił się z Italii za Alpy, nad górny Ren i Dunaj, aby poskromić Alamanów, którzy wciąż przekraczali owe wielkie rzeki graniczne, wdzierając się głęboko w rzymskie prowincje. Najgorzej przedstawiała się sytuacja na terenach Recji, obejmującej część dzisiejszej Szwajcarii i południowych Niemiec. Wysłany przodem naczelnik jazdy Arbicjon odniósł pewien sukces w bitwie z Alamanami w pobliżu jeziora *Venetus,* zwanego obecnie Bodeńskim, toteż na wieść o tym Konstancjusz II uznał kampanię za zakończoną i triumfalnie powrócił do Mediolanu.

Jeszcze przed wyprawą do Recji wyjechał do Galii z rozkazu cesarza naczelnik wojsk pieszych, Sylwanus, Frank z pochodzenia. Cieszył się ogromnym zaufaniem władcy, albowiem przed czterema laty właśnie on opuszczając szeregi Magnencjusza pod Mursą przyczynił się w dużym stopniu do odniesionego tam zwycięstwa nad samozwańcem. Sylwanus znał doskonale stosunki w Galii, kraju rodzinnym, miał też opinię energicznego oficera, toteż wybór wydawał się ze wszystkich miar trafny. A wpływowy naczelnik jazdy, Arbicjon, podobno również popierał myśl, by powierzyć mu misję w Galii, ale czynił to z przyczyn bardzo osobistych; pragnął usunąć groźnego rywala z otoczenia cesarza.

Sprawy zaś w Galii przedstawiały się wręcz katastrofalnie. Germanie podchodzili już do serca tamtejszych prowincji, do krain pomiędzy Loarą a Sekwaną. Przybywszy do Augustodunum Sylwanus zorganizował oddział zbrojny z okolicznej ludności, a zwłaszcza z osiadłych tam weteranów, i na jego czele leśnymi drogami przedarł się ku Autesiodurum, dzisiejszemu Auxerre. Później przerzucał się z miejsca na miejsce wypierając barbarzyńców, ścigając rozproszone oddziały i podtrzymując opór ludności. Swoją kwaterę ustanowił w Konfluentes, obecnej Koblencji, gdzie Mozela wpada do Renu.

Podczas gdy Sylwanus gromił Germanów u północnych rubieży imperium, jego wrogowie na dworze uknuli intrygę przeciw niemu i jego przyjaciołom. Sfałszowali listy, w których rzekomo dawał do zrozumienia osobom zaufanym, że sięgnie po władzę najwyższą. Dostarczono je cesarzowi. Po naradzie postanowił uwięzić tych, do których Sylwanus się zwracał. Wzburzyło to oficerów pochodzenia germańskiego, co oczywiście utwierdziło jeszcze przekonanie, że Sylwanus rzeczywiście coś przygotował wespół z nimi.

Na wniosek Arbicjona wysłano do Galii oficera do specjalnych poruczeń (*agens in rebus*) — Apodemiusza, który niedawno zasłużył się dopilnowując egzekucji Gallusa. Wiózł listy cesarza, wzywające Sylwanusa, aby stawił się jak najrychlej. Zamiast jednak wręczyć je adresatowi, Apodemiusz zajął się wychwytywaniem i dręczeniem ludzi w jakikolwiek sposób z nim związanych.

Tymczasem w Mediolanie znowu sfałszowano listy Sylwanusa oraz Malarycha; był to również Frank, oficer wysokiego stopnia przy dworze. Odbiorca listów, nadzorca zakładów płatnerskich w Kremonie, nie pamiętał, by kiedykolwiek rozmawiał z tymi dostojnikami. Odesłał więc listy jednemu z rzekomych nadawców, Malarychowi, prosząc, by ten wyłożył mu rzecz jaśniej: „bom człowiek prosty i niezbyt kształcony, nie pojąłem więc, co napisano tak zawile”. Malarych zwołał swych rodaków służących przy cesarzu i obnażył intrygi. Ale inicjatorom afery właśnie o to chodziło, by oficerowie frankijscy poczuli się zagrożeni i wszczęli jakąś nieprzemyślaną akcję.

Wprawdzie powołany przez cesarza trybunał wykrył, że

listy są sfałszowane, ale było już za późno. Któregoś dnia wieczorem w drugiej połowie sierpnia stanął w mediolańskim pałacu wysłaniec znad Renu z groźną wieścią: Sylwanus obwołał się cesarzem!

Uczynił tak, ponieważ nie miał wyboru. Informowano go nieustannie i zewsząd, jak postępuje Apodemiusz z bliskimi mu ludźmi, a zbyt dobrze znał sprawy dworu i złowrogą postać agenta, by nie zrozumieć, że w istocie chodzi o niego samego. Dowiedział się również o aferze fałszerstw w Mediolanie, co świadczyło, że ma wielu wrogów w otoczeniu cesarza. W obliczu takich niebezpieczeństw Sylwanus widział tylko jedno wyjście: uciec do Franków, z których wywodził się jego ojciec Bonifacjusz, służący potem w armii pod rozkazami Konstantyna Wielkiego. Jednakże Sylwanus, urodzony już w Galii, człowiek nieźle wykształcony i spokojnych obyczajów, chrześcijanin, należał całkowicie do świata rzymskiego, myśl więc, by porzucić cywilizację i rozpocząć nowe życie wśród barbarzyńców była nierealna, wręcz straceńcza. Powiedział mu to wprost pewien zaufany oficer, także Frank z pochodzenia: ,,Germanie albo od razu cię zabiją, albo wydadzą cesarzowi za pieniądze".

Skoro więc zguba groziła i od Rzymian, i od Franków, pozostało tylko jedno — samemu ogłosić się cesarzem. Pomysł ryzykowny, ale mający szansę powodzenia, gdyż mimo klęski Magnencjusza tendencje separatystyczne w Galii wcale nie wygasły, liczni zaś w armii Germanie z natury rzeczy sprzyjaliby swemu rodakowi odzianemu w purpurę.

Wszystko rozegrało się w ciągu zaledwie paru dni w Kolonii. Jeszcze 7 sierpnia 355 roku uroczyście obchodzono tam trzydziestą ósmą rocznicę urodzin Konstancjusza, ale już jedenastego tegoż miesiąca Sylwanus wystąpił w ceremonialnym stroju cesarskim. Ponieważ nie było w Kolonii odpowiedniej purpury, uszyto płaszcz z kawałków czerwonego sukna, zdjętego z chorągwi i godeł bojowych.

Wieść o rebelii w Kolonii zaskoczyła wszystkich. Cesarz natychmiast zwołał konsystorz; gdy rozpoczynał on obrady, straże nocne zmieniały się po raz drugi. Nastrój był ponury, obawiano się wojny domowej. Postanowiono wreszcie posłużyć się podstępem: udać, że nie wie się tu o niczym i po prostu odwołać Sylwana. Ktoś doradził, by misję tę powierzyć Ursycynowi. Ów tak zasłużony na Wschodzie wódz przetrzymywany był już od roku na dworze, oskarżony niesłusznie o buntownicze knowania.

Bezzwłocznie zawezwany Ursycyn musiał tejże nocy ruszyć do Kolonii. Wiózł bardzo uprzejme pismo cesarza, wzywające Sylwanusa, by właśnie jemu przekazał dowództwo, a sam przybył na dwór. Wśród dziesięciu oficerów towarzyszących Ursycynowi znalazł się również Ammian Marcellinus. Oto fragmenty jego relacji o tej dziwnej i niebezpiecznej wyprawie.

„Śpieszyliśmy więc pokonując co dzień wielki szmat drogi, pragnęliśmy bowiem stanąć w stronach objętych rebelią, nim jakakolwiek pogłoska o uzurpacji rozejdzie się szerzej. Lecz choć pędziliśmy chyżo, uprzedziła nas wieść powietrzem chyba lecąca. Toteż wjeżdżając do Kolonii stwierdziliśmy od razu, że nasze możliwości nie sprostają tamtejszej sytuacji. Do miasta zewsząd zbiegały się masy ludzi, z gorączkowym pośpiechem umacniając rozpoczęte dzieło; stały tu także liczne zastępy wojska.

Cóż było nam czynić w takim stanie rzeczy? Wydawało się najwłaściwsze, by nasz wódz dostosował się do woli i zamiarów nowego władcy. Winien stworzyć pozorne wrażenie, że doń przystępuje i wzmacnia jego siły. Albowiem tylko tak, niby to zgadzając się z Sylwanem, można było sprawić, że nie obawiając się od nas niczego złego zaniecha czujności — i zostanie zwiedziony. Plan jakże trudny!

Przyjęto naszego wodza łaskawie. Zmuszono go wprawdzie, aby ceremonialnie adorował dumnego nosiciela purpury, ale warunki i tak nakłaniały do schylenia karku. Traktowano zresztą Ursycyna z szacunkiem jako męża wybitnego i zaprzyjaźnionego. Miał łatwy dostęp do władcy, goszczono go przy stole, gdzie obaj mogli poufnie rozmawiać o sprawach najważniejszych. Sylwan oburzał się:

— Godność konsulów i najwyższe urzędy rozdaje się łajdakom. Myśmy dobrze się napocili, żeby państwo ratować, a co za to mamy? Tylko pogardą nam odpłacono i obmową! Mnie nęka się haniebnymi dochodzeniami przeciw osobom bliskim i fabrykuje się oskarżenia, żem popełnił zbrodnię obrazy majestatu. Ciebie porwano ze wschodu i rzucono na pastwę podłej zawiści!

Takie i tym podobne słowa często powtarzał. A nas tymczasem przerażało co innego. Oto zewsząd dochodziły groźne pomruki Sylwanowych żołnierzy, skarżących się na braki w zaopatrzeniu i żądających od wodza, aby natychmiast wiódł ich przez alpejskie przełęcze na Italię.

Żyliśmy więc w ustawicznym napięciu. Podczas tajnych narad gorączkowo szukaliśmy planu, który by miał szanse powodzenia. Ileż to razy strach zmuszał nas do zmiany już powziętych decyzji! Stanęło ostatecznie na tym, by ostrożnie wyszukać wykonawców dzieła i związać ich najświętszą przysięgą. Wybór padł na oddziały Brakchiatów i Karnutów, wydawało się bowiem, że są one chwiejne w swej postawie i gotowe byłyby przejść na naszą stronę za dobrą zapłatą. Sprawę tę załatwili wybrani agenci spośród żołnierzy szeregowych; nikt nie zwracał na nich szczególnej uwagi jako na zbyt niskich rangą.

Żołnierze zachęceni nadzieją wielkiej nagrody przystąpili do akcji o różanym świcie. Zachowywali się śmiało, jak zwykło się dziać, gdy sytuacja nie jest jeszcze wyklarowana. Zabili straże i wdarli się do pałacu. Wyciągnęli Sylwana z małej kapliczki, gdzie schronił się, przerażony najściem zbrojnych. A właśnie szedł na zebranie wyznawców religii chrześcijańskiej. Zginął od wielu pchnięć mieczów".

Tyle Ammian Marcellinus. Panował Sylwanus od chwili uzurpacji dokładnie 28 dni, a więc śmierć jego przypada na początek września 355 roku. Wieść o zgładzeniu uzurpatora Konstancjusz przyjął z ogromną radością, co jednak nie oznaczało, że docenia zasługi Ursycyna. Przeciwnie, żądano odeń wyjaśnień w sprawie rzekomo zagarniętego skarbca Galii.

Natychmiast też — jak poprzednio po upadku Magnencjusza, a potem Gallusa — zaczęto wyławiać i przesłuchiwać stronników uzurpatora, zakuwając ich w kajdany. Ale owe śledztwa i nawet wyroki śmierci groziły stosunkowo nielicznej grupie osób. Natomiast cała Galia odczuwała boleśnie inny skutek upadku Sylwana.

 Już wczesną jesienią tegoż roku wtargnęła na jej ziemie

nowa fala germańskich najeźdźców zza Renu. Najgroźniejsi byli Alamanowie. Dalej od północy posuwali się Frankowie i Sasowie. Padły rzymskie umocnienia i forty, padło ponad 40 miast nad Renem i w głębi kraju. Były wśród nich ośrodki tak znaczne jak Argentorate, czyli Strasburg, Mogoncjacum — Mainz, Augusta Nemetum — Spira. Oblegano Kolonię. Barbarzyńcy spalili osiedla wiejskie, ludność uprowadzali za Ren, bydło zaś i zboże gromadzili w miejscach bezpiecznych, aby mieć zapasy na czas przyszłych wypraw. Niektóre watahy zapuszczały się znowu w dolinę Loary i Sekwany.

Nowy cezar

Tymczasem cesarz zastanawiał się, wahał, medytował. Przedmiotem rozmyślań i narad był problem, jak skutecznie przeciwstawić się najeźdźcom nie opuszczając Italii? W pewnym momencie zrodził się pomysł, aby zadanie to powierzyć bratu stryjecznemu, Julianowi, i uczynić zeń współtowarzysza władzy. Pomysł dziwaczny, nieoczekiwany, niemal absurdalny — jeśli zważyć, że Julian nie miał najmniejszego doświadczenia w sprawach polityki i wojny, uchodził zaś za niezdarę, marzyciela, wiecznego studenta, obracającego się tylko w świecie bezużytecznych książek. Podobno myśl tę od początku popierała cesarzowa Euzebia. Według jednych dlatego, że po prostu obawiała się podróży do ogarniętej wojną Galii, gdzie musiałaby towarzyszyć mężowi, według zaś innych z pewnej sympatii do młodego człowieka, w którym może dostrzegała coś niezwykłego, w każdym zaś razie uważała, iż to on, jako jedyny poza Konstancjuszem męski przedstawiciel dynastii, winien objąć godność cezara.

Ceremonia nadania tej godności Flawiuszowi Klaudiuszowi Julianowi, tak bowiem brzmiało teraz jego pełne imię, odbyła się na początku listopada 355 roku w Mediolanie. Ale już zimą nowy cezar musiał wyruszyć na czele garstki żołnierzy do Galii, zagrożonej przez barbarzyńców.

W dniu 19 lutego 356 roku, gdy Julian był już za Alpami, cesarz Konstancjusz II podpisał ustawę grożącą karą śmierci każdemu, kto składał ofiary i oddawał cześć podobiznom bogów.

W tymże samym Mediolanie przed czterdziestu trzema laty jego ojciec i Licyniusz ogłosili całkowitą tolerancję dla wyznawców wszystkich religii i kultów. Tak toczyło się koło historii: prześladowani chrześcijanie najpierw domagali się tylko swobody wyznania, rychło jednak stali się sami prześladowcami, i to bardzo bezwzględnymi.

Julian dowiedział się o ustawie równie niespodziewanie, jak wszyscy urzędnicy i mieszkańcy imperium, nikt go nie pytał o radę lub zgodę, choć był formalnie cezarem. A przecież, gdyby traktować rzecz poważnie, Julian także winien by ponieść najsurowszą karę — a raczej, jako przedstawiciel władzy, sam sobie ją wymierzyć — on również bowiem modlił się nocami do bogów; na szczęście wiedziało o tym tylko kilka najbliższych osób.

Konstancjusz zaś, tak niemiłosiernie dławiący dawne kulty, jednocześnie bardzo stanowczo narzucał swoją wolę Kościołowi, zwłaszcza w sprawach personalnych. Pewnej nocy tegoż samego lutego, Syrianus, dowódca wojsk rzymskich w Egipcie, działając z jego rozkazu siłą wdarł się do jednego z kościołów w Aleksandrii, aby usunąć stamtąd biskupa Atanazego, od lat opierającego się woli cesarza. Biskup wprawdzie zdołał uciec w ostatniej chwili, ale odtąd musiał ukrywać się prawie sześć lat w pustynnych okolicach, korzystając z pomocy wspólnot mnichów i utrzymując tajny kontakt z gminą aleksandryjską.

W lecie 356 roku Konstancjusz wyprawił się przeciw Alamanom i spustoszył ich siedziby za górnym Renem. Ale gdy tylko wodzowie germańscy ukorzyli się, powrócił do Mediolanu. Tutaj stanął przed nim biskup Rzymu Liberiusz, sprowadzony znad Tybru pod eskortą. Cesarz miał mu za złe, że nie poparł uchwał wielu synodów potępiających postępowanie Atanazego. Również i tym razem biskup nie chciał się ugiąć, mimo usilnych nalegań władcy. Został więc zesłany do miasta *Berrhoea* w Tracji (obecnie bułgarska Stara Zagora), jego zaś urząd w Rzymie objął biskup Feliks.

Aby wzmocnić pozycję nowego pasterza stolicy, cesarz potwierdził w listopadzie przywileje tamtejszej gminy, a w grudniu wystosował na jego ręce pismo zwalniające członków kleru, ich żony i dzieci od danin i świadczeń, gdyby nawet zajmowali się handlem lub rzemiosłem. Te i tym podobne akty woli cesarza stanowiły prawną podbudowę przywilejów kleru w wiekach następnych, a pokazują zarazem wyraziście, jak bardzo różniła się sytuacja społeczna, zawodowa i rodzinna kapłanów chrześcijańskich jeszcze w IV wieku od ich położenia w średniowieczu i później.

W 357 roku Wielkanoc przypadała na dzień 23 marca. Konstancjusz spędził święta w Mediolanie, ale zaraz potem udał się do Rzymu, aby tam obchodzić uroczyście święto dwudziestolecia swego panowania, wzorem Konstantyna Wielkiego i jeszcze wcześniej Dioklecjana. Ale zapewne pragnął też Konstancjusz ujrzeć stolicę imperium, w której nigdy dotychczas nie był! Towarzyszyła mu żona Euzebia oraz siostra Helena. Ta musiała poślubić Juliana u schyłku 355 roku, wyjechała z nim do Galii, powiła tam syna, który jednak zmarł natychmiast po przyjściu na świat, powróciła więc na czas jakiś na dwór brata.

28 kwietnia 357 roku cesarz stanął pod murami Rzymu. Wyszedł mu naprzeciw senat i prefekt miasta oraz wszystkie stare rody, których przedstawiciele wystawili nawet podobizny przodków. Opis uroczystego wejścia Konstancjusza do stolicy zawdzięczamy Ammianowi Marcellinusowi, chyba naocznemu świadkowi.

Przodem niesiono w dwóch rzędach godła bojowe. Sam cesarz siedział w pozłocistym powozie, błyszczącym mnogością drogich kamieni. Otaczali go chorążowie trzymający długie włócznie, do których przyczepione były smoki z purpurowych tkanin, rozwierające swe paszcze; gdy poruszał je wiatr, wydawały się syczeć gniewnie, a ogony ich wiły się i splatały niby żywe. Po obu stronach kroczyli żołnierze formacji pałacowych; ich hełmy miały różnobarwne pióropusze. Byli też jeźdźcy w zbrojach z misternych blaszek stalowych, tak iż poddawały się wszelkim ruchom ciała.

Tłum witał cesarza przyjaźnie, on zaś siedział nieporuszony, niby martwy posąg człowieka. Nie odwracał twarzy, nie zmieniał pozycji, nie podnosił ręki.

Orszak zatrzymał się na Forum. Władca udał się do gmachu posiedzeń senatu, gdzie wygłosił przemówienie do zebranych tam dostojników. Potem pozdrowił lud z trybuny na Forum i wyjechał na Palatyn, gdzie mieszkał przez 30 dni, jak długo trwał jego pobyt w Rzymie.

Zwiedzając miasto i podziwiając skarby jego architektury oraz szacowne zabytki Konstancjusz co krok napotykał pogańskie świątynie i posągi dobrze zachowane, nawet restaurowane, a na ołtarzach bogów wciąż składano ofiary. Istniały też kolegia kapłańskie dawnych kultów, westalki zaś nadal strzegły świętego znicza. Formalnie zaś zwierzchnikiem wszystkich owych kolegiów i kultów był — sam Konstancjusz, nosił bowiem, jak jego poprzednicy od Augusta poczynając, tytuł *pontifex maximus*, „kapłan najwyższy".

Cesarz dobrze rozumiał, jak silne jest tutaj przywiązanie do religii ojców, toteż zachował się bardzo powściągliwie, okazał tolerancję tak daleko posuniętą, że właściwie jako *pontifex maximus* uzupełnił skład pogańskich kolegiów. Lecz i gospodarze miasta starali się nie urazić religijnych przekonań dostojnego gościa. Tuż przed jego wizytą usunęli z sali posiedzeń senatu ołtarz bogini Wiktorii, Zwycięstwa, było bowiem zwyczajem, że każdy zabierający głos składał na tym ołtarzu symboliczną ofiarę. Po wyjeździe Konstancjusza ołtarz powrócił na swoje miejsce, a usunięto go na stałe dopiero w 382 roku, wbrew rozpaczliwemu oporowi większości senatorów.

Toteż największe kłopoty w Rzymie miał cesarz nie z poganami, lecz ze współwyznawcami, skłóconymi i pewnymi siebie. Stawiła się przed nim delegacja kobiet chrześcijańskich, zwolenniczek wygnanego Liberiusza. Władca znowu poparł pozycję biskupa Feliksa, ale już otrzymał informacje, że Liberiusz, załamany pobytem w Tracji, skłania się do potępienia Atanazjusza. Można byłoby więc odwołać go z wygnania, ale co w takim razie zrobić z Feliksem?

Zachowała się materialna pamiątka Konstancjuszowej wizyty w stolicy nad Tybrem. Sprowadzono mianowicie wielki obelisk z Egiptu, wykonany w XV wieku p.n.e. za faraona Tutmozisa III, a liczący ponad 32 m wysokości. Transport był niesłychanie kłopotliwy, ostatecznie jednak ustawiono obelisk z ogromnym trudem na arenie Cyrku Wielkiego. W średniowieczu runął on na ziemię i rozpadł się na trzy kawałki. Odkopano je dopiero w 1587 roku, złożono i ustawiono na placu przed katedrą św. Jana na Lateranie. U podstawy obelisku wyryty był niegdyś poemat, nie zachowany, a znany tylko z odpisów. Sławił on wielkość cesarza i śmiałość przedsięwzięcia, jakim było przewiezienie monolitu przez morza z krainy tak odległej: „Pan świata Konstancjusz wierząc, że męstwu wszystko musi ustąpić, rozkazał, aby ta niemała część skały szła po lądzie i po morzu burzliwym".

Ponieważ sprowadzenie obelisku z Aleksandrii trwało pół roku, cesarza dawno już nie było w Rzymie, gdy pomnik ten ustawiano na arenie cyrku. Opuścił stolicę 29 maja 357 roku i nigdy już do niej nie wrócił. Śpieszył nad Dunaj, donoszono mu bowiem, że Swewowie przekraczają jego bieg górny, Kwadowie zaś i Sarmaci środkowy. Zapewne w sierpniu przeszedł Alpy przełęczą Brenneru, dotarł następnie nad Dunaj i posuwał się w dół rzeki. Nie musiał toczyć żadnych walk, sama wieść o jego zbliżaniu się wystarczała, by przerazić najeźdźców. Na leża jesienne i zimowe zatrzymał się w Sirmium nad Sawą.

Tymczasem w sierpniu Julian stoczył wielką, zwycięską bitwę z Alamanami pod Argentorate, dzisiejszym Strasburgiem, i pojmał ich wodza Chnodomara. Przywiózł go do Sirmium i stawił przed cesarzem naczelnik jazdy Ursycyn, który dwa lata temu położył tak wielkie zasługi obalając uzurpatora Sylwana w Kolonii. I znowu wyprawiono tego wybitnego dowódcę z niebezpieczną misją, tym razem na Wschód, aby wzmocnił obronę tamtej granicy wobec zagrażającego najazdu Persów. Wraz z nim ruszyli też oddani mu oficerowie, wśród nich Ammian Marcellinus.

Sam Konstancjusz przeprawił się wiosną 358 roku za Dunaj i spustoszył ziemie dzisiejszych Węgier między tą rzeką a Cisą, zamieszkane wówczas przez ludy Sarmatów, Kwadów, Limigantów. Cała kampania trwała zaledwie dwa miesiące, w czerwcu cesarz był już z powrotem w Sirmium, przybierając do swej tytulatury jako zwycięzca Sarmatów przydomek *Sarmaticus*. Nieco wcześniej jego wódz Barbacjon pokonał Jutungów nad górnym Dunajem — i został skazany na karę śmierci przez ścięcie pod zarzutem knucia spisku przeciw władcy.

Rok 358, pomyślny dla wojsk rzymskich, był jednym z najczarniejszych dla wielu prowincji wschodnich, w ostatniej bowiem dekadzie sierpnia silne trzęsienie ziemi nawiedziło Macedonię i znaczne obszary Azji Mniejszej. Zniszczenia dotknęły 150 miast i osiedli. Najstraszliwszy los spotkał Nikomedię, obecny Izmit w Turcji. Wczesnym rankiem 24 sierpnia rozpętała się potworna burza, a ziemia zadrżała w posadach. Kwitnące, bogate miasto zamieniło się w ciągu jednej chwili w kupę gruzów, pod którymi pogrzebane zostały dziesiątki tysięcy ludzi. Potem wybuchł pożar, trawiąc przez pięć dni i nocy ruiny oraz jeszcze stojące domy. Spłonęło żywcem wiele osób uwięzionych pod zwałami lub tylko lekko rannych.

Podobno niewiele brakowało, a zginęłoby w Nikomedii co najmniej kilkudziesięciu biskupów, już spieszących tam na nowy synod — a byłby to już trzeci lub czwarty w ciągu tego roku. Ostatni odbył się w czerwcu lub w lipcu w Sirmium, a jego kompromisowe uchwały podpisał Liberiusz, cesarz więc pozwolił mu wrócić do Rzymu. Po pewnym oporze Feliks musiał ustąpić, Liberiusz zaś sprawował rządy nad rzymską gminą aż do swej śmierci w 366 roku. W pamięci potomnych pozostał przede wszystkim jako budowniczy jednego z najsławniejszych kościołów Rzymu; jest to bazylika zwana obecnie *Santa Maria Maggiore*, niegdyś zaś *Liberiana* — od fundatora — lub *Santa Maria delle Nevi*, czyli Śnieżna, według bowiem legendy Matka Chrystusa ukazała się Liberiuszowi i pewnemu patrycjuszowi polecając, by zbudowano jej kościół tam, gdzie rankiem dnia następnego, 4 sierpnia, znajdą śnieg.

Gorzej przedstawiały się sprawy gminy w Aleksandrii, gdzie po usunięciu Atanazego nie udało się władzom rzymskim osadzić na stałe nowego biskupa, Georgiosa, czyli Jerzego.

W kwietniu 359 roku Konstancjusz znowu ruszył do Sirmium na czele swej armii przeciw sarmackiemu ludowi Limigantów, który przeprawiając się zza Dunaju niepokoił ziemie rzymskie. Obecnie Limigantowie prosili o prawo osiedlenia się w granicach imperium gdziekolwiek. Cesarz wyraził zgodę, ale kiedy tłum barbarzyńców stawił się pod rzymskim obozem w miejscowości *Acumincum*, prawie naprzeciw ujścia Cisy, aby złożyć hołd władcy, doszło chyba skutkiem przypadku do zaburzeń i walki. Konstancjusz, już stojący na trybunie, zdołał w ostatnim momencie wskoczyć na konia, ale zginęło wielu ludzi z jego otoczenia. Przybyły jednak posiłki legionistów i rozprawiono się krwawo z buntowniczym ludem.

W maju cesarz był już z powrotem w Sirmium, gdzie zajął się rozpatrywaniem nowego wyznania wiary oraz organizowaniem nowych soborów w celu jego zatwierdzenia; zebrały się one jeszcze latem tegoż roku, jeden biskupów wschodnich w Seleucji Izauryjskiej, drugi zaś w Ariminum dla pasterzy gmin zachodnich.

Tymczasem u granic wschodnich rozpętała się wielka wojna. Król perski Szapur II ruszył latem na czele ogromnych zastępów, by odzyskać północną Mezopotamię. O wydarzeniach, jakie wówczas tam się rozgrywały, jesteśmy świetnie, dokładnie i barwnie poinformowani dzięki relacji świadka naocznego, Ammiana, który jako oficer w sztabie Ursycyna brał udział w różnych działaniach wojskowych na tamtym obszarze, w szczególności zaś przeżył oblężenie Amidy, potężnej twierdzy rzymskiej nad górnym Tygrysem, przez samego króla królów. Oblężenie to trwało dokładnie 73 dni, od drugiej połowy lipca do 6 października 359 roku.

Broniło Amidy osiem legionów — aż siedem, w tym dwa z Galii, przerzucone tu niedawno, liczono się bowiem z wybuchem wojny — oraz oddział konnych łuczników. Twierdza ponadto miała potężne mury i wiele machin. Zdobyto Amidę szturmem po wielu krwawych walkach i nieustannych atakach. Poległo prawie 30 000 Persów. Toteż król srożył się wobec bohaterskich obrońców: kazał ukrzyżować dowódcę, komesa Eliana, i wielu oficerów, innych zaś pognał w niewolę. Ammian uratował się cudem; zdołał się wymknąć z już zdobytej Amidy i długo błądząc po pustyniach powrócił do Syrii. Mimo zawładnięcia twierdzą kampania 359 roku skończyła się dla Szapura II niepowodzeniem. Długotrwały opór jednej fortecy osłonił wszystkie rzymskie prowincje, a jesienne chłody i deszcze zmusiły Persów do odwrotu.

Wieść o upadku Amidy zastała cesarza już w Konstantynopolu. Pozostał tu na zimę. W styczniu zebrały się tam delegacje obu synodów, tego z Seleucji i z Ariminum, aby przyjąć nowe, kompromisowe wyznanie wiary; biskupi, którzy nie chcieli go akceptować, poszli na wygnanie. Najwięcej jednak uwagi, to zrozumiałe, poświęcał cesarz wojnie perskiej. W związku z tragedią Amidy przesłuchiwał Ursycyna; musiał on odejść ze służby czynnej, choć żadnej winy nie ponosił. Licząc się z nowym atakiem Szapura postanowiono ściągnąć z Galii do Mezopotamii znaczną część armii Renu, nie przewidując, jakie pociągnie to skutki.

Formacje w Galii, które miano przerzucić na Wschód, nie chciały opuszczać stron ojczystych. Żołnierze podnieśli bunt i okrzyknęli cesarzem swego wodza, cezara Juliana. Stało się to w mieście *Lutetia Parisiorum*, czyli obecnym Paryżu, w lutym 360 roku. Julian rzekomo nie chciał tej godności, musiał jednak ustąpić wobec zdecydowanej postawy żołnierzy. Konstancjusz ze swej strony nie przyjął do wiadomości faktu uzurpacji, odmówił mu tytułu augusta, nie mógł jednak wszczynać żadnych działań przeciw buntowi w Galii, musiał bowiem strzec Wschodu. Ustanowił główną kwaterę w syryjskiej Edessie. Miał jednak zbyt słabe siły, toteż mógł tylko obserwować, jak Szapur II latem tego roku zdobywał pograniczne miasta i twierdze.

Zimę cesarz spędził w Antiochii. Tutaj poślubił nową żonę, Faustynę, Euzebia bowiem zmarła przed rokiem. W czerwcu 361 roku przeniósł się do Edessy w oczekiwaniu nowej ofensywy perskiej. Przyszły jednak pewne wiadomości, że w tym roku Szapur nie rozpocznie żadnych działań. Z Zachodu natomiast donoszono, że Julian, nie mogąc doczekać się uznania tytułu augusta, nadanego mu przez wojsko, ruszył z Galii ku krajom naddunajskim. A więc nowa wojna domowa!

W tej sytuacji cesarz powrócił do Antiochii, ale opuścił ją w październiku, aby stawić czoło Julianowi. W cylicyjskim mieście *Tarsus* (Tars) miał lekki atak febry, uznał jednak, że ruch i wysiłek pomogą zwalczyć słabość. Dotarł do miejscowości Mopsukrene, ostatniej stacji pocztowej w granicach Cylicji. Tam zaniemógł tak ciężko, że dnia następnego nie był w stanie kontynuować podróży. Gorączka rozpaliła ciało, nawet lekkie dotknięcie sprawiało ból. Chory wszakże zachował przytomność umysłu. Przyjął chrzest z rąk biskupa Antiochii, Euzojosa, i przekazał otoczeniu ostatnią wolę: władzę po nim obejmie Julian. Potem zamilkł i długo zmagał się ze śmiercią.

 Zmarł 3 listopada 361 roku przekroczywszy czterdziesty

czwarty rok życia. Panował samodzielnie 24 lata, licząc od śmierci ojca. Osierocił żonę poślubioną przed kilkoma miesiącami; była przy nadziei i już po zgonie męża powiła córeczkę.

Jako władca miał tylko jeden cel, któremu służył wiernie i rzetelnie: utrzymać jedność i potęgę imperium, zachowując nienaruszony majestat tronu wobec wszystkich, także wobec Kościoła. Los położył na barki tego uczciwego człowieka o miernych zdolnościach ciężar ogromny, a on, zdając sobie sprawę z odpowiedzialności, słaniał się i upadał, lecz nigdy nie załamywał.

Julian

Flavius Claudius Iulianus
Ur. 331 lub wiosną 332 r.,
zm. 26 czerwca 363 r.
Cezar od 6 listopada 355 r.
Panował na Zachodzie jako
Imperator Caesar Flavius Claudius Iulianus Augustus
od lutego 360 r. nie uznawany
przez cesarza Konstancjusza II,
a od jego zgonu
w listopadzie 361 r.
aż do swej śmierci
sam na całym imperium.

Dzieciństwo i młodość

Przyrodni brat Konstantyna Wielkiego, Juliusz Konstancjusz, był żonaty dwukrotnie. Najpierw poślubił w Italii dziewczynę o imieniu Galla, pochodzącą z arystokratycznego rodu miejscowego. Dała mu ona w 325 roku syna, od imienia jej nazwanego Gallusem, zmarła jednak już rok później. Wdowiec przeniósł się do Grecji, do Koryntu, a potem do Konstantynopola. Tutaj ożenił się powtórnie. Wybranką była Bazylina, której rodzina posiadała wielkie majątki w krajach małoazjatyckich i bałkańskich. Jej ojciec piastował najwyższe godności państwowe, zwał się Julian. Po nim to, po swym dziadku, odziedziczył imię chłopiec urodzony pod koniec roku 331 lub wiosną 332.

Bazylina, tak samo jak poprzednio Galla, zmarła przedwcześnie, zapewne wskutek powikłań poporodowych. Tak więc Julian, podobnie jak jego brat przyrodni Gallus, nie pamiętał swej matki. Zawsze jednak mówił o niej z czułością, a wiele lat później tak napisał: „Urodziła mnie jako syna pierwszego i jedynego. W kilka miesięcy później zmarła. W ten sposób Dziewica bez matki, Atena, ocaliła ją, kobietę piękną i młodą, od licznych nieszczęść". Aż do końca swych dni przechowywał troskliwie klejnoty, niegdyś stanowiące jej osobistą własność.

Lecz najcenniejszym spadkiem, jaki Bazylina pozostawiła synowi, był jej domowy nauczyciel, Mardoniusz. Ten niewolnik, eunuch, nosił perskie imię, zwany był nieco pogardliwie Scytą, ponieważ pochodził z północnych wybrzeży Morza Czarnego, okazał się jednak lepszym Hellenem od wielu urodzonych w samych Atenach, prawdziwie bowiem kochał grecką literaturę i potrafił wzbudzać w innych miłość do niej. Arystokratyczny dom matki Juliana cenił stare, pogańskie tradycje kulturalne, choć rodzina już wyznawała chrześcijaństwo. Była spokrewniona z bardzo wybitnym biskupem owego czasu, Euzebiuszem, pasterzem gminy w Nikomedii, arianinem; to on ochrzcił Konstantyna Wielkiego w 337 roku.

Gdy tylko cesarz ten zmarł, wymordowano — na czyj rozkaz? — wielu członków panującej rodziny, wśród nich również Juliusza Konstancjusza. Jego więc dwaj synowie, bracia przyrodni, stali się zupełnymi sierotami; majątek skonfiskowano. Zajęli się nimi krewni Bazyliny oraz biskup Euzebiusz. Chłopców rozdzielono: Gallusa wysłano do Efezu, Juliana zaś do Nikomedii i znowu do Konstantynopola, gdy jego opiekun zasiadł na biskupim tronie tego miasta. Ale nad wychowaniem chłopca wciąż czuwał Mardoniusz. Ów wielbiciel klasycznej, pogańskiej literatury był chyba również chrześcijaninem. W każdym razie Julian czytywał nie tylko poetów sprzed wieków, lecz także święte pisma nowej wiary i później dobrze się w nich orientował.

Nie podzielał Mardoniusz — jak i chrześcijanie — powszechnego wtedy entuzjazmu dla widowisk teatralnych, co poświadcza sam Julian: „Zobaczyłem je po raz pierwszy, gdym miał dłuższą brodę niż włosy na głowie. Zresztą i wtedy nie chodziłem do teatru z własnej nieprzymuszonej woli". Należy przypomnieć, że w teatrach pokazywano wtedy nie dostojne dramaty klasyczne, nie utwory Sofoklesa, lecz najczęściej sztuki pantomimiczne oddające najbardziej wyuzdane sceny z niezbyt obyczajnej mitologii.

Chłopca cechowała, jak świadczy wiele jego wypowiedzi, wrażliwość na piękno przyrody. Oto jak opisuje uroki małej posiadłości wiejskiej, w której za młodych lat spędził wiele chwil miłych, a którą później ofiarował przyjacielowi: „Gdy wyjdziesz z domu i staniesz na wzgórzu, obejmiesz wzrokiem Propontydę, wysepki, a nawet miasto nazwane od szlachetnego władcy. (...) Droga wiedzie wśród powoju, wśród tymianku i ziół wonnych. Kto tam odpoczywa i czyta, ma wokół głęboką ciszę. A kiedy oczom daje wytchnienie, jak miło patrzeć na okręty i morze! Gdy byłem jeszcze małym chłopcem, właśnie takie letnisko wydawało mi się najmilsze. Są tam również źródła nie najgorsze, są rozkoszne miejsca do kąpieli, są ogrody i drzewa. Kiedy dorosłem, tęskniłem za minionymi wczasami".

W 342 roku Konstancjusz postanowił ze względów chyba politycznych odsunąć obu chłopców od wielkich ośrodków miejskich. Osadzono ich w krainie odległej, odludnej. Trzeba było z dnia na dzień pożegnać morze, Konstantynopol i Nikomedię, dom i ciche sioło. A także Mardoniusza. Jeszcze wiele lat później Julian przyznawał, że rozstanie z wiernym pedagogiem było szczególnie bolesne.

Obu braci wywieziono na wschód, do Kapadocji, gdzie znajdował się majątek cesarski Macellum, położony zresztą w okolicy malowniczej, wśród pagórków i lasów, ogrodów i strumieni. Chłopcy mieli do dyspozycji liczną służbę, mogli się uczyć, ćwiczyć w gimnazjonie, jeździć konno, polować; z tych ostatnich rozrywek korzystał głównie Gallus. Ale ów długi, bo sześcioletni tam pobyt miał też przykre strony. Oddajmy znowu głos Julianowi: „Żyliśmy w cudzym majątku na wzór więźniów pilnie strzeżonych w perskich twierdzach. Nikt obcy nie mógł porozumiewać się z nami. Nie pozwolono bywać u nas dawnym znajomym. Żyliśmy odcięci od wszelkiej poważnej nauki i od jakichkolwiek kulturalnych kontaktów".

Wtedy też, jak się zdaje, obaj młodzi ludzie przyjęli chrzest, piastowali nawet w okolicznych gminach niższe funkcje kapłańskie, chyba lektorów. Zbudowali też kaplicę ku czci sławnego tam męczennika o dziwnym dla nas imieniu — Mama.

Wiosną 347 roku odwiedził Macellum sam cesarz Konstancjusz, ale głównie dla polowań. Gallus, starszy od Juliana i reprezentujący spore umiejętności jako jeździec i strzelec, widocznie spodobał się, skoro w początkach 348 roku został powołany na dwór do Antiochii. Nieco później pozwolono opuścić Macellum także Julianowi, który udał się w strony ojczyste, do Konstantynopola i Nikomedii.

W miastach tych kolejno prowadził prywatną szkołę retoryki trzydziestoparoletni Libaniusz rodem z Antiochii, chyba najwybitniejszy intelektualista pogański IV wieku. Obaj, student i mistrz wymowy, czuli wzajemną sympatię i obserwowali się pilnie, ale tylko z dystansu, Julian bowiem mógł słuchać wykładów tylko chrześcijańskiego retora; był nim Hekebolios, umysłowość zresztą niezbyt wybitna. Tak w praktyce wyglądała tolerancja. Zresztą młody człowiek nie chciał ściągać na siebie uwagi donosicieli. Uczył się pilnie, skupował stare książki, ale nie oglądał żadnych widowisk.

Potem przeniósł się do Pergamonu i stamtąd do Efezu. Tam to zetknął się z myślicielami, dzięki którym dokonał się przełom w jego przekonaniach religijnych. Odstąpił — na razie tylko w sercu, potajemnie — od chrześcijaństwa, stał się wyznawcą dawnych bogów. Niewiele wiemy o okolicznościach tej decydującej zmiany, która wtedy wstrząsnęła tylko psychiką młodego księcia, ale w kilkanaście lat później miała się odbić na życiu całego imperium. On sam, pisarz skądinąd wielomówny, zachowuje w tej sprawie dyskretne milczenie, Libaniusz zaś ogranicza się do ogólników: „Zetknął się wreszcie z ludźmi pełnymi nauk Platona. Od nich to usłyszał o bogach i demonach, a więc o prawdziwych stwórcach tego świata i jego zbawicielach. A także o tym, czym jest dusza, co ją oczyszcza, jakie są przyczyny jej upadku i wzlotu, co ją pogrąża, co zaś wznosi ku górze, co dla niej więzieniem, a co wolnością. Wprowadził do duszy piękno prawdy, jakby do wielkiej świątyni wnosił z powrotem posągi bogów, przedtem obrzucane błotem. Udawał jednak, że wszystko jest po dawnemu, bo zrzucenie maski miałoby groźne następstwa".

Wśród mistrzów szczególne wrażenie wywarł na nim Maksymus. Pisarz współczesny mu tak go przedstawia: „Będąc jeszcze młodzieńcem zetknąłem się z nim, już starcem, i głos jego słyszałem. Brodę miał długą, siwą, wzrok zaś odbijał wszelkie drgnienia duszy. Czy to patrząc nań, czy to go słuchając, odnosiło się jednakowo silne wrażenie szczególnej harmonii. Kto z nim rozmawiał, zdumiewał się żywości spojrzenia i potoczystości wysłowienia".

Uchodził Maksymus za mędrca i cudotwórcę, a kierunek, który reprezentował, i który wywarł ogromne na nim wrażenie, zwał się teurgią, co oddać by można po polsku terminem „bożodziałanie", czyli działaniem wespół z bogami i przez nich. Kierunek ten odcinał się ostro od magii i głosił, że tylko ten może zostać teurgiem, kto otrzymał staranne przygotowanie filozoficzne oraz uwolnił się od niskich pożądań. Ten bowiem ożywiony jest bezinteresowną miłością do bogów i ludzi. Krótko mówiąc, była to mistycyzująca filozofia w duchu nowoplatońskim.

Lecz w wyborze Juliana kryło się coś więcej niż naiwne — a dość częste we wszystkich wiekach — zainteresowanie tajemnymi naukami. Był po prostu wyznawcą dawnej kultury, jej bogactwa i różnorodności, pojmował ją jako najwyższą wartość stworzoną przez dorobek pokoleń, a za nieodzowny jej element uważał wiarę w starych bogów. Sądził natomiast — słusznie czy niesłusznie, to inna sprawa — że chrześcijaństwo jest w stosunku do owej kultury, traktowanej jako całość, czymś obcym, a nawet wrogim.

Młodego człowieka odpychały również od nowej religii nie kończące się i coraz ostrzejsze spory dogmatyczne i personalne w jej łonie. Były wreszcie powody osobiste, przede wszystkim zaś niechęć do pobożnego Konstancjusza, sprawcy, jak uważał, wymordowania rodziny.

Późną jesienią 354 roku Gallus, brat Juliana, od kilku lat pan prowincji wschodnich, został odwołany przez Konstancjusza i zapłacił w Akwilei głową za nadużycia władzy. Sądzono następnie jego byłych oficerów i dworzan. Wezwano wreszcie do Italii, gdzie przebywał cesarz, także Juliana.

Oskarżano go nieoficjalnie o to, że przed kilku laty opuścił Macellum samowolnie i że w celach wywrotowych spotkał się niedawno ze swym bratem, gdy ten przejazdem bawił w Konstantynopolu. Pisze Libaniusz: „Otaczali go uzbrojeni strażnicy, spoglądający dziko i przemawiający ostro. W porównaniu z tym, co oni wyczyniali, nawet więzienie mogło wydać się czymś lekkim. Nie pozwalano mu zatrzymywać się dłużej w jednym miejscu, lecz przewożono go z miejscowości do miejscowości, co samo przez się było udręką. Cierpiał to wszystko, choć nie przedstawiono mu oskarżenia".

Przez 7 miesięcy Julian nie mógł uzyskać nawet audiencji u cesarza. Dopiero późną wiosną 355 roku sprawy przybrały lepszy obrót dzięki wstawiennictwu cesarzowej Euzebii. Julian otrzymał zgodę najpierw na powrót do majątku odziedziczonego po matce w okolicach Nikomedii, a potem, ku swej ogromnej radości, na wyjazd do Aten w celu kontynuowania nauki. „Euzebia wiedziała, jak cieszy mnie nauka, a rozumiała też, że tamta kraina sprzyja poważnym zainteresowaniom. (...) Pożądałem tego od dawna, i to bardziej niż gór złota i srebra".

Ateny, do których Julian zawitał latem 355 roku, były miastem stosunkowo niewielkim, ubogim, kilkakrotnie grabionym, nadal jednak pełnym wspaniałych zabytków. Nade wszystko wszakże stanowiły duży ośrodek nauki. Podążały tu rzesze młodych ludzi z wszystkich krain imperium, aby studiować nauki wyzwolone, wykładane w szkołach państwowych i prywatnych. Najstarszą i wciąż jeszcze najsławniejszą z uczelni filozoficznych była Akademia, założona przed siedmiu wiekami przez Platona. Podobnie jednak jak działo się to gdzie indziej, najwięcej słuchaczy skupiali wokół siebie mistrzowie nie filozofii, lecz wymowy, zwani także sofistami, retorykę bowiem i tutaj uważano wówczas za koronę wykształcenia.

Życie i obyczaje studenckie w owym mieście znane nam są dobrze dzięki różnym relacjom. Zachowała się wśród nich również ta, której autorem jest Grzegorz z Nazjanzu, później nieprzejednany wróg Juliana, a bawiący na studiach w Atenach wraz ze swym przyjacielem Bazylim właśnie w latach 352–358. Nie oni zresztą jedyni byli chrześcijanami wśród ówczesnej młodzieży, trafiali się nawet profesorowie wyznający tę religię. Grzegorz widywał tam Juliana i pozostawił jego portret.

„Przyjechał wkrótce po wydarzeniach związanych ze śmiercią swego brata; wybłagał to u cesarza. Dwa były powody podróży: pierwszy, raczej chwalebny, to chęć poznania Hellady i szkół ateńskich. Drugi, raczej tajny i niewielu znany, to pragnienie zasięgnięcia rady u tamtejszych wróżów i zwodzicieli. Właśnie wtedy chyba trafnie osądziłem tego człowieka, chociaż nie param się takimi sprawami. Jeśli jednak wróżem najlepszym jest ktoś, kto potrafi wyciągać właściwe wnioski, to do wróżenia skłoniła mnie dziwaczność jego zachowania się i wygląd niezwykły. Uważałem, że niczego dobrego nie zapowiada ów kark słabowity, barki chwiejne niby szale u wagi, oczy podniecone i rozbiegane, wzrok obłąkanego, chód nerwowy i niepewny, nos prychający arogancją i pychą, zawsze ten sam wyraz twarzy o błazeńskich rysach, śmiech wybuchający niespodziewanie i bełkotliwie, ruchy głowy niespokojne, mowa wciąż przerywana brakiem tchu, pytania bezładne i przypadkowe, podobne odpowiedzi".

Jest to świadectwo tak jawnie stronnicze i dyszące nienawiścią, że oskarża i demaskuje samo siebie. Wyolbrzymiono w nim pewne rysy i cechy może istotnie dające się u Juliana zaobserwować, na przykład jakąś nerwowość. Można przeciwstawiać temu obrazowi inne portrety, jak choćby ów pochodzący od Libaniusza, a również mówiący o pobycie ateńskim: „Podziw budziła zarówno jego wymowa, jak też skromność. Nie potrafił słowa powiedzieć, by się nie zarumienić. Choć wszyscy mogli cieszyć się z jego łaskawości, tylko najszlachetniejszych darzył zaufaniem". Jakiż więc w istocie był ów Julian? Skromny i wstydliwy, czy też pyszałkowaty i arogancki?

I jeszcze jedna charakterystyka wyglądu nakreślona przez człowieka dobrze znającego Juliana, a zarazem starającego się zachować bezstronność, tak ważną dla historyka. Widział go on takim: „Wzrostu był średniego. Włosy miał miękkie, jakby grzebieniem układane, bródkę zaś wełnistą, ostro zakończoną. Oczy wdzięcznie jaśniały blaskiem, świadcząc o bystrości umysłu. Brwi ładne, nos bardzo prosty, usta nieco za duże; dolna warga nieco zwisała. Kark mocny, lekko pochylony, barki duże, szerokie. Od czubka głowy aż po same koniuszki paznokci cechował się prawidłową budową ciała, był mężczyzną silnym i dobrze biegał".

I znowu — czy oczy Juliana wdzięcznie jaśniały, czy też, jak chce Grzegorz z Nazjanzu, były podniecone i rozbiegane, niby wzrok obłąkanego? Fakt to dobrze znany i wciąż potwierdzany w naszym życiu codziennym, że dwaj różnie nastawieni obserwatorzy inaczej widzą i tłumaczą ten sam rys lub sposób zachowania się danej osoby; co jeden określa jako przejaw żywości umysłu, drugi piętnuje jako niesympatyczną oznakę szaleństwa. W każdym razie musiało być w oczach i spojrzeniu Juliana coś niezwykłego, co uderzało ludzi z nim się stykających i fascynowało jednych, odpychało zaś innych.

A jak wyjaśnić rozbieżność sądów Grzegorza i Ammiana w sprawie tak konkretnej jak budowa karku i ramion? Obaj zapewne mówią prawdę, opisują jednak Juliana w dwóch różnych okresach życia. Student w Atenach wyglądał mizernie i chuderlawo, potem wszakże warunki sprawiły, że Julian zmężniał i stał się krzepki.

Najbliższa bowiem przyszłość miała zadać kłam nieżyczliwemu sądowi Grzegorza z Nazjanzu. Okazało się, że Julian to nie śmieszny i niepewny siebie chłopaczek, lecz prawdziwy mężczyzna, który potrafi w najcięższych okolicznościach sprostać każdemu niebezpieczeństwu. To wódz i polityk dążący śmiało do wytkniętego celu, świadom swych obowiązków wobec państwa i społeczności.

Ta wielka zmiana warunków i sposobów życia, a zarazem próba charakteru, wynikła z wydarzeń, które rozgrywały się właśnie podczas ateńskich studiów Juliana daleko od Hellady, bo nad Renem, latem 355 roku. One to sprawiły, że pobyt pod Akropolem trwał bardzo krótko: zaledwie trzy miesiące. Już bowiem w początkach października rozkazano mu stawić się jak najrychlej na dworze cesarskim w Mediolanie.

Ceremonia w Mediolanie

Młody student żegnał Ateny płacząc. Był przygnębiony i niespokojny, tym bardziej że rozkaz, by stawił się w Mediolanie, wcale nie podawał przyczyny, toteż nawet najgorsze przeczucia wydawały się usprawiedliwione. Musiał jednak okazać posłuszeństwo pilnemu wezwaniu, a potem pokornie wyrazić zgodę na ofiarowany mu zaszczyt — podniesienie do godności cesarza u boku Konstancjusza II.

„Ustąpiłem. Zmieniłem odzież, otoczenie, zajęcia, mieszkanie, sposób życia. W miejsce niedawnej prostoty i ubóstwa miałem wokół siebie tylko przepych i dostojeństwo. Ta obcość wszystkiego wywołała duży wstrząs w mej psychice. Nie dlatego, aby olśniewał mnie ogrom obecnego szczęścia, lecz właśnie przeciwnie: nie mając zrozumienia dla tych spraw, nie widziałem w nich nic szczególnie imponującego. (...) Stanowczo odmawiałem wszelkiej poufałości z ludźmi w pałacu. Oni jednak zebrali się razem, jakby to był lokal balwierza. Zgolili mi brodę, przyodziali w płaszcz żołnierski. Uczynili ze mnie, jak wtedy myśleli, coś na kształt bardzo zabawnego wojaka. Nie odpowiadało mi w ogóle strojnisiostwo tych plugawych ludzi. Nie potrafiłem chodzić tak jak oni, pysznym wzrokiem rozglądając się wokół; zawsze patrzałem skromnie w ziemię, jak mnie nauczył niegdyś mój pedagog. Wtedy więc byłem dla nich przedmiotem pośmiewiska, wkrótce potem podejrzeń, aż wreszcie rozgorzała zawiść".

6 listopada 355 roku odbyła się uroczysta ceremonia. Żołnierze wszystkich formacji stacjonujących w Mediolanie stanęli w pełnym uzbrojeniu na placu przed wysoką trybuną, wokół której zgromadzili się chorążowie, dzierżąc orły i sztandary. Na trybunę weszli Konstancjusz i Julian. Cesarz ujął młodego człowieka za prawą rękę i wygłosił przemówienie, podczas którego zarzucił na jego ramiona płaszcz purpurowy. Oznajmił, że czyni go cesarzem, wojsko zaś powitało to okrzykiem radości. Gdy skończył mowę, podniosły się znowu wołania tłumów, lecz wnet zagłuszyło je potężne, metaliczne dudnienie: to żołnierze rytmicznie bili kolanami w tarcze, dając w ten sposób wyraz radości; uderzenia natomiast dzidami w tarcze oznaczałyby ból i gniew.

Ammian Marcellinus, świadek ceremonii, powiada: „Oczy wszystkich zwrócone były na drobną postać młodzieńca, przyodzianego w cesarską purpurę. Jego oczy zdawały się pełne wdzięku, lecz zarazem było w nich coś, co lęk budziło. Miła twarz na skutek podniecenia stała się jeszcze sympatyczniejsza. Każdy z patrzących rad by wglądnąć w jego duszę i odpowiedzieć sobie na pytanie: Jakimże będziesz władcą? Zstąpiono z trybuny. Nowy zaszczyt spotkał Juliana: cesarz raczył zaprosić go do swego powozu. Orszak skierował się w stronę pałacu".

Lecz pałac był zarazem więzieniem. Sugestywnie przedstawia to sam Julian: „Tak więc narzucono mi z pośpiechem imię i płaszcz cezara. Rozpoczął się okres niewoli. Każdego dnia wisiał nad głową strach o życie, ogromny i dławiący. Zamknięte bramy. Czujne straże. Przeszukuje się moich ludzi, aby przypadkiem nie dostarczali liścików od przyjaciół. Służba obca. Z trudem zdołałem wprowadzić do pałacu czterech swoich służących, aby mieć kogoś, do kogo przywykłem. Dwaj z nich byli to jeszcze mali chłopcy, dwaj zaś nieco więksi. Jeden z nich wiedział, że jestem wyznawcą bogów i pokryjomu pomagał mi, jak umiał najlepiej. Pewnemu lekarzowi powierzyłem swoje książki. (...) Stałem się tak przeczulony i strachliwy, że ilekroć któryś z przyjaciół pragnął złożyć mi wizytę, nie zgadzałem się na spotkanie, choć czyniłem to wbrew sobie. Obawiałem się jednak, że rozmowa mogłaby stać się przyczyną nieszczęść i dla mnie, i dla gościa".

Najbardziej brakowało Julianowi — książek. Wyjeżdżając z Aten sądził, że jednak tam powróci. Na szczęście cesarzowa Euzebia ofiarowała mu sporo dzieł różnej treści. „W ten sposób zaspokoiła moje pragnienia, choć jestem wręcz nienasycony, jeśli chodzi o ten rodzaj obcowania intelektualnego. Ilekroć trafiła się chwila wytchnienia, siadywałem nad owymi skarbami, zawsze wspominając wdzięcznie tę, która darowała mi je tak łaskawie".

Wśród owych książek była jedna, która okazała się szczególnie użyteczna — łacińskie dzieło Juliusza Cezara sprzed czterech wieków — *Pamiętniki o wojnie z Galami.* Albowiem stało się rychło to, co było do przewidzenia. „W samym środku zimy Konstancjusz wysłał mnie na czele trzystu żołnierzy do kraju Galów, wówczas wstrząsanego groźnymi wydarzeniami".

Wyprawiając tam Juliana cesarz nawet nie powiadomił go o tym, o czym na dworze wiedziano już od kilku dni, lecz umyślnie przetrzymywano w całkowitej tajemnicy, by nie przerażać garstki ludzi wysyłanych właściwie na zatracenie. Padła Kolonia!

Argentoratε

W początkacl grudnia 355 roku Julian wyruszył z Mediolanu do Galii jako mianowany przez Konstancjusza cezar. Na alpejskich przełęczach leżały śniegi, pokonał jednak górskie szlaki dość łatwo dzięki wyjątkowo słonecznej, niemal wiosennej pogodzie. Zstępując dolinami rzek dotarł do Wienny nad Rodanem, gdzie zatrzymał się dłużej.

Jeszcze przed kilkoma miesiącami ten skromny, niepozorny młodzieniec studiował w Atenach filozofię i retorykę, swobodny i beztroski. Żyjąc wśród książek od lat, nigdy dotychczas nie zajmował się polityką, nigdy nie służył w wojsku, nie interesował się widowiskami i sportem. I oto właśnie on, wielbiciel dawnej poezji i wyznawca mistycznej filozofii, wychowany w krainach o łagodnym klimacie, musiał obecnie z woli cesarza, swego kuzyna, stanąć jako wódz przy północnych granicach, aby je bronić przed wdzierającymi się Germanami. A brakowało mu nie tylko doświadczenia wojskowego, ale nawet ludzi zdatnych do walki. Współczesny pisarz wystawia takie świadectwo oddziałom stacjonującym w Galii: „Przywykły już do ponoszenia klęsk i do bronienia się zza murów, atakować zaś nie potrafiły, dygotały bowiem ze strachu".

Sam Julian przywiódł do Wienny zaledwie trzystu sześćdziesięciu zbrojnych, o których wyrażał się pogardliwie: „Umieją tylko się modlić!" I rzeczywiście — było wśród nich sporo chrześcijan. Jednym z nich był dziewiętnastoletni Martynus, czyli Marcin, urodzony zapewne w panońskim mieście o nazwie Sawaria (obecnie Szombathely na Węgrzech) jako syn oficera, wychowany potem w *Ticinum* w Italii, a wcielony do oddziałów jazdy pałacowej, gdy miał ledwo 15 lat. Ponieważ straż przyboczną Juliana uformowano właśnie z tych oddziałów, żołnierz Martynus ujrzał Galię dzięki młodemu cezarowi. Ten kraj stał mu się ojczyzną z wyboru; porzuciwszy bowiem wkrótce służbę w armii Marcin otrzymał po pewnym czasie — dzięki rozgłosowi swej pobożności — godność biskupa w *Caesarodunum Turonum*, dzisiejszym Tours, po śmierci zaś miano świętego i tytuł patrona chrześcijańskiej Francji.

Podczas zimy ustały wszelkie działania wojenne i nawet Germanie, choć przywykli do śniegów i chłodów, zaniechali najazdów. W kilka lat później Julian tak obrazował ówczesną sytuację: „Masy Germanów mieszkały najspokojniej wokół zniszczonych miast Galii; było zaś takich 45, nie licząc grodów i umocnień. Barbarzyńcy zajęli ogromny szmat ziemi po tej stronie Renu, od jego źródeł aż po ujście do morza. Znajdujący się najbliżej nas odeszli o 300 stadiów [około 50 km] od brzegów rzeki, lecz między nimi a nami stał pustką trzykrotnie szerszy pas ziemi, ciągłe bowiem napady nie pozwalały nawet wypasać tam bydła".

Julian uznał, że owe darowane miesiące pokoju musi tak wyzyskać, by nie mieć sobie nic do wyrzucenia, gdy nadejdzie chwila próby. Poznawał więc życie obozowe, ćwiczył nawet krok paradowy w takt muzyki fletów. Uczył się rozróżniać godła bojowe poszczególnych formacji i sposoby ich walki. Ale zdobywał też umiejętność dostojnego zachowania się podczas audiencji i przemawiania do przedstawicieli rozmaitych stanów, a wreszcie orientację w prozaicznych sprawach kancelaryjnych. Trzeba było niemałej inteligencji, nade wszystko zaś hartu woli i ciała, aby w ciągu kilku miesięcy tak gruntownie zmienić postępowanie i codzienne przyzwyczajenia. A przecież dla człowieka przybyłego z greckiego Wschodu wszystko było tu obce — i klimat, i kraj, i obyczaje, nawet język, wokół bowiem mówiono tylko po łacinie, on zaś przywykł do mowy Hellenów.

Julian narzucił sobie twardą dyscyplinę. Żył niemal ascetycznie, jadał jak zwykły szeregowiec. Za dnia odbywał ćwiczenia wojskowe, uczestniczył w naradach, udzielał posłuchań. Do pracy własnej pozostawała mu tylko noc. Podzielił ją na trzy części. Najpierw odpoczywał. Potem załatwiał bieżące sprawy urzędowe, podpisywał dokumenty, układał listy do Konstancjusza. Następnie czytał, modlił się do bogów, studiował. A książek miał sporo dzięki łaskawości cesarzowej Euzebii.

Towarzyszyła mu żona poślubiona w Mediolanie w listopadzie roku 355, Helena. Była rodzoną siostrą obecnego cesarza, a córką Konstantyna Wielkiego i Fausty. Ponieważ Fausta zginęła na rozkaz swego męża już w 326 roku — oskarżona o cudzołóstwo została zamknięta w łaźni, którą podgrzewano bez przerwy — Helena musiała liczyć sobie już ponad 30 lat i była co najmniej o kilka, może 7 lub więcej lat starsza od męża. Małżeństwo było podyktowane oczywistymi względami politycznymi. Trudno przypuszczać, aby Julian darzył narzuconą mu żonę gorącym uczuciem. W pismach, tak licznych, milczy o niej zupełnie, nawet wtedy, gdy wręcz wypadało poświęcić jej cieplejsze słowo. Był również bardzo powściągliwy w prywatnych listach do Heleny, skoro sam pisze: „Świadkami mi wszyscy bogowie, wszystkie boginie, że wcale bym się nie oburzył, gdyby ktoś opublikował moją z nią korespondencję, tak jest umiarkowana w tonie". Zresztą jeśli wierzyć Libaniuszowi, Julian zupełnie się nie interesował sprawami erotyki. Powiada ów retor swym pompatycznym stylem: „On zaś tak daleki był od wypytywania (jak to czyniło wielu władców), czy ktoś ma piękną żonę lub córkę, że gdyby bogini Hera nie połączyła go związkiem ślubnym, zmarłby znając tylko ze słyszenia sprawy miłosne".

Helena urodziła dziecko, chłopca, już w pierwszym roku pobytu w Galii. Podobno położna spowodowała śmierć niemowlęcia natychmiast po porodzie, źle przecinając pępowinę, a uczynić to miała umyślnie, przekupiona przez Konstancjusza lub jego żonę, Euzebię, bezpłodną i lękającą się — tak głoszono — by spadkobiercą dynastii nie został właśnie syn Juliana. Jak była o tym już mowa, Helena wróciła na czas jakiś do Italii i wiosną 357 roku odwiedziła wraz z parą cesarską Rzym, ale potem znowu wyjechała do męża, do Galii. Plotkowano, że podczas pobytu w Italii Euzebia podsuwała jej truciznę. Schorowana żona Juliana zeszła ze świata w ciągu roku 360. Nie wiemy o niej prawie nic, poza tym, że była pobożną chrześcijanką.

Ale w otoczeniu Heleny dostał się na dwór Juliana eunuch Euterios. Porwany jako chłopczyk z Armenii trafił wreszcie do pałacu Konstantyna Wielkiego, gdzie wyróżniał się inteligencją, uczciwością, zapałem do nauk. Potem przebywał w otoczeniu Konstancjusza II, a gdy Julian poślubił Helenę, został wyznaczony na prepozyta świętej sypialni — piękny tytuł! — czyli po prostu na szefa domowej służby młodego cezara. Odtąd Euterios służył nowemu panu wiernie i lojalnie, w pewnym więc sensie zawiódł zaufanie Konstancjusza, który spodziewał się, że będzie donosił o wszystkim, co dzieje się na tamtym dworze, w Galii.

Wśród domowników Juliana znalazł się również lekarz Orybazjos rodem z Pergamonu. Studiował medycynę w Aleksandrii, potem praktykował w miastach Azji Mniejszej i tam zetknął się z Julianem, wówczas jeszcze studentem. Zawiązała się między nimi serdeczna, trwała przyjaźń; prawie się nie rozstawali. To Julian podsunął Orybazjosowi myśl, by sporządził wybór i wyciąg z pism uczonego lekarza Galena, żyjącego przed dwustu laty. Dziełko, które istotnie wnet powstało, miało służyć adeptom sztuki medycznej jako wprowadzenie do nauk mistrza, a dedykowane zostało inicjatorowi pracy. Również z zachęty Juliana jego przyjaciel ułożył w Galii rodzaj encyklopedii lekarskiej. Miała co najmniej 60 ksiąg, część z nich się zachowała. Także i ta rzecz poświęcona była młodemu cezarowi. Orybazjos część swego życia związał z Julianem, uczestnicząc w jego planach, kampaniach i trudach; po kilku latach miał stanąć przy śmiertelnym łożu tego władcy i na próżno usiłował zatamować krew tryskającą z głębokiej rany. Potem jako wygnaniec musiał uchodzić za granice imperium, do Gotów. Ułaskawiony po latach osiadł w Konstantynopolu, gdzie napisał jeszcze wiele traktatów medycznych. Jego dzieła, częściowo zachowane po grecku, częściowo zaś w przekładzie łacińskim, stanowiły przez wieki jedno z głównych źródeł wiedzy medycznej dla Bizancjum, Europy średniowiecznej, a nawet świata arabskiego.

Wielka to szkoda, że nie dochowały się wspomnienia Orybazjosa o Julianie, możliwe jednak, że czerpał z nich Ammian Marcellinus. W każdym razie można założyć, że wiele z tego, co zostało tu i będzie jeszcze powiedziane o życiu Juliana, pochodzi przynajmniej pośrednio od jego przyjaciela i przybocznego lekarza. Postać zaś i losy Orybazjosa, który przewędrował tyle krain w tak dramatycznych okolicznościach i zetknął się z tylu wybitnymi osobami, to wymarzony materiał do opowieści historycznej.

Wiosną 356 roku Julian wyruszył w pole. Szedł z Wienny na północ do *Durocortorum Remorum,* czyli obecnego Reims, gdzie dokonano koncentracji armii rzymskiej. Droga była długa i niebezpieczna, zagrażały bowiem napady germańskich watah. Usiłowały one niedawno zdobyć Augustodunum, zostały jednak w ostatniej chwili odparte przez garstkę obrońców — żołnierzy i weteranów. Trzeba więc było przedzierać się na długich odcinkach szlakami leśnymi.

Działania prowadził Julian głównie nad środkowym Renem przeciw Alamanom. Jeszcze przed kilku laty kwitło tam wiele miast, wśród nich: Konfluentes, Augusta Nemetum Wangionum, Mogoncjakum (Moguncja); obecnie, w 356 roku, wszystkie leżały w gruzach. Wkroczono wreszcie do równie zniszczonej Kolonii — sterczała tam tylko jedna wieża — i zawarto pokój z wodzami Franków.

Nastała jesień, a ponieważ nad Renem brakowało wszystkiego — nie tylko żywności, lecz nawet dachu nad głową — pozostawiono w Kolonii tylko załogę, główny zaś trzon armii odszedł w głąb kraju i zajął leża zimowe w Agendikum (obecnie Sens). Wśród żołnierzy nie było już Marcina, późniejszego świętego, odszedł bowiem ze służby jeszcze nad Renem, podobno pod Wangionum.

Trzeba było rozdzielić wojska po miastach i grodach w celu ich obrony i łatwiejszego zaopatrywania się w żywność, Julian więc pozostał w Agendikum z niewielkimi siłami. Germanie dowiedzieli się o tym od zbiegów i niespodziewanie uderzyli na miasto. Oblegali je cały miesiąc, aż wreszcie odstąpili. Było wiele sytuacji krytycznych, nikt jednak nie przyszedł cezarowi z pomocą, choć naczelnik jazdy Marcellus stał stosunkowo niedaleko. Może jednak chciał on pozbyć się uciążliwego zwierzchnika lub snuł jeszcze ambitniejsze plany? Gdy sprawa ta doszła do wiadomości Konstancjusza, Marcellus został odwołany i musiał wrócić do swej rodzinnej miejscowości, Serdyki. Usiłował jeszcze oskarżać Juliana na dworze, lecz oskarżenia jego przygwoździł wyprawiony tam umyślnie Euterios, który przedstawił również mowy pochwalne, jakie Julian ułożył wśród wrzawy wojennej ku czci cesarza i jego małżonki.

Cała sprawa miała ten dobry skutek, że Julian uzyskał szersze kompetencje, miejsce zaś Marcellusa zajął jako naczelnik jazdy doświadczony oficer Sewerus. Przywiózł on także plan kampanii na 357 rok. Miano wziąć Alamanów nad górnym i środkowym Renem jakby w kleszcze. Ramię północne stanowiłaby armia Juliana, południowe zaś korpus pod wodzą Barbacjona, operujący w okolicach Bazylii (*Basilia*), dzisiejszej Bazylei.

Wiosną przystąpiono do działań i obie armie już się zbliżyły ku sobie. Mimo to wojownikom alamańskim udało się przemknąć pomiędzy ich przednimi strażami i niespodziewanie zaatakować Lugdunum. Miasta nie zdobyli, spustoszyli jednak okolice i zagarnęli obfite łupy. Wprawdzie wysłana przez Juliana jazda rozgromiła Germanów i odebrała dużą część zdobyczy, jednakże ci najeźdźcy, którzy wycofali się bliżej pozycji Barbacjona, przeszli tamtędy bez przeszkód. Ten bowiem nie tylko ich nie zaatakował, ale nawet przepędził dwóch oficerów Juliana, obserwujących ów rejon. Wystosował też do cesarza skargę, że oficerowie ci zjawili się po to, aby podburzać jego żołnierzy. Prawdy mogło być w tym tyle, że zapewne doszło do sprzeczki między ludźmi Barbacjona a oficerami Juliana, zarzucającymi im bezczynność. Cesarz Konstancjusz dał wiarę oskarżeniu i tamtych obu zwolnił ze służby.

Wydarzenie jest godne uwagi przede wszystkim jako ilustracja stosunków panujących wówczas wśród najwyższych oficerów armii, którzy wzajem sobie nie dowierzali i przeszkadzali. Na pamięć zasługuje także to, że jednym z oficerów Juliana, ukaranych za gorliwość przez cesarza, był trybun legionowy Walentynian. Do służby czynnej wrócił dwa lata później, to jest w 359 roku, i szybko awansował, a w 364 roku obwołany został cesarzem. W rocznikach historii nazwisko przyszłego władcy imperium po raz pierwszy pojawia się właśnie w związku z owym sporem o przepuszczenie Alamanów pod Bazylią.

Swoją główną kwaterę Julian ustanowił w mieście *Tres Tabernae,* nieco na północ od Argentorate, czyli Strasburga, tędy bowiem wiódł szlak, którym Germanie najczęściej wdzierali się w głąb Galii. Obwarował je i gromadził zapasy, zbierając zboże, które przed kilku miesiącami zasiali alamańscy osadnicy; a plony były obfite. Część jego żołnierzy pracowała jako żeńcy, część trzymała straż wokół nich, wciąż bowiem zagrażały watahy wroga. Armia Juliana zdana była tylko na tę żywność, którą sama zdobywała, ponieważ Barbacjon zatrzymywał transporty zboża idące z Italii, czyniąc to zapewne pod pozorem, by nie dostały się one w ręce najeźdźców. Zresztą wódz ten po porażkach, które odniósł nad górnym Renem, rozmieścił swoje oddziały na leżach zimowych — choć była pełnia lata — a sam wyjechał na południe, za Alpy.

Tak więc Julian zdany został tylko na siebie i swych ludzi. A tymczasem na początku sierpnia stawili się w *Tres Tabernae* posłowie Alamanów zawiadamiając go butnie, że wielkie zastępy ich wojowników przekroczyły Ren pod Argentorate. Dowodzi kilku książąt, wśród nich także Chnodomar, który przed kilku laty pokonał cezara Decencjusza i zdobył wiele miast w Galii. Żądali, by Rzymianie natychmiast opuścili ziemie, które oni zdobyli męstwem i żelazem. Te żądania Julian oczywiście odrzucił, posłów zaś rozkazał zatrzymać, aby swoim nie zdradzili rzymskich przygotowań.

W połowie sierpnia Julian wyprowadził wojska z obozu i ruszył ku Argentorate. Po kilku godzinach marszu ujrzano ze wzgórza ruiny miasta, a w polu przed nim masy Alamanów; liczebnie przewyższali Rzymian chyba trzykrotnie.

Bitwa trwała od południa do zmroku. Zażarta i krwawa, obfitowała w momenty krytyczne. Skrzydło lewe, którym dowodził Sewerus, parło wprawdzie naprzód, lecz na prawym ciężkozbrojna jazda zaczęła się cofać. Julian zjawił się tam natychmiast, a nawet z daleka można było go poznać po niesionym przy nim sztandarze; był to purpurowy smok, uczepiony do dzidy, wijący się na wietrze. Dzięki wezwaniom cezara jazda zawróciła, ale barbarzyńcy tymczasem zaatakowali szyk piechoty. I byłby on pękł pod ciosami mieczów i toporów, gdyby nie nadbiegły kohorty Batawów, rzymskich sprzymierzeńców. Nie powiódł się również następny, już desperacki szturm alamańskich wojowników; Germanie zaczęli ustępować pola, aż wreszcie rzucili się do panicznej ucieczki.

Poległo po stronie rzymskiej dwustu pięćdziesięciu trzech walczących, wśród nich czterech wyższych oficerów, po alamańskiej zaś tysiące, a setki utonęły w rzece. Był to jeden z najświetniejszych triumfów oręża rzymskiego w walce z wrogiem zewnętrznym od dziesięcioleci. Nic więc dziwnego, że podniosły się okrzyki, sławiące Juliana jako augusta. Ten przeraził się. Wołał, że to samowola, anarchia, a on sam nigdy o takim tytule nie myślał.

Na szczęście w tejże chwili przyprowadzono Chnodomara pojmanego w pobliskim lasku. Alamański wódz zachowywał się butnie, potem jednak zdjął go strach, wywołany także samą scenerią. Była już noc, płonęły ogniska i łuczywa, legioniści ze skrwawionymi mieczami stali wokół ciasnym kręgiem, ich oczy zionęły nienawiścią. Pobladł i padł na kolana, płaczliwie błagając, by darowano mu życie. Julian odesłał go do Konstancjusza.

Lutetia Parisiorum

Późnym latem 357 roku, po zwycięskiej bitwie pod Argentorate, Julian zbudował most pontonowy w pobliżu Moguncji i przekroczył Ren. Jego żołnierze szeroko pustoszyli ziemie germańskie po tamtej stronie, palili domy, pobudowane już na sposób rzymski, wyswobodzili też wielu jeńców, przywleczonych tu zza rzeki w latach ubiegłych. Podszedł aż do pokrytych lasem zboczy gór — może Taunus? — i natrafił tam na dawno opuszczony gród, wzniesiony przed dwustu pięćdziesięciu laty za cesarza Trajana. Obsadził go silną załogą i dobrze zaopatrzył, Alamanowie zaś obawiając się, by nie pozostał w ich kraju na całą zimę, zawarli pokój przysięgając święcie, że grodu tego nie zaatakują, a w razie potrzeby dostarczą żywności.

Po tych sukcesach Julian powrócił za Ren, już bowiem zaczynała się jesień. Również jego dowódca jazdy, Sewerus, który prowadził działania w pobliżu Kolonii, zaczął wycofywać się ku zachodowi. To on pierwszy natrafił na ślady watahy sześciuset wojowników frankijskich. Korzystając z nieobecności wojsk rzymskich wdarli się oni na ziemie nad Mozą, a potem zajęli ruiny grodu nad tą rzeką. Julian zawrócił natychmiast i otoczył gród kordonem umocnień. Był to już grudzień 357 roku. Frankowie nie myśleli się poddać, Julian zaś oszczędzając swych ludzi nie przypuszczał szturmów. W styczniu chwyciły mrozy i Rzymianie obawiali się że Moza stanie ścięta mrozem, co umożliwi obleganym wyrwanie się z grodu. Toteż żołnierze całymi nocami poruszali się łódkami po rzece rozbijając już krzepnące kry.

Frankowie, wygłodzeni i wyczerpani, poddali się w pięćdziesiątym czwartym dniu oblężenia. Wysłano ich na dwór Konstancjusza, a ten przyjął ich z zachwytem, byli to bowiem mężczyźni wyjątkowo rośli i świetnie zbudowani; odtąd służyli jako żołnierze rzymscy.

Ze względu na ów wojenny epizod Julian mógł zająć kwatery zimowe dopiero w styczniu. Wybrał miasto nad Sekwaną, którego jeszcze nie znał, ale które polecano mu ze względu na zalety położenia i urok szczególny. Zwało się *Lutetia Parisiorum,* czyli Lutecja Paryzjów, małego ludu celtyckiego, który niegdyś tam mieszkał, ale coraz częściej mówiono krótko o tej miejscowości *Parisii*; to oczywiście obecny Paryż.

Pierwszym pisarzem, który wspomniał o Lutecji, był wódz Juliusz Cezar w I wieku p.n.e. Osada zajmowała wtedy tylko wyspę na Sekwanie, noszącą dziś miano *Ile de la Cité,* gdzie wznosi się katedra Notre Dame. Potem w czasach rzymskich miasto szybko się rozwijało, powstały dzielnice mieszkalne i duże budowle poza wyspą, zwłaszcza na brzegu lewym, o czym świadczą do dziś ruiny term i amfiteatru. Ale wojny III wieku, najazdy i zaburzenia sprawiły, że Lutecja mocno się skurczyła. Mimo to wywarła dobre wrażenie na Julianie, który przecież znał wiele świetnych metropolii śródziemnomorskich. Czuł się tu dobrze i powracał tam przynajmniej dwukrotnie. To pierwszy władca rzymski, który tak sobie upodobał Paryż, jego bowiem poprzednicy rezydowali najchętniej w Trewirze. On też napisał najstarszą zachowaną pochwałę miasta, pierwszą w nie kończącym się szeregu utworów tego rodzaju.

„Spędziłem pewną zimę w mojej miłej Lutecji; tak nazywają Galowie miasteczko Paryzjów. Jest to niewielka wyspa na rzece. Całą ją mur wokół otacza, z obu zaś stron łączą z lądem mosty drewniane. Rzeka rzadko opada lub wzbiera, poziom jej jest przeważnie taki sam latem i zimą. Dostarcza wody przeczystej o bardzo miłym smaku, mieszkając bowiem na wyspie musi się głównie korzystać z wody rzecznej.

Zimy bywają tu łagodne. Dzieje się tak chyba wskutek ciepła morza oddalonego co najwyżej o 9000 stadiów, tak że niekiedy lekki powiew stamtąd dociera aż tutaj, wody morskie zaś wydają się cieplejsze od słodkich. Nie potrafię powiedzieć, czy to jest przyczyną, czy też coś innego, faktem jednak pozostaje, że zimy miewają tam dość słoneczne. Winorośl udaje się dobrze, a niektórzy potrafią wyhodować nawet figowce, które na zimę niby ubraniem osłaniają słomą lub podobnym okryciem chroniącym od szkód, jakie mróz zwykł wyrządzać drzewom.

Za mego jednak pobytu zima przyszła ostrzejsza od normalnej. Rzeki płynęły jakby marmurowe bryły. Znacie oczywiście kamień frygijski; właśnie do niego były podobne owe białe kryształy, tak napierające na siebie, że niewiele brakowało, a spętałyby całą rzekę, pokrywając ją niby mostem. Zima więc srożyła się bardziej niż zwykle, mieszkania jednak, w którym sypiałem, nie ogrzewano, choć tamtejsze domy zazwyczaj podgrzewa się od spodu za pomocą pieców. Również i w moim wszystko przygotowano, zaniechano wszakże tego wskutek, jak mniemam, mego dziwaczenia i owej nieludzkości, którą cechuję się właśnie w stosunku do siebie samego. Chciałem mianowicie przywyknąć do mrozów rezygnując z opalania domu.

Zima jeszcze się wzmogła, lecz i tak nie pozwalałem służbie rozpalić ognia, obawiałem się bowiem, że ciepło wywabi wilgoć ze ścian. Poleciłem natomiast wnieść do środka popiół i ułożyć na nim żarzące się kawałki węgla średniej wielkości. Chociaż nie było ich dużo, wyciągnęły z murów wszelkie wyziewy, to zaś spowodowało, żem zasnął. Głowa tak mi ciążyła, że niewiele brakowało, a byłbym się udusił. Wyniesiono mnie na dwór. Lekarze doradzili, bym zwymiotował ostatni posiłek, zresztą niezbyt obfity. Zrobiłem tak i od razu poczułem się lepiej, tak że już nazajutrz mogłem pracować normalnie".

Tyle Julian o przygodzie w Lutecji. Gdybyśmy znali więcej tego rodzaju wypowiedzi rzymskich cesarzy, wypowiedzi bezpośrednich i naturalnych! O ileż żywiej i plastyczniej jawiłyby się nam postaci panów imperium sprzed tylu wieków, jak bardzo stałyby się bliskie i zrozumiałe, nawet w swych dziwaczeniach, do czego sam Julian przyznaje się z pewną autoironią! Niestety, stanowi on pod tym względem zupełny wyjątek; jak i pod wielu innymi.

Minęło niebezpieczeństwo najazdów germańskich, wypadało więc poświęcić uwagę sprawom wewnętrznym Galii, a zwłaszcza położeniu ludności uboższej, rujnowanej zarówno grabieżami barbarzyńców, jak też uciskiem fiskalnym władz. Julian zajął się tym w początkach 358 roku. Stanowczo zabronił, mimo oporu prefekta Florencjusza, podwyższania podatków i danin, twierdząc, że można tego uniknąć dokonując cięć w wydatkach na utrzymanie dworu i administracji oraz ściągając zaległe należności od wielkich właścicieli, którzy wykorzystując przekupnych urzędników z reguły płacili mało lub prawie nic. Doszło do otwartego konfliktu między nim a Florencjuszem, który odwołał się do cesarza Konstancjusza. Lecz skarcony Julian odpowiedział odważnie: „Cieszymy się, jeśli mieszkaniec prowincji, wciąż i różnymi sposobami gnębiony, zdoła wnieść przynajmniej zwykłe daniny. A cóż mówić o ich podwyższaniu! Żadne tortury nie wydobędą niczego z ludzi cierpiących ostateczną nędzę!"

Odtąd więc nie obciążano już ludności Galii nadmiernie, później zaś zaczęto nawet zmniejszać wysokość podatków. W 355 roku, gdy Julian tam przybył, płacono 25 złotych solidów od każdego obszaru zwanego *capitulum,* na którym ciążył obowiązek wystawienia jednego rekruta. W pięć lat później, kiedy Galię opuszczał, łączny podatek od takiegoż obszaru wynosił tylko 7 solidów. Tak przynajmniej twierdził Ammian Marcellinus, towarzysz i wielbiciel Juliana.

Ale nawet najzaciętszy jego przeciwnik, biskup Grzegorz z Nazjanzu, przyznawał później, mówiąc o rządach Juliana już nad całym imperium: „Zaiste, całkiem niezły to sposób władania: obniżać podatki, dobierać urzędników, poskramiać złodziejstwa, zadowalając wszelkie inne pragnienia doczesnej i chwilowej szczęśliwości — a zarazem własnej chełpliwości".

Sens tej złośliwej i jakże zastanawiającej wypowiedzi jest chyba taki: gdyby Julian rządził gorzej, postąpiłby słuszniej, obrzydziłby bowiem poddanym pobyt na ziemi i to byłoby chwalebne, skoro ważna jest tylko ojczyzna niebiańska, władca zaś przygotowując ludzi do niej, nie powinien dbać o marną sławę i opinię u współczesnych. Pogląd godny uwagi, zwłaszcza w czasach kryzysowych.

Z Lutecji wyruszył Julian w początkach maja, choć normalnie działania wojenne rozpoczynano w lipcu, kiedy dojrzewające zboże ułatwiało zaopatrywanie się w żywność. Pragnął jednak zaskoczyć plemiona germańskie, oczekujące ataku dopiero latem. Wypieczono rodzaj sucharów z mąki przechowywanej w magazynach miejscowych i każdy żołnierz dźwigał sam swe zaopatrzenie.

Prowadzono walki nad dolną Mozą i nad dolnym Renem, zmuszając do poddania się Franków salickich i gromiąc lud Chamawów. Odbudowano też trzy twierdze. Doszło jednak w armii do rozruchów, brakowało bowiem żywności, a żołnierze byli też źle opłacani, nawet normalny żołd nie docierał terminowo. Po pierwsze Konstancjusz nie przysyłał do Galii kwot odpowiednich, po drugie zaś sam Julian prowadził, jak się rzekło, politykę oszczędnościową, by chronić interesy ludności.

Julian stał się celem ataków i wyzwisk. Wołano, że to Azjata, Greczynek, kłamca, głupkowaty mędrek. Wydawało się, że dojdzie do katastrofy. Niespodziewany ratunek przyszedł zza morza. Na wodach Renu pojawiła się ogromna flota sześciuset statków wioząca zboże aż z Brytanii.

Okazało się, że przygotowując kampanię wojenną Julian już poprzedniej jesieni wydał odpowiednie rozkazy urzędnikom w Brytanii, wyspa ta bowiem podlegała mu jako cezarowi Zachodu. Zbudowano tam w ciągu dziesięciu miesięcy 400 statków i zmagazynowano zboże.

Sytuacja więc została uratowana. Na Renie w pobliżu Moguncji powstał most pontonowy i już po raz drugi wojska pod wodzą Juliana przeszły na tamten brzeg, by pustoszyć ziemie Alamanów. Ich książęta, najpierw Suomar, a potem Hortar, prosili o pokój. Musieli przede wszystkim wydać jeńców, których przywiedli z Galii w latach ubiegłych. A już od dawna spisywano z rozkazu Juliana osoby zaginione, miano więc listy prawie pewne. Wnet zjawiły się w obozie rzesze nieszczęsnych, by wreszcie powrócić do ojczyzny. Alamanowie dostarczyli też materiałów na odbudowę rzymskich osiedli.

Podobnie zwycięski przebieg miała wyprawa w 359 roku. I tym razem Julian poprowadził wojska za Ren, most jednak zbudowano znacznie dalej na południe od Moguncji. Wojska dotarły aż tam, gdzie dawne kamienie graniczne oddzielały ziemie Rzymian i Burgundów. Także i teraz poddający się książęta musieli najpierw wydać wszystkich jeńców.

Kwaterę zimową ustanowił Julian znowu w Lutecji. Zwrócił uwagę na sprawy Brytanii, której ziemie najeżdżały plemiona

Piktów z gór Kaledonii. Zamierzał wyprawić się tam osobiście, uznał jednak, że wieść o jego wyjeździe mogłaby zachęcić do powstania dopiero co poskromionych Franków i Alamanów. Wysłał więc na wyspę naczelnika jazdy Lupicyna; zajął on niedawno miejsce Sewerusa, który podczas jednej z wypraw załamał się psychicznie i stał się wręcz tchórzliwy.

Zresztą Julian miał już w Brytanii swojego człowieka. Był nim Alipiusz, przyjaciel z lat studenckich. Zaprosił go do Galii, a potem uzyskał dlań wysoki urząd wikariusza, czyli zastępcy prefekta wyspy.

Już stamtąd Alipiusz przesłał Julianowi podarunek, za który ten tak podziękował: „Właśnie opuściła mnie choroba, gdy nadeszło Twe dziełko geograficzne. Z równą satysfakcją przyjąłem sporządzoną przez Ciebie mapkę. Pod względem rysunkowym prezentuje się lepiej od poprzednich, a ozdobiłeś ją również poezją w formie jambów. Jest to właśnie taki dar, jaki i Ty możesz przystojnie mi ofiarowywać, i ja najmilej przyjmować. Cieszymy się, że wszystkie sprawy zarządu pragniesz prowadzić równie energicznie, co i łagodnie".

Mapa, o której tu mowa, to zapewne obraz Brytanii. Nie wiemy natomiast nic bliższego o chorobie cezara, o której też wspomina list Juliana pisany w tymże czasie do Pryskosa. Filozof ten, związany ze szkołą w Pergamonie, liczył sobie już ponad 50 lat. „Właśnie opuściła mnie, dzięki opatrzności wszystkowiedzącego Zbawcy, choroba ciężka i groźna, kiedy mi wręczono Wasze pisma: i to w dniu, w którym po raz pierwszy brałem kąpiel. Był już wieczór, gdym zaczął list odczytywać. Trudno wypowiedzieć, ile mi sił przybyło, skorom tylko odczuł Twoją życzliwość czystą i niekłamaną. Obym okazał się jej godny, obym nigdy nie przyniósł wstydu Twej przyjaźni!"

Nadeszła wreszcie radosna wiadomość, że Pryskos przyjeżdża do Galii. Julian odpisuje: „Dałem Archelaosowi list do Ciebie i zezwolenie na posłużenie się pocztą państwową — ważne, jak o to prosiłeś, na czas dłuższy. Skoro postanowiłeś zbadać Ocean, dostarczymy Ci z pomocą boga wszystkiego, czego będziesz sobie życzył, jeśli tylko nie ulękniesz się zimy i nieokrzesania Galów. (...) Przysięgam Ci na sprawcę wszelkiego dobra, jakiego doznałem, na Zbawcę, że pragnę żyć tylko po to, abym mógł stać się w czymś dla Was użytecznym. Gdy zaś mówię «dla Was», mam na myśli prawdziwych filozofów".

Listy więc świadczą, że Julian pragnął mieć wokół siebie ludzi mądrych, kulturalnych, przyjaznych. Dowodzą również, jak mocno zakorzeniło się w nim umiłowanie dawnych bogów. Kimże bowiem jest ów Zbawca, bóg wszystkowiedzący? Gdyby listy wpadły w ręce niepożądane, wyrażenia te nie wzbudziłyby podejrzeń, rozumiano by je w sensie chrześcijańskim. W rzeczywistości odnosiły się do bóstwa, któremu Julian oddawał potajemnie cześć już od lat. Było nim Słońce — Helios, i jego uosobienie — bóg Mitra.

Ale nie wszystkich miłych sobie ludzi mógł Julian utrzymać u swego boku. Skutkiem intryg prefekta Florencjusza i z rozkazu cesarza musiał rozstać się z Sekundusem Salucjuszem, jednym z najbliższym, najbardziej oddanych doradców. Wprawdzie Salucjusz, mający już chyba lat 60, został przysłany przez Konstancjusza po to, by nadzorował Juliana i o wszystkim donosił, wnet jednak stał się prawdziwym przyjacielem. Łączyło ich bowiem umiłowanie literatury i filozofii, wola osłaniania ludności ubogiej przed nadużyciami możnych i urzędników, a wreszcie przywiązanie do dawnych bogów.

Żegnał Salucjusza Julian słowami: „Odczuwam z tego powodu ból równie głęboki, jak wtedy, kiedy musiałem rozstać się ze swym pierwszym opiekunem. Nachodzi mnie istna ciżba wspomnień. Działaliśmy z Tobą zgodnie, obcując ze sobą szczerze, rozmawiając otwarcie i uczciwie. Uczestniczyliśmy jako przyjaciele w każdej sprawie pięknej, jednakowa zaś była nasza niechęć i równie nieugięta postawa wobec ludzi podłych".

A oto słowa końcowe: „Za Twoją sprawą czuję się bliski Galom, podczas gdy Ty będąc mieszkańcem Galii zaliczasz się do najwybitniejszych Hellenów, tyle masz zalet. Zdobią Cię zwłaszcza umiejętności krasomówcze, lecz nie brak Ci także wiedzy filozoficznej, w której tylko Hellenowie mają rzeczywiste osiągnięcia. Poszukują bowiem istoty prawdy na drodze rozumowania i nie pozwalają, abyśmy ufali niewiarygodnym mitom i dziwacznym cudownościom, jak to zwykli czynić barbarzyńcy".

Nie wiemy, kiedy dokładnie Sekundus Salucjusz musiał

opuścić otoczenie Juliana. W każdym razie na pewno nie było go w Lutecji zimą 359/360, gdy Julian stanął wobec konieczności powzięcia chyba najdramatyczniejszej decyzji w swoim dotychczasowym życiu. Oto bowiem dotarł w tym czasie do Juliana trybun Decencjusz i przedstawił rozkazy cesarza Konstancjusza: należy bezzwłocznie wydzielić z armii Renu silny korpus, który wiosną odmaszeruje na południowy wschód, aby wziąć udział w walkach z Persami.

Odbierano Julianowi dwie trzecie żołnierzy, i to najlepszych, zostawiając do obrony Galii oddziały mniej bitne. Z punktu widzenia imperium jako całości decyzja była poniekąd zrozumiała, groźna bowiem wojna z Persami wymagała sił potężnych, sytuacja zaś nad Renem wydawała się opanowana dzięki ostatnim sukcesom. Było wszakże do przewidzenia, że na wieść o odejściu tylu formacji Germanie znowu przekroczą granice, a nie będzie kto miał ich odpierać.

Mimo to cezar Zachodu zastosował się do woli władcy. Był w Lutecji sam, jego bowiem prefekt pretorium, Florencjusz, nadzorował dostawy żywności w dolinie Rodanu, naczelnik zaś jazdy, Lupicyn, udał się do Brytanii. A tymczasem należało się obawiać, że wyprawienie z Galii na dalekie rubieże wschodnie tylu żołnierzy spowoduje zaburzenia, odrywano bowiem tysiące ludzi od ich bliższej ojczyzny i rodzin. I rzeczywiście, w wielu obozach ukazały się ulotki głoszące: „Pędzi się nas na krańce ziemi niby zbrodniarzy, a nasze rodziny znowu będą służyły Alamanom!" Aby uśmierzyć te niepokoje Julian pozwolił żonatym na zabranie ich kobiet i dzieci wozami zwykłej poczty państwowej.

Wbrew jego radom pełnomocnicy Konstancjusza postanowili oddziały odchodzące znad Renu skoncentrować w Lutecji. W lutym 360 roku nadciągnęły tam wojska z różnych obozów, i to w jednym dniu. Julian przywitał je przemówieniem, które przyjęto głuchym milczeniem. Również przyjęcie wydane dla oficerów w pałacu upłynęło w ponurej atmosferze.

Późnym wieczorem tłum żołnierzy niespodziewanie otoczył pałac gromko obwołując Juliana augustem. On sam tak opisywał później to wydarzenie: „Właśnie odpoczywałem w prywatnych pokojach — moja żona jeszcze żyła — na piętrze

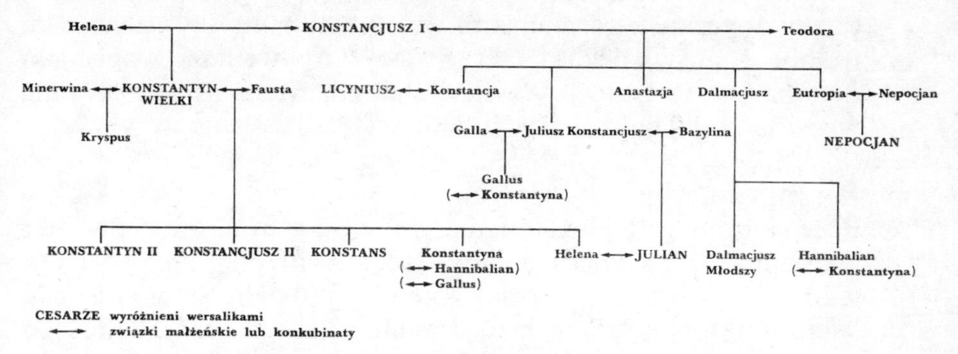

w przybudówce głównego gmachu; było tam okno w murze i stamtąd modliłem się do Zeusa, on zaś polecił mi, abym nie sprzeciwiał się woli wojska. Mimo to nie ustąpiłem łatwo. Opierałem się, jak długo mogłem, nie przyjmując ani tytułu, ani diademu. Nie byłem wszakże w stanie sam jeden opanować tłumu, bogowie zaś jeszcze pobudzali żołnierzy i łagodnie nakłaniali mój umysł. Stało się więc tak, że gdzieś około godziny trzeciej włożyłem diadem — nie wiem, kto mi go podał — i udałem się do pałacu jęcząc, bogowie to wiedzą, w cichości serca".

Znacznie obszerniejsza relacja Ammiana uzupełnia tę scenę wieloma szczegółami. Opowiada więc historyk, że gdy Julian ustąpił wobec nalegań żołnierzy, najpierw posadzono go na tarczy piechura i podniesiono w górę. Żądano, by włożył diadem na głowę, on zaś odrzekł, że nigdy nie posiadał niczego takiego. Zaczęto się domagać, by wziął naszyjnik żony, ale on sprzeciwił się twierdząc, że nie wypada użyć niczego z kobiecego stroju, zła bowiem byłaby to wróżba. Szukano więc ozdobnego łańcucha, jaki nakłada się koniom podczas parady, lecz on i ten pomysł odrzucił jako niegodny. Wreszcie pewien oficer zdjął naszyjnik, zwany *torques*, który nosił jako chorąży, i śmiało włożył go na głowę Juliana.

Mamy tu po raz pierwszy poświadczony źródłowo ceremoniał później stale stosowany podczas rzymskich i bizantyjskich koronacji, a mianowicie uwieńczenie władcy diademem, prawzorem późniejszej korony, oraz podnoszenie go na żołnierskiej tarczy obyczajem germańskim. Jest to też pierwszy znany nam i dobrze poświadczony akt historyczny wielkiej wagi, jaki dokonał się w Lutecji, czyli w Paryżu. Miasto nad Sekwaną wkracza w dzieje razem z Julianem.

W obliczu wojny domowej

Przy dobrej woli Konstancjusz mógłby potraktować ów fakt wyrozumiale i uznać nadany Julianowi tytuł augusta. On jednak, podejrzliwy i dumny, nie chciał dzielić się godnością. Wciąż traktował Juliana jako studencinę i niedorajdę, z którego usług korzysta się tylko chwilowo. Nie tracił też nadziei, że doczeka się syna, był bowiem mężczyzną w sile wieku, Euzebia zaś młodą kobietą.

Na nic zdał się list, w którym nowy august wzywał do pokoju i zgody, przedstawiając szeroko, w jaki sposób został zmuszony do przyjęcia tytułu, i zapewniając o swej lojalności. Pisał więc: „Będę przysyłał Ci odpowiednią liczbę żołnierzy spośród osadników obcego pochodzenia — barbarzyńców urodzonych za Renem albo też tych, którzy się poddali". Ostrzegał natomiast, że „mieszkańcy Galii, udręczeni straszliwymi klęskami, nie są w stanie wyprawiać swoich ludzi do krajów obcych i dalekich". Stawiał pewne warunki: „Łagodność Twoja wyznaczy nam prefektów pretorium, ale namiestników prowincji oraz żołnierzy mojej straży przybocznej ja sam wybiorę".

Na ten publiczny list Konstancjusz nie odpowiedział, posłów przetrzymał i wreszcie odprawił ich z niczym. Z kolei jego dostojnik wysłany do Galii z żądaniem, by Julian ustąpił, także niczego nie dokazał. Skoro więc rokowania z Konstancjuszem utknęły na martwym punkcie, Julian wyruszył wiosną 360 roku za Ren przeciw Frankom. Po zwycięskiej kompanii powrócił jesienią do Wienny nad Rodanem, a więc do miasta, do którego przybył przed pięciu laty jako niedawno mianowany cezar, rzucony na pastwę Germanom zalewającym Galię. Obecnie przybywał jako zwycięski wódz, zbawca wielu krain, august.

W Wiennie 6 listopada uroczyście obchodził piątą rocznicę nadania mu godności cezara, połączoną oczywiście z igrzyskami dla ludu. Wówczas to podobno po raz pierwszy wystąpił oficjalnie i publicznie jako august we wspaniałym diademie na głowie.

W tym to czasie zmarła jego żona, Helena. Z całego potomstwa Konstantyna Wielkiego — w 337 roku liczyło ono trzech synów i dwie córki — pozostał jedynie Konstancjusz, z całego zaś rodu, tak wielkiego przed dwudziestu kilku laty, tylko tenże oraz Julian. W ciągu niecałego ćwierćwiecza wyniszczyły rodzinę mordy polityczne i wojny bratobójcze; tylko Helena i Konstantyna zmarły śmiercią naturalną, choć przedwczesną. Czy na rodzie ciążyło przekleństwo? Poganie zapewne tak utrzymywali twierdząc, że to zemsta bogów ściga potomnych i krewnych władcy, który zerwał z wiarą ojców.

Zwłoki Heleny przewieziono do Rzymu i pochowano w mauzoleum Konstantyny (Konstancji) przy *via Nomentana* w ciężkim, porfirowym sarkofagu, podobnym do tego, które krył prochy jej siostry. I mauzoleum, zbudowane w kształcie rotundy, i sarkofagi zachowały się do dziś.

Chyba kilka miesięcy wcześniej zmarła Euzebia, żona Konstancjusza, która uczyniła wiele dobrego dla Juliana, wstawiając się za nim przed laty w chwilach niebezpieczeństwa. Jej śmierć była ciosem dla sprawy pokoju w imperium, dopóki bowiem żyła, istniała nadzieja, że zdoła wpłynąć na męża i powstrzyma konflikt zbrojny.

6 stycznia 361 roku Julian udał się w Wiennie do kościoła i przykładnie uczestniczył w nabożeństwie dla uczczenia święta Epifanii, czyli Objawienia Pańskiego. Wtedy obchodzono je jako pamiątkę chrztu Chrystusa, co przetrwało w chrześcijaństwie wschodnim; w tym też dniu zwykle udzielano katechumenom sakramentu chrztu. Na Zachodzie natomiast 6 stycznia stał się później świętem hołdu Trzech Króli, czyli — jak to ujmowano — objawienia się Pana poganom.

Julian manifestował publicznie swą chrześcijańskość, aby przeciwdziałać pogłoskom, że odstąpił od wiary. Wyznawcy bowiem Chrystusa byli wówczas tak liczni i tak dobrze zorganizowani, że trzeba było zabiegać przynajmniej o ich neutralność w obliczu zagrażającego konfliktu.

Konstancjusz tymczasem zbroił się na wielką skalę wszędzie, gdzie sięgała jego władza; zbierał siły do walki zarówno z Persami, jak i z „rebeliantem". Zaciągano tysiące rekrutów, zwiększano liczbę oddziałów jazdy, wyznaczano stanom i rzemieślnikom w każdej miejscowości, ile mają dostarczyć odzieży, broni, machin, żywności, zwierząt pociągowych — i oczywiście nakładano nowe podatki. Cesarz od danin i robocizn uwolnił tylko kapłanów chrześcijańskich, mawiał bowiem: „to religia podtrzymuje nasze państwo, a nie urzędy, praca fizyczna, wysiłek".

Rozwijał też Konstancjusz szeroką akcję dyplomatyczną, wyprawiając posłów do wschodnich państewek pogranicznych, aby odciągnąć je od współdziałania z Persami. Usiłował też uśpić czujność Juliana — przeciw któremu się zbroił! — wysyłając doń listy nakłaniające do zgody; zawsze jednak tytułował go cezarem.

Wykryto też, że Konstancjusz zachęca Germanów do przekraczania Renu, aby w ten sposób związać Juliana i uniemożliwić mu inną akcję. Ponieważ książę Alamanów, Wadomar, zdawał się prowadzić grę podwójną, Julian polecił pojmać go podstępem i wywieźć do Hiszpanii, a sam przeprawił się przez górny Ren i spustoszył tamtejsze ziemie. Uczynił to, aby zapewnić sobie spokój na tyłach podczas decydującej rozprawy z Konstancjuszem, która zbliżała się nieuchronnie.

Julian dobrze zdawał sobie sprawę, że cesarz ma nad nim przewagę militarną, moralną, polityczną. Legiony znad Renu nie mogłyby sprostać zespolonym siłom reszty imperium. Opinia publiczna potępiała samozwańca, wierzyła zaś dobrej gwieździe Konstancjusza, zawsze mu wiernej w wojnach wewnętrznych. Gdyby Julian pozostał w Galii i ograniczył się tylko do defensywy, musiałby przegrać, cesarz bowiem nadciągnąłby na czele armii, Germanie zaś atakowaliby zza Renu — i powtórzyłaby się historia upadku Magnencjusza. Jedyną więc szansę ratunku dawało wszczęcie działań zaczepnych. Ale wojska Juliana dały mu godność augusta właśnie dlatego, że nie chciały opuszczać ojczyzny! Czy więc obecnie pójdą na obce ziemie, ryzykując wszystko w walce ze znacznie potężniejszym przeciwnikiem?

 Urabiano nastroje żołnierzy różnymi sposobami. Zaufani

ludzie przedstawiali grozę obecnej sytuacji, tłumaczyli konieczność zaskoczenia wroga, obiecywali ogromne nagrody po zwycięstwie. Potem sam Julian wygłosił mowę, w której przypomniał swoje dotychczasowe sukcesy w walkach z Germanami i to, że godność augusta przyjął wbrew woli. Powiedział wreszcie, że obecna sytuacja nakazuje uprzedzić zamiary przeciwnika przez opanowanie Italii oraz Ilirii.

Wojsko odpowiedziało potężnym okrzykiem zgody i łomotem tarcz. Następnie chórem odmówiło słowa przysięgi, w której ślubowano wierność wodzowi w obliczu każdego niebezpieczeństwa. Żołnierze wzywali sami przeciw sobie wszelkie moce zła, gdyby tego nie dotrzymali; wymawiając więc te słowa przykładali ostrza mieczów do swych karków.

Rozkaz wymarszu padł na początku lata 361 roku, w czerwcu lub lipcu. Był to marsz szybki i obfitujący w wiele śmiałych akcji. Przyjaciel Juliana retor Libaniusz tak opisywał później jego pochód: „Pędził niby wezbrany potok znoszący wszystko co na drodze. Niespodziewanie obsadzał mosty. Stawał przed nieprzyjacielem jeszcze śpiącym. Sprawiał, że wróg patrzył w inną stronę, gdy on obchodził go od tyłu. Wydawało się, że postąpi właśnie tak, lecz w rzeczywistości czynił coś odmiennego".

Armię podzielono na dwa korpusy. Jeden przekroczył Alpy i szedł doliną Padu, drugi maszerował znad górnego Renu podnóżami Czarnego Lasu ku górnemu Dunajowi; tym drugim dowodził naczelnik jazdy Newitta, a poprzedzał go sam Julian na czele trzech tysięcy wybranych żołnierzy. Gdy zstąpiono do doliny Dunaju, szczęśliwym trafem zajęto sporo łodzi w miejscu, gdzie rzeka stawała się spławna. Julian bez wahania umieścił w nich swój oddział i popłynął z prądem. Mijał bez walki miasta i posterunki graniczne wierne Konstancjuszowi — miał je opanować idący lądem główny korpus — pragnął bowiem jak najszybciej dotrzeć możliwie daleko, nim nieprzyjaciel zorganizuje obronę.

Armią Dunaju dowodził wówczas naczelnik jazdy Lucylian, posłuszny Konstancjuszowi, a mający główną kwaterę w Sirmium nad Sawą. Tam zaskoczył go wyprawiony przez Juliana oddział komandosów, jak powiedzielibyśmy dzisiaj. Lucylian spał, gdy zbudził go krzyk i szczęk broni, a obcy żołnierze poprowadzili go niby jeńca przed Juliana, wobec którego musiał dokonać aktu adoracji. Za dnia ruszono na samo Sirmium, choć pomysł, by porywać się na potężny obóz wojskowy z trzema tylko tysiącami ludzi, musiał wydawać się szaleństwem. Julian jednak wierzył w swą szczęśliwą gwiazdę i pokładał nadzieję w samej nagłości przybycia; był przekonany, że tamci zrezygnują z myśli o walce. Tak też się stało: gdy pod wieczór zbliżał się ku przedmieściom Sirmium, napotkał tłum witający go kwiatami, a wnet też stawiła się załoga.

Był to sukces ogromny. Żadne miasto naddunajskie i żadna formacja wojskowa nie mogły już próbować oporu. Lecz Julian tylko dzień tu odpoczywał. O świcie dnia następnego ruszył dalej na wschód, aby zająć Naissus (Nisz) i Serdykę (Sofię). Obsadził swymi oddziałami przejścia górskie między Serdyką a Filipopolem. Mając opanowane przełęcze mógł patrzeć w przyszłość spokojnie, nikt bowiem nie mógł zaatakować go niespodziewanie od wschodu.

Swoją główną kwaterę ustanowił w Naissus. Rozwinął gorączkową działalność administracyjną, ale również pisarską, pragnąc pozyskać ludność krain nowo zdobytych. Jego więc kancelaria rozsyłała listy do miast i do znaczniejszych osób, w których wyjaśniano powody i okoliczności wszczęcia działań, całą odpowiedzialnością za to obarczając Konstancjusza. Oskarżano go o pogardliwie odrzucenie wszelkich propozycji pojednania i zarzucano mu również udział w zbrodni 337 roku, kiedy to od mieczy żołnierskich zginęło wielu członków rodu Konstantyna Wielkiego.

Owe listy spotykały się z różnym, najczęściej jednak powściągliwym przyjęciem, na ogół bowiem liczono się z ostatecznym zwycięstwem Konstancjusza. W każdym razie taka była postawa senatu rzymskiego. Mimo to Julian energicznie zadbał o dostawy zboża do stolicy, której groził głód, ponieważ flota z pszenicą egipską została przez administrację Konstancjusza skierowana do Konstantynopola.

W Naissus późną jesienią 361 roku Julian ośmielił się wreszcie odsłonić swe przekonania religijne. Pisał o tym tak do jednego z przyjaciół: „Bogom cześć oddajemy jawnie, a większość naszych żołnierzy jest pobożna. Ofiary składamy publicznie. Dziękując bogom złożyliśmy liczne hekatomby, oni zaś przykazują, abyśmy ze wszystkich sił przestrzegali czystości. Mówią też, że wspaniałomyślnie wynagrodzą nasze trudy, jeśli tylko nie popadniemy w gnuśność".

Julian bowiem pilnie zbierał i odpowiednio tłumaczył — na użytek własny, swoich ludzi i propagandy politycznej — wszelkie znaki rzekomo wieszcze. Rzecz niemal symboliczna, że prawdziwe oblicze swej wiary objawił w rodzinnym mieście Konstantyna Wielkiego, który uczynił faktycznie chrześcijaństwo religią panującą. I nic też dziwnego, że właśnie tutaj i wtedy Julian publicznie zaatakował owego cesarza, zmarłego przed prawie ćwierćwieczem, swego stryja, nazywając go burzycielem porządku, gwałcicielem ustaw i tradycji.

Lecz Julian był zbyt trzeźwym politykiem, aby w danej sytuacji poświęcać nadmierną uwagę kwestiom religii. Każdy dzień wysuwał nowe zadania, on zaś rozwiązywał je szybko i umiejętnie. Najpierw zajął się obsadzaniem kluczowych stanowisk w zajętych krajach ludźmi godnymi zaufania.

Wśród nowo mianowanych znalazł się też Aureliusz Wiktor. Pochodził z ubogiej wioski w północnej Afryce i własnym wysiłkiem wspiął się wysoko po szczeblach kariery urzędniczej. Julian zetknął się z nim w Sirmium i wkrótce uczynił go namiestnikiem Panonii Dolnej, krainy między Sawą a Drawą. Dwadzieścia lat później Wiktor został prefektem Rzymu. Wtedy poznał go Ammian Marcellinus i wystawił mu pochlebną opinię: „Mąż godny naśladowania ze względu na swą prawość". Zachowało się jego niewielkie, lecz cenne dziełko o historii Rzymu od czasów Augusta do Konstancjusza, ujęte jako rodzaj pocztu cesarzy. Powołując go na stanowisko namiestnika Julian dał wszystkim do zrozumienia, że będzie popierał ludzi wykształconych, rzetelnych, wiernych religii ojców — bez względu na ich pochodzenie.

Jest też interesujące to, że nawet wtedy, w obliczu wojny, Julian wprowadzał ulgi podatkowe dla ludności, w sporach zaś pomiędzy gminami miejskimi a możnowładcami w sprawach świadczeń stawał po stronie miast, dążąc do sprawiedliwego rozłożenia obowiązków. Taką politykę — jak wiadomo — prowadził już w Galii.

Tymczasem nadszedł meldunek bardzo niepomyślny. Oto załoga Sirmium, która niedawno poddała się i została wyprawiona do Galii, zbuntowała się, obsadziła Akwileję, przeszła znowu na stronę Konstancjusza! Groziło to utratą Italii oraz przerwaniem połączeń z Galią. Julian wysłał wojska pod Akwileję, ale szturmy na miasto, niedostępne z powodu otaczających rozlewisk, były daremne. Wydawało się, że trzeba będzie opuścić krainy zdobyte tak śmiałym pochodem i powrócić niesławnie nad Ren i Rodan, aby bronić się za Alpami. Były to dni ciężkie, denerwujące.

I wtedy nagle przyszła wiadomość, której nikt nie mógł się spodziewać, a która z godziny na godzinę zmieniła sytuację nie tylko Juliana, lecz także całego państwa: cesarz Konstancjusz zmarł śmiercią naturalną w Cylicji w dniu 3 listopada!

Powrót do miasta rodzinnego

„Piszę ten list do Ciebie w początkach trzeciej godziny nocy, a nie mam nawet sekretarza, bo wszyscy są zajęci. Żyjemy! Bogowie uwolnili nas od konieczności ścierpienia lub dokonania czegoś, co nie dałoby się już naprawić. Helios świadkiem — a najbardziej z bóstw wszystkich prosiłem go o pomoc — i król Zeus, że nigdy nie modliłem się o to, by Konstancjusz zginął, lecz tylko o to, by do tego nie doszło. Dlaczego więc wyprawiłem się przeciw niemu? Otóż nakazali mi to wyraźnie sami bogowie, przyrzekając ocalenie, jeśli okażę posłuszeństwo. Gdybym natomiast pozostał bezczynny, groziłoby coś, co oby nigdy się nie stało. Zresztą skoro Konstancjusz ogłosił mnie wrogiem, chciałem go nastraszyć i doprowadzić do zgody".

Tak pisał Julian ze swej kwatery w Naissus do jednego z krewnych w listopadzie 361 roku, gdy przyszła wieść o nagłej chorobie i śmierci Konstancjusza. Radosny wyraz wielkiej ulgi — „żyjemy!" — powtarza się w liście adresowanym do Euteriosa: „Żyjemy, ocaleni przez bogów. Złóż im ofiary, i to w podzięce nie za jednego człowieka, lecz za wspólnotę wszystkich Hellenów!"

Tak więc Julian wyzwolony od koszmaru bratobójczej wojny widział w tym dowód bezpośredniej opieki bogów i spełnienie jakiejś przepowiedni. Wiadomość była tak pomyślna i nieoczekiwana, że w jego otoczeniu z początku nie chciano uznać jej za prawdziwą i podejrzewano podstęp wrogów. Mimo wszystko Julian jednak głęboko odczuł śmierć najbliższego krewnego. Dwór przywdział żałobę. Libaniusz pisze swym retorycznym stylem: „Wszystkie pałace cesarskie stanęły przed nim otworem, lecz on płakał okryty żałobą. Związki krwi były dlań najważniejsze. Pierwsze jego pytanie zatem dotyczyło zmarłego; chciał wiedzieć, gdzie są zwłoki i czy oddaje się im cześć należną".

Nie pozwalał publicznie atakować pamięci Konstancjusza. „Człowiek ten był moim przyjacielem i krewnym. Kiedy zaś zamiast przyjaźni wybrał nienawiść, bogowie rozstrzygnęli konflikt".

Szedł na czele swych żołnierzy — a walczyli oni pod jego rozkazami już pięć pełnych lat — w triumfalnym pochodzie przez Trację do Konstantynopola. Przed murami miasta witała go cała ludność, nawet kobiety i dzieci, z niekłamaną radością. Przyjmowano przecież ziomka wracającego w chwale do miejsca, w którym urodził się, spędził dzieciństwo i część młodości. Tu miał przyjaciół i znajomych, tu znajdowały się groby jego rodziców. Konstantynopol był dumny, że po raz pierwszy w dziejach ktoś stąd się wywodzący zasiada na tronie.

Julian wkroczył w bramy rodzinnego grodu 11 grudnia 361 roku. W kilka dni później przyjął w porcie zwłoki Konstancjusza. Był skupiony i smutny, płakał. Objął rękami trumnę i towarzyszył jej w drodze do kościoła św. Apostołów. Pogrzeb był oczywiście chrześcijański, ceremonie trwały całą noc, wśród litanijnych pieśni.

Za zgodą Juliana senat zaliczył zmarłego w poczet cesarzy ubóstwionych, lecz akt ten miał wówczas czysto formalny charakter uznania zasług zmarłego. Był to więc piękny gest nowego władcy, którym jakby oznajmiał, że poprzednik dobrze się zapisał w historii imperium. Ale jednocześnie Julian ze zwykłą energią przystąpił do realizacji programu, który oznaczał całkowite zerwanie z duchem tamtych rządów. Zaczęło się od rozprawy z ludźmi z otoczenia Konstancjusza. Było to koniecznością polityczną, a nie aktem pomsty. Chodziło o usunięcie ludzi zdecydowanie wrogich oraz o danie satysfakcji opinii publicznej, głośno żądającej, by ukarać winnych nadużyć i zbrodni.

W skład specjalnego trybunału weszło czterech najbardziej zaufanych ludzi Juliana, ale też dwaj ważni dostojnicy z otoczenia zmarłego cesarza. Sesje owego trybunału odbywały się w Chalcedonie, po drugiej stronie Bosforu, Julian bowiem chciał pokazać, że nie wywiera żadnego wpływu na decyzje sędziów. Wyroki zapadały surowe: konfiskaty majątku, wygnania, śmierci. A najbardziej srożyli się właśnie owi dwaj byli współpracownicy Konstancjusza.

Jednocześnie konstytuował się nowy rząd imperium. Cesarz obsadzał swymi ludźmi stanowiska na dworze i namiestnictwa prowincji. Pragnął skupić przy sobie pogańską elitę kulturalną, aby przy jej pomocy tchnąć nowe życie w sklerotyczny, skorumpowany aparat administracyjny. Cenił wykształcenie, umiłowanie dawnej kultury helleńskiej, ale też energię, odwagę cywilną, sprawność. O duchu, który ożywiał ów zespół, sam tak mówił: „Współżyjemy bez dworskiej hipokryzji, co to sprawia, że chwalący nienawidzą chwalonych bardziej niż swych najgorszych wrogów. My natomiast zachowujemy należytą wobec siebie swobodę, a nawet badając się wzajem, kiedy potrzeba, i przyganiając sobie, kochamy się nie mniej niż najlepsi przyjaciele. Właśnie dlatego możemy wypoczywając pracować, pracując nie męczyć się daremnie, zasypiać zaś bez lęku".

Przeprowadził też Julian bezwzględną czystkę na swym dworze. Usunął rzesze darmozjadów z ich intratnych, a próżniaczych stanowisk, które wyzyskiwali dla zbijania pieniędzy nie cofając się przed najjaskrawszymi nadużyciami. „Kucharzy było z tysiąc, balwierzy nie mniej, a podczaszych jeszcze więcej. Usługujących przy stole całe roje, eunuchów niby much wiosną u pasterzy. (...) Razem z nimi wyrzucał też licznych sekretarzy. Ci wykonywali zawód w istocie niewolniczy, uważali jednak, że mają im podlegać nawet namiestnicy prowincji. Rozciągali swą nienasyconą pożądliwość aż po krańce ziemi, wypraszając u cesarza wszystko, czego tylko zapragnęli. Ofiarą grabieży padały stare miasta, a dzieła sztuki, które zwycięsko przetrzymywały wieki, obecnie przewożono morzem, aby zdobiły domy parweniuszy, czyniąc je wspanialszymi od pałaców cesarskich".

Podobno bezpośrednią przyczyną wielkiej reformy służb pałacowych stało się drobne, zabawne wydarzenie. Gdy Julian wezwał balwierza — a właśnie wtedy zaczął zapuszczać brodę — do komnaty wkroczył wspaniale odziany dostojnik otoczony rojem pomocników. Cesarz sądził, że zaszła pomyłka, rzekł więc: „Prosiłem o balwierza, a nie o szefa rachunkowości". A kiedy się wyjaśniło, że to właśnie balwierz, jął go wypytywać, ile zarabia. Ten odpowiedział z dumą: „Każdego dnia otrzymuję dwadzieścia porcji żywności i tyleż paszy dla zwierząt, a prócz tego mam jeszcze dużą pensję roczną i przyzwoite dodatki".

Z radością i ulgą powitała ludność zniesienie potężnej instytucji *agentes in rebus*, czyli „działających w sprawach" — różnych sprawach. Mieli szerokie, a niezbyt określone pole działania: przekazywali tajne rozkazy cesarskie, nadzorowali funkcjonowanie poczty, niekiedy ściągali należności skarbowe, prowadzili inwigilację i kontrolę. Dawało to oczywiście możliwość dokonywania przeróżnych nadużyć. „Nikt nie był poza zasięgiem ich strzał. Kto nie popełnił niczego złego, lecz się nie okupił, ginął oskarżony fałszywie, łotr natomiast wychodził cało, jeśli tylko zapłacił. Najwięcej zarabiali na wykrywaniu rzekomych zbrodni przeciw panującemu. Podsuwali też urodziwych młodzieńców obyczajnym mężczyznom i straszyli, że okryją ich niesławą. O uprawianie magii oskarżali ludzi stojących od tego jak najdalej". To słowa Libaniusza.

Te pociągnięcia spotykały się z aprobatą powszechną, wszyscy bowiem mieli dość aroganckich eunuchów, wystrojonych balwierzy, pałacowych trutni, wszechwładnych sekretarzy i agentów. Ale jednocześnie cesarz rozwijał działalność, która musiała wywoływać reakcje różne, gwałtowne, przeciwstawne. Jedni witali to jak utęsknioną wiosnę po ciężkiej i ponurej zimie, inni natomiast piętnowali z oburzeniem jako poczynania szaleńca.

Od schyłku 361 roku zaczęły ukazywać się edykty w sprawie nowej polityki religijnej. Nie zachowały się wprawdzie ich pełne teksty, lecz główne postanowienia znamy dobrze dzięki licznym wzmiankom w źródłach współczesnych. Nakazano więc otwarcie zamkniętych świątyń pogańskich; wznowienie tradycyjnych kultów i obchodów; zwrot budynków, przedmiotów oraz posiadłości należących do świątyń, a zagarniętych przez gminy chrześcijańskie lub osoby prywatne; restaurację przybytków, ołtarzy i posągów na koszt tych, którzy je zniszczyli.

Podstawowym założeniem nowej polityki religijnej była tolerancja. Wszystkie kulty i wierzenia, zarówno pogańskie, jak i chrześcijańskie, są równouprawnione, poganom należy przywrócić prawa i majątki utracone, zasada zaś tolerancji ma też obowiązywać w łonie Kościoła, a więc w stosunku do wszystkich gmin heretyckich i schizmatyckich. Szczerze głosząc, że winno się wzajem szanować swoje i cudze wierzenia, Julian był oczywiście przy tym głęboko przekonany, że jeśli da się różnym religiom równe szanse, sprawa bogów zwycięży. Lecz zamierzenia władcy wybiegały daleko ponad poziom i możliwości epoki, która zupełnie nie dojrzała do rozumienia, a cóż dopiero do praktykowania szczytnych haseł tolerancji. A czy ludzie wieku XX są pod tym względem lepsi od swych przodków z IV wieku?

W każdym razie edykty Juliana nawołujące do wyrozumiałości i swobodnego kultywowania różnych przekonań religijnych w istocie doprowadziły do wzrostu zacietrzewienia. Pokazuje to, choć w sposób nieco przejaskrawiony, a na pewno stronniczy, relacja starożytnego historyka chrześcijańskiego, Teodoreta z Cyru.

„Gdy Julian odsłonił swą bezbożność, w miastach rozgorzała walka stronnictw. Ci, co służyli bałwochwalstwu, nabrali śmiałości. Otwierali przybytki, odprawiali nieczyste i godne zapomnienia misteria, rozpalali ogień na ołtarzach, kalali ziemię krwią zwierząt, powietrze zaś dymem i odorem ofiar. Szalejąc pod wpływem demonów biegali niby wściekli i opętani po ulicach szydząc i drwiąc z chrześcijan, nie pomijając żadnego rodzaju błazeństwa i wyzwisk. Ludzie pobożni nie mogąc znieść takich bluźnierstw także nie szczędzili zarzutów i obnażali błąd tamtych. Rozgniewani tym bezbożnicy, ośmieleni swobodą daną im przez władcę, zadawali ciosy dotkliwe. A przeklęty cesarz, który winien troszczyć się o pokój wśród poddanych, właśnie podburzał odłamy ludu przeciw sobie. Przypatrywał się obojętnie, kiedy bezczelni ośmielali się atakować pokój miłujących, urzędy zaś cywilne i wojskowe powierzał osobom najokrutniejszym i najbezbożniejszym. Ci wprawdzie jawnie nie zmuszali chrześcijan do składania ofiar, poniżali ich wszakże na wszelki sposób".

Należy jednak powiedzieć, że Julian tolerował chrześcijan nawet w swym najbliższym otoczeniu. Wydał również edykt zezwalający powrócić z wygnania wszystkim chrześcijanom, których Konstancjusz II ukarał z powodu kościelnych sporów doktrynalnych i personalnych. Julian uważał bowiem, że tolerancja winna obowiązywać także w łonie Kościoła. W rzeczywistości musiało to prowadzić do gwałtownych walk między samymi chrześcijanami, gdyż w wielu wypadkach wygnani biskupi dopominali się o dawne, przez innych już obsadzone urzędy, a na przykład kapłani donatyści o budynki i sprzęty liturgiczne, zagarnięte przez katolików. Może cesarz czynił to rozmyślnie, aby skłócić chrześcijan i obnażyć ich wewnętrzne zatargi?

Do tragicznych zajść doszło w Aleksandrii. Tamtejszy biskup Georgios, osadzony przez Konstancjusza, a znienawidzony zarówno przez pogan, jak i większość chrześcijan, został bestialsko zabity 24 grudnia 361 roku, rozeszły się bowiem pogłoski, że zamierza zburzyć jedną z najczcigodniejszych świątyń. Julian natychmiast wystosował do aleksandryjczyków ostrą odezwę. Wołał, że zbrodnią swą dowiedli braku szacunku dla założyciela miasta, Aleksandra Wielkiego, dla boga Sarapisa, dla wspólnego wszystkim poczucia człowieczeństwa. Owszem, Georgios dopuścił się przewin straszliwych: judził Konstancjusza, spowodował wprowadzenie wojska do miasta, obrabowywał świątynie z posągów i darów wotywnych, rozruchy ludu tłumił siłą. Jednakże mordując go mieszkańcy skalali swe miasto, należało bowiem oddać tego człowieka w ręce sędziów. Istnieją prawa, którym każdy winien jest szacunek. Ostatecznie cesarz poprzestał tylko na tej przestrodze, nie sposób bowiem było znaleźć prawdziwych sprawców. Powołał się też na pamięć swego dziadka Juliana, który przed laty sprawował namiestnictwo Egiptu.

Podczas rozruchów splądrowano dom biskupa i rozgrabiono jego bibliotekę. Cesarz polecił wszcząć poszukiwania skradzionych ksiąg. Pisał: „Jedni kochają konie, inni ptaki, jeszcze inni przeróżne zwierzęta. Ja natomiast od dziecka namiętnie pragnąłem posiadać książki. Byłoby więc rzeczą dziwną, gdybym przypatrywał się obojętnie, jak przywłaszczają je ludzie, którym złoto nie wystarcza do zaspokojenia żądzy bogactw. Okaż mi więc tę szczególną łaskę i odnaleź dla mnie wszystkie książki Georgiosa!"

Śmierć biskupa Aleksandrii sprawiła, że mógł tam wreszcie powrócić i objąć bez żadnych przeszkód swoją dawną stolicę Atanazjusz, wygnany przez Konstancjusza i ukrywający się już od lat pięciu. Triumfalny wjazd odbył się 21 lutego 362 roku. Wspomniany wyżej edykt Juliana stanowił podstawę legalną. Choć wygnaniec nazywał poprzednio Georgiosa huraganem niesprawiedliwości, gnębicielem wiary prawdziwej, wysłannikiem złego ducha, nie mógł oczywiście pochwalać mordu, napomniał więc łagodnie lud, że winien był się miarkować ze względu na własną godność.

Książki Georgiosa, o które cesarz tak się dopominał, zapewne zostały przekazane bibliotece zakładanej w Konstantynopolu. Julian bowiem obsypywał rodzinne miasto wszelkimi łaskami, gdyż kochał je, co sam przyznawał, jak matkę. I choć przebywał nad Bosforem zaledwie kilka miesięcy, a panować miał tylko półtora roku, uczynił niemało, by Konstantynopol upiększnić i rozbudować.

Otworzył duży port południowy, jeszcze w dziesiątki lat później nazywany Julianowym. Wzniósł prowadzący ku niemu kryty portyk, w innym zaś portyku urządził wspomnianą bibliotekę. Na jednym z placów ustawił obelisk przywieziony z Aleksandrii.

Najwspanialszym wszakże darem nowego władcy dla Konstantynopola było to, że podniósł jego senat do tej samej rangi, jaką dotychczas miał tylko senat rzymski. Dopiero więc od tego momentu można by mówić o dwóch równoprawnych stolicach imperium — starej nad Tybrem i nowej nad Bosforem. W obu bowiem działały odtąd te same instytucje reprezentujące obywateli państwa oraz czcigodne tradycje przeszłości. Należy tu przypomnieć, że nawet założyciel Konstantynopola, sam Konstantyn Wielki, uczynił go tylko miastem rezydencjalnym, a nie drugą stolicą.

Julian wszakże nie poprzestał na tym akcie prawnym. Okazywał również na co dzień wielki szacunek wobec zgromadzenia senatorów. Regularnie brał udział w posiedzeniach, i to sam przychodził do kurii, podczas gdy większość jego poprzedników po prostu wzywała senatorów do pałacu, gdzie ci kornie stojąc w obliczu siedzącego pana oczywiście nie obradowali, lecz zgadzali się z wolą władcy. Julian natomiast zachęcał do zabierania głosu i przedstawiania poglądów w każdej kwestii.

Senatorom obu miast, Rzymu i Konstantynopola, przyznał cesarz szczególne przywileje. Uwięzić można było członka tego stanu dopiero po udowodnieniu mu popełnienia przestępstwa i wykluczeniu z senatu, domy zaś i służby senatorów uwolniono od różnych przykrych świadczeń.

Pomagał też Julian innym stanom, warstwom, zawodom. Zwolnił od wielu ciężarów lekarzy miejskich. Złagodził system podatkowy: anulował sporo płatności zaległych i zrównał roszczenia skarbu państwa z roszczeniami osób prywatnych. Zrezygnował ze złota wieńcowego, czyli daniny zwyczajowej, którą miasta składały władcom niby dobrowolnie z różnych okazji, a zwłaszcza w początkach panowania, gdy przyjeżdżały delegacje z gratulacjami. Uregulował system udzielania zezwoleń na korzystanie z usług poczty, poprzednio bowiem szafowano owymi zezwoleniami nader hojnie — z krzywdą ludności wiejskiej, bo przecież to ona musiała dostarczać wozów i zaprzęgów.

Tak więc w ciągu zaledwie kilku miesięcy swych rządów Julian rezydując w Konstantynopolu dokonał bardzo wiele, głównie w zakresie polityki wewnętrznej. W granicach imperium nie istniało żadne ognisko oporu, Akwileja bowiem, w której od późnej jesieni 361 roku bronili się żołnierze wierni Konstancjuszowi, poddała się w styczniu lub w lutym następnego roku. Przyszedł więc czas, by pomyśleć o wrogach zewnętrznych.

Za dolnym Dunajem groźni wydawali się Goci. W otoczeniu cesarza odzywały się głosy, by przekroczyć rzekę i rozprawić się z nimi raz na zawsze. Julian jednak uznał, że przeciwnik to niezbyt godny. Pragnął natomiast pokonać Persów, upokorzyć króla królów, pomścić upadek Amidy i innych twierdz, ponieść rzymskie orły daleko na wschód, jak uczynił to Trajan przed dwustu pięćdziesięciu laty.

Aby wszakże ten plan wcielić w życie, należało opuścić Konstantynopol i ustanowić siedzibę bliżej teatru przyszłych działań. Toteż w maju 362 roku Julian pożegnał miasto rodzinne i przez kraje Azji Mniejszej zmierzał powoli ku Syrii.

Antiochia

W drodze do Syrii najpierw odwiedził Julian Nikomedię, wciąż leżącą w ruinie po straszliwym trzęsieniu ziemi sprzed niespełna trzech lat. Pamiętał to miasto z czasów dzieciństwa i studiów, miasto bogate i ludne, w którym miał wielu znajomych i przyjaciół. Nie wstydził się łez idąc w żałobnym pochodzie ścieżkami wśród zwałów gruzu. Nie szczędził też darów, aby pomóc ludności i przyczynić się do odbudowy.

Odbył następnie pielgrzymkę do świątyni pradawnej bogini małoazjatyckiej w Pesynuncie; zwano ją Wielką Matką Bogów lub Cybelą, a była panią płodności i sił przyrody, chroniła od chorób i niebezpieczeństw wojny. 22 marca, czyli na początku wiosny kalendarzowej, odbywały się tam uroczystości, podczas których opłakiwano śmierć towarzysza bogini, Attysa, a w dwa dni później radośnie witano dobrą nowinę o jego zmartwychwstaniu. Ponieważ Attys uchodził również za uosobienie boga Słońca, Julian darzył go szczególnym nabożeństwem i jeszcze w Konstantynopolu napisał właśnie w dniach święta marcowego traktat teologiczny ku czci obu bóstw, który kończył modlitwą: „Dla mnie owocem czci ku Tobie niech będzie prawda o moich poglądach na bogów, doskonałość w służbie bożej, prawość i powodzenie we wszelkim działaniu, które podejmuję w sprawach państwa i wojska, wreszcie zaś kres życia w spokoju i z dobrą nadzieją, że droga do Was prowadzi".

Na arcykapłankę bogini mianował Kaliksenę, ale stan rzeczy w Pesynuncie wcale go nie zachwycił, wyznawców bowiem Cybeli spotkał niewielu. Wkrótce po jego wyjeździe dwóch młodych chrześcijan sprofanowało przybytek. Stawiono ich przed Julianem, który jednego z nich, choć zachowywał się butnie, puścił wolno, zapewne jako pomyleńca, drugiego natomiast kazał tylko wychłostać, co wtedy uchodziło za karę ojcowską.

W Ancyrze, dzisiejszej Ankarze, rozpatrywał sprawy sądowe. Jechał następnie przez ziemie Kapadocji, a więc krainy, gdzie jako chłopiec przebywał przez kilka lat w majątku Macellum; ale tej miejscowości nie odwiedził, chyba właśnie ze względu na przykre wspomnienia.

17 czerwca 362 roku podpisał jedną z najważniejszych ustaw, jakie ukazały się za jego panowania. „Kierownicy studiów i nauczyciele winni przede wszystkim wyróżniać się obyczajami, a także wymową. Ponieważ nie mogę osobiście zjawiać się w każdym mieście, przeto rozkazuję, aby nikt, kto chce nauczać, nie podejmował tych obowiązków nagle i nieprzemyślanie. Musi najpierw przejść przez osąd stanu i zasłużyć na uchwałę rady miejskiej, przy zgodnej ocenie najlepszych jej członków. Uchwałę należy przedstawić mi do rozpatrzenia".

W praktyce oznaczało to, że każdy nauczyciel musiał uzyskiwać zatwierdzenie z kancelarii cesarskiej. Ta piękna i słuszna troska o podniesienie poziomu szkolnictwa w imperium miała jednak pewne intencje ukryte. Chodziło mianowicie ustawodawcy o to, aby kształcili młodzież ludzie oddani ideałom dawnej kultury i wierni bogom. W każdym razie Julian jako pierwszy w dziejach imperium wprowadził zasadę podporządkowania szkolnictwa władzy państwowej.

Kontynuując podróż cesarz wkroczył w granice Cylicji. Tu spotkał przyjaciela z lat studiów ateńskich, Celsusa. Zaprosił go do powozu i tak odbywał ku podziwowi tłumów dalszą drogę wzdłuż wybrzeży morza. Jechał zaś dokładnie tym szlakiem, którym przed wiekami maszerowała armia Aleksandra Wielkiego.

U granic Syrii oczekiwała go delegacja mieszkańców Antiochii. Był tam również Libaniusz: „Mało brakowało, a przejechałby obok nie rozpoznając mnie, twarz bowiem mi się zmieniła wskutek choroby i upływu czasu. Jednakże wuj jego powiedział mu, kim jestem. Zaraz więc pięknie zatoczył koniem, ujął moją prawą rękę i długo jej nie puszczał żartując jak najmilej. I ja nie stroniłem od żartów".

Tłumy przyjmowały władcę radośnie przed bramami miasta i na ulicach. Ale gdy orszak już podchodził do pałacu, nagle rozległy się z różnych stron przeraźliwe jęki. To kobiety opłakiwały śmierć Adonisa, towarzysza bogini Astarte, właśnie bowiem przypadło coroczne święto; za kilka dni miały się radować z jego zmartwychwstania. W otoczeniu Juliana uznano ów niespodziewany wybuch żałosnych zawodzeń za zły omen, dla nas zaś wzmianka o zbieżności tych dwóch wydarzeń stanowi cenną wskazówkę chronologiczną, wskazuje bowiem, że Julian stanął w Antiochii w dniu 16 lipca, ponieważ wtedy czczono tam pamięć śmierci Adonisa.

Antiocheńczycy i Julian byli sobie przychylni, wzajem licząc na pewne korzyści. Cesarz ufał, że w tym wielkim mieście helleńskim szerokie poparcie będą miały jego plany ożywienia dawnej wiary. Już wcześniej umorzył część zaległości podatkowych gminy, mieszkańcy zaś oczekiwali obecnie, że powstrzyma szalejącą drożyznę żywności. Konstancjusz bowiem zaopatrując swe wojska głównie z zasobów prowincji wschodnich opróżnił lokalne magazyny, ostatnie zaś zbiory wypadły słabo skutkiem skąpych opadów zimą. Głoszono jednak, jak zwykle w takich wypadkach, że kupcy i wielcy panowie mają pełne spichlerze i czekają na dalszą zwyżkę cen zboża.

Gdy Julian ukazał się podczas wyścigów rydwanów w swej loży, na całym hipodromie rozległy się potężne, skandowane okrzyki: „Wszystkiego pełno, wszystko drogie!" Następnego dnia cesarz wezwał miejscowych notabli i usiłował ich przekonać, że — to jego słowa — „lepiej zrezygnować z niesprawiedliwego zarobku i pomóc współobywatelom". Jak było do przewidzenia, te naiwne apele do rozsądku i poczucia odpowiedzialności nie wywołały żadnego odzewu.

Pracy miał Julian mnóstwo, jak zawsze. „W ciągu tego samego dnia odpowiadał wielu poselstwom, wyprawiał pisma do miast, do dowódców i namiestników, do przyjaciół, wysłuchiwał listów, rozważał petycje. A mówił tak szybko, że ręce sekretarzy wydawały się powolne. Wypoczywać mogła służba, on zaś musiał przechodzić od jednej pracy do drugiej. Po ukończeniu bowiem spraw publicznych posilał się tylko tyle, ile trzeba, aby żyć, i rzucał się na stosy książek, czytając głośno i bez przerwy niby cykada, póki wieczorem znowu nie przyzywała go troska o sprawy wspólnoty. Obiad bywał jeszcze skromniejszy od pierwszego posiłku, sen zaś taki, jakiego należało oczekiwać po tak skąpym jedzeniu. I znowu stawiali się inni sekretarze, którzy przespali dzień w łóżku. Służba bowiem musiała się zmieniać i kolejno wypoczywała, on zaś zmieniał tylko rodzaje prac". Jest to relacja Libaniusza, obserwującego z bliska Julianowy tryb życia w Antiochii.

Potwierdza te słowa Ammian Marcellinus, również naoczny świadek pobytu cesarza w stolicy Syrii: „Nie pociągały go żadne ponętne rozkosze, w które obfituje cała ta kraina, niby natomiast dla odpoczynku poświęcał się sprawom sądowym, jak również innym, trudnym i wojennym. (...) Rozpatrując spory zachowywał się wprawdzie czasami niewłaściwie, zapytywał bowiem strony o ich przekonania religijne, lecz nie znajdzie się żadne jego rozstrzygnięcie, które byłoby sprzeczne ze słusznością. Nikt też nie mógł mu zarzucić, że zboczył z prostej ścieżki sprawiedliwości dla religii lub czegokolwiek innego".

A więc Julian, choć tak miłujący swych bogów, czuł się przede wszystkim cesarzem odpowiedzialnym za praworządność i dobry byt jego mieszkańców — bez względu na ich poglądy i wierzenia. Fakt ten uderza każdego, kto bezstronnie analizuje działalność tego władcy. „Ogromna większość edyktów nie pozostawała w żadnym, nawet przypadkowym związku ze sferą interesów religijnych, darząc jednakowym dobrodziejstwem zarówno pogan, jak i chrześcijan. Jedni i drudzy w równej mierze korzystali z ulepszonych dróg, ze sprężystszego niż przedtem wymiaru sprawiedliwości, z bardziej równomiernego rozmieszczenia ciężarów publicznych pomiędzy rozmaite warstwy". To pisał przed laty Stanisław Więckowski w pracy o Julianie jako administratorze i prawodawcy. A oto opinia Tadeusza Kotuli z jego książki poświęconej północnej Afryce w starożytności: „Cesarz nie był oderwanym od życia marzycielem, jak się niekiedy sądzi. (...) Jak w całym imperium, tak i w Afryce chronił interesy ludności miast, dbał o ich odbudowę, której warunkiem była poprawa coraz gorszego stanu miejskich finansów".

Mimo tej programowo liberalnej, sprawiedliwej i tolerancyjnej polityki wyznaniowej sprawy religijne przysparzały wiele kłopotów, i to skutkiem skłócenia zarówno pogan i chrześcijan, ja też chrześcijan między sobą. Stąd liczne wezwania o pokój i spokój w edyktach wydanych w Antiochii, stąd też złośliwa — przyznajmy to — dycyzja, gdy w Edessie doszło do rozruchów między dwiema sektami chrześcijan, arian i tak zwanych walentynianów. „Ponieważ godne najwyższego podziwu przykazanie zaleca chrześcijanom wyrzeczenie się majętności, aby mogli łatwiej podążać do królestwa niebieskiego, przeto my współdziałając z ich świętymi rozkazaliśmy przejąć wszystkie pieniądze kościoła edeseńskiego i rozdać je żołnierzom, wszystkie zaś dobra ziemskie włączyć do naszych dóbr prywatnych, aby żyjąc w ubóstwie zachowywali spokój i nie utracili królestwa niebieskiego, w które tak ufają". Ponieważ chodziło o sekciarzy, gminy ortodoksyjne, jak się zdaje, nie protestowały, choć logicznie rzecz biorąc i one mogłyby czuć się zagrożone.

Cesarz, choć niechętny „galilejczykom", a idealizujący dawną wiarę, zdawał sobie sprawę, że kler chrześcijański stoi wyżej od kapłanów pogańskich, pozbawionych jakiejkolwiek więzi organizacyjnej i zepchniętych od pół wieku do roli pokątnych wróżów. Prawdziwe więc odrodzenie starych kultów musiało iść w parze z reformą instytucjonalną i obyczajową wśród chrzcicieli i kapłanów bogów, a wzory należało czerpać właśnie ze świata chrześcijańskiego. W tym celu powołał Julian hierarchię pogańską. W wielu prowincjach już działali arcykapłani, czuwający nad świątyniami swego obszaru oraz nad trybem życia ich służby. Stanowili odpowiednik biskupów.

W listach do arcykapłanów cesarz zalecał wprost, aby wzorowali się w pewnych sprawach na „galilejczykach", na przykład okazując życzliwość obcym, dbając o zmarłych i pogrzeby, zachowując powagę. Przykazywał też kapłanom pogańskim stronienie od teatrów, od szpetnych zajęć, od popijania w gospodach. Projektował również otaczanie opieką znajdujących się w potrzebie, co poświadcza wrogi Julianowi Grzegorz z Nazjanzu. „Miał zamiar budować zajazdy i przytułki, domy nabożne i domy dla dziewic, i domy rozmyślań, a także organizować pomoc dla biednych, także tę w formie listów, którymi polecamy ludzi godnych wsparcia i które towarzyszą im z prowincji do prowincji".

Kapłan, zdaniem cesarza, winien w życiu codziennym stronić od wszelkiej nieczystości, musi wystrzegać się nawet biernego współuczestnictwa w tym, co niestosowne. Lekturę będzie dobierał starannie, unikając poetów zbyt swawolnych, czytając natomiast pisma Platona, Arystotelesa, stoików. Nauczy się na pamięć dawych hymnów do bogów, modlić się będzie trzy lub przynajmniej dwa razy dziennie.

On sam świecił w tych sprawach pięknym przykładem. Odbył też pielgrzymkę na górę Kasjusz w pobliżu Antiochii, niedaleko ujścia Orontesu, a w sierpniu udał się do świątyni boga Apollona wśród gajów i potoków w Dafne, niemal na przedmieściach stolicy Syrii. Co prawda spotkało go tam przykre rozczarowanie — przybytek był zaniedbany, ofiar prawie nikt nie przynosił.

A sprawa owych ofiar ze zwierząt, które Julian sam wciąż składał na ołtarzach bogów i usilnie zalecał to innym, urosła do rangi problemu politycznego, w mieście bowiem brakowało chleba. Wprawdzie z powodu niedostatku paszy sporo zwierząt i tak trzeba było wyrżnąć, mięso zaś wcale się nie marnowało, gdyż na ołtarzach palono tylko części niejadalne, a resztę oddawano ludziom. Ale mieszkańcy i tak byli niezadowoleni, najwięcej bowiem otrzymywali żołnierze z Galii otaczający cesarza. Ammian Marcellinus ze zgorszeniem patrzył na owych wojaków obżartych i wiecznie pijanych; gdy wychodzili z biesiad, musiano ładować ich na barki przechodniów i tak odstawiać do kwater.

Chrześcijanie wyolbrzymiali te wszystkie wielkie i drobne sprawy, w mieście więc rosło wzburzenie. Wyśmiewano cesarza coraz złośliwiej, kpiąc z jego niskiego wzrostu, sposobu chodzenia, nawet z bródki, którą zapuścił, podczas gdy poprzednicy poczynając od Konstantyna Wielkiego gładko się golili. Miano mu też za złe zamiłowanie do filozofii, a brak zainteresowania wyścigami, teatrem, erotyką.

Nade wszystko jednak piętnowano jego rzekomą niedbałość o poprawę zaopatrzenia. A tymczasem on podejmował różne kroki mające polepszyć sytuację. Sam tak o tym pisał: „Ustanowiłem i podałem do publicznej wiadomości odpowiednią cenę każdego produktu. Ponieważ zaś wielcy posiadacze mieli dość wszystkiego — wina, oliwy, wszelkich towarów — zboża jednak rzeczywiście brakowało, albowiem skutkiem posuch zbiory wypadły marnie, posłałem do miast okolicznych i sprowadziłem stamtąd 400 000 miar. Kiedy to zużyto, dostarczyłem najpierw 15 000, potem 7000, ostatnio 10 000 tak zwanych modii z moich majątków prywatnych. Przekazałem miastu również pszenicę z Egiptu, ustanawiając cenę za 15 miar taką, jaką przedtem płacono za 10 miar. Dawano zaś tego lata za 10 miar sztukę złota, należało więc oczekiwać, że zimą otrzyma się za ten pieniądz ledwie 5 miar, i to z trudem. A co czynili wówczas wasi bogacze? Pszenicę, którą mieli po wsiach, potajemnie sprzedawali drożej!"

Ale te wszystkie działania i wywody nie przynosiły radykalnej poprawy, toteż napięcie w mieście rosło. A tymczasem cesarz pozwolił sobie na czyn wręcz prowokacyjny wobec chrześcijan: rozkazał ekshumować zwłoki męczennika Babylasa i jego towarzyszy, którzy ponieśli śmierć podczas prześladowań w 250 roku i zostali pochowani w Dafne tuż obok źródła zwanego Kastalią i świątyni Apollona. Julian wydał to polecenie, ponieważ poganie twierdzili, że właśnie od chwili pochowania tam męczenników zamilkła wyrocznia Apollona. Uroczysta ekshumacja odbyła się w październiku. Ustawiono ciężki sarkofag kamienny na wozie ciągnionym przez ludzi, a masy wiernych w kondukcie śpiewały przez całą drogę z Dafne na cmentarz antiocheński psalmy Dawidowe, powtarzając za każdą strofą słowa: „Niechaj się wstydzą, którzy służą bałwanom".

W nocy 22 października spłonęła świątynia w Dafne. Ogień strawił drewniane belkowanie stropu, wypalił mury, stopił miedź i brąz. Pozostały tylko gołe, osmalone mury i kilkanaście kolumn. Przepadły na zawsze bezcenne dzieła sztuki, nagromadzone w ciągu wieków jako dary i wota. Ogromny posąg Apollona, wykonany w drewnie, lecz wykładany złotem i kością słoniową, stał się kupą popiołu.

 Natychmiast wszczęto dochodzenie, lecz nie udało się

ustalić, co było powodem katastrofy. Przeważał pogląd — i to nie tylko na dworze — że pożar wzniecili chrześcijanie, aby pomścić sprofanowanie relikwii Babylasa. Odtąd też polityka Juliana wobec nowej religii stała się surowsza.

Rozkazał zamknąć główny kościół w Antiochii. Wygnał Atanazjusza, którego poprzednio usunął z Aleksandrii, w ogóle z granic Egiptu. Usunął wszystkich lub prawie wszystkich chrześcijan ze swego otoczenia, a zwłaszcza z oddziałów straży przybocznej. Zmienił też godła i sztandary wojskowe, osobiście usuwając z nich symbole nowej wiary. Zaczęto rygorystycznie stosować ustawę szkolną, a sam cesarz w piśmie okólnym wskazał, że nader to niewłaściwe, jeśli dawną literaturę sławiącą bogów komentują ludzie, którzy w bogów nie wierzą; zaznaczył jednak, że młodzież chrześcijańska może uczyć się swobodnie, szkoły są dla niej otwarte. Tak więc, choć w teorii nadal obowiązywały zasady tolerancji, w praktyce rozpętała się w imperium nowa fala prześladowań, bezkrwawych wprawdzie, lecz przykrych.

W grudniu przyszła wiadomość o trzęsieniu ziemi, które znowu nawiedziło Nikomedię i Niceę w Azji oraz Trację w Europie. Rozeszły się pogłoski, że przyjdą nowe, jeszcze groźniejsze wstrząsy, jeśli nie przebłaga się bóstwa. Chrześcijanie myśleli oczywiście o swoim Bogu, poganie natomiast o Posejdonie. Tymczasem zaś w Syrii znowu zawiodły jesienne opady, wysychały źródła, strumienie, studnie. To wszystko uchodziło za dowód gniewu niebios.

Niespodziewanie w połowie grudnia spadły obfite deszcze. Julian osobiście dopełnił ofiary błagalnej, a potem wyszedł do ogrodu pałacowego i cierpliwie stał w strugach ulewy aż do późnego wieczora.

W pogodniejszym więc nastroju obchodzono grudniowe, wesołe święta zwane przez Rzymian Saturnaliami, a przez Greków Kroniami. Julian te dni odprężenia wyzyskał do pracy literackiej. Właśnie wtedy napisał satyrę historyczną pod tytułem *Uczta,* zwaną też *Cesarze,* albowiem pojawiają się kolejno i są charakteryzowani, przeważnie złośliwie, władcy Rzymu. Interesujący to utwór, w którym cesarz rzymski prezentuje i ocenia poprzedników. Ta rzecz się zachowała, przepadł natomiast wielki, również wtedy powstały traktat przeciw chrześcijanom. Treść jego znamy częściowo dzięki cytatom w późniejszych polemikach.

Tak kończył się 362 rok, którego drugą połowę spędził Julian w Antiochii.

Wyprawa

Cesarz opuszczał Antiochię pod pogodnym niebem 5 marca 363 roku. Odprowadzały go tłumy, a tu i ówdzie rozlegały się okrzyki błagających, aby wybaczył niedawne zatargi. On wszakże, wciąż rozgniewany na mieszkańców, rzekł w pewnej chwili ostro i głośno: „Już nigdy was nie zobaczę!" Postanowił też, że po wyprawie wojennej, którą rozpoczynał, zimować będzie w Cylicji.

Armia maszerowała przeciw Persom. Od początków panowania Julian nie ukrywał, że pragnie tej wojny, aby pomścić klęski lat ubiegłych, choć tamci ostatnio zachowywali się spokojnie, a nawet wręcz zabiegali o załatwienie sporów przez układy. Uważał jednak, że hańbą jest pertraktować w chwili, gdy miasta w prowincjach rzymskich jeszcze leżą w gruzach.

Te plany wojenne wywoływały opór nawet w otoczeniu cesarza, gdzie wskazywano, że stanowią nadmierny wysiłek dla państwa osłabionego tyloma wstrząsami. Ludność obawiała się ogromu ciężarów, jakie nieuchronnie spadną na nią w związku ze zbrojeniami i przemarszem wojsk, żołnierze natomiast wcale się nie kwapili do spotkania z groźnym przeciwnikiem. Przesądni szeptali, że mnożą się znaki złowieszcze. Julian wszakże pozostawał niewzruszony i głuchy na wszelkie perswazje.

Posuwano się przez ziemie Syrii. Po pięciu dniach przybyto do miasta Hierapolis, wielkiego ośrodka kultowego, gdzie cześć odbierała bogini Atargatis. Ciągnęli tam pielgrzymi z różnych krain wschodnich, aby modlić się u stóp cudami słynącego posągu i podziwiać święte ryby w pobliskim jeziorku. Dziś rozciąga się tam wielkie pole ruin, w jeziorku zaś pływają tylko żaby.

Z Hierapolis Julian wysłał list do Libaniusza informując o swych pracach. Czytamy w nim: „Wyprawiłem posłów do

Saracenów przypominając im, aby się stawili — jeśli chcą. Rozesłałem też posterunki jak najliczniejsze; mają strzec, by nikt skrycie nie przeszedł do nieprzyjaciół i nie powiadomił ich, żeśmy już wyruszyli. Osądziłem pewną sprawę żołnierską — nader łagodnie i słusznie, jak mniemam. Przeprowadziwszy koncentrację wojsk zgromadziłem dużo mułów i koni. Statki rzeczne pełne są pszenicy, a zwłaszcza sucharów i octu. A ileż listów musiałem podpisać i dokumentów!"

Przeprawiwszy się przez Eufrat Julian i jego armia znaleźli się w granicach rzymskiej prowincji Osroene. Na prośbę mieszkańców cesarz najpierw odwiedził Edessę, a około 20 marca zatrzymał się w Karrach, *Carrhae*. Tam dokonał przeglądu armii liczącej 65 000 piechoty i jazdy. Z tej liczby wydzielił dwudziestotysięczny korpus, który pod wodzą Prokopiusza i Sebastiana miał ubezpieczać odcinek północny i następnie przekroczyć Tygrys, podczas gdy sam cesarz na czele głównego trzonu wojsk prowadziłby działania na południu, nad dolnym Eufratem.

Posuwano się w dół rzeki wzdłuż jej brzegu. Szejkowie okolicznych szczepów saraceńskich, czyli beduińskich, złożyli imperatorowi hołd i wręczyli mu dary. Potężna flota — ponad 1000 statków różnego rodzaju — wiozła zapasy żywności, machiny wojenne, mosty pontonowe; ten pływający magazyn rozwiązywał wszelkie trudności, jakie musiał nastręczać marsz przez ziemie ubogie, a miejscami prawie pustynne.

1 kwietnia ujrzano wieże i mury rzymskiej twierdzy Kirkezjum, zbudowanej przed kilkudziesięciu laty z woli cesarza Dioklecjana, tam gdzie wpada do Eufratu rzeka Aboras (obecna nazwa — Cahur). Załoga fortecy liczyła 6000 ludzi, a na wschód od niej, za Aborasem, rozciągały się już ziemie niczyje, dzikie pola. Przekroczono tę rzekę po moście pontonowym 4 kwietnia i wtedy dopiero cesarz wygłosił mowę do żołnierzy.

Długa kolumna zbrojnych rozciągała się na przestrzeni około 10 mil rzymskich, okręty zaś płynęły równo z nią. Na pustkowiach za Kirkezjum ujrzano już z dala wysoki kopiec w miejscu, gdzie w 244 roku zginął lub został zamordowany cesarz Gordian III; Julian złożył tu ofiary cieniom swego poprzednika.

Dalej na południe, lecz na przeciwnym brzegu rzeki, sterczały ruiny dawnej rzymskiej twierdzy Dura Europus, opuszczone od przeszło wieku. Żyły w tych stronach tylko dzikie zwierzęta. Zwiadowcy jazdy przedniej upolowali ogromnego lwa, okręty zaś natrafiały u brzegów na stada spokojnie pasących się gazel.

W kilka dni później udało się skłonić do kapitulacji załogę i ludność perskiej twierdzy na rzecznej wyspie Anata. Mieszkańców osiedlono później w syryjskim mieście Chalkis. Znajdował się wśród nich prawie stuletni starzec otoczony wnukami i prawnukami. Był to Rzymianin, który dostał się do perskiej niewoli jako żołnierz jeszcze za cesarza Galeriusza i tu osiadł. Podczas pertraktacji gorliwie namawiał załogę Anaty, by się poddała, zawsze bowiem wierzył i głosił, że spocznie w rzymskiej ziemi, nim osiągnie setny rok życia.

Wkroczono na ziemie uprawne i żyzne. Kwiecień był miesiącem pierwszych zbiorów, toteż żywności nie brakowało. Na rozkaz cesarza grabiono i niszczono wszystko wokół: podpalano łany dojrzewających zbóż, wykopywano z korzeniami krzewy winorośli i ścinano palmy daktylowe. Ludność uciekała, wojsk nieprzyjaciela nie napotykano. Nie tracono czasu na zdobywanie umocnionych wysp na rzece, puszczano zaś z dymem opustoszałe miasta przybrzeżne. Ale wkrótce potem, w okolicy poprzecinanej głębokimi kanałami, pokazały się pierwsze oddziały Persów, które usiłowały bronić przejść strzałami i pociskami z proc.

Pierwsze duże miasto, które trzeba było zdobywać, zwało się Pirysabora. Broniły go kanały, fosy, podwójne mury z wypalanej cegły spajanej asfaltem. Po całym dniu i całej nocy szturmów machiny wojenne skruszyły część murów, Persowie więc opuścili miasto i przenieśli się na zamek. Odparli dwudniowe, nieustanne ataki — w jednym z nich wziął udział sam cesarz — i poddali się dopiero przerażeni widokiem potężnej wieży oblężniczej. Pozwolono wszystkim odejść z życiem, zajęto ogromne składy broni i zapasy żywności, twierdzę spalono.

Julian obiecał żołnierzom po 100 srebrnych monet nagrody, co ci uznali za zbyt skromną kwotę. Przemówił wówczas podczas wiecu.

„Musicie wreszcie zrozumieć, że państwo rzymskie, dawniej niezmiernie bogate, stało się obecnie bardzo ubogie. Sprawili to ci, co uczyli złotem kupować pokój u barbarzyńców, byle tylko zachować swe majątki. Skarb został rozkradziony, miasta są wyczerpane, prowincje spustoszone. Ja sam nie mam ani wystarczających posiadłości, ani nawet rodziny, choć pochodzę ze znakomitego rodu. Mam tylko pierś wolną od lęku. I nie będzie wstyd cesarzowi, który za najwyższe dobro uważa kształcenie ducha, przyznać się do uczciwego ubóstwa. Spełnię, jak przystało na władcę, wszystkie swe obowiązki do końca. Umrę wyprostowany, gardząc życiem, które i tak wydrzeć mi może byle gorączka".

Te i tym podobne słowa wywarły spodziewany efekt. Rozległ się miarowy łoskot broni, objawiający przychylność dla cesarza.

A Julian, choć wyrozumiały i ludzki, utrzymywał dyscyplinę ręką żelazną. Potwierdziło się to jeszcze tegoż dnia, gdy Persowie niespodziewanie zaatakowali trzy oddziały jazdy zwiadowców, kładąc trupem kilku Rzymian, resztę zmuszając do ucieczki; zdobyli też sztandar jednego z oddziałów. Dwóch trybunów cesarz natychmiast zwolnił ze służby jako niezdatnych i tchórzliwych, a spośród żołnierzy wybrał dziesięciu, wydalił z szeregów i ukarał śmiercią.

Gdy maszerowano przez równiny nawadniane kanałami, Persowie otworzyli śluzy i wody rozlały sią szeroko. Musiano gdzieniegdzie kłaść pomosty z pni palm daktylowych, których gaje rosły wokoło. Cesarz dzielił wysiłek swoich brnąc pieszo przez muł i grzęzawiska.

13 maja zdobyto po ciężkim, kilkudniowym oblężeniu miasto Maozamalcha podkopując się pod jedną z wież. Większość mieszkańców zginęła, wielu bowiem w przerażeniu rzucało się z wysokich murów, choć upadek musiał spowodować przynajmniej kalectwo. Miasto spalono i zrównano z ziemią. Zbieg doniósł, że w pobliskich pieczarach ukrywają się Persowie mający zaatakować straż tylną. Rozpalono więc ogniska u wejść do kryjówek, a dym i żar zmusiły tamtych do przedzierania się przez płomienie, za którymi czekały rzymskie miecze.

W dalszej drodze, utrudnionej tylko przez liczne kanały,

napotkano w urodzajnej okolicy zamek królewski zbudowany w stylu rzymskim oraz ogromny park pełen wszelkiej zwierzyny. Grecy przekręcając perski wyraz dawali takim parkom miano *paradejsos,* skąd łaciński *paradisus* i pochodzenie słowa w różnych językach europejskich na oznaczenie raju.

Po zdobyciu jeszcze jednego zamku — cesarz tylko przypadkiem uniknął tam śmierci, osłonił go bowiem giermek — skierowano się ku kanałowi łączącemu się już z Tygrysem. Wprawdzie Persowie spuścili zeń wodę, udało się wszakże znowu go napełnić i okręty, wciąż towarzyszące armii, mogły przepłynąć jeden za drugim na wody tamtej rzeki.

Odpoczywano w okolicy pełnej winnic i cyprysów w jednym z pałaców królewskich. Ale drugi brzeg Tygrysu, wyższy i stromy, obsadziły wojska perskie i umocniły go palisadami. Nocą wszakże udało się za pomocą okrętów wyładować tam część wojsk i utworzyć przyczółek. Cesarz sam objął dowództwo nad nim.

Rankiem zaatakowała Rzymian pancerna jazda perska, której towarzyszyli piesi mający długie, wygięte tarcze z wikliny i grubej skóry; z tyłu postępowały słonie. Wojska zwarły się z sobą podnosząc krzyk ogromny i gęste tumany kurzu. Nikt nie wiedział, jak toczy się bitwa w całości, każdy walczył dla siebie. Persowie, którzy nie utrzymali zwartości szyku, zaczęli ustępować coraz szybciej ku murom stolicy, ku Ktezyfonowi. Legioniści, choć śmiertelnie znużeni upałem i wielogodzinną walką, może nawet wdarliby się do miasta, gdyby nie powstrzymało ich przezorne dowództwo.

Wojsko upojone zwycięstwem i zdobyczą odpoczywało przez kilka dni, w otoczeniu zaś cesarza zastanawiano się, czy oblegać Ktezyfon. Przeważyło zdanie, że byłoby to zbyt ryzykowne. Postanowiono więc iść w górę Tygrysu, aby zniszczyć tamtejsze ziemie, jeszcze nie tknięte wojną, i rozprawić się z głównymi siłami wroga. Przybył poseł perski, ale odprawiono go z niczym. Ponieważ okręty nie mogły płynąć w górę rzeki, pod prąd, a nie zdołałyby też wrócić kanałami do koryta Eufratu, spalono wszystkie z wyjątkiem kilkunastu; te rozebrano na części i załadowano na wozy, aby posłużyć się nimi do budowy mostów podczas przepraw.

Marsz rozpoczęto w połowie czerwca. Żołnierze mieli tyle tylko żywności, by dotrzeć do granic rzymskich. Już pierwszego dnia ujrzano na horyzoncie smugi ognia i dymu, a zwiadowcy donieśli, że to wróg wypala łąki i uprawne pola. Tak było odtąd bez przerwy i rychło zaczęło brakować paszy dla koni. Persowie i sprzymierzeni z nimi koczownicy pustynni ustawicznie szarpali Rzymian udręczonych upałem, niedostatkiem snu i żywności. Julian dzielił wszystkie trudy i niewygody swych ludzi, jadał gorzej od szeregowca, nie dosypiał, wciąż objeżdżał rozciągniętą kolumnę marszową.

W nocy z 25 na 26 czerwca cesarz — jak relacjonuje Ammian Marcellinus — położył się, by nieco wypocząć, lecz spał nerwowo i czujnie. Zbudził się, pisał coś na wzór Juliusza Cezara, rozważał myśli pewnego filozofa. Podobno właśnie wtedy ujrzał zjawę, tak wyznał potem swemu otoczeniu. Usiłował przebłagać bóstwa ofiarami, ale w tym momencie jakby gorejąca pochodnia, podobna do spadającej gwiazdy, przecięła nieboskłon i zgasła.

Wyruszono z obozu o brzasku. Julian wyjechał ku szpicy. Nie miał zbroi na sobie, chciał tylko zorientować się w sytuacji. Zameldowano mu, że wróg atakuje straż tylną, zawrócił więc porwawszy tylko tarczę. Tymczasem znowu przyszła wiadomość o walkach straży przedniej, ruszył więc tam z powrotem, ale wpadł w zamęt bitewny w środku rzymskiej kolumny, gdzie atakowała perska jazda pancerna i słonie. Niepomny na nic stanął w pierwszych szeregach walczących, krzycząc i zachęcając swoich do mężnej postawy wobec wroga, który już zaczął się wycofywać.

Nagle dzida — nie wiadomo skąd rzucona, powiada Ammian — musnęła skórę jego ramienia i przebiwszy żebra utkwiła głęboko w wątrobie. Ranny usiłował wyrwać ją prawą ręką, poczuł jednak, że ostrze przecina mu palce. Runął z konia na ziemię. Natychmiast zaniesiono go do namiotu, usiłowano ratować. Gdy tylko przeszedł pierwszy ból i strach, zażądał, zmagając się ze śmiercią wielką mocą ducha — broni i konia, chciał bowiem jeszcze pokazać się walczącym. Ciało jednak już nie mogło sprostać rozkazom woli, upływ krwi był ogromny.

Tymczasem bitwa toczyła się dalej i to coraz zaciętsza, widok bowiem upadającego cesarza rozwścieczył żołnierzy. Bijąc mocno dzidami o tarcze dawali wyraz bólowi i żądzy pomszczenia rany; o tym, że jest ona śmiertelna, jeszcze nie wiedzieli. Walczyli więc z furią, choć tumany kurzu przesłaniały pole bitwy, gęsty pył wdzierał się do oczu, a żar słoneczny wręcz obezwładniał.

Dopiero noc przerwała zmagania. Zginęło pięćdziesięciu perskich dowódców i dostojników, lecz i po stronie rzymskiej straty były bolesne. Poległ na skrzydle prawym naczelnik urzędów, przyjaciel Juliana, Anatoliusz.

Cesarz umierał zaś nie tracąc świadomości. Dziękował bóstwu, że odchodzi nie jako ofiara skrytobójczej zasadzki, nie po cierpieniach przewlekłej choroby, nie jako skazaniec, lecz że zasłużył sobie na zgon w chwili najpiękniejszego rozkwitu swych spraw. Nie wyznaczył następcy; wyjaśnił to: „Nie chciałbym przez niewiedzę pominąć kogoś godnego. I nie chcę też wskazać, kogo uważam za zdatnego, bo naraziłbym go na wielkie niebezpieczeństwo, gdyby został wybrany. Lecz jako prawy syn Rzymu życzę mu, by miał po mnie dobrego władcę".

Rozdał bliskim to, co posiadał. Zapytał o Anatoliusza. Ktoś odrzekł, że już jest szczęśliwy. Zrozumiał i westchnął. Obecni w namiocie płakali. Zganił ich mówiąc, że nie godzi się opłakiwać cesarza już idącego ku niebu i gwiazdom. Wszyscy zamilkli, on zaś rozmawiał jeszcze z Maksymusem i Pryskosem o wzniosłości ducha.

Rana przebitego boku otwierała się coraz szerzej, oddech był ciężki. Już późną nocą konający poprosił o zimną wodę. Wypił ją i wkrótce potem zmarł spokojnie.

Relację o wydarzeniach 26 czerwca 363 roku podaliśmy za Ammianem, bo tylko ta wydaje się pełna, rzeczowa, wiarygodna. Lecz i Ammian nie wiedział — lub wolał tego nie dochodzić — czyja ręka cisnęła śmiercionośne ostrze. Pisze wstrzemięźliwie, nie wykluczając żadnej możliwości, że nie wiadomo, skąd została rzucona.

Libaniusz natomiast w penegiryku ku czci zmarłego twierdzi wyraźnie: „Winniśmy szukać mordercy wśród nas samych. Ludzie, którym życie jego przeszkadzało, nie żyli zgodnie z prawami. Od dawna już knuli zbrodnię i popełnili ją, gdy nadarzyła się okazja".

Zdumiewające to, ale chrześcijanie wcale nie odżegnywali się od podejrzeń, że nienawistny im cesarz zginął z ręki ich współwyznawcy. Aby zaś jeszcze dobitniej podkreślić swój triumf, zmyślili — ale już w wieku piątym — że umierający wypowiedział słowa: „Galilejczyku, zwyciężyłeś!" Jakby zwycięstwo uzyskane w taki sposób miało jakąkolwiek wartość moralną...

Julian, ktokolwiek go zabił, odchodził ze świata nie pokonany, wierny do ostatniego tchu swym bogom i obowiązkom. Odchodził tak, jak przystało na mężczyznę i cesarza Rzymian.

Jego zwłoki pochowano w okazałym grobowcu w Cylicji w pobliżu Tarsu. Nie pozostało ni śladu z tego monumentu, trwa jednak przez wieki wciąż żywa pamięć o wielkim władcy i szlachetnym człowieku. Ileż to poświęcono mu prac, powieści, utworów poetyckich! Czar jego osobowości działa nawet na chłodnych historyków, zmusza ich do sądów wartościujących i emocjonalnych. Powiada Ernest Stein, znakomity znawca epoki: „Julian był mimo swych błędów jednym z najszlachetniejszych i najbardziej utalentowanych ludzi w historii świata". Wtóruje mu André Piganiol: „Prawdziwa wielkość Juliana jest porządku moralnego. Szlachetność, a nawet sam niepokój jego charakteru, krytyka, którą kieruje przeciw sobie, jego ustawiczny dialog z bogami, zmuszają do szacunku. Bardziej niż większość współczesnych mu teologów właśnie on zasługiwałby na przyznane tamtym miano świętego".

Lecz chrześcijanie nazwali go pogardliwie Apostatą, czyli Odstępcą, Odszczepieńcem. Czy był nim rzeczywiście? Odpowiada na to najlepiej, najzwięźlej Antoni Słonimski wkładając w usta umierającego cesarza słowa:

„Któż to ma czelność zwać mnie odszczepieńcem?
Kto tu jest zdrajcą, kto pozostał wierny?"

Tak, Julian był wiernym do końca wyznawcą religii zwanej kulturą.

Jowian

Flavius Iovianus
Ur. w 331 r.,
zm. 17 lutego 364 r.
Panował jako *Imperator Caesar Flavius Iovianus Augustus*
od 27 czerwca 363 r. do śmierci.
Został zaliczony w poczet bogów.

„Nie było czasu na lamenty i płacze. Zadbano więc o zwłoki Juliana, jak na to pozwalały środki i okoliczności, aby w przyszłości pochować je tam, gdzie on sam postanowił, i rankiem dnia następnego — był to piąty przed kalendami lipcowymi (27 czerwca), kiedy wrogowie otaczali nas zewsząd, zebrani dowódcy wojsk, przywoławszy wyższych oficerów legionów i szwadronów jazdy, naradzali się, kogo uczynić cesarzem".

Tak rozpoczyna Ammian Marcellinus, świadek naoczny, relację o wydarzeniach po śmierci Juliana 26 czerwca 363 roku na pustkowiach za Tygrysem. I tylko ona, rzeczowa i dokładna, zasługuje na wiarę, inne są zbyt ogólnikowe lub wręcz zniekształcone religijną stronniczością.

Od razu wyłoniły się dwa ugrupowania. Oficerowie i dostojnicy związani z dawnym dworem Konstancjusza II poszukiwali kogoś odpowiedniego pośród siebie, ludzie natomiast Juliana i dowódcy rodem z Galii pragnęli wysunąć swego towarzysza. Ostatecznie poproszono zgodnie o przyjęcie władzy Sekundusa Salucjusza. Był to starszy już dostojnik, jeden z najbliższych przyjaciół i współpracowników zmarłego cesarza, obecnie prefekt Wschodu. Wymówił się wszakże stanem zdrowia i wiekiem podeszłym.

Któryś z oficerów zauważył wówczas: „Winniśmy tak postępować, jakby była to wyprawa, którą rozkazał prowadzić cesarz nieobecny, co przecież zdarzało się często. Wypada więc troszczyć się tylko o to, aby uratować żołnierzy z teraźniejszej opresji, a dopiero gdy uda się dotrzeć do naszych granic, wspólna wola połączonych armii powoła prawego władcę".

Ale ten głos trzeźwy — czy nie samego Ammiana? — pozostał bez odzewu, tymczasem bowiem krzykliwa garstka obwołała cesarzem Jowiana. Piastował on wtedy stanowisko zwane *primicerius domesticorum*, czyli stał na czele formacji młodszych oficerów u boku władcy.

Urodzony w 331 roku, a więc liczący sobie wówczas 32 lata, był niemal rówieśnikiem Juliana. Jego ojciec, Warronian, rodem z Singidunum, czyli obecnego Belgradu, ostatnio komes domestyków, dopiero niedawno wycofał się z czynnej służby i żył jako człowiek prywatny, pozostawił jednak dobrą o sobie opinię wśród towarzyszy broni. I chyba ona to sprawiła w dużej mierze, że wybór padł na jego syna.

Jowianowi natychmiast narzucono płaszcz purpurowy i dano insygnia władzy. Zaraz też zaczął przejeżdżać wśród szeregów już gotujących się do wymarszu. Kolumna była długa, rozciągała się na cztery mile, toteż żołnierze straży przedniej, słysząc z daleka okrzyki: *Iovianus Augustus!*, sądzili początkowo, że ich towarzysze witają tak radośnie Juliana, który żyje i podniósł się z łoża. Dopiero gdy ujrzeli postać Jowiana i zrozumieli, co się stało, podnieśli jęk żałości.

Nowy cesarz odznaczał się — w przeciwieństwie do Juliana — wzrostem wyjątkowo wysokim, tak że chodził nawet lekko przygarbiony; początkowo też trudno było znaleźć dlań pełny strój władcy. Oczy miał jasne, oblicze miłe. Był człowiekiem dość wykształconym, inteligentnym, współpracowników dobierał rozważnie. Zarzucano mu to przede wszystkim, że zbyt ulega przyjemnościom łoża i stołu. Jego żona, Charyto, była córką Lucyliana, dowódcy wojsk w Ilirii, którego Julian zaskoczył w Sirmium podczas swego pochodu w 361 roku przeciw

Konstancjuszowi II. Odtąd Lucylian żył tam dalej w zaciszu domowym. Z Charyto miał Jowian dwóch małych synów.

Nowy cesarz był chrześcijaninem, ale chyba umiarkowanie gorliwym, skoro Julian pozostawił go u swego boku. A jednym z pierwszych aktów jego panowania, jeszcze w dniu wyboru, było zezwolenie na dokonanie pogańskich ofiar i wróżb z wnętrzności zwierząt. Kapłani orzekli, że władca straci wszystko, gdy pozostanie w obwarowaniach obozu, będzie natomiast górą, jeśli rozpocznie marsz. Tak też uczyniono.

Tymczasem pewien chorąży legionu Jowijskiego, skłócony niegdyś z Warronianem, a potem i Jowianem, obawiając się obecnie jego zemsty, zbiegł do Persów. On to pierwszy powiadomił króla Szapura II, że Julian zginął i że przywdział purpurę Jowian, o którym wyrażał się lekceważąco. To oczywiście ogromnie dodało ducha Persom.

Rozpoczął się pochód na północ wzdłuż brzegów Tygrysu. Legioniści dzielnie odpierali ataki perskiej jazdy pancernej i słoni bojowych, choć sam ich ryk, widok i zapach płoszył rzymskie konie; cesarscy żołnierze zabili nawet kilka tych wielkich zwierząt. Ale padł też niejeden oficer rzymski. Pod wieczór znaleziono przy drodze zwłoki Anatoliusza, naczelnika urzędów pałacowych; poległ on tam dnia poprzedniego dowodząc strażą przednią lub zwiadem. Uratowano natomiast kilkudziesięciu żołnierzy i dworzan, którzy również dnia poprzedniego schronili się w pobliskim gródku.

Następnego dnia rozbito obóz w dolinie zamkniętej z trzech stron stromymi wzgórzami, a dla bezpieczeństwa wbito jeszcze wokół ostre pale. Nieprzyjaciele stojąc na wyniosłościach miotali stamtąd pociski i obelgi nazywając Rzymian zdrajcami i mordercami własnego cesarza. Rzecz to istotnie zastanawiająca: Persowie nie przypisywali sobie chwały zabicia władcy Rzymian. Może więc istotnie Julian zginął z ręki swoich? W pewnym momencie jeźdźcy perscy przerwali umocnienia przy bramie obozu i wdarli się w pobliże namiotu cesarza, zostali jednak odparci i ponieśli duże straty.

Potem — było to już 1 lipca — koczownicy pustynni zaatakowali tabory, ale uratowała je jazda. Rzymianie zwali owe

 beduińskie szczepy Saracenami. Były wrogie dlatego, że Julian poprzednio stanowczo odmówił płacenia im haraczu mówiąc dumnie: „Cesarz wojownik ma żelazo, a nie złoto!”

Zatrzymano się w miejscowości Charcha, każdego bowiem dnia Persowie powstrzymywali wymarsz atakując kolumnę, choć pełnej bitwy nie przyjmowali. Żołnierze domagali się natarczywie, by pozwolono przeprawić się przez Tygrys i tamtą stroną maszerować ku rzymskiej granicy. Doskwierający głód usprawiedliwiał te żądania, jednakże Jowian i dowódcy słusznie się sprzeciwiali, wskazując na wezbrane, jak zwykle o tej porze, nurty rzeki. Wreszcie częściowo ustąpili, godząc się, by kilkuset Germanów i Galów, dobrych pływaków, próbowało przeprawy. Ci dokonali tego nocą. Zabili perskie straże na drugim brzegu, spokojnie śpiące, i rankiem dali znać o swym sukcesie wymachując rękami i płaszczami.

Inżynierowie zapewniali, że zbudują rodzaj mostu ze skór zwierzęcych. Tymczasem nadciągnął król perski z głównymi siłami. I on znajdował się w trudnej sytuacji, gdyż jego wojska poniosły znaczne straty, kraj był zniszczony, groziło też nadejście rezerwowej armii rzymskiej, stojącej w północnej Mezopotamii.

Minęły dwa dni, lecz Rzymianom nie udało się zbudować mostu, gdyż prąd rzeki był zbyt gwałtowny. Wygłodniali żołnierze miotali się między wściekłością a rozpaczą. I wtedy właśnie zgłosiło się poselstwo perskie, któremu przewodził sam naczelny wódz, Surena. Ze strony rzymskiej rozmowy prowadzili Sekundus Salucjusz i komes Arynteusz. Pertraktowano przez cztery dni, a głód wśród Rzymian stawał się coraz srozszy. A przecież — zwraca uwagę Ammian — gdyby cesarz nie marnował tu czasu i nie przerywał marszu, już by wkroczono na ziemie rzymskie!

Ostatecznie zawarto i uroczyście zaprzysiężono pokój na lat 30, dla Rzymian niekorzystny, a nawet haniebny. Rezygnowali z ziem za Tygrysem, a w Mezopotamii właściwej z Nisibis i Singary, twierdz, które tyle razy bohatersko osłaniały granice; ich mieszkańcy mieli opuścić swe siedziby. „Godziłoby się dziesięć razy walczyć, niż oddać cokolwiek z tego!” — woła Ammian z bólem. Rzymianie przyrzekli też, że nie będą wspomagać króla Armenii, swego sojusznika. Obie strony ponadto postanowiły wspólnie strzec przejść przez Kaukaz przed zagonami Hunów.

Jowian przystał na te warunki zarówno ze względu na głód w swym obozie, jak też dlatego, że pragnął jak najrychlej stanąć w granicach imperium, gdzie w każdej chwili mógł pojawić się pretendent do tronu. Persowie zaś utrzymywali, że pokój dowodzi wielkiej łagodności ich króla, który tylko ze względów humanitarnych pozwala wycofać się armii rzymskiej.

Jeszcze w trakcie rokowań sporo żołnierzy próbowało na własną rękę przepłynąć rzekę, co zwykle kończyło się tragicznie, gdyż albo tonęli, albo też na drugim brzegu zabijali ich lub brali do niewoli Persowie i koczownicy.

Wreszcie przeciągłe buczenie trąb oznajmiło, że przeprawa wolna. Tłumy rzuciły się ku rzece, każdy chciał być pierwszy. Przepływano za pomocą wszelkich dostępnych środków: na skórzanych worach, trzymając się zwierząt, na tratwach i wpław. Cesarz i jego ludzie mieli do dyspozycji owych kilka małych okrętów, które pozostawiono paląc całą flotę pod Ktezyfonem; one to wielokrotnie kursując przez rzekę uratowały obecnie chyba najwięcej żołnierzy.

Maszerując wytrwale dotarto do opuszczonej Hatry, twierdzy, którą niegdyś na próżno usiłował zdobyć cesarz Trajan, a potem Septymiusz Sewer. Dalej rozciągało się bezwodne pustkowie — nieliczne studnie miały wodę słoną lub cuchnącą, a rosły tam tylko suche i kolczaste rośliny. Wypełniono więc wodą wszelkie naczynia, a dla mięsa wybito wielbłądy i inne zwierzęta juczne. Maszerowano przez tę pustynię sześć dni, nie znajdując miejscami nawet trawy.

Dopiero w Ur znaleziono zapasy żywności; dostarczono ją tutaj z magazynów korpusu Prokopiusza i Sebastiana. I dopiero stąd wysłano ludzi na Zachód, aby obwieścili oficjalnie śmierć Juliana i obwołanie cesarzem Jowiana. Ten zaś kazał doręczyć swemu teściowi, Lucylianowi, pismo mianujące go naczelnym wodzem wojsk pieszych i jazdy oraz nakazujące, aby spieszył do Mediolanu i przeciwdziałał wszelkim zaburzeniom. Dowództwo wojsk w Galii powierzał Malarychowi. Wysłannicy mieli głosić po drodze, że wyprawa perska zakończyła się pomyślnie, a przy okazji wywiadywać się o nastawienie i poglądy namiestników oraz dowódców, i potem wracać jak najrychlej. Choć podróżowali bez wytchnienia dniem i nocą, wieść o tym, co stało się naprawdę, i tak ich wyprzedzała.

Zapasy szybko zużyto i wojsko znowu cierpiało głód. Worek mąki kosztował co najmniej 10 sztuk złota. Maszerując ku Nisibis spotkano Prokopiusza i Sebastiana z ich sztabami, pozostawionych przez Juliana w celu obrony i działań w północnej Mezopotamii. Nowy władca przyjął ich łaskawie. Rozbito następnie obóz pod murami Nisibis, Jowian bowiem wstydził się wkraczać do grodu, choć mieszkańcy prosili go o to usilnie; oddał przecież bez walki obronne miasto wrogom.

Zdarzył się tu wszakże mord polityczny. O zmierzchu znikł nagle imiennik cesarza — Jowian, naczelnik notariuszy, czyli sekretarzy, wsławiony odwagą podczas wyprawy. Jacyś ludzie wyprowadzili go na pustkowie i wrzucili do wyschłej studni, gdzie zginął przywalony kamieniami. Przyczyna była znana i oczywista dla wszystkich; po śmierci Juliana niektórzy wskazywali go jako przyszłego cesarza, on zaś już po wyborze nowego władcy nosił się dumnie, wciąż odbywając potajemne rozmowy i zapraszając do siebie oficerów.

Nazajutrz dostojnik perski wywiesił na zamku godło swego pana. Mieszkańcy błagali cesarza, aby pozwolił im samym bronić miasta, on wszakże odmówił twierdząc, że nie może łamać przysięgi. Niektórzy przypomnieli mu wówczas, że Konstancjusz II, choć nieraz ponosił porażki w wojnach z Persami — a było i tak, że tylko z garstką towarzyszy błąkał się po pustkowiach — nie uronił nic z ziem imperium, on zaś już w pierwszych dniach oddał ważne miasta i twierdze.

Nisibijczycy musieli opuścić swe miasto w ciągu trzech dni pod karą śmierci. Domy i place napełniły się płaczem, zostawiano tu bowiem domy rodzinne i groby, a wiele dobytku trzeba było porzucić z braku zwierząt jucznych.

Stąd też wyjechał Prokopiusz ze zwłokami Juliana, aby pochować je, jak tamten przykazał, niedaleko Tarsu w Cylicji. Dokonał tego — i znikł natychmiast, nigdzie nie można go było odnaleźć. Może obawiał się losu notariusza Jowiana?

Pod koniec września cesarz był w Edessie, a w ciągu października dotarł przez Hierapolis do Antiochii, gdzie zatrzymał się na dłużej. Zapewne w tym okresie ukazały się ustawy przywracające wszelkie przywileje, jakimi chrześcijanie cieszyli się poprzednio. Znowu też zaczęto zamykać świątynie i zakazywać składania ofiar. Ale rozpętały się również natychmiast i jakby ze wzmożoną gwałtownością spory i kłótnie w łonie Kościoła, a biskupi i przywódcy sekt zaczęli odwoływać się do cesarza. Ten umęczony i przerażony owymi konfliktami dogmatycznymi i personalnymi, oświadczył wreszcie, że nienawidzi waśni, miłuje zaś i czci tych, którzy dążą do zgody. Nieco później zaś opowiedział się po prostu za całkowitą tolerancją dla wszystkich wierzeń i kultów, powracając w ten sposób częściowo do polityki swego poprzednika.

Już w listopadzie ruszył szybko z Antiochii przez Syrię na północ. Zatrzymał się na czas jakiś w Tarsie, aby ozdobić grobowiec Juliana, stojący już za miastem, przy drodze wiodącej ku przełęczom gór Taurus. A przecież — daje tu upust swemu żalowi Ammian — prochy tego cesarza winny spocząć w samym Rzymie, nad Tybrem, który obmywa pomniki dawnych bogów.

Potem w Tianie, mieście w Kapadocji, spotkał powracających wysłanników wyprawionych uprzednio na Zachód. Donieśli, że Lucylian zgodnie z rozkazem wyruszył natychmiast z Sirmium do Mediolanu, a gdy się dowiedział, że Malarych nie chce objąć dowództwa w Galii, szybko tam wyjechał biorąc ze sobą dwóch wyższych oficerów, Seniaucha i Walentyniana; był to ten sam Walentynian, który za Konstancjusza II został zwolniony ze służby, a po powrocie do niej znowu zwolniony przez Juliana jako chrześcijanin. Jednakże w *Durocortorum Remorum* — to dzisiejsze Reims — doszło do rozruchów, gdy rachmistrz podejrzany o fałszowanie ksiąg puścił pogłoskę, że Julian żyje, a Lucylian jest wysłannikiem samozwańca. Wzburzeni żołnierze zabili Lucyliana i Seniaucha. Uratował się jednak Walentynian i powrócił z wysłannikami donosząc, że dowódca wojsk w Galii, Jowinus, zdołał uśmierzyć rozruchy, a tamtejsi żołnierze wysyłają delegację zapewniającą o wierności wobec nowego cesarza. W nagrodę Walentynian otrzymał komendę nad formacją tarczowników, do Galii natomiast wyjechał Arynteusz z listami do Jowinusa, zatwierdzającymi tegoż na dotychczasowym stanowisku i nakazującymi, by uwięzionych sprawców zaburzeń odstawił na dwór.

Początek nowego roku kalendarzowego, czyli 364, zastał cesarza Jowiana w Ancyrze. Objął tam 1 stycznia konsulat wraz ze swym maleńkim synem Warronianem. Podczas uroczystości, gdy zgodnie ze zwyczajem niesiono dziecko na krześle zwanym kurulnym, przestraszone bardzo płakało, co uznano za zły omen.

Podróżując dalej ku Konstantynopolowi cesarz zatrzymał się w małej miejscowości o nazwie Dadastana, u granic prowincji Galacji i Bitynii. W nocy z 16 na 17 lutego 364 roku cesarz Jowian udał się na spoczynek w świeżo wybielonym pokoju, w którym dobrze napalono węglem drzewnym. Rankiem znaleziono go martwego.

Snuto rozmaite przypuszczenia co do przyczyn śmierci. Zbyt obfita kolacja? Wyziewy ścian? Najprawdopodobniej uległ zaczadzeniu. Dochodzeń jednak oficjalnych nie przeprowadzono nigdy.

Pochowany został w Konstantynopolu, w kościele świętych Apostołów. W wiele lat później spoczęła tam jego żona, Charyto. O losie synów nic nie wiemy. Ojciec zaś, Warronian, zmarł wkrótce po otrzymaniu wieści o wyniesieniu Jowiana na tron.

Walentynian I i Walens

Flavius Valentinianus
Ur. w 321 r.,
zm. 17 listopada 375 r.
Panował od 25 lutego 364 r.
do śmierci jako
Imperator Caesar Flavius Valentinianus Augustus.

Flavius Valens
Ur. około 328 r.,
zm. 9 sierpnia 378 r.
Panował wraz z bratem
Walentynianem od 28 marca 364 r.
do śmierci jako *Imperator Caesar Flavius Valens Augustus.*

Bracia

Zwłoki cesarza Jowiana odesłano z Ancyry do Konstantynopola, aby tam spoczęły obok sarkofagów z prochami poprzednich cesarzy, Konstantyna Wielkiego i Konstancjusza. Wojsko odeszło do Nicei, najświetniejszego wówczas miasta Bitynii, Nikomedia bowiem po trzęsieniach ziemi wciąż leżała w gruzach. Tam też dostojnicy cywilni i najwyżsi rangą oficerowie wybrali nowego cesarza.

Wymieniano różne nazwiska, ale rychło zgodnie wskazano Walentyniana. Ten niedawno mianowany przez Jowiana dowódca drugiej formacji tarczowników *(schola secunda scutatorum)* nie był obecny na naradzie, pozostał bowiem w Ancyrze. Wezwany przybył w ciągu kilku dni i stanął w Nicei już 22 lutego — pozostał jednak w ukryciu. Był to mianowicie rok przestępny i rzymskim zwyczajem 23 lutego liczono podwójnie, a uchodziły owe dnie za niezbyt szczęsne. Walentynian więc, człowiek przesądny, nie chciał rozpoczynać nowego panowania w źle wróżącym czasie.

Przez kilka dni, od 17 do 25 lutego, czyli od śmierci Jowiana do pierwszego publicznego wystąpienia i koronacji Walentyniana, imperium formalnie nie miało cesarza. Ale Ekwicjusz, trybun pierwszej formacji tarczowników, oraz Leon, rachmistrz wojskowości, krajanie Walentyniana, pochodzący bowiem również z Panonii, pilnie czuwali, aby żołnierze nie wysunęli kandydatury któregoś z innych obecnych dostojników.

Rankiem 25 lutego Walentynian wstąpiwszy na podium przed frontem wojsk okrzyknięty został augustem. Dano mu płaszcz purpurowy i diadem, podniesiono go na tarczy — jak przed czterema laty, też w lutym, Juliana podczas koronacji w Lutecji. Już wyciągnął rękę na znak, że pragnie przemówić, gdy doszedł doń groźny, rosnący pomruk wszystkich oddziałów, łomot broni i krzyk. Żołnierze żądali, aby cesarz natychmiast wyznaczył współwładcę.

Domagano się tego — zapewnia Ammian — skutkiem nauki z ostatnich wydarzeń, kiedy to niespodziewana śmierć dwóch kolejnych cesarzy w ciągu niespełna roku postawiła armię i państwo w groźnej sytuacji, nie było bowiem nikogo, kto by mógł od razu przejąć władzę. Trudno jednak oprzeć się wrażeniu, że owe żądania przygotowano i zaplanowano, może nawet z woli samego Walentyniana. On jednak skarcił żołnierzy za brak dyscypliny i upór, a w krótkiej mowie podziękował za wybór („anim się go spodziewał, anim też oń zabiegał" — twierdził) i zapewnił, że sam pomyśli o wyznaczeniu kogoś, kto byłby mu pomocą i podporą.

Zgodnie z tą zapowiedzią następnego dnia cesarz zwołał radę dostojników, niby to w celu wywiedzenia się, kto ich zdaniem byłby odpowiedni jako współwładca. Zebrani przezornie milczeli, jeden tylko Dagalajf, naczelnik jazdy, ośmielił się rzec: „Jeśli kochasz, cesarzu, swoich bliskich, masz brata, jeśli zaś państwo, szukaj, komu by dać purpurę".

Walentynian zbył tę dwuznaczną wypowiedź milczeniem. Ale 1 marca, gdy przebywał w Nikomedii, mianował swego młodszego brata Walensa trybunem stajni, czyli jakby wielkim koniuszym. W niecały miesiąc później, już w Konstantynopolu, zwołał wiec na przedmieściu stolicy i tam wśród ogólnego i niewątpliwie dobrze przygotowanego aplauzu obwieścił, że czyni Walensa augustem. Przyodział go purpurą, włożył mu diadem na głowę, kazał usiąść przy sobie w powozie, którym wracał do miasta.

Bezpośrednio po tej ceremonii bracia zachorowali gwałtownie gorączkując. Gdy wyzdrowieli, powierzyli dwóm wysokim urzędnikom przeprowadzenie dochodzeń, czy owa choroba nie była skutkiem czyichś zbrodniczych machinacji. Ale sprawa rychło ucichła i nigdy już nie wracano do owych podejrzeń.

Walentynian i Walens byli synami Gracjana, który urodził się u schyłku III wieku, a więc za panowania Dioklecjana, w okolicach miejscowości *Cibalae* na ziemiach Panonii między Sawą a Drawą. Wywodził się z warstw niskich, o czym świadczy przydomek *Funarius,* Powroźnik. Zyskał go podobno, gdy jako chłopiec obnosił powrozy na sprzedaż; pewnego razu, gdy nagle pięciu żołnierzy rzuciło się, aby mu je wyrwać, on zmógł ich wszystkich. Potem sam został żołnierzem i zyskał rozgłos z powodu zręczności, jaką okazywał w zapasach. Powołany do straży przybocznej cesarza doszedł do stopnia oficerskiego trybuna. Następnie już z tytułem komesa dowodził wojskami diecezji Afryki, czyli obecnej Tunezji i Algierii. To działo się zapewne jeszcze za panowania Konstantyna Wielkiego, a więc przed 337 rokiem. Wprawdzie Gracjan oskarżony wówczas o nadużycia stracił swoje stanowisko, ale potem, za synów i następców Konstantyna, znowu powrócił do służby czynnej i objął dowództwo wojsk w Brytanii.

Kiedy wycofał się ostatecznie ze służby czynnej, osiadł w swych posiadłościach panońskich w nadziei, że spędzi tu schyłek życia w spokoju, z dala od politycznych zawieruch. Tymczasem w 350 roku w Galii obwołał się cesarzem Magnencjusz, który zajął Italię, przekroczywszy wschodnie Alpy i stanął w Panonii. Gracjan przyjął go w swym domu — bo i jak miał postąpić? Jednakże prawowity władca, Konstancjusz II, pokonał samozwańca w bitwie stoczonej w roku 351 właśnie niedaleko *Cibalae.* Zwycięzca surowo ukarał wszystkich prawdziwych lub tylko domniemanych stronników i sympatyków Magnencjusza. Nie oszczędził również Gracjana, który utracił cały majątek tylko dlatego, że ośmielił się podjąć buntownika gościną.

Należało zatrzymać się przy osobie Gracjana, ponieważ losy jego potomków możemy śledzić na przestrzeni co najmniej półtora wieku, przez pięć kolejnych generacji, ród zaś, którego on stał się protoplastą, dał Rzymowi kilku, a nawet kilkunastu cesarzy — jeśli liczyć także spowinowaconych z linią główną. W każdym pokoleniu wybijały się jakieś znaczące osobistości, także wśród kobiet. Ani w zachodniej, ani też we wschodniej części imperium nie było już potem tak prawdziwie rzymskiej i długotrwałej dynastii.

Starszy syn Gracjana, Walentynian, także służył w wojsku. W 357 roku walczył pod rozkazami Juliana w Galii jako trybun legionu wyborowego. W szybkiej karierze początkowo pomagała mu oczywiście pozycja ojca, gdy ten jeszcze piastował wysokie stanowiska, później wszakże głównie osobiste zalety. Nie bez znaczenia była sama aparycja, zwracająca uwagę i budząca respekt. Był mężczyzną postawnym, krzepkim, o twardych rysach twarzy; wyróżniał się wśród południowców jasnymi, może nawet rudymi włosami i niebieskimi oczyma. Energiczny i odważny, skłonny był do pewnej gwałtowności w postępowaniu, a nawet, jak miało się okazać, do okrucieństwa. Wykształcenie otrzymał skromne, ale ten brak uzupełniała świetna inteligencja wrodzona, znakomita pamięć, dar celnego przedstawiania każdej sprawy w mowie. Nie były mu obce nawet pewne zainteresowania i uzdolnienia w zakresie poezji i sztuk plastycznych. Dobrze też świadczy o nim sam fakt, że później, kiedy już był cesarzem, umiał ocenić talent Auzoniusza, chyba najwybitniejszego wtedy poety łacińskiego, którego zaprosił na dwór i powierzył mu wychowanie syna.

Powróćmy jednak do 357 roku. Przeprowadzono wówczas nad górnym Renem i nad Dunajem wielką operację wojskową przeciw Alamanom. Współdziałały w niej wojska Juliana od północy i korpus Barbacjona od południa. Zdarzyło się jednak, że zagon wojowników germańskich, wycofujący się po nieudanej wyprawie na Lugdunum, został przepuszczony przez oddziały Barbacjona. Co więcej, wódz ten przepędził dwóch oficerów Juliana obserwujących ów rejon operacyjny, a nawet oskarżył ich przed cesarzem Konstancjuszem II o podburzanie jego żołnierzy. Chodziło chyba o to, że oficerowie zarzucali ludziom Barbacjona bezczynność i tchórzostwo. W każdym razie cesarz dał wiarę oskarżeniu i obu zwolnił ze służby. Jednym z nich był właśnie Walentynian. Znając raptowność jego usposobienia można się domyślać, że w sporze z żołnierzami Barbacjona używał słów ostrych. W takim to związku jego nazwisko pojawia się po raz pierwszy na kartach historii.

W dwa lata później przywrócono mu stopień i wysłano do Mezopotamii, gdzie trwały ustawiczne walki z Persami. Tam otrzymał tytuł komesa, a później stanowisko trybuna w oddziałach straży przybocznej Konstancjusza. Następca tego cesarza, Julian, był zapewne przychylny swemu dawnemu oficerowi. Od pewnego momentu zaczął jednak usuwać chrześcijan ze swego najbliższego otoczenia. Ta polityka personalna dotknęła też Walentyniana, który albo w ogóle odszedł ze służby czynnej, albo też został przeniesiony gdzieś na dalekie rubieże Egiptu. Nasze źródła podają o tej sprawie informacje niezbyt dokładne i niemal sprzeczne.

Walentynian — powiedzmy to od razu — był umiarkowanym wyznawcą nowej religii. Opowiadał się za nicejskim *credo,* jednakże nigdy nie interesowały go spory dogmatyczne; trzymał się od tych spraw z daleka. Przyznając później jako cesarz liczne przywileje chrześcijaństwu i klerowi, nie prześladował jednak w żadnej mierze dawnych kultów i pogan. W zakresie więc polityki religijnej można by uznać jego postawę za tolerancyjną, co zresztą potwierdzają też lapidarne słowa Ammiana: „Wśród rozbieżności wierzeń stał pośrodku".

W każdym razie natychmiast po śmierci Juliana Walentynian znowu pojawił się na widowni, na pewno przywołany oficjalnie przez nowego cesarza, Jowiana. Wraz z jego teściem, Lucylianem, wyjechał do Mediolanu i następnie do Galii, aby czuwać tam nad spokojem. Gdy zaś doszło do rozruchów w *Durocortorum Remorum* (Reims) i Lucylian zginął z rąk żołnierzy, Walentynian uratował się dzięki pomocy dawnego znajomego. Pośpieszył natychmiast do Azji Mniejszej, do

Jowiana, i otrzymał w nagrodę za lojalność wspomniane już dowództwo drugiej formacji tarczowników.

Przebywał w Ancyrze, kiedy nadeszła wiadomość, że 17 lutego Jowian zmarł nagle, najprawdopodobniej skutkiem zatrucia czadem podczas snu. Walentynian więc nie brał udziału w naradzie dostojników i oficerów zebranych w bityńskiej Nicei, nie mógł też mieć żadnego wpływu na jej przebieg. Tym większą zagadkę stanowi fakt, że właśnie on — oficer przecież nie najwyższego stopnia! — został tam wybrany cesarzem.

Jakie czynniki działały na jego korzyść? Co sprawiło, że właśnie on został wyniesiony na tron spośród co najmniej kilkudziesięciu, a może i kilkunastu możliwych kandydatów? Przede wszystkim pomogła mu chyba ta okoliczność, że ludzie bardziej od niego wpływowi i wyżsi rangą wzajem sobie przeszkadzali, powodowani zawiścią i obawami, niektórzy zaś byli zbyt posunięci w latach lub zbyt słabi jako indywidualności. Na pewno też dużą rolę odegrało to, że pochodził z Panonii, należał więc do Iliryjczyków, tak silnie wówczas i już od dziesiątków lat reprezentowanych w korpusie oficerskim. Krajanie niewątpliwie go popierali wskazując, jak energiczny to, doświadczony i wypróbowanego męstwa oficer. Chrześcijanie uważali go za swojego, a poganie nic przeciw niemu nie mieli.

Ale musiało też być coś niezwykłego w osobowości Walentyniana, co niejako samorzutnie zwracało nań oczy i zostawało w pamięci każdego, kto się z nim zetknął.

We włoskim miasteczku Barletta u wybrzeży Adriatyku, nieco na północ od Bari, stoi duży posąg z brązu, przywieziony w średniowieczu przez Wenecjan z Konstantynopola i ustawiony tam po wielu przygodach. Przedstawia cesarza rzymskiego w postawie stojącej. Rysy jego twarzy są wyraziste, surowe, pełne mocy, wręcz groźne. Jeśli to istotnie posąg Walentyniana, jak przyjmuje dziś większość badaczy, to trzeba przyznać, że biła zeń prawdziwa wielkość wrodzonego majestatu — i nie dziwimy się dostojnikom w Nicei, że właśnie jemu dali purpurę.

Gdy go obwoływano cesarzem, był już od lat żonaty z Maryną Sewerą i miał z nią syna urodzonego w 359 roku. Nosił on imię Gracjana, a więc swego dziadka.

Walens, młodszy brat Walentyniana i jego współwładca, był pod wielu względami osobowością odmienną. Dość niski, choć krzepko zbudowany, o nieco krzywych nogach, ale dość wydatnym brzuchu, miał śniadą cerę i jakby zmącone jedno oko, już więc samym wyglądem różnił się niekorzystnie. Słabo wykształcony, o dość prymitywnej umysłowości, nie miał ani wrodzonej inteligencji brata, ani jego doświadczenia, zdobytego na różnych stanowiskach, w wielu krajach i kampaniach; za Juliana i Jowiana doszedł Walens zaledwie do stopnia oficera straży przybocznej. Nie potrafił też tak umiejętnie prowadzić pojednawczej polityki religijnej i rychło dał się poznać jako żarliwy, nietolerancyjny zwolennik arianizmu, co miało przykre skutki dla stosunków wewnętrznych. Powiadano, że do arianizmu nakłoniła go przede wszystkim żona Domnika, córka Petroniusza, dowódcy jednego z legionów. Miał z nią syna, który zmarł jako dziecko, i dwie córki.

W końcu kwietnia 364 roku obaj cesarze opuścili Konstantynopol i udali się przez Trację do Naissus. Tam w podmiejskiej posiadłości rozdzielili między siebie najwyższych dowódców. Następnie w ciągu lipca w Sirmium dokonali podziału dworu cywilnego i obszarów imperium, nad którymi mieli sprawować pieczę bezpośrednio.

Walentynian jako starszy wiekiem i powagą otrzymał część większą, albowiem wszystkie kraje zachodnie, Italię, prowincje afrykańskie oraz bałkańskie z wyjątkiem Tracji. Ta przypadła Walensowi łącznie z krainami wschodnimi i Egiptem. Taki podział dowództw armii, dworów, administracji i terytoriów był jakby zapowiedzią tego, co miało się dokonać w 20 lat później, kiedy to powstały dwa na zawsze odrębne organizmy państwowe: cesarstwo rzymskie, zachodnie, i cesarstwo wschodnie, czyli bizantyjskie.

Bracia rozstali się w Sirmium. Walentynian powoli zmierzał do Italii, gdzie w początkach listopada na czas dłuższy ustanowił rezydencję w Mediolanie. Walens natomiast wrócił do Konstantynopola. Dzień 1 stycznia 365 roku obchodzono w obu tych miastach szczególnie uroczyście, cesarze bowiem objęli wówczas honorowy urząd konsulów.

 Sprawy zewnętrzne imperium nie przedstawiały się najlepiej. Alamanowie ośmieleni ostatnimi wydarzeniami, a zwłaszcza śmiercią Juliana, którego samo imię napawało ich trwogą, rozdrażnieni zaś uszczupleniem sum pieniężnych wpłacanych im corocznie oraz zachowaniem się niektórych urzędników rzymskich, atakowali skutecznie granice górnego Renu i Dunaju. Sarmaci i Kwadowie niepokoili Panonię nad środkowym Dunajem, Sasowie zaś i Szkoci Brytanię. Także w Afryce koczownicy pustynni wdzierali się głębiej niż zazwyczaj na obszary uprawne. Ale i granice części Walensa nie były bezpieczne, Trację bowiem wciąż nachodziły hordy Gotów zza dolnego Dunaju, a król perski wyraźnie dążył do zajęcia całej Armenii.

Sytuacja nad Renem wydawała się tak groźna, że późnym latem 365 roku Walentynian opuścił Mediolan i ruszył do Galii, kierując się ku Lutecji. Nim jednak dotarł do tego miasta, otrzymał pod koniec października alarmującą wiadomość: komes Prokopiusz podniósł bunt w Konstantynopolu i obwołał się cesarzem.

Pierwsze meldunki były tak ogólnikowe i niejasne, że trudno było dociec, czy Walens jeszcze żyje, czy też padł ofiarą samozwańca. Co miał czynić Walentynian w tej sytuacji: ratować brata i ruszyć jak najrychlej z powrotem na Wschód przeciw Prokopiuszowi, czy też pozostać nad Renem, aby bronić tych ziem przed Germanami?

Prokopiusz

W 358 roku, gdy imperium groziła wojna na Wschodzie, cesarz Konstancjusz II wyprawił do króla Persów komesa Lucyliana oraz Prokopiusza, który pełnił funkcję notariusza, czyli jednego z sekretarzy dworskich. Misja ich miała charakter pokojowy. Król jednak przetrzymał obu posłów, obawiał się bowiem, że podpatrzą jego przygotowania wojskowe i przekażą swoim informacje.

Mimo to Prokopiusz zdołał przesłać odpowiedni meldunek dowództwu rzymskiemu. Jeden z jego ludzi, któremu Persowie pozwolili wrócić w granice imperium, schował w pochwie miecza pergamin zapisany tajnymi znakami. A gdyby nawet ów dokument wpadł w ręce perskie i pismo rozszyfrowano, ktoś obcy niewiele by pojął z jego treści, pełnej aluzji do wojen Persów z Grekami, do bitew pod Maratonem i Salaminą, jakie toczono przed ośmioma wiekami. Były to aluzje zrozumiałe tylko dla kogoś wychowanego w tradycji helleńskiej i rzymskiej; także w sztabie wodza Ursycyna dobrze się nabiedzono, nim pojęto istotę zapisu.

Jest to pierwsze znane wydarzenie, w którym pojawia się imię i postać Prokopiusza. Miał wtedy 32 lata, przyszedł bowiem na świat w 326 roku w Cylicji, w mieście Korykos. Był spokrewniony z rodziną Bazyliny, matki późniejszego cesarza Juliana, co następnie odegrało wielką i w gruncie rzeczy nieszczęsną rolę w jego życiu.

Gdy wreszcie powrócił z Persji, otrzymał w nagrodę za swą pomysłowość i zasługi awans w dziale notariuszy. W 361 roku Julian, jego krewny, który stał się właśnie jedynym władcą imperium, mianował go komesem.

Cesarz wyprawiając się wiosną 363 roku przeciw Persom powierzył Prokopiuszowi i Sebastianowi dowództwo korpusu północnego: miał on osłaniać Mezopotamię, a potem ruszyć na ziemie za górnym Tygrysem. Zanim jednak się rozstali, Julian — tak opowiadano — udał się wraz z Prokopiuszem do świątyni w syryjskim mieście Karry, stanął przed ołtarzem i po odprawieniu wszystkich świadków symbolicznie podał mu swój płaszcz purpurowy wypowiadając słowa znaczące: „Gdybym zginął, śmiało sięgaj po niego".

Ta opowieść powstała zapewne później, to jest dopiero wtedy, gdy Prokopiusz istotnie samozwańczo przywdział purpurę cesarską i usiłował usprawiedliwić to powołując się na rzekomą wolę Juliana. Jeśli wszakże ten rzeczywiście upatrywałby w nim swego następcę, dokonałby wyboru raczej dobrego. Prokopiusz był w sprawach służbowych pomysłowy, rzutki, energiczny, nikt zaś nie miał nic do zarzucenia jego życiu prywatnemu i obyczajom. Postawny, przystojny, cery śniadej, uchodził za milczka i skrytego, a gdy chodził, wzrok kierował zawsze na dół; takie zachowanie się wskazywało zdaniem niektórych na nadmierne, acz tłumione ambicje. Ale każdy spowinowacony z rodziną panującą musiał wówczas zachowywać się z rezerwą, pozostawał bowiem stale pod czujną obserwacją zawistnych.

Cesarz Julian zginął w czerwcu tegoż roku za Tygrysem, a wojsko okrzyknęło Jowiana, którego Prokopiusz lojalnie powitał w jednym z miasteczek Mezopotamii. Wódz i krewny zmarłego cesarza został życzliwie przyjęty podczas audiencji u nowego augusta. Potem Prokopiusz wyjechał eskortując zwłoki Juliana; pogrzebał je w Cylicji, jak sobie tamten życzył przed śmiercią. Wypełnił ów żałobny obowiązek — i natychmiast zniknął. Nigdzie go nie można było odnaleźć.

On zaś ukrywał się z obawy, że mógłby spotkać go los innych, których podejrzewano o śmiałe zamysły. Niedawno, gdy Jowian jeszcze szedł przez Mezopotamię, właśnie z tego powodu został zgładzony jeden z notariuszy: wrzucono go do wyschłej studni i przysypano kamieniami. O ileż bardziej podejrzany od tamtego musiał wydawać się Prokopiusz, istotnie mający z racji więzów krwi jakieś prawa do spadku po Julianie!

Gdzie przebywał, gdzie szukał schronienia? Ammian Marcellinus, współczesny wydarzeniom i naoczny świadek wielu z nich, twierdzi, że Prokopiusz krążył po miejscach odległych od siedzib ludzkich, cierpiąc nawet niedostatek jedzenia i nie mając do kogo ust otworzyć, aż obrzydło mu to życie ściganego zwierzęcia. Wreszcie krętymi drogami przybył do Chalcedonu, miasta naprzeciw Konstantynopola, po azjatyckiej stronie Bosforu. Tam zatrzymał się w domu Strategiusza, wówczas senatora, ale dobrze mu znanego za lat, gdy obaj służyli przy dworze.

Inaczej, barwniej bowiem i przygodowo, ale mniej wiarygodnie, przedstawia ów okres autor późniejszy, Zosimos. Według niego Prokopiusz odszedł ze służby za wiedzą i zgodą Jowiana; przeniósł się wraz z żoną i dziećmi do Kapadocji, gdzie posiadał wielkie dobra. Kiedy jednak władzę objęli Walentynian i Walens, natychmiast posłali ludzi, którzy mieli go uwięzić. Prokopiusz uprosił ich, aby zezwolili mu pożegnać się z rodziną. Przygotował ucztę, podczas której upił i uśpił żołnierzy cesarskich, sam zaś z najbliższymi śpiesznie wyjechał na wybrzeża Morza Czarnego, a stamtąd pożeglował na Krym, zwany wówczas Chersonezem Taurydzkim. Następnie wsiadł na statek handlowy i popłynął wprost do Konstantynopola. Przybył tam nocą i zamieszkał nie rozpoznany u pewnego przyjaciela, a ten znowu skontaktował go z wpływowym i zamożnym eunuchem dworskim, Eugeniuszem.

Nie ulega jednak wątpliwości, że głównym poplecznikiem Prokopiusza był początkowo Strategiusz; wykazały to późniejsze dochodzenia sądowe, podczas których zeznał on, że gość jego chalcedońskiego domu często przepływał potajemnie na drugą stronę cieśniny, do Konstantynopola, gdzie nie rozpoznany zbierał wiadomości i plotki oraz nawiązywał przeróżne kontakty.

Było już lato 365 roku, rządy Walensa na Wschodzie trwały od kilkunastu miesięcy. Każdy mógł łatwo się zorientować, jak bardzo znienawidzony jest cesarz, a jeszcze bardziej jego wszechmocny teść Petroniusz, dawniej dowódca legionu, obecnie patrycjusz. Jego chciwość i okrucieństwo były wręcz niewiarygodne. Żądał podatków zaległych od czasów Aureliana, a więc sprzed wieku, nie ulegając ani rzeczowej argumentacji, ani prośbom.

Sam Walens przygotowując wyprawę przeciw Persom opuścił Konstantynopol i przez Azję Mniejszą zmierzał ku Syrii. W drodze zameldowano mu, że Goci zza dolnego Dunaju planują wypad na Trację, wysłał więc dla wzmocnienia tamtejszych wojsk formacje jazdy. Dwie z nich wywodziły się z Galii i dlatego pamięć Juliana była wśród nich żywa. Zatrzymały się na krótko w samym Konstantynopolu, w ogromnych łaźniach, które swego czasu zbudowała Anastazja, siostra Konstantyna Wielkiego.

Prokopiusz natychmiast wyzyskał tę sposobność. Miał znajomych oficerów w obu formacjach, obiecał im wysokie godności i ogromne majątki. Ci z kolei przekonali zaufanych żołnierzy przyrzekając im duże pieniądze i wskazując, że wyniosą na tron człowieka, któremu on się należy jako spowinowaconemu z Julianem tak przez nich umiłowanym. Może to właśnie wtedy powstała opowieść, że ów cesarz wyruszając na wyprawę wyznaczył Prokopiusza na swego następcę?

Tego wszystkiego dokonano w ciągu zaledwie jednej nocy. O świcie 28 września Prokopiusz przybył do wielkich zabudowań i stanął przed żołnierzami śmiertelnie blady ze zdenerwowania, przyodziany w haftowaną złotem tunikę, jaką nosiła służba dworska, oraz spodnie i purpurowe buty — strój paziów. Nie miał wszakże na sobie cesarskiego płaszcza, tak szybko bowiem nie można go było znaleźć lub wykonać. Trzymał natomiast w ręce lewej dzidę z przytwierdzoną do niej purpurową chustą; przypominał więc, złośliwie dodaje Ammian Marcellinus, posągi pokazywane na scenach teatrów. Przemówił krótko, obiecując żołnierzom zaszczyty i majątki. Potem wyszedł na miasto otoczony szeregami zbrojnych; nieśli oni tarcze nad hełmami — a to z obawy, by nie rażono ich z góry kamieniami i dachówkami — żelastwo zaś uderzając o siebie wydawało łoskot głuchy i ponury.

Nie doszło jednak do żadnych walk, nie było nigdzie prób oporu. Ludność, choć zdumiona niespodziewanym przewrotem, zachowywała się biernie, a wielu wręcz się radowało, oczywiście nie tyle z sympatii do nowego władcy, znanego tylko nielicznym, lecz z nienawiści do Petroniusza.

Na forum wygłosił Prokopiusz mowę do mieszkańców, głosem jednak przerywanym i zamierającym. Powoływał się przede wszystkim na pokrewieństwo z Julianem. Wśród tłumu podniosły się najpierw pojedyncze okrzyki ludzi może przekupionych, ale wnet podjęto je z rosnącym zapałem, jak to często bywa w podobnych wypadkach, kiedy sprawy toczą się lawinowo.

Następnie samozwaniec udał się do gmachu posiedzeń senatu. Tam jednak zastał niewielu dostojników, i to tych mniej znaczących. Większość zachowała przezorną ostrożność i zaszyła się w domach, niektórzy zaś zdołali uciec z miasta, którego bramy wnet zamknięto. Wśród tych ostatnich był też notariusz Sofroniusz. On pierwszy o zamachu powiadomił Walensa, już przebywającego w Kapadocji. Władca natychmiast przerwał podróż i zawrócił.

Tymczasem Prokopiusz rozwijał energiczną działalność. Przykazał rozsiewać pogłoski o śmierci Walentyniana w Galii. Uwięził prefekta pretorium i prefekta miasta, a mianował urzędnikami swoich ludzi. Powołał wodzów wojsk, Gomoariusza i Agilona. Wymusił na uwięzionym prefekcie pretorium napisanie listu do dowódcy wojsk w Tracji z rozkazem stawienia się natychmiast w Konstantynopolu; ten posłuchał, przyjechał — i został uwięziony. Przeszły na stronę samozwańca wszystkie oddziały w Tracji, zarówno stale tam stacjonujące, jak też ściągnięte przeciw Gotom. Tak więc kraina leżąca tak blisko Bosforu dostała się Prokopiuszowi bez wyciągnięcia miecza. Co więcej, zdołał on zaciągnąć pod swe znaki sporo wojowników gockich jako żołnierzy najemnych.

Wdowa po cesarzu Konstancjuszu II, Faustyna, mieszkała wówczas w Konstantynopolu wraz z córeczką Konstancją, urodzoną już po śmierci ojca, Prokopiusz często się pojawiał przed szeregami wojsk trzymając dziewczynkę na ręku. W ten sposób pokazywał, że jest spowinowacony z wielką dynastią, cieszącą się wciąż ogromnym mirem w armii, i uważa się za jej spadkobiercę.

Nie powiodła się mu natomiast próba opanowania Ilirii. Wysłał tam śmiałków zaopatrzonych w złote monety z jego podobizną, wybite pośpiesznie w mennicach. Zadaniem emisariuszy było przekupienie i przeciągnięcie na stronę uzurpatora załóg wojskowych nad Dunajem i Sawą. Jednakże energiczny oficer Ekwicjusz wychwytał ich wszystkich i bezzwłocznie ukarał śmiercią. Aby zapobiec zaś dalszym próbom tego rodzaju lub nawet marszowi oddziałów Prokopiusza — bo i tego się obawiano — zamknął silnymi posterunkami przejścia górskie między Ilirią a Tracją. On też pierwszy zameldował przez gońców cesarzowi Walentynianowi w Galii o rebelii nad Bosforem. W nagrodę za tak zdecydowaną postawę otrzymał godność naczelnika wojsk w Ilirii.

Sam Walentynian znalazł się w obliczu dramatycznego dylematu: czy ma śpieszyć na Wschód, by ratować brata — a początkowo nie bardzo nawet wiedziano, czy Walens jeszcze żyje — czy też powinien zostać na miejscu i osłaniać Galię przed inwazją Alamanów zza Renu. Wybrał to drugie. Przyznał otwarcie, że rebelia Prokopiusza grozi wprost tylko jemu i bratu, Alamanowie natomiast są wrogami całego świata rzymskiego. Tak więc cesarz postawił dobro państwa nad interesem rodziny. Postawa godna prawdziwego władcy.

Walens wszakże nie zachował hartu ducha. Podążał wprawdzie na czele wojsk ku Bosforowi, tak jednak trwożnie, że w pewnej chwili gotów był po prostu zrzucić strój cesarski i uciekać. Otoczenie zdołało powstrzymać go od haniebnego kroku.

Wysłane przodem dwa legiony zastąpiły drogę Prokopiuszowi nad rzeką *Sangarius.* Już miało dojść do bitwy, już harcownicy obu stron wybiegając do przodu ciskali włócznie, gdy samozwaniec stanął nagle pomiędzy wrogimi szykami i donośnie pozdrowił Witaliana, oficera wysokiej rangi z tamtych szeregów. Przywołał go ku sobie, serdecznie uścisnął mu rękę, wielkim głosem wyraził żal, że oto dobywa się mieczy w obronie jakiegoś Panończyka, podczas gdy wszyscy winni iść zgodnie za nim, ostatnim potomkiem cesarskiego rodu, walczącym o swe słuszne prawa.

Ten efektowny gest miał skutek niezwykły. Po chwili, idąc za przykładem Witaliana, legiony Walensa pochyliły swe godła i pomaszerowały do obozu Prokopiusza.

Przyszedł dalszy sukces: trybun Rumitalka zajął Niceę, najważniejsze miasto w Bitynii, a nawet Azji Mniejszej. Aby je odzyskać, Walens wysłał wodza Wadomara, który otoczył Niceę fortyfikacjami, sam zaś przystąpił do oblegania Chalcedonu. Lecz załoga i ludność tego miasta dzielnie odpierały szturmy, a szydząc z Walensa wołały nań *sabaiarius;* najpodlejszy bowiem napitek w Ilirii, rodzaj piwa, zwano *sabaia.*

Z braku żywności cesarz zaczął odstępować od oblężenia. Tymczasem obrońcy Nicei pod wodzą Rumitalki dokonali nagłego wypadu, zniszczyli obwarowania Wadomara i zaszliby Walensa od tyłu, gdyby ten nie wycofał się w ostatniej chwili.

Tak więc we władzy Prokopiusza znalazła się również Bitynia. Wnet potem jeden z jego dowódców zajął miasto Kizykus, gdzie znajdowała się wojenna kasa Walensa. Mimo to finansowa sytuacja samozwańca nie przedstawiała się dobrze. Aby opłacić swe wojska, musiał obłożyć senatorów specjalnym podatkiem oraz rozdać zapasy zboża, mające żywić Konstantynopol. Popełnił też ważny błąd taktyczny. Usiłował mianowicie przeciągnąć na swoją stronę Arbicjona, byłego naczelnika jazdy za Konstancjusza II, cieszącego się ogromną powagą wśród oficerów i żołnierzy. Ten jednak odmówił współpracy, zasłaniając się podeszłym wiekiem i stanem zdrowia. Dotknięty tym Prokopiusz skonfiskował jego dobra, co z kolei sprawiło, że Arbicjon oddał swe wpływy i cały autorytet bez reszty Walensowi. Wobec faktu, że wódz tak ważny znalazł się po tamtej stronie, niewiele znaczył chwyt propagandowy, do którego znowu powrócił samozwaniec: kazał obnosić się wśród szeregów wojsk w lektyce mając u boku wdowę po Konstancjuszu, Faustynę i jej małą córeczkę, Konstancję.

Do decydujących działań wojennych doszło wiosną 366 roku na ziemiach Azji Mniejszej. Tym razem przybrały one bardzo szybko obrót niekorzystny dla Prokopiusza, a to głównie skutkiem zdrady, jakiej dopuścili się obaj jego wodzowie. Najpierw przeszedł na stronę Walensa Gomoariusz. Wkrótce potem pod Nakoleą we Frygii spotkały się główne siły. Tuż przed bitwą Agilon niespodziewanie porzucił swe szeregi i jawnie ruszył ku szykom Walensa, a za nim poszły wszystkie oddziały, niosąc godła bojowe i tarcze zwrócone w dół — znak poddania się. I oto w ciągu zaledwie godziny samozwaniec, którego sprawy początkowo układały się bardzo pomyślnie, stracił wszystko. Opuszczony przez najbliższych zdołał zbiec tylko z dwoma oficerami. Schronili się w lasach gór okolicznych. Księżyc świecił jasno, co jeszcze zwiększało strach i grozę. O świcie obaj towarzysze Prokopiusza, nie widząc już żadnej drogi ratunku dla siebie, niespodziewanie rzucili się nań, gdy pogrążony był w ponurych myślach, i związanego odstawili do obozu zwycięzcy.

Pojmany zachował godne milczenie do końca. 27 maja został ścięty z rozkazu Walensa, który w porywie wściekłości wydał też wyrok śmierci na obu oficerów. Byłoby to słuszne, komentuje Ammian Marcellinus, gdyby Prokopiusz uchodził za cesarza prawowitego, ale w tym wypadku zasłużyli na nagrodę, zdradzili bowiem samozwańca.

Srożono się potem, jak zwykle w takich sytuacjach, wobec prawdziwych i rzekomych stronników pokonanego. Sypały się wyroki śmierci, konfiskat majątków, wygnań. Bliski krewny Prokopiusza, Marcellus, usiłował jeszcze stawiać opór w Chalcedonie i nawet obwołał się cesarzem, ale ta żałosna próba nie miała już żadnego znaczenia. Schwytali go żołnierze wysłani przez Ekwicjusza i zginął po straszliwych torturach.

Prokopiusz pozostawił żonę o imieniu, jak się zdaje, Artemizja oraz dzieci. Cały majątek rodziny został skonfiskowany i kilkanaście lat później Artemizja kończyła życie jako niewidoma żebraczka. Ale w dalszych pokoleniach ród znowu doszedł do wysokich godności. Podobno dalekim potomkiem Prokopiusza był Antemiusz, jeden z ostatnich władców cesarstwa rzymskiego na Zachodzie.

Sprawy państwa, rodziny, religii

U schyłku 365 roku cesarz Walentynian opuścił Paryż, zwany wówczas *Lutetia Parisiorum*, i przeniósł się do Reims, wtedy *Durocortorum Remorum* lub *Remi*. Pragnął być bliżej teatru działań wojennych wobec spodziewanego najazdu Alamanów, którzy już poprzedniej zimy zadali rzymskim wodzom ciężką klęskę.

Trzy ogromne watahy alamańskie przeszły przez zamarznięty Ren w styczniu 366 roku. Naczelnik rzymskich wojsk pieszych Dagalajf nie był zbyt aktywny w walkach z nimi, toteż cesarz zdymisjonował go honorowo: dał mu godność konsula wespół ze swoim małoletnim synem Gracjanem. Dowództwo natomiast objął naczelnik jazdy, Jowinus. Wiosną pokonał on rozdzielone watahy Germanów w trzech kolejnych bitwach. Walentynian przebywający wtedy znowu w Lutecji wyjechał mu naprzeciw w dowód uznania, a potem zaszczycił go urzędem konsula.

Wtedy też nadeszła radosna wiadomość ze Wschodu: samozwaniec Prokopiusz został pokonany! Na potwierdzenie tego Walens przysłał bratu odciętą głowę buntownika.

Zimę 366/367 cesarz spędził w Durokortorum. Zachorował tam tak ciężko, że poważnie liczono się z jego śmiercią. W najbliższym otoczeniu już się zastanawiano, kto winien zasiąść na tronie, i wysuwano różnych kandydatów. Wyraźnie zaznaczyła się przy tym niechęć do osoby władcy i jego rodziny; była ona spowodowana jego surowością, posuniętą niekiedy do okrucieństwa.

Cesarz jednak wyzdrowiał. Zorientował się w sytuacji i uznał za konieczne zademonstrować publicznie, kto będzie dziedzicem purpury. 24 sierpnia 367 roku w mieście północnej Galii *Samarobriva Ambianorum,* dzisiejszym Amiens, przedstawił i polecił wojsku swego syna Gracjana, dopiero wkraczającego w dziewiąty rok życia; został on okrzyknięty augustem.

W północnej Galii Walentynian przebywał z powodu grożących tej krainie najazdów Sasów oraz Franków od strony morza. Napadali oni również na wybrzeża Brytanii, gdzie sprawy przedstawiały się źle także z innych przyczyn. Został tam wysłany Jowinus, wsławiony ostatnimi zwycięstwami.

Gdy u granic północnych walczono z wrogiem zewnętrznym, w samej stolicy, w Rzymie, również lała się krew — z przyczyn religijnych. We wrześniu 366 roku zmarł biskup tego miasta, Liberiusz, a wśród kleru i wiernych gminy doszło do rozłamu w sprawie następcy: mniejszość wybrała Ursyna, większość zaś Damazego — i obaj zostali wyświęceni na biskupów Rzymu w dwóch różnych bazylikach. Pomiędzy ich zwolennikami dochodziło do gwałtownych, krwawych starć na ulicach i w kościołach. W jednym tylko dniu i tylko w jednej bazylice zginęło sto kilkadziesiąt osób. Ostatecznie biskupem został Damazy, za nim bowiem opowiedzieli się przedstawiciele władzy, a później również sam cesarz. Ursyn i jego najzagorzalsi stronnicy zostali usunięci z miasta.

Ammian Marcellinus — poganin, przychylny jednak chrześcijaństwu — był zdumiony i wstrząśnięty zaciekłością owych walk między przedstawicielami tej samej religii, i to religii głoszącej szczytne hasła miłości, pokory, wstrzymywania się od gwałtów. Pisał więc nie bez ukrytej złośliwości: ,,Nie przeczę, kiedy rozważam wspaniałość spraw stołecznych, że ci, co tego pragną, winni ze wszystkich sił walczyć o osiągnięcie takiego celu. Skoro bowiem go zdobędą, mogą być spokojni o swą przyszłość. Bogacą się dzięki darom matron, pokazują się publicznie tylko w powozach, godnie odziani, ucztują zaś tak wytwornie, że ich biesiady przewyższają uczty królewskie.

A mogliby przecież być prawdziwie szczęśliwi, gdyby żyli na wzór niektórych kapłanów w prowincjach! Niezmierna wstrzemięźliwość w jedzeniu i piciu, ubogie odzienie, a także wzrok ku ziemi skierowany polecają ich wiecznemu bóstwu oraz prawdziwym jego czcicielom jako ludzi czystych i godnych szacunku".

A co by rzekł Ammian, gdyby ujrzał Rzym średniowieczny i późniejszy? Owe zaś wspomniane przezeń darowizny od kobiet stały się takim problemem, że sprawą tą musiał zająć się sam cesarz Walentynian w ostrej ustawie z lipca 370 roku, adresowanej właśnie do biskupa Damazego. Zakazał w niej stanowczo ludziom Kościoła odwiedzania domów wdów i panien, twierdząc, że jakiekolwiek darowizny i zapisy owych kobiet dla nich osobiście lub na kościół nie mają żadnej mocy prawnej.

Damazy musiał jeszcze zwalczać wiele intryg i oskarżeń, nie zapomniano mu bowiem nigdy, w jakich okolicznościach wstąpił na stolicę biskupią. Jego pontyfikat, w latach 366—384, wypełnił z rocznym naddatkiem panowanie trzech cesarzy. Przez pewien czas współpracował z nim jako sekretarz św. Hieronim, który właśnie z jego polecenia dokonał rewizji łacińskiego przekładu Nowego Testamentu. Damazy odnowił też i udostępnił pielgrzymom katakumby. Ułożył ku czci męczenników wiele krótkich wierszowanych utworów, które pięknie wyryto na marmurowych tablicach; zachowało się ich nieco w oryginale, sporo w odpisach. Rzeczy to słabe artystycznie, ale mają walor historyczny. To pierwszy papież poeta.

Walentynian zimował na przełomie lat 367 i 368 w Trewirze. Często wracał do tego miasta, zapewniając mu ostatni okres świetności. Latem 368 roku poprowadził wyprawę za Ren. Spustoszył ziemie nad Nekarem, a w okolicach obecnego Heidelbergu pokonał zastępy Alamanów w otwartej, krwawej bitwie; wyróżnił się w niej osobistą odwagą. W latach następnych nie było już większych najazdów tego germańskiego ludu na Galię.

We wrześniu 368 roku cesarz przebywał nad dolnym Renem, na pewno zaniepokojony, jak i w roku poprzednim, pirackimi atakami szczepów zamieszkujących brzegi tej rzeki.

Wciąż nadchodziły groźne wieści z Brytanii. Ponieważ Jowinus niewiele tam zdziałał, został odwołany, jego zaś miejsce zajął jako głównodowodzący, czyli *dux,* Teodozjusz. Był to zdolny oficer rodem z Hiszpanii, ojciec przyszłego cesarza Teodozjusza Wielkiego. Przydzielono mu doborowe legiony.

Zastał sytuację rzeczywiście rozpaczliwą. W oddziałach wojska szerzyła się dezercja, od północy, zza wału Hadriana, atakowali mieszkańcy nigdy nie ujarzmionej Kaledonii, ludność zaś prowincji umęczona nadużyciami i nieudolnością administracji znajdowała się w stanie jawnej rebelii.

Wszystko to zdumiewająco szybko zostało naprawione dzięki energii i talentom Teodozjusza. W ciągu zaledwie dwóch lat wyparł on najeźdźców, ustanowił znowu dobrze strzeżoną granicę na wale Hadriana, umocnił i zabezpieczył linię wybrzeża przed nagłymi atakami germańskich piratów, poskromił buntowników i zreorganizował administrację. Tak więc władza rzymska na wyspie wydawała się dobrze ugruntowana. Nikt ze współczesnych nie potrafiłby przypuścić, że już w następnym pokoleniu legiony dobrowolnie opuszczą Brytanię, aby nigdy tam nie wrócić.

Po powrocie z Brytanii zwycięski wódz otrzymał w nagrodę godność naczelnika jazdy.

Tymczasem cesarz doglądał budowy ogromnego systemu fortyfikacji wzdłuż całego biegu Renu. Te głębokie i powiązane ze sobą umocnienia różnego typu spełniły swe zadania skutecznie broniąc ponad 30 lat Galię przed Germanami. Wtedy to również zawarto sojusz z Burgundami. Ten germański lud miał wówczas swe siedziby dalej na wschodzie, toteż Alamanowie, znajdujący się jakby w środku między nimi a Rzymianami, stali się wspólnym wrogiem. Później, już w 370 roku, wojownicy burgundzcy stanęli aż nad Renem, by wziąć udział w wyprawie przeciw Alamanom, ale sam widok ich groźnych zastępów tak przeraził Rzymian, że odstąpili od działań. Sojusz wszakże pozostał.

Walens, brat Walentyniana, władca wschodniej części imperium, walczył wówczas zwycięsko z innym szczepem germańskim, Gotami zza dolnego Dunaju. Chciał ukarać ich za pośrednią pomoc, jaką okazali samozwańcowi Prokopiuszowi oraz odstraszyć od najazdów w przyszłości.

 Przez trzy lata, 367—369, obozował na czele dużej armii

nad dolnym Dunajem. Wojsko dwukrotnie przeprawiło się po mostach pontonowych za wielką rzekę, ogniem i mieczem niszcząc ziemie na pewno Wizygotów w granicach obecnej Rumunii, a może nawet częściowo Ostrogotów na terenach obecnej Mołdawii i Ukrainy. Tak długie, nieprzerwane przebywanie wojsk w jednym rejonie i prowadzenie dalekich działań było możliwe dzięki temu, że prefekt pretorium Auksoniusz świetnie zorganizował transporty zboża z odległych prowincji okrętami.

Goci przerażeni uporem władcy Rzymian, a także z powodu niedostatku wielu towarów skutkiem przecięcia wymiany handlowej z krainami imperium, poprosili wreszcie o pokój. Zabiegał o to szczególnie Atanaryk, książę Wizygotów. Twierdził jednak, że nie może nawet stopą dotknąć rzymskiej ziemi, zabrania mu bowiem tego przysięga, którą złożył ojcu. Walens natomiast udawanie się do siedzib barbarzyńców uważał za niegodne cesarskiego majestatu. Ten spór proceduralny rozstrzygnięto ostatecznie kompromisem: imperator i książę wpłynęli na swych okrętach na sam środek Dunaju i tam zawarli oraz zaprzysięgli układ. Goci zobowiązali się nie naruszać granic cesarstwa i dostarczyć zakładników. Był to ostatni znaczny triumf oręża rzymskiego w walce z tym ludem w tamtych rejonach.

W ruinach rzymskiego fortu na ziemiach obecnej Dobrudży rumuńskiej odkryto uszkodzony napis łaciński. Został on wyryty w 369 roku dla uwiecznienia chwały tych sukcesów.

„Pan nasz niezwyciężony cesarz Flawiusz Walens, zwycięzca, triumfator największy, zawsze august, po zwyciężeniu i pokonaniu Gotów na ziemi barbarzyńskiej, kiedy właśnie święto pięciolecia jego panowania zbiegło się szczęśliwie ze zwycięstwem, zbudował dla obrony państwa tę strażnicę pracą żołnierzy legionów pierwszych, najbardziej mu oddanych".

Jeszcze przed rozpoczęciem wojny z Gotami Walens przyjął w 367 roku chrzest z rąk ariańskiego biskupa Eudoksjusza. Cesarz bowiem, podobno pod wpływem żony, sprzyjał właśnie temu wyznaniu, a z biegiem lat stał się arianinem tak gorliwym, że bardzo brutalnie prześladował w swych prowincjach zwolenników wyznania nicejskiego, ortodoksów. Była już wielokrotnie mowa o tym, co stanowiło przedmiot sporu. Schizmy i herezje, które trapiły chrześcijaństwo niemal od początków jego powstania, nabrały jeszcze większego znaczenia, odkąd stało się ono religią faktycznie panującą, gdyż owe spory personalne i doktrynalne splotły się ściśle ze sprawami polityki. Wojujący zaś arianizm Walensa miał również pewien wpływ na bieg wydarzeń o wielkim wymiarze dziejowym. Chodziło o chrześcijaństwo Gotów i innych ludów germańskich.

Goci stykali się z różnymi odłamami nowej religii już wcześniej. Szczególne zasługi położył biskup Wulfila (Ulfilas) za Konstancjusza II, tłumacz Biblii na język gocki. Przekład ów, częściowo zachowany, jest największym i najdawniejszym zwartym zabytkiem jednego z języków starogermańskich i choćby z tej racji ma ogromną wartość. Wulfila jednak był arianinem i działał w tym duchu. Po roku zaś 369, czyli po zawarciu pokoju, kiedy kontakty z Gotami stały się znowu żywe, Walens na pewno popierał tam kapłanów ariańskich, co umocniło to wyznanie. Miało to skutki doniosłe, inne bowiem ludy germańskie przejmowały chrześcijaństwo głównie od Gotów, arianizm więc stał się dodatkowym czynnikiem wrogości między Germanami a ludami imperium, w większości wiernymi nicejskiemu *credo*.

Tymczasem Walentynian poślubił w Galii w 370 roku kobietę także sprzyjającą arianizmowi; najpierw czyniła to co prawda skrycie, potem jednak jawnie i gorliwie. Twierdzono, że cesarz dla niej odsunął dotychczasową żonę, Marynę Sewerę, matkę jedenastoletniego wtedy augusta Gracjana. Miał nawet wydać ustawę legalizującą bigamię — ale to chyba zmyślenie późniejsze. Wydaje się natomiast, że Maryna Sewera musiała odejść z przyczyn bardzo prozaicznych: była zamieszana w jakąś aferę majątkową i rozgniewany mąż skazał ją na wygnanie.

Nowa żona, Justyna, była wdową po samozwańcu cesarzu Magnencjuszu, który, pokonany przez Konstancjusza, popełnił samobójstwo w 353 roku. Poślubiła Magnencjusza mając chyba niewiele ponad 10 lat, oczywiście z woli rodziców. Jej ojciec, Justus, należał do arystokracji italskiej, można się więc domyślać, że chodziło o jakieś cele polityczne, ważne i dla Justusa, i dla Magnencjusza.

 Jako kobieta dojrzała odznaczała się niezwykłą urodą.

Opowiadano, że pewnego razu Maryna Sewera miała sposobność przypatrzeć się jej w łaźni podczas wspólnej kąpieli i wyraziła później zachwyt w obecności męża, który oczywiście nie omieszkał zainteresować się tak piękną panią. Tę opowieść przekazał pewien starożytny autor chrześcijański, widocznie niezbyt znający psychikę kobiet. Któraż będzie wychwalała wdzięki innej, i to przed mężem?

Faktem jest, że i w tym małżeństwie pewną rolę musiały odgrywać względy polityczne. Poślubienie wdowy po Magnencjuszu, cieszącym się niegdyś wielką popularnością w Galii, stanowiło gest przyjazny wobec mieszkańców krainy, w której cesarz stale przebywał.

Ze związku z Justyną przyszło na świat czworo dzieci. Syn urodzony w 371 roku otrzymał imię ojca, a w historii znany jest jako cesarz Walentynian II. Spośród trzech córek dwie nigdy nie wyszły za mąż i niewiele o nich wiadomo. Były to Justa i Grata. Córka natomiast trzecia, Galla, miała zostać żoną cesarza Teodozjusza Wielkiego i matką sławnej Galli Placydii.

Walentynian nadal rezydował głównie w Trewirze. Czuwał tam nad bezpieczeństwem granic, ale rozwijał również żywą działalność ustawodawczą. Z licznych aktów prawnych tam wydanych jeden — podpisany 12 marca 370 roku i skierowany do prefekta Rzymu, Olibriusza — ma szczególne miejsce w dziejach nauki europejskiej. Edykt dotyczy mianowicie statusu studentów uniwersytetu rzymskiego; powstał on, przypomnijmy, po 70 roku, a więc przed prawie trzystu laty, dzięki cesarzowi Wespazjanowi.

Otóż Walentynian zarządził, by każdy student przybywający do stolicy najpierw przedstawił urzędnikom ewidencji ludności *(magister census, censualis)* pismo z namiestnictwa swej prowincji zawierające dane personalne i opinię; winien też oświadczyć, jaki obiera kierunek studiów i podać miejsce zamieszkania w stolicy. Urząd będzie czuwał nad jego zachowaniem, bacząc w szczególności, by nie obracał się w złym towarzystwie, nie oglądał zbyt często widowisk, nie brał udziału w nieodpowiednich zabawach. Sprawujący się niegodnie otrzyma chłostę i zostanie bezzwłocznie odesłany do swojej prowincji. Gorliwi studenci mogą pozostać w Rzymie aż do 20 roku życia. Spisy studentów i oceny ich zachowania się mają być dokonywane co miesiąc.

Postanowienia surowe, podyktowane jednak przede wszystkim troską o właściwie wykorzystanie przez młodzież okresu studiów i o uchronienie jej od pokus wielkiego miasta. Cesarz, należy to podkreślić, był w ogóle przychylny sprawom nauki i kultury, czego najlepszy dowód stanowi nieco późniejsza ustawa, również wydana w Trewirze.

Zwalnia ona artystów malarzy oraz ich najbliższe rodziny od wszelkich podatków, danin, świadczeń; ich służba także nie powinna być obejmowana przez spisy podatkowe. Własne dzieła mogą sprzedawać bez opłaty skarbowej. Mogą też nie płacąc żadnego czynszu zajmować na pracownie lokale w budynkach publicznych, byle tylko nie odstępowali ich osobom trzecim. Mają prawo wyboru miejsca zamieszkania. Nie wolno również nakazywać im, by wykonywali podobizny władców lub restaurowali dzieła sztuki bez zapłaty.

Ileż to związków twórczych chyba we wszystkich krajach głosowałoby dziś całym sercem za przywróceniem pełnej mocy prawnej ustawie rzymskiego cesarza sprzed szesnastu wieków!

Afryka, Syria, Panonia

Teodozjusz, najznakomitszy wśród wodzów Walentyniana, obdarzony godnością naczelnika jazdy dzięki zwycięstwom w Brytanii, pokonał w 370 roku Alamanów nad górnym Dunajem, a jeńców osiedlił na równinach północnej Italii. Potem odpierał Sarmatów w Panonii. Uczestniczył też w wyprawie cesarza za Ren przeciw alamańskiemu księciu Makrianowi. Ta ekspedycja nie w pełni się powiodła, legioniści bowiem wbrew rozkazom podpalili osady germańskie, Makrian więc ostrzeżony dymami pożarów zdołał w porę zbiec; później zresztą zawarł układ z Rzymianami.

Po tylu sukcesach wódz tak zasłużony otrzymał w 373 roku misję ważną i odpowiedzialną. Miał przywrócić pokój w północnej Afryce, zwłaszcza w Mauretanii, jak wtedy nazywano ziemie dzisiejszej zachodniej Algierii i częściowo Maroka. Wybuchło tam po 370 roku powstanie plemion górskich, a ruchowi temu sprzyjały uboższe warstwy ludności na obszarach równinnych i przybrzeżnych, gdzie istniały latyfundia i kwitły duże, bogate miasta.

Powodem powstania były nie tyle antagonizmy etniczne, co ucisk podatkowy i nadużycia, których dopuszczali się rzymscy urzędnicy. Ciemiężeni i krzywdzeni odwoływali się, nawet całymi gminami miejskimi, do cesarza, owe apelacje zwykle jednak obracały się przeciw żądającym sprawiedliwości. Wynikało to stąd, że miejscowi dostojnicy mieli bardzo wpływowych popleczników na dworze. Przeprowadzono więc dochodzenia, ale w ich wyniku zwykle uniewinniano oskarżonych, skazywano zaś jako oszczerców i buntowników — oskarżycieli.

Przywódcą powstania był Firmus, książę jednego ze szczepów mauretańskich. Oskarżony o zamordowanie brata, widział jedyny ratunek w buncie. Dokonał nawet tego, że żołnierze dwóch pomocniczych formacji armii rzymskiej obwołali go augustem; nie mając diademu włożyli mu na głowę ozdobny łańcuch wojskowy. Tak więc Firmus stał się nowym samozwańczym cesarzem.

Opanował szybko znaczne obszary Mauretanii, a nawet część Numidii. Wyzyskując dla swych celów rozłam w ówczesnym kościele chrześcijańskim w Afryce głosił, że popiera sprawę donatystów; a ci mieli zwolenników szczególnie w niższych, bardziej rodzimych warstwach ludności. Zapewne dzięki ich pomocy mógł zdobyć niektóre miasta, wśród nich także zamożną, nadmorską Cezareę, obecny Cherchel.

Głównodowodzącym wojsk rzymskich w Afryce był wówczas komes Romanus, jeden z prawdziwych winowajców wybuchu rebelii. On to bowiem przyczynił się do tak nieszczęsnego obrotu sprawy twardymi zarządzeniami i jaskrawym nadużywaniem władzy oraz wykorzystywaniem stosunków na dworze. Obecnie jednak nie potrafił skutecznie przeciwstawić się postępom Firmusa. Właśnie dlatego cesarz powierzył tak trudne zadanie Teodozjuszowi, wierząc, że poradzi on sobie w spieczonej żarem Afryce równie dobrze, jak poprzednio w lasach mglistej Brytanii.

Cesarz nie pomylił się. Jednym z pierwszych posunięć wodza po przybyciu do Afryki było uwięzienie Romanusa, co oczywiście wpłynęło na uspokojenie nastrojów ludności. Romanusowi zresztą krzywda potem się nie stała, został zwolniony i oczyszczony z zarzutów.

W toku trzech kolejnych kampanii w latach 373—375 Teodozjusz wyparł Maurów z zajętych przez nich terenów. Dokazał tego orężem, dyplomacją, przekupstwem. Wreszcie bliscy towarzysze zdradzili Firmusa; mieli go wydać Rzymianom żywego. W ostatniej jednak chwili samozwaniec uniknął tego wybierając śmierć przez powieszenie się.

Teodozjusz był u szczytu chwały. Wydawać się musiało i jemu samemu, i współczesnym, że czeka go wspaniała nagroda, jeszcze wyższe zaszczyty, nade wszystko zaś trwałe miejsce w rocznikach historii. Nie miało się ziścić nic z tych oczekiwań. Czyny Teodozjusza, niewątpliwie godne uwagi, poszły od dawna w zapomnienie, dziś wie o nich tylko garstka specjalistów, choć należał on na pewno do najwybitniejszych wodzów rzymskich. O tym zaś, jak niespodziewana spotkała go nagroda z rąk cesarza, będzie mowa już wkrótce.

Ale właśnie w tych latach, kiedy Teodozjusz rozpoczynał swoją działalność i walki w Afryce, pewien młody, bo zaledwie dziewiętnastoletni, nie znany nikomu student retoryki w Kartaginie przeżył wstrząs i przełom duchowy. Sprawiła to lektura traktatu Cycerona *Hortensjusz*, będącego pochwałą filozofii i zachętą do jej uprawiania. Odtąd jego droga życiowa była już wytyczona: namiętne poszukiwanie Prawdy.

Matka owego młodego człowieka była gorliwą chrześcijanką, ojciec pozostał do śmierci poganinem, on zaś sam zajmował wtedy i jeszcze przez lat kilkanaście dość chłodną postawę wobec nowej religii. Pasjonowała go natomiast astrologia, stał się też wielkim zwolennikiem manicheizmu.

Jednakże prócz owych intelektualnych, duchowych przeżyć miał również inne przygody w latach pobytu w Kartaginie. Później sam tak to wyznawał: ,,Utrzymywałem stosunki z jedną niewiastą, nie związaną ze mną małżeństwem, lecz wybraną błędną i nieroztropną namiętnością; ale tylko z jedną, dochowując jej wierności. Na własnym przykładzie dobrze się przekonałem, jaka jest różnica między związkiem małżeńskim, zawartym w celu wydawania potomstwa, a związkiem lubieżnej miłości, gdzie potomstwo przychodzi wbrew życzeniom, jakkolwiek zrodzone zmusza do tego, by je kochać" (przekład ks. J. Czuja).

I tak właśnie pod wpływem lektury traktatu Cycerona oraz — jak wolno przypuszczać — wewnętrznych napięć moralnych i emocjonalnych rodził się w wielkim mieście afrykańskim jeden z najświetniejszych myślicieli, jakich zna historia filozofii europejskiej. Oddawał się studiom i rozmyślaniom, gdy niemal tuż obok trwały krwawe walki z barbarzyńskim rebeliantem. Wstąpił na ścieżkę, która miała zaprowadzić go bardzo wysoko. Tak wysoko, że dziś z perspektywy wielu wieków musimy zaliczyć go do grona pięciu najwybitniejszych, najoryginalniejszych koryfeuszy antycznej mądrości. Ich imiona to Sokrates, Platon, Arystoteles, Plotyn — i właśnie on, Aureliusz Augustyn, odbierający potem cześć w świecie chrześcijańskim jako święty Augustyn.

Dziwnym zbiegiem okoliczności w tym samym 374 roku na stolicy biskupiej w tak odległym od Kartaginy Mediolanie zasiadł człowiek, który za kilkanaście lat miał wpłynąć w sposób bardzo znaczący na bieg życia Augustyna. Odegrał też wielką rolę zarówno w kształtowaniu się chrześcijaństwa w zachodniej Europie, jak i w sprawach ówczesnej polityki.

W październiku 374 roku zmarł w Mediolanie dotychczasowy biskup Auksencjusz, przychylny arianom, na jego zaś miejsce lud i kler miasta wybrali trzydziestopięcioletniego Ambrozjusza; imię to przyjęło się u nas w formie: Ambroży. Wybór to prawdziwie zdumiewający, jeśli zważyć, że jak dotąd człowiek ten nie piastował żadnego urzędu kościelnego; ba, nie był nawet ochrzczony. Co więc sprawiło, że gmina postanowiła właśnie jemu powierzyć godność pasterza?

Urodził się Ambroży w 339 roku w Trewirze, w znamienitej rodzinie chrześcijańskiej jako syn prefekta pretorium Galii. Ojciec zmarł przedwcześnie i wdowa z trojgiem dzieci powróciła do Rzymu, gdzie chłopiec odbył studia. Został potem adwokatem w Sirmium, następnie asesorem prefekta, a od 370 roku namiestnikiem Ligurii, prowincji, której stolicą był właśnie Mediolan. W ciągu czterech lat młody namiestnik musiał zdobyć ogromny szacunek ludności miasta i uznanie dla swych zdolności administracyjnych, skoro gmina kościelna tak bardzo chciała go widzieć na swym czele.

On jednak wcale się nie kwapił od objęcia odpowiedzialnej godności. Ustąpił dopiero wtedy, gdy cesarz Walentynian potwierdził wybór. Dowiódł od razu, że będzie spokojnie szedł drogą umiaru i rozsądku wobec skłóconych wiernych. Przyjął więc chrzest i święcenia wprawdzie z rąk kapłana wyznającego *credo* nicejskie, ale jednak zatrzymał wszystkich członków kleru mediolańskiego poprzednio związanych z Auksencjuszem. Rozpoczął też gorliwe studia teologiczne.

Tak przedstawiały się najważniejsze wydarzenia po 370 roku w zachodniej części imperium, gdzie władał Walentynian. Toczyły się tam wprawdzie zacięte walki u granic, wszędzie jednak odnoszono sukcesy. Rządy wewnętrzne były twarde, zwłaszcza wobec warstw zamożnych i senatu, podatki wysokie i ściągane bezwzględnie, co jednak tłumaczyło się potrzebami wojska. Surowy wymiar sprawiedliwości zapewniał bezpieczeństwo, polityka religijna cechowała się tolerancyjnością, szkoły różnych stopni rozwijały się normalnie, ludzie zaś nauki i twórcy mogli pracować swobodnie, a nawet cieszyli się pewnymi przywilejami. Zwięzła charakterystyka Walentyniana, jaką podaje Ammian: „Nienawidził dobrze ubranych, wykształconych, zamożnych, szlachetnie urodzonych" — na pewno nie odpowiada prawdzie, jeśli chodzi o stosunek do ludzi wykształconych. O tym świadczą i podane poprzednio akty prawne, i postawa cesarza wobec konkretnych osób, a zwłaszcza powierzenie poecie Auzoniuszowi opieki nad małoletnim augustem Gracjanem.

A jak wyglądały sprawy we wschodniej połaci imperium pod rządami Walensa?

Po rozprawieniu się z Gotami nad dolnym Dunajem przeniósł on swoją siedzibę do Syrii i rezydował przeważnie w Antiochii. Czuwał stamtąd nad granicą wschodnią. Persowie bowiem wykorzystując to, że cesarz musiał najpierw tłumić rebelię Prokopiusza, a później walczyć z Gotami, zajęli pograniczne, sprzymierzone z Rzymem królestwa: Armenię i Iberię, odpowiadającą mniej więcej obecnej Gruzji. Wprawdzie w 370 roku wodzowie rzymscy wprowadzili tam z powrotem władców lojalnych wobec imperium, ale odtąd między obu mocarstwami trwał stan wojny, nie wypowiedzianej formalnie i toczonej tylko w ograniczonym zakresie. Pertraktowano jednocześnie w sprawie ewentualnego rozbioru obu tamtych królestw. Król perski domagał się również, aby Rzymianie — zgodnie z układem z 364 roku za cesarza Jowiana — wzięli udział w fortyfikowaniu przejść przez Kaukaz, tamtędy bowiem mogliby przedrzeć się Hunowie idący zakaspijskimi stepami na zachód.

Tymczasem na dworze cesarskim rozpętała się sprawa dziś dla nas wręcz niewiarygodna, jednakże traktowana wówczas z całą powagą i mająca straszliwe konsekwencje. Walens, gorliwy chrześcijanin, był zarazem człowiekiem niezwykle przesądnym, żyjącym w ustawicznym lęku przed tajnymi umiejętnościami wszechmocnych, jak sądził, astrologów i magów. Otóż wykryto skutkiem donosu, że pewne osoby z jego otoczenia usiłowały dowiedzieć się za pomocą magicznych zabiegów, jakie imię będzie nosił przyszły cesarz. W tym celu skonstruowano trójnóg, na którym umieszczono szkatułkę z wypisanymi na niej wokół literami alfabetu, a specjalnie duchowo przygotowana i odpowiednio odziana osoba stanęła nad owym trójnogiem trzymając pierścień uwiązany na nitce; ten obracając się wskazywał kolejno litery. Tak odczytano początek imienia — „Teod". Również, jak później się okazało, sławny retor Libaniusz i jego przyjaciel zabawiali się w odgadywanie przyszłości, ale innym sposobem. Wypisali mianowicie litery na piasku, na każdej położyli ziarno, puścili koguta i obserwowali, w jakiej kolejności dziobie. I w tym wypadku ułożył się ten sam początek imienia.

Gdy dowiedziano się o tych praktykach i przepowiedniach, pomyślano natychmiast o młodym, utalentowanym, doskonale się zapowiadającym i bardzo popularnym w cesarskim otoczeniu notariuszu Teodorze. Podejrzewano, że chodzi o spisek mający doprowadzić do obwołania go cesarzem. Rozwścieczony Walens kazał wszcząć dochodzenie, powierzając tę sprawę surowemu prefektowi pretorium, Modestowi.

Rozpoczęły się liczne aresztowania, przesłuchania, stosowano najwymyślniejsze i najokrutniejsze tortury. Zapadały wyroki śmierci, wygnania, konfiskaty majątku. Teodor, może najmniej winny — jeśli w ogóle można by tu mówić o winie —

zapłacił oczywiście głową. Ofiarą padli przede wszystkim ludzie wpływowi i bogaci oraz intelektualiści. Miało to głębsze uzasadnienie. Jeśli bowiem chodzi o dwie pierwsze grupy, załatwiano różne porachunki polityczne i przy sposobności pożywiał się skarb państwa, w wypadku zaś grupy trzeciej, intelektualistów, cesarz mógł dać upust swej niechęci i podejrzliwości w stosunku do ludzi wykształconych.

Znoszono więc przed trybunały sądowe całe stosy książek z różnych bibliotek prywatnych twierdząc, że są to traktaty magiczne, i natychmiast je palono — choć były to oczywiście z reguły dzieła naukowe i literatury pięknej. Co gorsza, wiele osób w różnych miastach prowincji wschodnich z obawy, by nie pojawiło się oskarżenie, że uprawiają magię, dobrowolnie i zawczasu puszczało z dymem swe zbiory książek. W sumie był to na pewno jeden z cięższych ciosów zadanych antycznej kulturze.

Nawet najwyżsi dostojnicy bywali zagrożeni. Niebezpieczeństwo zawisło nad Eutropiuszem, namiestnikiem w Efezie, w stolicy prowincji Azji. Był on autorem zachowanego do dziś, zgrabnie napisanego skrótu historii Rzymu od założenia miasta aż po panowanie Jowiana. Dziełko to zadedykował Walensowi: „Aby boski umysł Twej Spokojności mógł cieszyć się tym, że wcześniej zaczął naśladować czyny sławnych mężów w zarządzaniu imperium, nim poznał je przez lekturę". Eutropiusz został odwołany z namiestnictwa.

Jego następca, Festus, był również autorem podobnego, choć słabiej napisanego zarysu historii rzymskiej — panowała wówczas moda na tego rodzaju dziełka — lecz człowiekiem innego pokroju. Srożył się wobec wszystkich podejrzanych, a zwłaszcza wobec filozofów. Wtedy to poniósł śmierć Maksymus, niegdyś mistrz Juliana. W obliczu śmierci nie zachował on, co prawda, postawy godnej filozofa. Najpierw postanowił wraz z żoną, że oboje popełnią samobójstwo, by nie załamać się podczas przesłuchań. Ona dzielnie dotrzymała przyrzeczenia, on natomiast pozostał przy życiu i przewieziony do Antiochii przyznał się do wszystkiego, co tylko mu zarzucano — byle nie cierpieć tortur. Odstawiono go z powrotem do Efezu, gdzie został stracony z rozkazu Festusa. Los Maksymusa podzieliło wielu innych filozofów i pisarzy.

Kończąc omawianie tej ponurej sprawy, która zaczęła się od naiwnej zabawy, a spowodowała śmierć i cierpienia tylu osób, wypada gwoli prawdzie dodać jeszcze jedno: imię następcy Walensa miało rzeczywiście rozpoczynać się od liter Teod...

Przez wszystkie lata od objęcia rządów przez Walensa trwał w tamtych stronach ostry konflikt między zwolennikami *credo* nicejskiego i arianami, gorliwie popieranymi przez cesarza. Niemal wszystkie gminy chrześcijańskie były podzielone. I tak w Aleksandrii po śmierci nieugiętego Atanazjusza w 373 roku wyświęcono dwóch biskupów, co oczywiście rozpętało straszliwe rozruchy. Piotr, biskup z ramienia nicejczyków, musiał opuścić Egipt i szukać schronienia w Rzymie u biskupa Damazego. Podobnie było w syryjskiej Antiochii.

Mnożyły się wszelakie, najcudaczniejsze herezje. Imponującą ich listę podał w swym dziele, napisanym właśnie za panowania Walensa, biskup Salaminy cypryjskiej, Epifaniusz.

Zachód, spokojniejszy pod względem religijnym, przeżywał wstrząsy innego rodzaju. Latem 374 roku wielki wylew Tybru nawiedził Rzym i podtopił równinne części miasta. A w tymże czasie plemiona Kwadów i Sarmatów, rozwścieczone wiarołomstwem rzymskich urzędników w naddunajskich prowincjach, przedarły się przez granicę i szeroko zalały ziemie Panonii. Broniły się tylko miasta, wojsk było mało, wiele bowiem formacji przerzucono do Afryki. Najazd był tak nagły, że niewiele brakowało, a w ręce barbarzyńców dostałaby się Konstancja, córka Konstancjusza II, właśnie podróżująca z Sirmium do Trewiru, gdzie miała poślubić młodego Gracjana. Jedynie młody Teodozjusz, syn wielkiego wodza Teodozjusza, stojący na czele wojsk Mezji, dzielnie odpierał Sarmatów.

Zaalarmowany tą sytuacją Walentynian wiosną 375 roku opuścił Trewir. Najpierw stanął w Sirmium, potem przeniósł się do Karnuntum, wielkiego naddunajskiego obozu wojskowego, nieco na wschód od dzisiejszego Wiednia. Zapewne tutaj odsłonięto przed nim ogrom nadużyć, których dopuścił się Probus, prefekt pretorium. Ukarano śmiercią wielu dostojników prowincji iliryjskich, wszakże dokładniejsze zbadanie sprawy Probusa odsunęły konieczności wojenne. Cesarz ustanowił swoją kwaterę w Akwinkum *(Aquincum)*, obecnej Budzie.

Stamtąd po moście pontonowym wojska przeszły na drugą stronę Dunaju pustosząc ziemie nieprzyjaciół.

Leża zimowe zamierzał Walentynian urządzić w Sawarii, obecnym Szombathely. W listopadzie w drodze do tej miejscowości zatrzymał się w *Brigetio*, naddunajskim obozie wojskowym. Tutaj stawili się posłowie Kwadów prosząc o pokój. Podczas posłuchania, gdy uniesiony gniewem odpowiadał im gwałtownie, nagle zaniemówił — „jakby rażony gromem z nieba" powiada Ammian — twarz stała się purpurowa, a obfity pot wystąpił na całym ciele. Przeniesiono go natychmiast do sypialni. Na nieszczęście nie było lekarza pod ręką, rozjechali się bowiem do oddziałów w terenie, aby zapobiec podobno szerzącej się zarazie. Wreszcie zjawił się ktoś, kto próbował krew puścić, ale nie zeszła ani kropla. Tymczasem cesarz usiłował coś mówić, zgrzytał zębami i rozpaczliwie poruszał ramionami. Powoli jednak opuszczały go siły, a ciało pokryły sine plamy. Tak wyzionął ducha.

Umarł w pięćdziesiątym piątym roku życia, a dwunastym panowania. Był dzień 18 listopada 375 roku.

Gracjan i Walentynian II

Flavius Gratianus
Ur. 18 kwietnia 359 r.,
zm. 25 sierpnia 383 r.
Panował od 24 sierpnia 367 r. wraz z ojcem i stryjem do śmierci jako *Imperator Caesar Flavius Gratianus Augustus.*

Flavius Valentinianus
Ur. w 371 r.,
zm. 15 maja 392 r.
Panował wraz z innymi jako *Imperator Caesar Flavius Valentinianus Iunior Augustus* od 22 listopada 375 r. do śmierci.

Gracjan

Po nagłej śmierci cesarza Walentyniana w *Brigetio* nad Dunajem odprawiono tam bezzwłocznie należne uroczystości żałobne, zwłoki zaś odesłano do Konstantynopola, aby spoczęły w porfirowym sarkofagu w kościele św. Apostołów obok podobnych grobów Konstantyna Wielkiego, Konstancjusza II, Jowiana. Dostojnicy i wyżsi oficerowie znajdujący się wtedy w *Brigetio* musieli już od pierwszych godzin po zgonie władcy baczyć czujnie, aby w armii nie doszło do zaburzeń, a zwłaszcza by nie pojawił się samozwaniec. Zdarzało się to przecież tak często w sytuacjach podobnych! A nie było czasu, by porozumieć się ze współwładcami zmarłego, obaj bowiem rezydowali w stronach odległych: jego brat Walens w Syrii, syn zaś z pierwszego małżeństwa, Gracjan, w Trewirze. Pewne więc decyzje wypadało podjąć szybko, na miejscu i tylko na własną odpowiedzialność.

Dowódca wojsk w Ilirii Ekwicjusz oraz prefekt pretorium Probus wysłali potajemnie gońca z poufnym listem do Merobaudesa, naczelnika wojsk pieszych; przebywał on wówczas zapewne w Sirmium. Zorientował się natychmiast, o co chodzi w tej sprawie. Zachował więc wiadomość dla siebie i pod jakimś pozorem wyprawił gdzieś komesa Sebastiana. Ten bowiem przebywał wówczas w jego panońskiej kwaterze. Sebastian był wprawdzie człowiekiem spokojnym, ale też tak popularnym wśród żołnierzy, że mógłby stać się potencjalnym rebeliantem pod naciskiem legionów, nawet wbrew swej woli. Sam Merobaudes pośpieszył natomiast do *Brigetio* i tam wziął udział w gorączkowych naradach, co czynić dalej.

W odległości stu mil rzymskich od tej miejscowości leżała willa cesarska zwana *Murocincta*, czyli Obwiedziona Murem. Przebywała tam druga żona Walentyniana, Justyna, wraz ze swym czteroletnim synkiem noszącym imię ojca. Uznano, że należy chłopca jak najśpieszniej sprowadzić i natychmiast obwołać cesarzem. W intencji obradujących, jak wolno się domyślać, miało to z jednej strony rozładować nastroje żołnierzy, pragnących mieć udział w wyznaczeniu następcy po zmarłym, z drugiej zaś zapewnić dziedzictwo purpury w tej samej rodzinie.

Nie było już czasu zawiadamiać Walensa i Gracjana, choć formalnie taki akt wymagał ich aprobaty. Po małego Walentyniana wysłano Cerialisa, trybuna stajni cesarskich. Przywiózł on chłopca w lektyce do obozu wojskowego w Akwinkum. Tam też w dniu 22 listopada 375 roku chłopiec czteroletni został okrzyknięty cesarzem. Jego stryj i brat przyrodni zostali postawieni przed faktem dokonanym i obaj pogodzili się z tym, choć zapewne bez entuzjazmu.

W imperium więc miało formalnie panować nadal trzech cesarzy. Walens rządził Wschodem, Gracjan Zachodem, mały zaś Walentynian krajami iliryjskimi, czyli większością prowincji bałkańskich, a może również Italią i Afryką. W rzeczywistości wszakże dziedziną chłopca władał Gracjan, który zresztą odnosił

 się do brata przyrodniego poprawnie, a nawet przychylnie. Aż do 378 roku Walentynian rezydował w Sirmium wraz z matką i Merobaudesem.

Spośród trzech cesarzy Walens, najstarszy obecnie wiekiem i powagą, był już dobrze znany mieszkańcom imperium. Walentynian II jako dziecko nie mógł jeszcze podlegać normalnej ocenie. Największe zainteresowanie wzbudzał natomiast Gracjan, który był dorastającym młodzieńcem — w chwili śmierci ojca miał 17 lat — i mógł już bezpośrednio uczestniczyć w kierowaniu sprawami państwa. Zastanawiano się więc powszechnie, jakim okaże się władcą.

Charakterystyki młodego człowieka, przekazane nam przez starożytnych, są w istocie zgodne. Współczesny mu Ammian Marcellinus pozostawił nam jego literacki portret.

„Młodzieniec świetnych zdolności, wymowny, opanowany, wojowniczy zarazem i łagodny. Rozwijał się tak, że mógłby współzawodniczyć z wybranymi spośród dawnych cesarzy; i to już wtedy, kiedy jeszcze zakrywał mu lica piękny puch zarostu. Ale z usposobienia miał skłonność do zabaw, a jego najbliżsi pozwalali na to. Wreszcie zwrócił się całkiem ku temu zajęciu, któremu niegdyś oddawał się cesarz Kommodus; tyle tylko, że nie był tak okrutny. Tamten bowiem zwykł był zabijać bezlik zwierząt na oczach ludu; na przykład powalił 100 lwów wpuszczonych jednocześnie w obwód amfiteatru, i to różnymi pociskami, a żadna rana nie została zadana tak samo — i tym się radował ponad wszelką miarę. Także Gracjan zabijał wypuszczając szybko strzały w zwierzęta zapędzone w ogrodzenie zwane *vivarium*. A zabawiał się tak w czasach, w których nawet cesarz Marek Aureliusz z trudem tylko mógłby zaradzić ponurej sytuacji państwa".

Nieco późniejszy, anonimowy autor dziełka zawierającego krótkie dane o cesarzach od Augusta do Teodozjusza tak przedstawia Gracjana: „Był wykształcony nieprzeciętnie. Potrafił układać wiersze, pięknie przemawiać, rozwijać wywody na tematy sporne zwyczajem retorów. Ale dniem i nocą medytował tylko nad tym, jak się zabawić grotami strzał. Uważał, że to stanowi rozkosz najwyższą i sztukę boską: ugodzić w cel. Jadał skromnie, sypiał niewiele, panował nad sobą pijąc wino i nie ulegał namiętnościom. Byłby pełen wszelkich zalet, gdyby naprawdę interesował się tym, jak władać państwem. On jednak odbiegał od tego nie tylko chęcią, lecz i samym trybem swych zajęć".

Dodajmy, że Gracjan był pobożnym i wręcz gorliwym chrześcijaninem, czym różnił się od swego ojca, raczej obojętnego religijnie. Miał kontakty z biskupem Mediolanu Ambrożym, który właśnie na jego żądanie napisał traktat *O wierze*. Zachował się również list młodego cesarza, zapraszający biskupa do Trewiru. Dyskutował chętnie o zawiłych, spornych kwestiach ówczesnej teologii. Później wydał szereg ustaw godzących w dawne kulty, a więc przykrych dla pogan, nigdy wszakże nie posunął się do ostrych prześladowań.

Wszystkie świadectwa i fakty prowadzą do wniosku, że był to sympatyczny i kulturalny młody człowiek o wykształceniu typowo humanistycznym, skromny i obyczajny. Jedyną jego namiętność, wybaczalną przecież, stanowiły polowania i łucznictwo. Nie dorastał jednak do trudnych zadań, jakie stawiał przed ówczesnymi władcami kryzys wewnętrzny i nacisk wrogów na granice. Nie potrafił działać szybko i twardo, w czym tak celował jego ojciec. Nie interesowała go naprawdę polityka, nie pociągały sprawy wojska. Spełniał przykładnie wszystkie obowiązki, jakie nakładały nań potrzeby chwili, nie uchylał się od wypraw, potrafił dzielnie stanąć w walce, ale nie był indywidualnością, która oddziałuje na bieg wydarzeń i kształt przyszłości. W liście do biskupa Ambrożego napisał o sobie: *Ego infirmus et fragilis* — „Jam słaby i kruchy". Używając tych słów myślał o swej wierze, ale w pewnym stopniu odnoszą się one w ogóle do jego osobowości.

Na szczęście w pierwszych latach panowania sytuacja w prowincjach zachodnich nie wymagała działań szczególnie energicznych. Można nawet było pozwolić sobie na gesty wspaniałomyślne, do czego skłaniało Gracjana samo usposobienie oraz wpływy najbliższego otoczenia.

Dobre wieści i zapowiedzi świadczące o nowym kursie polityki wewnętrznej zaczęły się mnożyć już od samego początku roku 376. Oto relacja z Rzymu.

„Był 1 stycznia. Nim jeszcze jasny dzień rozproszył mroki nocy, my, senatorzy, stawiliśmy się licznie w gmachu posiedzeń.

Rozeszła się pogłoska, że głęboką nocą nadszedł tekst mowy ukochanego cesarza. I było to prawdą, stał bowiem obok goniec zmęczony całonocnym trudem. Zeszliśmy się więc wszyscy, choć niebo jeszcze się nie bieliło. Przy zapalonych pochodniach odczytano nam przyszłość nowego wieku. Po cóż słów wiele? Ujrzeliśmy to światło, na któreśmy dopiero czekali".

Tak przedstawiał senator Symmachus wrażenie, jakie wywarło na nim i jego kolegach orędzie Gracjana. Słowa to oczywiście bardzo retoryczne i niemal przesadne, pisał je bowiem Symmachus w liście do Auzoniusza, jednego z najbliższych doradców cesarza i chyba współautora orędzia. Faktem jest jednak, że musiało ono wywołać radość, dawało bowiem do zrozumienia, że nowy władca zerwie z polityką swego ojca, nieprzyjazną wobec senatu.

Ta zmiana nastawienia i stylu rządów niewątpliwie w dużej mierze była zasługą właśnie Auzoniusza. Jako wychowawca Gracjana wywierał on już od lat wielki wpływ na jego poglądy, obecnie zaś mógł wprost przyczyniać się do podejmowania najważniejszych politycznie decyzji. Nieczęsty to wypadek, aby nauczyciel i poeta, a właśnie tym był Auzoniusz, dochodził do takiego znaczenia w życiu państwowym i miał tyle do powiedzenia w sprawach wielkiego imperium!

Urodził się około 310 roku w mieście Burdigala, dzisiejszym Bordeaux. Jego ojciec był lekarzem. Po studiach w sławnej szkole tamtejszej i w Tuluzie (wówczas *Tolosa*) pracował około 30 lat w mieście rodzinnym, najpierw jako profesor gramatyki, a potem retoryki. Pisywał też drobne utwory poetyckie. Cieszył się najwidoczniej dobrą opinią i nawet pewną sławą w Galii, skoro Walentynian powierzył właśnie jemu wychowanie swego jedynego wtedy syna. Przebywał więc Auzoniusz na dworze w Trewirze, brał nawet udział w wyprawach przeciw Alamanom, ale miał też nieco czasu, aby zajmować się ukochaną poezją. Z tego właśnie okresu pochodzi jego największy, a zarazem chyba najbardziej udany utwór — poemat opiewający urok rzeki Mozeli i jej wybrzeży.

W owych też latach poznał Symmachusa, młodego arystokratę rzymskiego, który przez czas jakiś znajdował się jako komes u boku Walentyniana, i związał się z nim szczerą przyjaźnią. Jej źródłem było głębokie umiłowanie literatury. Wobec tych zainteresowań nie miała większego znaczenia ani różnica wieku — Symmachus był młodszy o lat mniej więcej trzydzieści — ani religia. Rzymianin, jak większość ludzi z warstw wyższych stolicy, był żarliwie przywiązany do wiary przodków i do dawnych kultów; sam nawet piastował godność kapłana pogańskiego. Auzoniusz natomiast należał do wyznawców chrześcijaństwa, co prawda niezbyt gorliwych. Ta przyjaźń przetrwała lata, a dowodem jej są również zachowane listy Symmachusa do Auzoniusza; fragment jednego z nich przytoczyliśmy powyżej.

Pod koniec życia Walentyniana otrzymał Auzoniusz godność komesa i kwestora świętego (to jest cesarskiego) pałacu. Od samego zaś początku panowania Gracjana jego wpływy rosły z dnia na dzień.

Przede wszystkim starano się zapewnić nowemu władcy poparcie społeczne dzięki okazywaniu wyrozumiałości i ostentacyjnemu zerwaniu z nadmierną surowością, jaka cechowała rządy Walentyniana I. Stąd wspomniane orędzie do senatu. Anulowano zaległe podatki, spalono publicznie wykazy dłużników skarbu, zakazano stosowania tortur podczas ściągania należności, uregulowano tryb postępowania sądowego przeciw senatorom, pozwolono wrócić wygnanym, uwolniono osoby przesłuchiwane, zwrócono posiadłości skonfiskowane rodzinom skazanych.

Wiosną 376 roku ogromne wrażenie zrobiło odwołanie z urzędu i wkrótce potem skazanie na śmierć przez ścięcie wszechmocnego prefekta pretorium Galii, Maksymina. W opinii powszechnej uchodził on za głównego sprawcę wszelkiego zła za Walentyniana I i o to też oskarżył go senat. Jego miejsce zajął Klaudiusz Antoniusz, człowiek dużej kultury umysłowej, należący do kręgu Auzoniusza i Symmachusa.

Nikt nie opłakiwał śmierci Maksymina. Ale mniej więcej w tym samym czasie, to jest w początkach lub wiosną 376 roku, został niespodziewanie skazany i ścięty Teodozjusz, najwybitniejszy i najsławniejszy wódz Walentyniana, zwycięzca wrogów w Brytanii, nad Renem i Dunajem, w Afryce. Uwięziono go w Kartaginie i tam też dokonano egzekucji, pozwalając wszakże skazanemu przyjąć przed śmiercią chrzest.

Przypuszczają niektórzy, że Teodozjusza skazał jeszcze Walentynian w ostatnich dniach życia, a Gracjan tylko potwierdził wyrok. Ale istotne przyczyny tragedii były i są okryte całkowitą tajemnicą. Może Teodozjusz uczestniczył w jakimś spisku przeciw cesarzowi? A może padł ofiarą intryg i knowań na dworze? Lub też powodowany ambicją zamyślał skorzystać ze sposobności, jaką stworzyła śmierć Walentyniana I i pragnął sam przywdziać purpurę, ale został zdradzony? Jesteśmy zdani tylko na domysły.

Syn Teodozjusza, noszący to samo imię, a już zasłużony w walkach z Sarmatami nad Dunajem, wycofał się z życia publicznego i osiadł w majątkach rodzinnych w Hiszpanii.

Latem 376 roku Gracjan przyjechał na dwa lub trzy miesiące do stolicy imperium. A w ostatnich dziesięcioleciach wizyty cesarskie w Rzymie były niezmiernie rzadkie, niemal wyjątkowe, panujący bowiem z reguły rezydowali w innych, przeważnie pogranicznych miastach. Już więc sam fakt, że Gracjan zechciał tu zawitać, i to w samych początkach swych rządów, stanowił gest znamienny jako wyraz hołdu dla tradycji i senatu.

Z tym krótkim rzymskim pobytem na pewno związana jest ustawa cesarza z 376 roku, rzucająca interesujące światło na sprawę poszanowania zabytków i problemy budownictwa w stolicy.

„Niech nikt z prefektów miasta lub innych urzędników nie rozpoczyna nowej budowy w sławnym mieście Rzymie, lecz niech dba o utrzymanie budowli dawnych. Kto by zaś chciał wznosić w mieście nowy budynek, niech czyni to za swoje pieniądze i ze swojego materiału. Niech więc nie wykorzystuje budowli starych; nie podkopuje fundamentów wspaniałych gmachów; nie zużywa kamienia publicznego; nie wydziera kawałków marmuru, oszpecając tym rabunkiem budynki".

Zabytki Rzymu, warto to sobie uświadomić, poniosły największe straty nie z ręki najeźdźców, i nawet nie od pożarów, lecz skutkiem niedbalstwa, braku konserwacji, a zwłaszcza w wyniku pogoni za łatwym zyskiem i tanim, gotowym materiałem. Budowano nowe gmachy, publiczne i prywatne, rozbierając i odzierając z wystroju dawne. Szczególnie smutną rolę odegrali chrześcijanie, wykorzystując coraz śmielej świątynie i najwspanialsze budowle oraz ich ozdoby dla swych celów — jakby to były kamieniołomy i magazyny. Ustawa Gracjana, jak i wszystkie późniejsze w tej sprawie, nie dała ważniejszych efektów.

We wrześniu 376 roku Gracjan był z powrotem w Trewirze. Rok następny przyniósł wielki triumf Auzoniuszowi i jego rodzinie. Został on prefektem pretorium Galii, a później także Italii i Afryki, piastując te najwyższe godności administracyjne wespół z synem Hesperiuszem. Także inni członkowie bliższej i dalszej rodziny obejmowali ważne urzędy. Można więc rzec bez żadnej przesady, że ród Auzoniuszów stopniowo opanowywał administrację zachodniej części imperium.

Tymczasem zaczęły nadchodzić groźne wieści ze wschodu, z prowincji bałkańskich podległych Walensowi. Goci, wyparci przez Hunów i wpuszczeni za ziemie Tracji, burzyli się i stawiali opór władzom rzymskim. Aby pomóc stryjowi, Gracjan wysłał tam część wojsk z Galii i Panonii.

Odmarsz tych oddziałów został natychmiast dostrzeżony przez Alamanów. Sądząc, że obrona granicy będzie słabsza, przekroczyli oni w lutym 378 roku zamarznięty Ren — i srodze się zawiedli, wodzowie bowiem Gracjana rozgromili ich dwukrotnie.

On sam na wschód wyruszył z Trewiru w czerwcu. Po drodze raz jeszcze pokonał Alamanów za górnym Renem; była to ostatnia wyprawa cesarza rzymskiego za tę rzekę. Natychmiast powiadomił o tym sukcesie Walensa prosząc go, aby nie wydawał bitwy Gotom, póki wojska obu cesarzy się nie połączą. Ale wiadomość ta i prośba wywarła skutek wręcz przeciwny zamierzonemu.

Pragnąc podążać szybciej, cesarz rozkazał taborom jechać drogami lądowymi, sam zaś wraz z wybranymi oddziałami popłynął Dunajem na łodziach; naśladował pomysł Juliana sprzed lat kilkunastu.

 Potem przerzucił się do Sirmium nad Sawą. Tu zatrzymał

się tylko cztery dni i znowu ruszył na wschód, choć cierpiał na ataki febry. Napotkano hordy irańskich Alanów i trzeba było z nimi walczyć. A w kilka dni później — było to już chyba po 10 sierpnia — stanął przed cesarzem Wiktor, naczelnik jazdy Walensa. Był pierwszym zwiastunem straszliwej klęski pod Adrianopolem w dniu 9 sierpnia.

Hunowie i Goci

Groźne wieści napływały do rzymskich posterunków nad dolnym Dunajem: gdzieś na północ od Morza Kaspijskiego pojawiły się hordy koczowników stepowych siejąc mord i pożogę wśród osiadłych tam ludów. Najeźdźców tych zwano Hunami. Szli — o czym Rzymianie wiedzieć nie mogli — aż do granic chińskich. Mieli stać się na długo najstraszliwszymi wrogami imperium w Europie; pchnęli przed sobą wielkie masy ludów i przyczynili się do upadku cesarstwa na zachodzie.

Poprzedzały pochód Hunów przerażające opowieści o ohydnym ich wyglądzie, o dziwnych obyczajach i nieludzkim okrucieństwie. Powtarza je Ammian Marcellinus. I choć można wykazać, że obraz ten jest częściowo zniekształcony, to przecież pewne fakty wydają się wiarygodne, same zaś opowieści stanowią autentyczne świadectwo tego, co myślało i czuło to pokolenie Europejczyków, które jako pierwsze zetknęło się z grozą tak potężnej inwazji ludów z głębi Azji.

Oto streszczenie Ammianowej relacji zamieszczonej w księdze XXXI.

Hunowie nacinają małym chłopcom policzki żelazem, i to tak głęboko, aby blizny nie pozwoliły wykluć się zarostowi. Toteż starzeją się bez brody, podobni do eunuchów. Krępi i silni, karki mają grube. Przeraźliwie brzydcy i koślawi przypominają bestie dwunogie i owe topornie ciosane słupy o ludzkich obliczach, które widuje się przy poręczach mostów. Nie potrzebują ani ognia, ani przypraw do jedzenia żywiąc się korzeniami dziko rosnących roślin i półsurowym mięsem wszelakich zwierząt; podkładają kawałki między swoje uda a grzbiet konia i tak je nieco ogrzewają. Nigdy nie wchodzą do krytych domostw, unikając ich niby grobowców, toteż nie znajdzie się u nich nawet namiot zwieńczony choćby poszyciem trzciny. Krążą tu i tam po górach i lasach, przyzwyczajeni już od kolebki do znoszenia głodu i pragnienia. Ale i na obczyźnie nie wejdą do domu, chyba że przymusi ich do tego ostateczna konieczność, uważają bowiem, że dach nie daje bezpieczeństwa.

Odzież ich to szaty lniane albo zszyte ze skórek myszy leśnych. A nie mają osobno jednej sukni na użytek domowy, innej zaś do wyjścia. Gdy raz włożą na siebie koszulę barwy szarej, nie wcześniej ją zdejmą lub zmienią, póki sama się nie rozpadnie na kawałki od brudu. Głowy przykrywają okrągłymi czapami, mocno owłosione nogi skórami koźlimi, a buty ich nie obrobione na żadnym kopycie nie pozwalają im stąpać swobodnie. Dlatego też niezbyt się nadają do walki pieszej i są rzeczywiście jakby przytwierdzeni do swych koni, wytrzymałych wprawdzie, lecz szpetnych. Siadają na nich niekiedy po kobiecemu i tak załatwiają wszelkie sprawy codzienne: kupują i sprzedają, jedzą i piją, a pochyleni nad karkiem zwierzęcia zapadają w głęboki sen. Gdy się odbywa narada poświęcona sprawom nawet najważniejszym, wszyscy biorą w niej udział tymże sposobem, to jest siedząc na koniach. Nie są poddani żadnym surowym rządom królewskim, wystarcza im czasowe przywództwo możnych.

Idąc naprzód przełamują łatwo każdą przeszkodę. W bitwach atakują klinami, wyjąc przy tym dziko głosami różnymi. Niesłychanie szybcy i zwinni potrafią umyślnie rozproszyć się po to, aby nagle uderzyć, a ponieważ nie posuwają się w zwartych szykach, mogą rozbiegać się na wszystkie strony i dokonywać rzezi na ogromnych obszarach. Nie widzi się natomiast, by szturmowali umocnienia lub rabowali obóz nieprzyjacielski; tak bardzo zależy im na chyżości.

Wojownicy to niebezpieczni. Najpierw, i to jeszcze z daleka, ciskają dzidy o kościanych ostrzach, które są dobrze przytwierdzone sztuką zadziwiającą. Potem przemierzają galopem przestrzeń dzielącą ich od nieprzyjaciela i walczą wręcz żelazem, z całkowitym pogardzeniem własnego życia. A kiedy wróg skupi uwagę tylko na ostrzu ich mieczy, znienacka zarzucają nań skręcone powrozy; tak skrępowany nie może w ogóle się poruszać.

Wśród Hunów nikt nie orze, nikt nawet nie dotknie pługa. Nie mając stałych siedzib są jakby wciąż w ucieczce. Za mieszkania służą im wozy. Tam ich małżonki szyją odzież, co wstręt budzi, tam miłość uprawiają i wychowują dzieci, póki te nie podrosną. Toteż żaden z nich nie potrafi powiedzieć, skąd pochodzi, gdzie indziej bowiem został poczęty, gdzie indziej zrodzony, i jeszcze gdzie indziej wychowany.

Niby tępe bydlęta nie mają żadnego pojęcia, co uczciwe, a co nie. Mowa ich pokrętna i ciemna, a cześć jakiejś religii lub choćby tylko zabobon w niczym ich nie hamuje. Pałają wszakże niezmiernie żądzą posiadania złota.

Taki oto obraz Hunów przekazał potomności Ammian na podstawie pośrednich, zasłyszanych opowieści. Badania archeologów rzuciły sporo światła na materialną kulturę Hunów, głównie dzięki grobowcom znajdowanym na ziemiach Ukrainy i w łuku Karpat, ale w wielu wypadkach niełatwo stwierdzić, czy chodzi o samych Hunów, czy też o ludy uzależnione i wędrujące z nimi.

Nie mamy również prawie żadnych zabytków języka huńskiego. Wprawdzie znane są pewne oderwane wyrazy, zwłaszcza imiona, trudno jednak orzec, w jakiej mierze chodzi o rodzime, w jakiej zaś zapożyczone od ludów podbitych i sąsiednich: Germanów, Irańczyków, może i Słowian.

Pierwsi władzy Hunów poddali się Alanowie, irański lud osiadły na północ od Kaukazu. Poszli za swymi panami przeciw Ostrogotom, zajmującym ziemie między dolnym Dniestrem a Dunajem. I oni zostali pokonani w 375 roku i w większej części musieli przyłączyć się do Hunów. Tak więc wszystkie plemiona między Morzem Czarnym a Karpatami zaczęła ogarniać panika.

Na rzymskie terytorium przybyło poselstwo Wizygotów z terenów mniej więcej obecnej Rumunii błagając, aby zezwolono im na przejście Dunaju i osiedlenie się na ziemiach Tracji. Walens, przebywający wtedy wciąż w Syrii, przychylił się do ich prośby, na wyludnionych bowiem ziemiach tamtejszych osadnictwo było konieczne, gdyby zaś Wizygoci je otrzymali, musieliby składać daninę oraz wystawiać żołnierzy.

Pozwolono przeprawić się na brzeg rzymski wszystkim,

a nawet udzielono im w tym pomocy. Ammian Marcellinus powiada złośliwie: „Z wielką gorliwością starano się, aby za Dunajem nie pozostał nikt z tych, co mieli zniszczyć państwo rzymskie; nikt, choćby padaczką był tknięty!"

Barbarzyńcy przepływali rzekę dniami i nocami, na okrętach, na tratwach, nawet na pniach wydrążonych, a byli i tacy śmiałkowie, którzy usiłowali wpław przedostać się na brzeg drugi, choć Dunaj był wezbrany późną wiosną 376 roku. Podobno przeprawiło się łącznie około 200 000 mężczyzn, kobiet i dzieci, ale liczba ta wydaje się przesadzona.

Uległość nowych poddanych sprawiła, że dowódcy i dostojnicy rzymscy w Tracji uznali to za wspaniałą sposobność do robienia dobrych interesów; dopuszczali się zatem najbezczelniejszych nadużyć przy dostawach i sprzedaży żywności dla ludzi pozbawionych wszystkiego i cierpiących głód. Dumni wojownicy musieli sprzedawać swe kobiety i dzieci, otrzymując w zamian psy.

Ale uciekając przed Hunami zaczęły przedostawać się za Dunaj także odpryski innych ludów, wśród nich również Ostrogotów, co działo się już wbrew woli cesarza. Ponieważ zaś siły rzymskie nad Dunajem były raczej słabe, sytuacja zmieniała się szybko na niekorzyść. Już w 377 roku wódz wizygocki, Frytygern, wystąpił zbrojnie przeciw Rzymianom i pokonał ich w bitwie pod Marcjanopolem, na południe od obecnej Warny. Odtąd Germanie pustoszyli coraz śmielej ziemie Tracji, a dołączali do nich żołnierze obcego pochodzenia zbiegli z armii rzymskiej oraz niewolnicy i ubodzy chłopi. Rzymianie, choć stawiali jeszcze twardy opór, byli spychani na południe, Frytygern zaś wciąż otrzymywał posiłki zza Dunaju. Zagony Wizygotów i ich sprzymierzeńców niszczyły ziemie niemal po sam Konstantynopol.

Wreszcie wiosną 378 roku Walens zrezygnował z planów wyprawy przeciw Persom i ruszył z Syrii na północ. 30 maja wkroczył do Konstantynopola, gdzie jednak nie spotkał się z życzliwym przyjęciem, mieszkańcy bowiem mieli mu za złe, że przybywa dopiero teraz, gdy z murów miasta gołym okiem można było dostrzec dymy pożarów wzniecanych przez barbarzyńców, których on wpuścił w granice imperium.

Ale groza najazdu i tak bliskiej wojny nie przeszkodziła urządzeniu igrzysk, które tradycyjnie uświetniały *adventus*, czyli przybycie panującego do jednego z większych miast. Kiedy wszakże Walens pojawił się w loży cesarskiej, tłumy widzów zaczęły zgodnym chórem skandować wrogie mu okrzyki. Rozlegały się również szydercze wołania: „Daj broń, sami będziemy walczyć!" Rozwścieczony taką postawą ludności cesarz opuścił Konstantynopol już 11 czerwca otwarcie głosząc, że gdy rozgromi Gotów, powróci tu, aby surowo ukarać tak niechętne mu miasto.

Sprawa ta miała bardzo niekorzystny wpływ na dalszy bieg wydarzeń, Walens bowiem pragnął za wszelką cenę szybkich sukcesów, które by uspokoiły opinię publiczną, jemu zaś dały moralne prawo do przykładnego rozprawienia się z wrogimi żywiołami w stolicy.

Idące przodem wojska piesze, którymi dowodził Sebastian, zaskoczyły w okolicach Adrianopola oddział Wizygotów objuczony ogromną zdobyczą i czujący się tak bezpiecznie, że nie wystawił nawet straży. Odbite łupy nie mieściły się ani w murach Adrianopola, ani na błoniach pod miastem. Lecz sukces ten dał Rzymianom zbytnią ufność w swe siły, jednocześnie zaś wódz Gotów Frytygern, ostrzeżony porażką, skupił swe rozproszone oddziały i wzmógł czujność.

Tymczasem zwiadowcy rzymscy zameldowali, że widzieli pochód głównych sił wroga — są one o wiele szczuplejsze, niż przyjmowano dotychczas, i liczą tylko 10 000 zbrojnych! Popełnili jednak fatalną w skutkach pomyłkę, w istocie bowiem dostrzegli tylko część germańskich zastępów.

Walens stanął obozem pod Adrianopolem i tutaj przyjął komesa Rychomeresa. Przybył on wprost od cesarza Gracjana z listami zawierającymi usilną prośbę, by nie wydawać bitwy, póki nie nadejdzie armia zachodnia. Ale podczas narady wojennej niektórzy z jej uczestników, a przede wszystkim Sebastian, obstawali przy tym, aby stoczyć bitwę natychmiast, nim wróg skupi swe siły. Wprawdzie naczelnik jazdy, Wiktor, rozważnie radził przychylić się do wezwań Gracjana, jednakże Walens, podbechtywany przez pochlebców i podniesiony na duchu dotychczasowym przebiegiem kampanii, zadecydował, iż walczyć należy już tu i teraz, nie ma bowiem powodu do dzielenia się z kimś chwałą pewnego zwycięstwa.

Przed cesarzem stanął też niespodziewanie przysłany z obozu wroga kapłan chrześcijański, ale arianin — jak i sam Walens. Poseł, Got z pochodzenia, przekazał pisma od Frytygerna. Wódz żądał, aby wydano jego ludowi całą Trację i zobowiązywał się zachować pokój na tych warunkach. Ale kapłan podobno wręczył też inne, ściśle tajne listy, w których Frytygern doradzał, aby Rzymianie wystąpili do walki w polu, albowiem dopiero wtedy, widząc zbrojne szyki legionów i majestat cesarza, jego wojownicy skłonni byliby ustąpić. Posła potraktowano łaskawie, lecz odprawiono bez odpowiedzi.

O świcie 9 sierpnia wojska wymaszerowały z obozu. Tabory umieszczono pod strażą u murów miasta, natomiast skarbiec i cesarskie insygnia w samym Adrianopolu, gdzie pozostała też część wyższych urzędników. Rzymscy żołnierze, umęczeni szybkim marszem przez górskie drogi w doskwierającym upale, ujrzeli obozowisko gockie dopiero około godziny ósmej licząc od świtu. Barbarzyńcy stali przy swych koliście umieszczonych wozach; wkrótce rozległo się ich posępne, dzikie wycie. Tymczasem rzymscy dowódcy ustawiali szyk bojowy. Na skrzydle prawym szło to szybko — jazdę wysunięto tam do przodu, piechota zaś stanęła nieco w tyle; na skrzydle lewym natomiast z trudem starano się skupić jeźdźców, wielu ich bowiem rozproszyło się po drodze.

Widok sprawnie rozwijających się szyków oraz straszliwy szczęk broni i łomot tarcz przeraziły barbarzyńców. Co ważniejsze, wciąż jeszcze czekali na swe oddziały jazdy. Wyprawili więc posłów z prośbą o pokój, których jednak cesarz nie przyjął, byli bowiem ludźmi niskiego stanu. Goci przeciągali sprawę.

Wreszcie stawił się herold Frytygerna z żądaniem, by przybyli doń rzymscy dostojnicy w roli zakładników. Zgłosił się dobrowolnie komes Rychomeres. Gdy był już w drodze, w pewnym miejscu długiej linii frontu dwa oddziały wyrwały się do przodu i na krótko zwarły z wrogiem. Natychmiast więc zawrócono komesa.

A tymczasem niespodziewanie pojawiła się jazda Gotów wraz z zastępami Alanów. Uderzyła z potężnym impetem na szyki rzymskie szerząc przerażenie i popłoch. Tak rozpoczęła się bitwa.

Jaki był jej przebieg, jakie koleje zmagań? Ammian Marcellinus pisze o tym szeroko i barwnie, ale nie podaje prawie żadnych faktów, które by pozwalały odtworzyć rozwój sytuacji. Czytamy o ciosach mieczów, o wojownikach już konających, ale jeszcze godzących resztkami sił w przeciwnika, o stosach trupów i o strumieniach krwi — a wszystko to w obezwładniającym upale i wśród gęstych tumanów kurzu. Są to wszakże obrazy retoryczne, trudno na ich podstawie przedstawić losy walki.

Ale też chyba nikt z uczestników bitwy nie miał jasnego rozeznania, co dzieje się gdzie indziej. Każdemu ze świadków, nawet dowódcom, pozostały w pamięci tylko drobne i nieskładne fragmenty walki: zaciekłość, krew, łomot broni i krzyki rannych, żar słońca i pył.

Jeden wszakże fakt zasługuje na uwagę. Oto w początkach bitwy skrzydło lewe podeszło pod umocnienia gockie, ale właśnie tam jazda rzymska, złożona głównie z najemników, przeszła na stronę wroga. Był to chyba moment decydujący. Otoczone zewsząd szeregi legionistów skupiły się tak gęsto, że nawet mieczem trudno było poruszać. A tymczasem na innych odcinkach zaczęto się wycofywać, potem zaś uciekać bezładnie.

Uratowała się zaledwie część armii, rankiem jeszcze licznej i potężnej. Z wyższych dowódców ocalał tylko Rychomeres oraz naczelnicy jazdy — Saturnin i Wiktor. Zginęli natomiast naczelnicy wojsk pieszych — słynny Sebastian oraz Trajan, a wraz z nimi trzydziestu trybunów, wśród nich młodziutki Potencjusz, syn sławnego niegdyś wodza Ursycyna.

A jaki był los Walensa? Jego zwłok nie odnaleziono nigdy, toteż różnie przedstawiano okoliczności śmierci. Według jednych padł o zmroku, opuszczony przez wszystkich, nawet przez straż przyboczną. Cisnął swój płaszcz purpurowy, narzucił odzież prostego żołnierza i stanął nie rozpoznany wśród resztek piechoty. Wszystkich stłoczonych tam wyrżnięto w pień, a ponieważ Walens nie miał żadnych insygniów, nikt by nie odgadł, kim jest — nawet gdyby szukano zwłok natychmiast po bitwie, co się jednak nie stało.

Lepiej wszakże poświadczona jest inna relacja. Cesarz,

rażony strzałą i mocno krwawiący, uszedł wraz z najbliższym otoczeniem z pola walki, musiał jednak zatrzymać się przy niezbyt odległym domostwie. Zbudowano je miejscowym zwyczajem w ten sposób, że pięterko nieco wystawało poza ściany parteru, było szersze.

Wkrótce dom otoczyli Goci. Nawet nie podejrzewali, kto schronił się w środku. Usiłowali wyłamać bramę, ale była mocna, a z pięterka celnie rażono każdego, kto się zbliżał. A ponieważ barbarzyńcom pilno było z powrotem na pobojowisko, po łupy, zebrali więc pośpiesznie gałęzie, susz, słomę, ułożyli je wokół domostwa i podpalili. Mimo to nie wyszedł nikt z Rzymian. Wszyscy spłonęli żywcem. Podobno tylko jeden oficer wyśliznął się w ostatniej chwili i on to powiedział Gotom, że mogli pojmać samego cesarza.

A przecież oblegani zdołaliby ocalić życie, gdyby dali znać, kto jest z nimi! Byli jednak Rzymianami i żołnierzami nie tylko z imienia. Po męsku i świadomie wybrali śmierć w płomieniach, byle nie wydać majestatu władcy barbarzyńcom na pohańbienie. Ale było to już jedno z ostatnich pokoleń Rzymian prawdziwych, ludzi dumnych i odważnych, o jakich opowiadały roczniki dawnych dziejów.

Po Adrianopolu

Gdy wieczorem 9 sierpnia 378 roku zmrok zaczął zapadać nad polem bitwy pod Adrianopolem, resztki pokonanych wojsk rzymskich już się rozpierzchły na wszystkie strony, gdzie strach pędził. Zwycięscy Wizygoci noc spędzili na rabowaniu zwłok, a o samym świcie ruszyli ku miastu; wiedzieli bowiem, że przebywają tam najwyżsi dostojnicy wraz ze skarbcem oraz insygniami Walensa.

Tuż pod murami obozowali żołnierze i służba. Nie chciano ich wpuścić przez bramy z braku miejsca i zapasów w mieście. Pozostawieni więc sami sobie bronili się dzielnie kilka godzin przeciw wściekłym atakom Gotów, ale potem trzystu z nich niespodziewanie przeszło na stronę wrogów. Barbarzyńcy wzgardzili nimi; pojmali ich i wymordowali na miejscu. Odtąd nikt w Adrianopolu nie myślał o kapitulacji.

Gwałtowna burza przerwała walkę późnym popołudniem. Goci wysłali do obrońców list pełen pogróżek, obiecując jednak darowanie życia wszystkim, jeśli miasto się podda. Odpowiedzią była gorączkowa praca nad umacnianiem murów.

Barbarzyńcy spróbowali podstępu. Jacyś żołnierze straży przybocznej Walensa, chyba Germanie z pochodzenia, zbiegli na ich stronę już dawniej, obecnie niby to z powrotem przeszli na stronę rzymską. Mieli wzniecić pożary, aby wywołać popłoch i odciągnąć ludzi z murów. Gdy jednak ci podwójni zbiegowie, przyjęci początkowo życzliwie, zaczęli się plątać w zeznaniach, wzięto ich na tortury. Wyjawili prawdziwe zamiary i zostali ścięci.

Szturm rozpoczął się podczas trzeciej straży nocnej i trwał aż do zmierzchu dnia następnego. Bronili murów wszyscy: żołnierze, dostojnicy, ludność. Masy atakujących były tak gęste, że nie chybiał żaden pocisk, rzucony nawet na ślepo. Ale najbardziej przeraziła barbarzyńców machina zwana skorpionem, miotająca ogromne głazy.

Pod wieczór Germanie odeszli do obozowiska; ponieśli dotkliwe straty i żałowali, że nie posłuchali rad swego wodza Frytygerna, który odradzał atak na miasto. A o świcie ruszyli spod Adrianopola na południe, ku morzu, paląc i grabiąc wszystko wokół.

Obrońcy podejrzewali, że przerwanie oblężenia to tylko podstęp i wrogowie nagle zawrócą. Zwiadowcy jednak donieśli, że okolice są wolne. Dopiero wtedy, i to głęboką nocą, część dostojników i żołnierzy wyszła z miasta. Górskimi ścieżkami unikając dróg jedni ruszyli na zachód, ku Serdyce, inni zaś na południe, do Macedonii. Zabrali skarbiec i podążali co sił z nadzieją, że spotkają gdzieś Walensa; jeszcze bowiem nie wiedziano o jego śmierci.

Tymczasem Germanie podeszli pod Perynt, bogate miasto nadmorskie, ale nauczeni doświadczeniem nawet nie próbowali go oblegać. Pociągnęli następnie wzdłuż wybrzeży aż pod Konstantynopol. Zdumiał ich ogrom murów, wielkość budowli, mrowie mieszkańców; wszystko to dobrze widzieli krążąc przez jakiś czas w pobliżu.

Dochodziło tylko do drobnych utarczek, gdy oddziały

załogi miasta dokonywały wypadów. Pewnego dnia jeźdźcy saraceńscy, czyli arabscy, wdali się w walkę z jedną z watah gockich. Obie strony już się wycofywały, gdy nagle spośród jeźdźców wschodnich wyrwał się do przodu człowiek o długich włosach, nagi zupełnie prócz przepaski na biodrach, ze sztyletem w ręku. Krzycząc coś dziko wtargnął w szeregi osłupiałych Gotów, ciosem ostrza w szyję powalił jednego z nich i rzucił się na leżącego, aby wysysać krew z rany. Przerażeni tym Germanie odstąpili od murów i odtąd nie byli już tak zuchwali. A wkrótce potem powoli odeszli przez prowincje bałkańskie ku Alpom Julijskim niszcząc szeroko ziemie na swym szlaku.

Tak więc Konstantynopol nie został zaatakowany i zdołał osłonić samą potęgą swych murów leżące dalej na południe kraje ludne i bogate: Azję Mniejszą, Syrię, Palestynę i Egipt. Właśnie dzięki temu wschodnia część imperium, choć poniosła tak dotkliwe straty skutkiem spustoszenia ziem bałkańskich, miała wciąż ogromne zasoby sił ludzkich i środków materialnych do kontynuowania walki. Ta sytuacja powtarzała się w następnych wiekach.

Wieść o klęsce i o niszczycielskim pochodzie Gotów wstrząsnęła światem rzymskim. Skłaniała niekiedy do kroków rozpaczliwych. Na przykład Juliusz, naczelnik wojsk w prowincjach wschodnich, wystosował tajny rozkaz do oficerów w miastach i obozach, aby wyciąć w pień najemników pochodzenia gockiego. Zgodnie z tym wszędzie wyprowadzano ich pod pozorem wypłaty żołdu w odpowiednie miejsca, otaczano, rozbrajano i zabijano. Ammian Marcellinus dodaje z satysfakcją, że akcja została przeprowadzona szybko, sprawnie i bez przeszkód, wszyscy bowiem oficerowie byli pochodzenia rzymskiego, „co rzadko zdarza się obecnie". Znamienna uwaga!

Ale to już ostatnie wydarzenia, o których wspomina ten historyk. Opis bitwy pod Adrianopolem i jej skutków zamyka wielkie dzieło, któremu zawdzięczamy takie bogactwo informacji o IV wieku. Końcowe zdanie brzmi: „O tym, co zdarzyło się później, niech piszą zdolniejsi, ludzie w kwiecie sił i umiejętności". Lecz Ammian nie miał już w świecie łacińskim następców tej miary; pojawiali się jeszcze tylko kronikarze. Był ostatnim naprawdę wybitnym historykiem rzymskim. Tak więc końcowe stulecie istnienia imperium zachodniego, lata od 378 do 476, nie znalazło swego dziejopisa. Upadek Rzymu, jeden z największych i najdonioślejszych dramatów w historii świata, nie miał nikogo, kto by opisał go prawdziwie i w sposób pełny, potomnym ku nauce i przestrodze.

Podobnie kończy swą *Kronikę* — na 378 roku, na klęsce adrianopolskiej — św. Hieronim, również współczesny wydarzeniom, a nieco młodszy od Ammiana. Jest ona łacińską, uzupełnioną przeróbką *Kroniki* Euzebiusza. Kończy się tak: „Późniejszy okres zachowałem do szerszego opracowania historycznego. Nie dlatego, abym się obawiał pisać swobodnie i prawdziwie o ludziach żyjących — przecież kto Boga się boi, ludzi się nie boi! — ale z tej przyczyny, że skoro barbarzyńcy wciąż jeszcze szaleją na ziemiach naszych, wszystko jest niepewne".

Jest coś głęboko symbolicznego w tym, że owe dwa dzieła dwóch różnych autorów tej samej epoki zamyka ta sama bitwa. Miał ona istotnie szczególny wymiar dziejowy i niektórzy współcześni dobrze to rozumieli. Była to bowiem nie tylko krwawa klęska. Rzymianie ponosili ich sporo w ciągu wieków, budując i podtrzymując gmach swego imperium. Bywały nawet dotkliwsze, jeśli chodzi o liczbę poległych, na przykład sławna bitwa sprzed wieków, pod Kannami. Także śmierć cesarza na polu walki nie była czymś wyjątkowym.

Rzeczywiście natomiast ważne było to, że po Adrianopolu najeźdźcy już nigdy nie opuścili granic cesarstwa, nigdy nie zdołano ich wyprzeć. Wizygoci i ich sojusznicy, a potem ci, co kolejno szli śmiało w ich ślady, pozostawali na stałe wewnątrz imperium, raniąc i coraz głębiej szarpiąc same jego trzewia niszczycielskimi pochodami, zwłaszcza w prowincjach zachodnich. Ta rana nigdy nie miała się zagoić, była prawdziwie śmiertelna; po trzech pokoleniach doprowadziła do zgonu Rzymu cesarskiego przez wykrwawienie.

Sytuacja po śmierci Walensa przedstawiała się tym groźniej, że pierwszy z jego współwładców, Gracjan, miał dopiero 19 lat i nie zdobył dotychczas ani doświadczenia, ani autorytetu w sprawach wojskowych, drugi zaś, Walentynian, był chłopcem zaledwie siedmioletnim. Obaj znajdowali się wówczas w prowincjach naddunajskich, blisko teatru wydarzeń. Mały Walentynian stale przebywał wraz z matką Justyną w Sirmium, Gracjan zaś pośpieszył na pomoc Walensowi aż z Trewiru. Dotarł zapewne już do granic Tracji, gdy stanął przed nim naczelnik jazdy Wiktor przybywający spod Adrianopola. Na wieść o klęsce cesarz powrócił do Sirmium i zatrzymał się tam na dłużej, Walentynian II natomiast przeniósł się do Mediolanu.

Gracjan rozumiał doskonale, że sam nie sprosta niebezpieczeństwu i musi powierzyć komuś naczelne dowództwo na zagrożonych obszarach. Wybór — a z pewnością zaskoczyło to bardzo wielu — padł na Teodozjusza. Ten wówczas nieco ponad trzydziestoletni mężczyzna, syn sławnego wodza, również Teodozjusza, przed trzema laty wycofał się z życia publicznego, porzucił służbę wojskową i osiadł w wielkich dobrach rodzinnych w Hiszpanii, w pobliżu Segowii. Jego ojciec odnosił niegdyś świetne zwycięstwa w Brytanii, nad Renem i Dunajem oraz w Afryce, za co spotkała go w 376 roku nagroda: wyrok śmierci i ścięcie w Kartaginie. Doszło do tego zapewne skutkiem intryg dworskich, ale formalnie ów wyrok musiał podpisać Gracjan. I on to właśnie w chwili najcięższej dla państwa przyzywał na ratunek syna swej ofiary!

Obaj musieli wykazać ogromny hart ducha i poczucie prawdziwie rzymskiej odpowiedzialności za losy imperium wobec sytuacji tak skomplikowanej moralnie i politycznie. Cesarz zwracając się do Teodozjusza i powierzając mu w owych ponurych miesiącach 378 roku dowództwo w Ilirii sądził, że samo jego imię, opromienione chwałą zwycięstw ojcowych, doda otuchy wojskom własnym i wzbudzi respekt wśród barbarzyńców. Zwłaszcza że sam Teodozjusz odniósł już przed trzema laty pewne sukcesy odpierając Sarmatów właśnie na terenach naddunajskich.

Wezwany z Hiszpanii młody wódz natychmiast ruszył w pole i zdołał rozgromić jeszcze jesienią tego roku jakieś watahy Gotów. Nie był to sukces decydujący w sensie wojskowym, miał wszakże pewien efekt polityczny i propagandowy. Umożliwił też Gracjanowi dokonanie dalszego i to bardzo ważnego aktu.

Teodozjusz Wielki

Flavius Theodosius
Ur. prawdopodobnie
11 stycznia 347 r.,
zm. 17 stycznia 395 r.
Panował od 19 stycznia 379 r.
wraz z innymi aż do śmierci jako
Imperator Caesar
Flavius Theodosius Augustus.

Niespokojne granice

W dniu 19 stycznia 379 roku Teodozjusz przedstawiony został wojskom w Sirmium i obwołany cesarzem. Senaty obu stolic, to jest Rzymu i Konstantynopola, natychmiast to potwierdziły. Tak więc państwo miało znowu trzech współwładców. Najstarszy z nich wiekiem, choć najmłodszy stażem, Teodozjusz, przejął część wschodnią, na Bałkanach zaś Trację i Macedonię. Częścią zachodnią władał, jak dotąd, Gracjan, sprawujący też faktyczną opiekę nad prowincjami małoletniego Walentyniana II.

Nowy cesarz był wzrostu średniego, budowy ciała raczej wątłej, lecz kształtnej; nie cieszył się najlepszym zdrowiem. Nos miał orli, a włosy, choć Hiszpan rodowity, jasne. W bezpośrednim zetknięciu okazywał się człowiekiem sympatycznym. Wykształcony i oczytany, żywo interesował się historią rzymską, oceniając postaci i wydarzenia przeszłości z punktu widzenia patrioty. Należał do gorliwych chrześcijan wyznania nicejskiego. Było to bardzo ważne dla mieszkańców krain wschodnich, dotychczasowy bowiem ich pan, Walens, popierał z wszystkich sił arian, posuwając się wręcz do prześladowania prawowiernych.

Codzienny tryb życia Teodozjusza był skromny: jadał niewiele, uprawiał dla zdrowia ćwiczenia, lubił długie spacery. Wadą najbardziej uchwytną i groźną była zbytnia popędliwość w gniewie. Objawiało się to zwłaszcza wtedy, gdy podejrzewał, że naruszono autorytet władzy. Podejmował w takich wypadkach decyzje, których później sam gorzko żałował.

Żonaty z Elią Flacyllą miał już syna, Arkadiusza, urodzonego w 377 roku. Potem przyszła na świat córka Pulcheria, która zmarła jako mała dziewczynka, a dopiero w 384 roku syn drugi, Honoriusz. Elia Flacylla odeszła ze świata w 386 roku, pozostawiając pamięć pani szlachetnej i dobroczynnej.

Wczesną wiosną 379 roku obaj dorośli cesarze wyruszyli z Sirmium i zdołali poskromić — choć nie rozgromić — część nieprzyjaciół. W tej sytuacji Gracjan uznał, że spełnił swe zadania nad Dunajem, toteż latem powrócił przez Akwileję i Mediolan do Galii, do Trewiru, aby stamtąd strzec granicy Renu. Teodozjusz natomiast ustanowił swoją główną kwaterę w Tesalonice. Nie mogąc całkowicie wyprzeć wrogów za Dunaj, usiłował przynajmniej ich osłabić. Jednym ze sposobów, bardzo wszakże ryzykownym, było masowe zaciąganie najeźdźców w szeregi armii rzymskiej jako najemników. Niekiedy dawało to dobre rezultaty; pewien książę gocki na rzymskiej służbie zadał swym rodakom straszliwą klęskę.

Rychło jednak powstało niebezpieczeństwo, że owych najemników będzie w wojsku na Bałkanach więcej niż samych Rzymian. Teodozjusz postanowił więc przerzucić część gockich oddziałów aż do Egiptu, a na to miejsce ściągnąć znad Nilu tamtejsze załogi. Po drodze jednak przez Azję Mniejszą oba korpusy spotkały się w Filadelfii, gdzie z błahej przyczyny — poszło o spór przy zakupie żywności — wywiązała się między nimi prawdziwa, krwawa bitwa.

Aby wypełnić szeregi, cesarz wydawał ustawy powołujące pod broń możliwie wszystkich zdolnych do noszenia broni, a zwłaszcza synów weteranów. A tymczasem byli tacy młodzi ludzie, którzy woleli sobie obcinać palce, niż iść do wojska i stawać w polu przeciw straszliwym zastępom barbarzyńców.

W początkach 380 roku w Tesalonice cesarz zachorował tak ciężko, że licząc się ze śmiercią, przyjął chrzest z rąk biskupa miasta. Ale już 28 lutego wydał edykt — formalnie podpisany również przez Gracjana i Walentyniana II — o niezwykłym znaczeniu.

Nakazuje on wszystkim ludom (,,którymi włada nasza łagodność"), aby żyły według tego wyznania wiary, którego nauczał apostoł Piotr, a jakie obecnie podtrzymuje biskup Damazy w Rzymie oraz biskup Piotr w Aleksandrii — to jest ,,wierząc w jednakową boskość Ojca i Syna, i Ducha Świętego w równym majestacie i w Świętej Trójcy". I postanawia następnie: ,,Rozkazujemy, aby przestrzegający tego prawa nosili imię chrześcijan katolików", wszyscy natomiast inni to szaleńcy i obłąkani, okryci niesławą heretyckich poglądów, a miejsc ich zebrań nie wolno nazywać kościołami. Zostaną ukarani najpierw pomstą bożą, ,,potem zaś naszą, jaką weźmiemy z niebiańskiego wyroku".

Ustawa oznacza całkowity triumf ortodoksji, jak ją sformułowano na soborze w Nicei w 325 roku i jak ją rozumiano w Rzymie oraz w Aleksandrii. Stanowi również wyraz pełnej, by tak rzec, nietolerancji, narzuca bowiem wolą władcy jedno wyznanie wszystkim poddanym — nawet poganom, gdyby ściśle zastosować jej literę. Ważne też jest w tym edykcie oficjalne potwierdzenie przez władzę świecką nazwy ,,katolicy". Żyje ona w tymże znaczeniu do dziś, choć mało kto zdaje sobie sprawę, komu zawdzięcza ona walor urzędowy.

Choć choroba nie okazała się śmiertelna, cesarz nie mógł opuszczać Tesaloniki przez długie miesiące. Wykorzystali to Wizygoci do nowych ataków na ziemie Półwyspu Bałkańskiego. Część z nich pod wodzą Frytygerna, zwycięzcy spod Adrianopola, ruszyła na południe, do Tesalii i Grecji, inne zaś watahy szły wzdłuż Dunaju na zachód, przez Mezję ku Panonii. Zniszczenia były potworne, ludność zaś, która zdołała schronić się w obwarowanych miastach, umierała skutkiem głodu, uprawy bowiem zostały spustoszone.

Zaalarmowany tymi wieściami Gracjan znowu pośpieszył do Sirmium. Nie jest wykluczone, że we wrześniu spotkał się tam z Teodozjuszem. Pozostawił na Bałkanach dwóch dobrych dowódców, Franków z pochodzenia; byli to Arbogast i Bauto. Zawarł też, jak się zdaje, porozumienie z Gotami, pozwalając im osiedlać się w Panonii oraz obiecując dostawy żywności. Tak więc stawali się oni niby sprzymierzeńcami Rzymu. W istocie jednak panowanie rzymskie nad dolnym Dunajem — na obszarach części dzisiejszych Węgier, Jugosławii, Bułgarii — załamywało się całkowicie. Ziemie te, zniszczone, ewakuowane, zasiedlane przez obcych, należały do imperium już tylko z imienia.

W listopadzie 380 roku Teodozjusz opuścił Tesalonikę i wkroczył do Konstantynopola w roli niemal triumfatora. Odtąd stolica nad Bosforem była jego rezydencją przez kilkanaście lat, niemal do końca panowania, z krótkimi tylko przerwami. Żaden z jego poprzedników nie przebywał tu tak długo; miało to znaczenie dla podniesienia wielkości i rangi miasta, które już za piętnaście lat miało stać się stolicą faktycznie odrębnego państwa zwanego cesarstwem bizantyjskim. Tymczasem Teodozjusz i jego dwór mogli korzystać z wszelkich wygód i przyjemności, jakie dawało wielkie miasto, które potężnym murom zawdzięczało bezpieczeństwo, a ciągłym dostawom morskim z prowincji nie objętych wojną — obfitość wszystkiego. Zapewne ta atmosfera bezpieczeństwa, spokoju i dostatku sprawiła, że Teodozjusz natychmiast zapomniał o wojnie i zajął się przede wszystkim sporami jątrzącymi chrześcijańską społeczność nad Bosforem. Jakby nic strasznego nie działo się za murami, jakby to było najważniejsze.

Już w dwa dni po uroczystym wjeździe wypędził ariańskiego biskupa Konstantynopola, ostentacyjnie zaś otoczył opieką Grzegorza z Nazjanzu, żarliwego rzecznika ortodoksji. Kwestie religijne, walka z herezją i pogaństwem, konflikty personalne wśród kleru, zajmowały cesarza nieustannie. Tym sposobem wcielał w życie edykt wydany w Tesalonice.

A tymczasem — jak patetycznie i obrazowo woła grecki historyk Zosimos, piszący swe dzieło ponad wiek później, ale wykorzystujący oczywiście źródła wcześniejsze — we wszystkich podległych Teodozjuszowi krainach, w każdym mieście i osiedlu wiejskim rozlegał się przeraźliwy jęk i płacz ludności bezlitośnie ciemiężonej przez poborców podatków. Zabierano nędzarzom, twierdzi dziejopis, nawet te resztki mienia, które z łaski pozostawili im barbarzyńcy, i to nie tylko pieniądze i niewieście ozdoby, ale nawet najlichszą odzież. Toteż wszędzie, utrzymuje Zosimos, przyzywano najeźdźców, tylko od nich spodziewając się ratunku.

Jest w tym obrazie czasów upadku wiele oczywistej przesady. A więc przede wszystkim to, że historyk zdaje się mieć na uwadze tylko prowincje bałkańskie, rzeczywiście zniszczone straszliwie przez barbarzyńców. A przecież poborcy podatkowi działali na pewno, i to jeszcze gorliwiej, w prowincjach południowych i zachodnich, do których najazdy wtedy nie sięgały.

Ale brzmi w owej wypowiedzi również echo tragicznego dylematu, jaki stanął przed władzą i całym społeczeństwem w owym wieku załamywania się imperium. Aby utrzymać armię i płacić haracz wrogom, musiano obarczać ludność coraz większymi ciężarami. To wywoływało zrozumiałe niezadowolenie, nienawiść i opór wobec władzy, która jawiła się jako wcielenie wszelkiego zła. Stąd też powstawały pomysły wręcz samobójcze, że pod barbarzyńcami byłoby lepiej i swobodniej, ci bowiem wprawdzie rabowali, ale przecież nie ściągali żadnych podatków. Już wkrótce miało się jednak okazać, że najeźdźcy i tego potrafią się nauczyć.

Na szczęście dla Teodozjusza i cesarstwa wśród Wizygotów nie było zgody, dochodziło tam do nieustannych, gwałtownych sporów na tle różnic szczepowych, religijnych i ambicjonalnych. Najzaciętszy chyba był konflikt między Atanarykiem, poganinem, a chrześcijaninem Frytygernem, zwycięzcą spod Adrianopola. Ostatecznie Atanaryk poczuł się tak zagrożony przemożnymi wpływami popularnego wśród ludu Frytygerna, że szukał wraz ze swym otoczeniem schronienia w samym Konstantynopolu. Czyniąc to, jakby zapomniał o swej dawnej przysiędze, że nigdy nie postawi stopy na ziemi rzymskiej. A powoływał się na nią przed laty, gdy podczas rokowań z Rzymianami spotkał się z cesarzem Walensem właśnie dlatego na środku Dunaju, rzeki granicznej.

Atanaryk stanął przed bramami miasta w początkach stycznia 381 roku, a Teodozjusz wyszedł mu naprzeciw, publicznie okazując szacunek wielkiemu wodzowi nieprzyjaciół. Germanie, którzy po raz pierwszy stanęli w murach ogromnej metropolii, patrzyli z najwyższym podziwem na wspaniałe, wielopiętrowe domy, na pyszne pałace i świątynie, pełne dzieł sztuki, na place, ulice, hipodromy, łaźnie, sklepy, jadłodajnie. Ale już w kilkanaście dni później Atanaryk zachorował i zmarł nagle. Cesarz znowu postąpił wspaniałomyślnie — wyprawił mu pogrzeb prawdziwie godny króla, ku wielkiej, nie ukrywanej satysfakcji Gotów. Owe pojednawcze gesty wobec tych, których nie można już było pokonać i złamać siłą, były w tym czasie dla imperium zbawienne, ale jego przyszłości dobrze nie wróżyły.

Rok 381 nie zapisał się żadnymi czynami wojennymi Teodozjusza, bo też w ogóle nie opuszczał on swej stolicy. Goci wszakże, występując tym razem w roli sprzymierzeńców Rzymian, odnieśli pewne sukcesy, zdołali bowiem wyprzeć za Dunaj hordy różnych drobnych plemion, przemieszane nawet z Hunami. Cesarz kontynuował tę ostrożną, przebiegłą taktykę również w roku następnym. Sam nie wyprawiał się w pole, usiłował wszakże związać Gotów ze sprawą rzymską i wykorzystać wspólnotę celów. Rokowania prowadził Saturnin, jeden z nielicznych dowódców, którzy uratowali się pod Adrianopolem, obecnie zaś naczelnik wojsk w Tracji.

3 października 382 roku zawarto wreszcie pokój. Na jego mocy Wizygoci mogli osiedlić się na rzymskiej ziemi po tej stronie Dunaju, a więc głównie w Tracji, jako sprzymierzeńcy imperium, rządząc się jednak własnymi prawami. Rzymianie zapewniali im dostawy żywności, oni zaś w zamian mieli dawać kontyngenty żołnierzy. Było to pierwsze państwo germańskie formalnie utworzone w granicach cesarstwa. Fakt to prawdziwie godny pamięci, a zarazem tak symboliczny, że niektórzy historycy radzi by uznać go za kres dotychczasowego porządku, za umowny koniec Rzymu antycznego, a początek kształtowania się Europy średniowiecznej. Pogląd to może przesadny, ale prawdą jest, jak zobaczymy, że za panowania Teodozjusza wiele wydarzeń różnego rodzaju i w różnych dziedzinach życia społecznego świadczy o całkowitym załamywaniu się lub wygasaniu dawnych tradycji i wartości, a pojawianiu się zupełnie nowych. Postać świata zmieniła się ogromnie w ciągu tych lat kilkunastu.

Sobór w Konstantynopolu

Wiosną 382 roku odbył się w Konstantynopolu sobór. Uznawany jest za drugi powszechny w dziejach Kościoła; pierwszy był nicejski w 325 roku, a więc przed pięćdziesięciu siedmiu laty. Do Konstantynopola przybyli jednak niemal wyłącznie biskupi wschodni. Uchwały potępiły różne herezje, ale zajęto się również dostosowaniem organizacji terytorialnej Kościoła do administracyjnego podziału państwa, zwłaszcza w części wschodniej imperium. Istniało tam wówczas pięć wielkich obszarów zarządzania zwanych diecezjami, a w skład każdej diecezji wchodziło po kilka prowincji. Otóż sobór postanowił, że biskupi głównego miasta każdej diecezji świeckiej mają mieć pierwszeństwo przed biskupami stołecznych miast prowincji. Owymi stolicami diecezji były: Antiochia w Syrii, Aleksandria w Egipcie, Cezarea w Kapadocji, Efez w Azji Mniejszej, Heraklea (czyli Perynt) w Tracji. Szczególną pozycję przyznano biskupowi Konstantynopola, albowiem — zaznaczono to wyraźnie — miał on ustępować rangą tylko biskupowi Rzymu, pierwszej stolicy państwa. Nazwa „diecezja" weszła odtąd na stałe do słownika kościelnego i funkcjonuje do dziś.

Grzegorz z Nazjanzu, sławny wówczas teolog, kaznodzieja i pisarz, niegdyś kolega późniejszego cesarza Juliana podczas studiów w Atenach, potem jego zaciekły przeciwnik, zasiadł na krótko na stolicy biskupiej w Konstantynopolu. Zrzekł się wszakże tej godności, a po nim objął ją wysoki dostojnik świecki, senator Nektariusz, na pewno z woli samego Teodozjusza. Nie był on jednak dotychczas ochrzczony i musiał tego dokonać przed święceniami. Podobnie postąpił kilka lat wcześniej Ambroży, gdy został wybrany na biskupa przez lud Mediolanu.

W roku następnym biskup Damazy zwołał synod w stolicy imperium, biskupi wschodni natomiast zebrali się ponownie w Konstantynopolu. Mimo usilnych próśb i Damazego, i cesarza Gracjana nie przenieśli oni swych obrad do Rzymu; wysłali tylko obserwatorów. Zarysowywała się zatem szczelina wzajemnych uprzedzeń, która stopniowo stawała się coraz głębsza i groźniejsza, doprowadzając wreszcie do całkowitego rozłamu, do schizmy.

Rok 383 był świadkiem następnego synodu w Konstantynopolu. A tymczasem cesarz Teodozjusz, tak żywo interesujący się sprawami wewnątrzkościelnymi, rozwijał wręcz gorączkową działalność ustawodawczą wymierzoną przeciw heretykom i poganom. Upoważnił władze do konfiskowania budynków, w których heretycy odprawiali nabożeństwa, i zezwolił nawet na rozpędzanie ich zgromadzeń, co było w istocie cichą zachętą do urządzania pogromów. Przynależność do fanatycznej sekty tzw. enkratystów, uprawiających daleko posuniętą ascezę, miała być karana śmiercią, a jej członkowie nie mieli prawa swobodnego wyznaczania spadkobierców w testamentach. To samo ograniczenie prawne dotknęło też manichejczyków oraz odstępców od wiary, apostatów; ci ostatni nie mogli ani dziedziczyć, ani występować w sądach jako świadkowie, co równało się śmierci cywilnej.

Poganom zabroniono dokonywania takich ofiar w świątyniach, których celem byłoby odsłanianie przyszłości. W dowód zaś wielkiej łaski zezwolono, by dostępne pozostawały świątynie mające cenne dzieła sztuki; można je było odwiedzać i podziwiać zabytki, pod tym wszakże warunkiem, że nie będzie się składało ofiar. A więc miejsca kultu religijnego miały odgrywać rolę muzeów — ze względu na wartość artystyczną zdobiących je obrazów i rzeźb. W ten sposób nowa religia czyniła z dawnych przybytków kultowych martwe galerie sztuki. To miało się jeszcze powtarzać w dziejach późniejszych.

Takie zresztą wyjście nie byłoby jeszcze najgorsze z punktu widzenia kultury. W praktyce jednak sytuacja przedstawiała się znacznie groźniej, albowiem w wielu miejscowościach zwycięzcy, wrodzy „bałwochwalstwu" chrześcijanie po prostu niszczyli rzeźby jako wyobrażenia i siedliska sił nieczystych, demonów.

Jeden z nowożytnych historyków pisząc o ustawach Teodozjusza, wydawanych tak szybko, uporczywie i konsekwentnie, zauważył słusznie: imperium chyliło się ku ruinie, ale cesarz pieczołowicie zbierał kamienie mające służyć budowie miasta bożego — jak je sobie wyobrażał.

Również współwładca Teodozjusza, Gracjan, działał w tymże duchu. Rezydował głównie w Trewirze, potem przeniósł się do Mediolanu, gdzie pozostawał pod wpływem biskupa Ambrożego. Jego ustawy także zwracały się przeciw heretykom.

Oznaczało to zerwanie z polityką tolerancji, którą prowadził jeszcze Walentynian I oraz sam Gracjan w początkach panowania.

Władcy odrzucili też tytuł kapłana najwyższego, stanowiący nieodzowny atrybut cesarski od czasów Augusta. Teodozjusz uczynił to już wstępując na tron w styczniu 379 roku, Gracjan natomiast nieco później. Był to gest ważny, widomy symbol oficjalnego i ostatecznego rozdziału między państwem rzymskim a reliktami dawnych kultów i wierzeń. Albowiem kapłan najwyższy, *pontifex maximus*, jako zwierzchnik wszystkich starorzymskich kolegiów kapłańskich był głównym wyrazicielem tradycyjnej czci oddawanej bóstwom opiekuńczym.

Śmierć Gracjana

Jesienią 382 roku Gracjan rozkazał usunąć ołtarz stojący w rzymskim gmachu posiedzeń senatu przed posągiem bogini Wiktorii, czyli Zwycięstwa; było zwyczajem, że przed rozpoczęciem obrad zapalano na nim kadzidło. Zniesiono też wszelkie przywileje i dochody od wieków przysługujące westalkom. Temu znacznemu uszczerbkowi materialnemu towarzyszyły jeszcze upokorzenie i zniewaga, gdyż dochody odebrane dziewicom podtrzymującym święty ogień przyznano — korporacji tragarzy.

Senatorzy wierni dawnym bogom protestowali, ale wysłany z Rzymu do Mediolanu ich delegat, Symmachus, nie został nawet dopuszczony przed oblicze cesarza. A jednocześnie za sprawą biskupa Damazego senatorzy chrześcijanie zagrozili, że w razie przywrócenia ołtarza nie będą uczestniczyć w obradach.

Za to następny rok przyniósł poganom satysfakcję — co prawda bardzo gorzką. Mogli utrzymywać, że znieważeni bogowie wzięli pomstę. Otóż skutkiem nieurodzaju w prowincjach afrykańskich zatrważająco zmniejszyły się dostawy zboża do wielkich miast, a zwłaszcza do Rzymu. Władze stolicy, obawiając się głodu, wyrzuciły poza obręb miasta wszystkie osoby nie mające tu prawa stałego pobytu. ,,Wypędzono więc, i to bezzwłocznie, przedstawicieli nauk wyzwolonych. Pozwolono natomiast pozostać osobom z otoczenia aktorów scenicznych.

(...) Tak więc mogły przebywać tu nadal tancerki w liczbie aż trzech tysięcy wraz ze swymi chórami i nauczycielami; nikt ich nawet nie zaczepił". To słowa Ammiana.

Nieszczęścia nie ominęły też rodziny Gracjana. Najpierw zmarł mu mały synek, a potem żona Konstancja, córka Konstancjusza II. Zwłoki przewieziono do Konstantynopola i tam pochowano w kościele św. Apostołów, gdzie porfirowe sarkofagi kryły prochy jej ojca i dziada. Tak schodziła ze sceny historycznej wielka dynastia.

Owdowiały Gracjan nosił żałobę krótko i wnet poślubił panią imieniem Leta; niewiele wiemy o niej samej i jej rodzinie. A niedługo po ślubie cesarz musiał wyprawić się za Alpy, nad górny Dunaj, przeciw jednemu ze szczepów alamańskich.

Właśnie tam otrzymał meldunek o groźnym buncie w Brytanii wiosną 383 roku. Magnus Maksymus, dowódca wojsk na wyspie, obwołał się cesarzem i przerzucił swe wojska na wybrzeża kontynentu u ujścia Renu, gdzie miejscowe garnizony natychmiast go uznały przez aklamację. Gracjan więc pośpieszył do Galii na czele wiernych sobie formacji, by zamknąć drogę pochodowi samozwańca.

Obie armie spotkały się pod Lutecją. Przez kilka dni dochodziło tylko do utarczek harcowników. Ale w szeregach Gracjana zaczęła szerzyć się zdrada, różne oddziały przechodziły na stronę uzurpatora. Cesarz bowiem nigdy nie był zbyt popularny wśród żołnierzy, a przywileje i pieniądze, którymi obsypywał ulubioną, przyboczną formację — byli nią najemnicy z irańskiego ludu Alanów — jeszcze wzmagały niechęć i zawiść.

Gracjan przeraził się, że lada dzień opuszczą go wszyscy. W pewnym więc momencie porzucił obóz i uciekł na czele kilkuset najwierniejszych. Pościg wysłany przez Maksymusa dopadł go w Lugdunum. Z innej relacji zaś wynika, że zdradził go tam jeden z najwyższych oficerów. Pewne jest tylko, że cesarz Gracjan zginął zabity 25 sierpnia.

Magnus Maksymus

Kim był Maksymus — samozwańczy cesarz, zwycięzca Gracjana, pośredni sprawca jego śmierci? Urodził się około 340 roku, pochodził z Hiszpanii, z warstw uboższych, szczycił się jednak powinowactwem z możnym rodem Teodozjuszów, również tam osiadłym. Wprawdzie wrogowie twierdzili później, że w młodości po prostu posługiwał w tym domu, nie musimy jednak dawać temu wiary, pamiętając, iż w walce politycznej zawsze i wszędzie używa się kłamstwa, oszczerstwa, przeinaczania faktów.

Pewne jest, że jako oficer odbył kampanię wojenną pod wodzą starszego Teodozjusza w Brytanii i następnie przeciw uzurpatorowi Firmusowi w Afryce. Gdy w 376 roku tegoż Teodozjusza uwięziono i ścięto w Kartaginie, chyba pod zarzutem udziału w spisku — Maksymus musiał porzucić wojsko, a może nawet został wygnany. Kiedy jednak w 379 roku przyjął purpurę młodszy Teodozjusz, Maksymus powrócił do służby i otrzymał od Gracjana dowództwo wojsk w Brytanii. I tam też kazał się obwołać cesarzem wiosną 383 roku.

Jakie powody skłoniły go do kroku tak śmiałego? Tego można się tylko domyślać. Zapewne z jednej strony brał pod uwagę niepopularność Gracjana w armii, liczył więc na łatwy sukces, z drugiej zaś ufał, że Teodozjusz jako krajan, a może nawet krewny, oraz ze względu na pamięć ojca okaże się powściągliwy, postawiony zaś przed faktami dokonanymi, po prostu pogodzi się z nowym cesarzem. W jednej i drugiej sprawie wcale Maksymus się nie mylił. Polecił zresztą rozgłaszać, że to właśnie sam Teodozjusz potajemnie nakłaniał go, aby wystąpił przeciw nieudolnemu Gracjanowi.

Wszystko rozegrało się w ciągu zaledwie kilku letnich miesięcy 383 roku: wylądowanie wojsk z Brytanii w Galii, ucieczka Gracjana i jego śmierć z ręki zabójcy. Maksymus stał się panem całej Galii, a rychło także Hiszpanii, i to niemal bez walki. Ale ambicje samozwańca sięgały znacznie dalej.

Uznał, że po śmierci Gracjana powinien przejąć opiekę nad małoletnim, bo zaledwie dwunastoletnim Walentynianem II. Przebywał on wraz z matką Justyną — kobietą mądrą, energiczną, faktycznie sprawującą rządy — w Mediolanie. Opieka Maksymusa nad chłopcem oznaczałaby w rzeczywistości, że w ręce samozwańca dostałaby się cała środkowa część imperium, a więc ogromny pas krain ciągnący się od górnego i środkowego Dunaju na północy aż po afrykańskie pustynie na południu, z Italią i Rzymem włącznie.

Wszczęto rokowania. Wczesną jesienią mediolański biskup Ambroży udał się do rezydencji Maksymusa, Trewiru, jednocześnie zaś małoletni syn samozwańca, Wiktor, wyjechał do Mediolanu w charakterze honorowego zakładnika. Biskup przekonywał, że Walentynian II i jego matka nie mogą obecnie przybyć w Galii, pora roku bowiem późna i śniegi rychło pokryją przełęcze alpejskie. W istocie jednak chodziło tylko o zyskanie na czasie i biskup chyba wiedział o tym. Gdy bowiem prowadził rozmowy w Trewirze, wojska legalnego cesarza obsadzały i umacniały wszystkie przejścia przez góry. Ambroży opuścił stolicę Maksymusa i powrócił do Mediolanu dopiero po przyjeździe stamtąd Wiktora.

Jak miał się zachować Teodozjusz wobec tych wydarzeń? Wyboru właściwie nie miał. Od północy groziły mu miecze Gotów, niby sojuszników, w istocie jednak gotowych wykorzystać każdą chwilę osłabienia Rzymian, by rzucić się nawet na Konstantynopol. Prowincje zaś wschodnie i południowe, umęczone rosnącymi podatkami, nie były już w stanie cesarzowi dać więcej środków na obronę. A ileż by trzeba tych środków i ludzi w razie wszczęcia wojny domowej! Teodozjusz zatem musiał postąpić dokładnie tak, jak przewidywał Maksymus.

Latem 384 roku cesarz opuścił Konstantynopol i udał się do Italii. W sierpniu był w Weronie. Zapewne tam przeprowadził rokowania i zawarł układ z posłem Maksymusa. Oficjalnie uznał samozwańca za cesarza i współwładcę, którego posągi mają odbierać cześć we wszystkich krainach imperium na równi z wyobrażeniami samego Teodozjusza i Walentyniana II. Postanowiono również, że wszyscy trzej przestrzegać będą pokoju między sobą, prowadząc zarazem wspólną politykę przeciw wrogom imperium i wzajem sobie pomagając w walce z nimi.

 Potem Teodozjusz powrócił do swej stolicy nad Bosforem,

gdzie 9 września żona, Elia Flacylla, urodziła mu drugiego syna; nadano mu imię Honoriusz.

Jest godne uwagi, że podczas nieobecności cesarza opiekę nad jego starszym synem, siedmioletnim Arkadiuszem, sprawował gorliwy wyznawca dawnych bogów, Temistiusz, piastujący wówczas urząd prefekta Konstantynopola. To jedna z najwybitniejszych i najsympatyczniejszych postaci wśród intelektualistów tego okresu. Urodzony około 317 roku, jeszcze w Bizancjum, zasłynął wkrótce jako filozof i mistrz retoryki, zdobył wielkie poważanie i cieszył się szacunkiem kolejnych cesarzy, którzy powierzali mu nawet pewne misje polityczne. Zachowało się do naszych czasów ponad 30 mów Temistiusza, wygłaszanych przy różnych okazjach. Stanowią one cenny materiał historyczny, ważniejsze jednak dla dziejów kultury europejskiej okazały się jego parafrazy niektórych dzieł Arystotelesa, ułatwiły bowiem rozumienie tego filozofa w średniowieczu.

Fakt, że Temistiusz, jawny obrońca dawnej religii, miał wciąż znaczny autorytet na dworze nawet tak wojującego chrześcijanina, jakim był Teodozjusz, jest znamienny. Widocznie mimo grzmiących edyktów przeciw heretykom i poganom w kontaktach osobistych było jeszcze sporo liberalizmu i tolerancji. Niestety, to już niemal ostatnie promienie gasnącego słońca postaw prawdziwie humanistycznych. W tych samych latach, jak zobaczymy, zaczyna jarzyć się krwawa poświata epoki nienawiści, fanatyzmu, prześladowań.

Gdy posunięty w latach Temistiusz wycofał się z życia publicznego, wśród doradców cesarza na pierwsze miejsce wysunął się człowiek zupełnie innego formatu i z gruntu odmiennych przekonań. Był nim Maternus Cynegiusz, prefekt pretorium w latach 384–385. Pochodził jak Teodozjusz z Hiszpanii, należał zaś do najbardziej zaciekłych wrogów starych kultów, w czym dzielnie wspierała go żona.

Natychmiast po zawarciu układu z Maksymusem, jeszcze w 384 roku, Cynegiusz został wyprawiony do Egiptu, aby oficjalnie pokazać tam podobiznę nowego współwładcy imperium. Prefekt wykorzystał pobyt w krainie nad Nilem do rozprawienia się z resztkami kultu dawnych bogów. Z jego rozkazu zamykano tam wszystkie świątynie i tępiono jakiekolwiek przejawy pogaństwa. Tak umierała religia istniejąca w Egipcie od wielu tysiącleci, starsza od faraonów, a budząca do dziś podziw i szacunek wspaniałością dzieł architektury, rzeźby, malarstwa, których była natchnieniem. Zachwyca też żarliwość modlitw i hymnów, bogactwo wyobraźni teologicznej, nade wszystko zaś konsekwencja i niezłomność, z jaką podtrzymywano przez wieki i tysiąclecia wszelkie tradycje nawet w drobnych sprawach. Wszystko to miało odejść w mrok i zapomnienie, cała głębia uczuć religijnych na równi z pradawnymi obrzędami. Wygasła też ostatecznie znajomość świętego pisma, hieroglifów. Oczywiście nie stało się to wszystko w ciągu jednego roku i tylko skutkiem działalności Cynegiusza, ale był to moment ważny.

Rok 385 zapisał się smutno w życiu osobistym Teodozjusza, zmarła bowiem jego córeczka Pulcheria oraz żona Elia Flacylla, pani wielkiej szlachetności i powszechnie szanowana.

Sprawy zewnętrzne imperium przedstawiały się w tym okresie względnie pomyślnie. Granica perska wreszcie była stosunkowo spokojna. Po śmierci Szapura II w 379 roku jego następcy, Ardaszir II i później Szapur III, prowadzili politykę mniej agresywną. Drugi z nich wstępując na tron w 384 roku wysłał nawet do Konstantynopola poselstwo ze wspaniałymi, egzotycznymi darami. Co prawda niemal równocześnie najechał Armenię i wypędził jej króla, przyjaznego Rzymianom, ale udało się zawrzeć pokój: oba mocarstwa po prostu podzieliły się sporną krainą, z tym że cesarstwo otrzymało jej część mniejszą.

Właśnie w związku z tymi rokowaniami pojawia się po raz pierwszy na scenie dziejowej postać tak sławnego później Stylichona. Jego ojciec, Wandal z pochodzenia, służył w armii rzymskiej za Walensa; matka była Rzymianką. Przechodząc kolejno stopnie oficerskie Stylichon został w młodym wieku trybunem w oddziałach przybocznych. Wtedy to wyprawiono go do Persji. Widocznie wywiązał się dobrze ze swego zadania, skoro w 384 roku otrzymał godność komesa stajni cesarskich — oraz rękę Sereny, siostrzenicy samego Teodozjusza. W roku następnym, już jako skoligacony z rodziną panującą, objął wysokie stanowisko komesa wojsk przybocznych.

Na granicy północnej, nad Dunajem, odniesiono w 386 roku znaczny sukces orężny. Dowódca tamtejszych wojsk,

Promotus, odparł Ostrogotów, którzy napierani przez Hunów usiłowali przeprawić się wraz z rodzinami na stronę rzymską. Uprzedzony przez zdrajcę o miejscu i czasie przeprawy, Promotus ustawił długą linię okrętów wojennych; czółna Gotów, usiłujące przepłynąć rzekę podczas ciemnej, bezksiężycowej nocy, zostały wręcz zdruzgotane. Wielu Germanów zginęło lub utonęło, mnóstwo pojmano. Cesarz wszakże rozkazał uwolnić jeńców; chciał w ten sposób zjednać sobie Gotów jako sprzymierzeńców w wojnie z Maksymusem, którą uważał za nieuniknioną.

Z tej też przyczyny Teodozjusz zareagował gniewem na wieść o zwycięstwie, jakie dowódca rzymskiej załogi w Tomis, czyli obecnej rumuńskiej Konstancy, odniósł nad Gotami osiedlonymi w tamtych stronach. Oficer ów nie mógł znieść arogancji Germanów, którzy dostali ziemie jako sojusznicy Rzymian, a zachowywali się jak panowie. Dokonał więc nagłego wypadu, przepędził barbarzyńców, zdobył mnóstwo złota, które mieli z darów cesarskich. Spodziewał się nagrody i pochwał, a tymczasem został oskarżony o to, że uderzył na Gotów powodowany chciwością. Groził mu wyrok surowy, ale na szczęście całą zdobycz przekazał już wcześniej skarbowi państwa. Zdołał też darami usposobić przychylnie wpływowych eunuchów dworskich. W tej sprawie swoje racje miał zarówno cesarz, pragnący zabezpieczyć germańskimi osadami granice Rzymu, jak i oficer, który nie mógł tolerować buty gockich wojowników.

Tymczasem Maksymus nie ustawał w zabiegach, aby formalnie stać się opiekunem Walentyniana II i zająć podległe mu kraje. Biskup Ambroży wciąż pośredniczył między dworami w Mediolanie i Trewirze, ale w 386 roku stało się oczywiste: pertraktacje nie doprowadzą do niczego i zagraża wojna.

Maksymus chciwie patrzący ku Italii niezbyt się przejmował sprawą granic północnych. Zabierając dużą część wojsk z Brytanii ogołocił wał Hadriana, a nie uczynił też niczego, by zmniejszyć nacisk Germanów na granicę Renu.

Jego polityka wewnętrzna nie różniła się natomiast od tej, którą prowadzili z konieczności inni cesarze owej epoki. Musiał stosować twardy ucisk fiskalny, zwłaszcza wobec warst zamożniejszych, aby zaspokoić potrzeby wojska. Na szczęście urodzaje w Galii były dobre, ludność więc zachowywała spokój.

Panowanie Maksymusa, gorliwego katolika, zapisało się w dziejach chrześcijaństwa ważnym i tragicznym wydarzeniem o wymowie prawdziwie symbolicznej. W 385 roku po raz pierwszy wydano i wykonano wyrok śmierci z oskarżenia o szerzenie poglądów heretyckich. Ofiarą był Pryscylian, biskup miasta *Avila* w Hiszpanii, głoszący nauki pod pewnymi względami bliskie manichejskim, a zarazem domagający się powrotu do ducha i obyczajów pierwszych chrześcijan. Sprawa ta ciągnęła się jeszcze od czasów panowania Gracjana wywołując wiele zamieszania w różnych ośrodkach. Ostatecznie Pryscylian został skazany przez synod w Burdigali (Bordeaux), później zaś przez prefekta pretorium i przez samego Maksymusa. Jak miało to być w przyszłości regułą, władze kościelne posłużyły się ramieniem świeckim. Śmierć Pryscyliana otwiera nie kończący się korowód męczeństw zadawanych chrześcijanom przez chrześcijan. A jego zwolennicy, których było mnóstwo, zwłaszcza w Hiszpanii, utrzymywali się jeszcze przez dwa wieki.

Tymczasem zaś w Italii gorzał spór pomiędzy wyznawcami nowej i dawnej religii. Prefektem Rzymu został w lecie 384 roku Symmachus, wierny starym bogom. Pośpieszył natychmiast do Mediolanu, przedstawiając Walentynianowi II prośbę senatorów, by przywrócić ołtarz Wiktorii usunięty z sali posiedzeń oraz pradawne przywileje odebrane westalkom. Spotkał się wszakże z gwałtownym sprzeciwem biskupa Ambrożego, który wręcz zagroził cesarzowi ekskomuniką, gdyby ustąpił w tej sprawie.

W tymże roku 384 zmarł biskup Rzymu Damazy. Na jego miejsce wybrano diakona Syrycjusza, którego piętnastoletni pontyfikat miał umocnić autorytet pasterzy tej gminy w całym chrześcijaństwie.

Nieco wcześniej przybył do stolicy imperium trzydziestoletni nauczyciel retoryki z Kartaginy, Aureliusz Augustyn. Przeniósł się tu, jak sam później wyznawał, nie ze względu na ambicję i korzyści materialne, lecz zrażony bezczelnością i swawolami swych uczniów kartagińskich; panowała zaś opinia, że młodzież w Rzymie uczy się spokojnie i jest bardziej karna.

Wnet po przyjeździe ciężko zaniemógł. Gdy podniósł się z choroby, zebrał gromadkę studentów, rychło wszakże przekonał się, że pleni się tu inne zło wśród młodzieży: po prostu nie uiszcza się zapłaty mistrzom i zmienia swobodnie profesorów. Nie będąc chrześcijaninem Augustyn utrzymywał bliskie kontakty z manichejczykami. Dzięki nim dopiął tego, że gdy przyszła prośba z Mediolanu o przysłanie nauczyciela retoryki, prefekt Symmachus właśnie tam jego wyprawił, dając nawet zezwolenie na korzystanie z usług poczty państwowej.

Wielki biskup Mediolanu zaczął od razu wywierać przemożny wpływ na młodego profesora. Początkowo Augustyn słuchał go tylko jakby z zawodowego zainteresowania formą wypowiedzi, stopniowo wszakże i jakby niedostrzegalnie wciągała go również argumentacja i treść wywodów. Zaczął odchodzić od manicheizmu.

Wiosną 386 roku wstrząsnął Mediolanem gwałtowny spór między dworem cesarskim a biskupem. Poszło o kościół, który chciała oddać arianom sprzyjająca im cesarzowa Justyna. Ambroży zamknął się w nim i wytrzymał wielodniowe oblężenie. Wyszedł z tej próby zwycięsko. A pod koniec sierpnia tego roku Augustyn stał się chrześcijaninem; chrzest przyjął w kwietniu 387 roku.

W tymże czasie w Antiochii syryjskiej zaczął zdobywać wielkie imię prezbiter Jan. Gdy na początku 387 roku zwiększono tam podatki, aby mieć środki na obchody dziesięciolecia panowania Teodozjusza, doszło w tym wielkim mieście do rozruchów. Wzburzona ludność obaliła posągi cesarza i wlokła je wśród urągań po ulicach. Gdy opadły emocje, wszyscy byli przerażeni. Wydawało się pewne, że rozwścieczony władca wyśle wojska i urządzi krwawą masakrę. Właśnie w owych dniach grozy i paniki, gdy lud szukał ratunku w kościołach, Jan wystąpił ze słowem krzepiącym. Był rodowitym antiocheńczykiem, synem oficera, kształcił się na prawnika, ale potem żył jako mnich oddany najsurowszej ascezie. Jego postawa i działalność w tym okresie trwogi sprawiły, że nadano mu przydomek Chryzostoma, czyli Złotoustego. Miał później zostać biskupem Konstantynopola i przez wiele lat odgrywać wielką rolę w życiu imperium wschodniego.

Cesarz przysłał komisję dla zbadania sytuacji w Antiochii, ale po pierwszych przesłuchaniach i surowych wyrokach sprawa ucichła. Owa wielkoduszność Teodozjusza w tym wypadku wiązała się niewątpliwie z narastającą groźbą wojny domowej. Gdy bowiem w początkach 387 roku różne plemiona barbarzyńskie najechały naddunajskie ziemie Panonii, doradcy Walentyniana II zdecydowali się przyzwać na pomoc Maksymusa. Ten istotnie wyprawił wojska na wschód, ale gdy tylko znalazły się one na równinach nadpadańskich, ruszyły wprost na Akwileję, gdzie rezydował wtedy dwór Walentyniana II. Szesnastoletniemu wówczas cesarzowi udało się jednak wraz z całą rodziną, to jest matką i siostrami, wypłynąć w ostatniej chwili na morze i przedostać się do Tesaloniki.

Jesienią przybył do tego miasta sam Teodozjusz. Po naradach zdecydował się wystąpić przeciw Maksymusowi jako temu, który pierwszy naruszył pokój. Aby umocnić sojusz z Walentynianem II, Teodozjusz pojął za żonę jego siostrę Gallę.

Właściwe działania wojenne rozpoczęły się wiosną 388 roku. Maksymus przekroczył wschodnie Alpy i zajął obecne ziemie północnej Jugosławii. Strona przeciwna przystąpiła do akcji na lądzie i na morzu. Flota wioząca Walentyniana II i jego matkę popłynęła najpierw ku Sycylii, a potem przybiła do brzegów Italii u ujścia Tybru; miało to zagrozić Maksymusowi od tyłu. Teodozjusz wyruszył w pole w czerwcu; miał przy sobie młodszego, zaledwie czteroletniego syna Honoriusza, starszy zaś, Arkadiusz, noszący już od pięciu lat tytuł augusta, pozostał na wszelki wypadek w Konstantynopolu.

Wodzowie cesarza — Arbogast i Rychomeres, Promotus i Tymazjusz — pokonali wroga w bitwach nad Sawą i Drawą. Maksymus wycofał się za Alpy, do Akwilei. Gdy Teodozjusz zbliżył się do tego miasta, samozwańczy cesarz nie próbował oporu i poddał się licząc na wspaniałomyślność zwycięzcy. Zawiódł się srodze, Teodozjusz bowiem wydał go żołnierzom, a ci po prostu dokonali tego, czego od nich oczekiwano. Magnus Maksymus zginął z ich rąk 28 sierpnia 388 roku. Wkrótce potem jego los podzielił syn Wiktor, dziecko jeszcze, ale już mianowany przez ojca augustem. Przebywał w Galii i tam zabił go wysłany pośpiesznie wódz Teodozjuszowy, Arbogast.

Imperium miało odtąd formalnie trzech władców — Teodozjusza, Walentyniana II i Arkadiusza — w rzeczywistości jednak liczył się tylko pierwszy z nich, pozostali bowiem byli zaledwie chłopcami liczącymi sobie lat siedemnaście i jedenaście. W szczególnie trudnej sytuacji, jak miało się rychło okazać, znalazł się starszy z nich, Walentynian II.

Ekskomunika

Przez dłuższy czas, bo od jesieni 388 do wiosny 391 roku, Teodozjusz, zwycięzca Maksymusa, rezydował w Mediolanie i opuszczał to miasto tylko na krótko. Młody Walentynian II został natomiast wyprawiony za Alpy, do Galii, gdzie przebywał najpierw w Trewirze, a potem w Wiennie nad Rodanem. Towarzyszył mu jako doradca i opiekun doświadczony wódz Arbogast, Frank z pochodzenia, wielce zasłużony w wojnie z Maksymusem. Matka Walentyniana, Justyna, pani wielkiej energii, już zmarła. Być może Teodozjusz zamierzał podzielić w przyszłości imperium na trzy części, między Walentyniana i swych dwóch synów, Arkadiusza i Honoriusza. Pierwszy otrzymałby Zachód, to jest Brytanię, Galię, Hiszpanię i Mauretanię, Arkadiusz — Wschód z Konstantynopolem, Honoriusz zaś, najmłodszy, pas krain środkowych — od Dunaju poprzez Italię aż do Afryki.

W każdym razie Teodozjusz, jakby pragnąc przedstawić mieszkańcom Rzymu przyszłego władcę, właśnie Honoriusza wziął ze sobą, gdy w lecie 389 roku wyjechał na mniej więcej trzy miesiące do stolicy nad Tybrem. Cesarz życzliwie zachował się wobec senatu — okazał łaskawość nawet tym jego członkom, którzy pozostali wierni dawnym bogom; takich senatorów wciąż jeszcze było wielu. Wybaczył też Symmachusowi, choć ten przed kilkunastu miesiącami wygłosił panegiryk na cześć samozwańca Maksymusa, gdy ten był panem Rzymu.

Fakt znamienny: prefektem miasta został Cejoniusz Albinus. Należał on do najbardziej wykształconych Rzymian swego pokolenia. Znał doskonale literaturę łacińską, a szczególnie umiłował poezję Wergiliusza. Ale interesowały go również zagadnienia filozofii. Był autorem traktatów z zakresu logiki, geometrii, muzyki. Jego rodzony brat, Woluzjan, gorliwy wyznawca boga Mitry, odnowił w maju 390 roku, a więc właśnie za prefektury Albina, swoje wtajemniczenie w misteria. Dla upamiętnienia tego poświęcił ołtarz Mitrze oraz Izydzie i Attysowi. Sam Albinus krytykował pewne poglądy chrześcijan, na co odpowiedział biskup Ambroży całym traktatem. Żona i córka prefekta były gorliwymi chrześcijankami, ale syn wyznawał wiarę dawnych bogów. Rozłam religijny znamienny i częsty w wielu ówczesnych rodzinach.

Tymczasem cesarz Teodozjusz, choć tak usilnie wspierał prawowierność kościelną, popadał w coraz ostrzejsze zatargi z potężnym biskupem Mediolanu.

W 388 roku mnisi w miasteczku Kalinikum (*Callinicum*) nad Eufratem podburzyli motłoch, który spalił synagogę żydowską oraz kaplicę pewnej sekty. Cesarz rozkazał biskupowi tamtejszemu, bezzwłocznie odbudować synagogę, czemu Ambroży sprzeciwił się gwałtownie. Występując w obronie mnichów i biskupa Kalinikum zagroził cesarzowi ekskomuniką. Teodozjusz musiał pokornie ustąpić i udzielić amnestii sprawcom rozruchów.

Ale prawdziwie groźny wymiar przybrały wydarzenia w Tesalonice. Ich pośrednią przyczyną stała się ustawa Teodozjusza z wiosny 390 roku, nakazująca tępić jak najsurowiej wszelkie występki erotyczne przeciw naturze; winnych należało palić żywcem — i to publicznie, aby dać przykład odstraszający. Toteż gdy w Tesalonice młody służący Buterycha, dowódcy wojsk tamtejszych, stał się ulubieńcem bardzo popularnego w mieście woźnicy cyrkowego, uwodziciel ów został uwięziony. Zbliżały się jednak dni wielkich igrzysk lokalnych i lud wołał głośno, że bez woźnicy tak znakomitego zawody nie mogą się udać. Doszło do rozruchów. Buterych jednak zlekceważył te nastroje i pewnego dnia pojawił się na ulicy bez ochrony. Motłoch dopadł go i ukamienował wraz z kilkoma innymi dostojnikami. Powiadomiony o tym cesarz wydał wojskom w Tesalonice tajny rozkaz. Gdy widzowie podczas igrzysk tłumnie wypełnili trybuny, kordon uzbrojonych żołnierzy niespodziewanie otoczył ogromny budynek stadionu. W ciągu trzech godzin wymordowano co najmniej kilka tysięcy mężczyzn.

Stało się to w końcu kwietnia lub na początku maja 390 roku. Tak ohydna zbrodnia ludobójstwa, jakiej dopuścił się wobec własnych poddanych ów arcychrześcijański cesarz, niewiele znalazłaby odpowiedników wśród czynów, które popełniali jego pogańscy poprzednicy. Nowa religia, kształtująca umysłowość i moralność wyznawców już od pokoleń, nie zdołała jednak w niczym zmienić na lepsze natury człowieka — jak nie zmieniła jej i po dwudziestu wiekach.

Usiłowano już wtedy odciążyć Teodozjusza głosząc, że w ostatniej chwili próbował odwołać rozkaz. Utrzymywano również, że główną winę ponosi jego najbardziej wpływowy doradca, naczelnik urzędów pałacowych Rufin; ale i on był chrześcijaninem bardzo gorliwym, przykładnie pobożnym.

Cesarz słusznie przewidywał, że wieść o rzezi wywoła falę oburzenia, przezornie więc opuścił Mediolan i powrócił dopiero w czerwcu, gdy mijał już pierwszy szok opinii publicznej. Ale wtedy z kolei wyjechał z Mediolanu biskup Ambroży, rzekomo ze względu na stan zdrowia. W ten sposób usprawiedliwił swoją nieobecność podczas powitania władcy, a jednocześnie mógł listownie wyrazić, co myśli o zbrodni w Tesalonice. Jest to list pełen najgłębszego oburzenia, a kończy się stwierdzeniem, że cesarzowi nie będzie wolno uczestniczyć w nabożeństwie, póki nie oczyści się ze zmazy. Faktycznie równało się to ekskomunice.

Powstała później opowieść, że kiedy Teodozjusz chciał wejść do kościoła, biskup stanął w bramie i nie wpuścił go do środka. Choć to tylko legenda i fikcja, powtarzana jednak i barwnie przedstawiana przez wieki, miała duże znaczenie dziejowe, ukazywała bowiem majestat samego władcy Rzymu, grzeszny i krwią splamiony, ustępujący przed powagą kapłana. Wymarzony symboliczny temat w średniowiecznych sporach pomiędzy tiarą i koroną.

Naprawdę zaś takiej sceny w ogóle nie było i wszystko rozgrywało się na płaszczyźnie posunięć politycznych. Cesarz, dotknięty postawą Ambrozjusza i jego przedłużającą się nieobecnością, przeniósł się do Werony. Wydane tam jego ustawy z lipca 390 roku są w treści przychylne dawnej wierze, usiłują nawet stawiać tamę samowoli chrześcijan w pewnych dziedzinach. Na przykład postanowiono, że kobieta może sprawować kościelny urząd diakonisy dopiero po przekroczeniu sześćdziesiątego roku życia. Zabroniono również diakonisom zapisywać swe majątki na rzecz gmin współwyznawców, osób duchownych, a nawet ubogich. Zakaz słuszny, na pewno bowiem niejedna rodzina cierpiała skutkiem fanatycznej pobożności niewiast przekazujących Kościołowi cały majątek — niekiedy może i świadomie po to tylko, aby dokuczyć najbliższym spadkobiercom. Ustawa wszakże obowiązywała zaledwie dwa miesiące, anulowano ją bowiem już pod koniec sierpnia, niewątpliwie w wyniku ostrych sprzeciwów kleru.

Inna ustawa zabroniła mnichom pobytu w miastach. Ta obowiązywała przez dwa lata. Przypuszcza się, że właściwym jej autorem był Tacjan, prefekt pretorium Wschodu, poganin.

Ale jednocześnie trwały poufne rokowania i rozmowy między dworem a biskupem Mediolanu. Teodozjusz czynił gesty pojednawcze, czego wyraz znajdujemy również w jednej z ustaw tego okresu. Nakazywała ona, aby pomiędzy ogłoszeniem wyroku śmierci a jego wykonaniem upływało co najmniej 30 dni — czas do namysłu, refleksji, ewentualnej zmiany decyzji. Cesarz więc dał do zrozumienia, że poprzednio działał niekiedy nazbyt pochopnie.

Rokowania między dworem a biskupem wreszcie doprowadziły do porozumienia. Aż do świąt Bożego Narodzenia cesarz pojawiał się w kościele bez insygniów władzy, w charakterze pokutnika. Obchodzono te święta wówczas już w dniu 25 grudnia, poprzednio jednak istniały różne tradycje lokalne, a samo święto nie należało do najważniejszych, uważano bowiem, że nie ma ono znaczenia w porównaniu z pamiątką Męki Pańskiej. Wskazywano też, że to właśnie poganie święcą urodziny swych bogów i przykładają wagę do dnia urodzin każdego człowieka, aby sporządzić na tej podstawie horoskop astrologiczny. Dzień 25 grudnia przyjął się głównie dlatego, że chodziło o nadanie treści chrześcijańskiej wielkiemu świętu pogan. Czcili oni wówczas Słońce Niezwyciężone, pokonujące noc i rozpoczynające swój pochód ku wiosennemu odrodzeniu życia.

Tak więc dopiero 25 grudnia 390 roku Teodozjusz po raz pierwszy od wielu miesięcy uczestniczył w nabożeństwie w roli pełnoprawnego członka gminy.

Ze swej strony biskup Ambroży z pewną lubością i retoryczną przesadą przedstawiał później obraz władcy, który publicznie opłakiwał swój grzech w kościele — grzech, podkreślał biskup, popełniony głównie skutkiem podstępu innych osób. Starał się więc odciążyć cesarza, dawał do zrozumienia, że został on wprowadzony w błąd i oszukany.

Prześladowania innowierców

Teodozjusz starał się obecnie wykazać swoją pobożność ostro atakując kult dawnych bogów. W lutym 391 roku ukazała się jego ustawa będąca w istocie wyrokiem śmierci dla wierzeń i obrzędów pogańskich. Jej początek brzmi: ,,Niech nikt się nie kala składaniem ofiar! Niech nikt nie zabija zwierzęcia niewinnego, niech nikt nie wchodzi do przybytków pogańskich, aby oglądać świątynie i patrzeć na podobizny ukształtowane ręką człowieczą! Kto bowiem popełniłby te przestępstwa, ma wiedzieć, że ściągnie na siebie kary boże i ludzkie. Także dostojników niech obowiązuje ów zakaz. Jeśli którykolwiek z nich, oddany kultowi pogańskiemu, wejdzie do świątyni, aby cześć okazać, musi natychmiast wypłacić 15 funtów złota. Także cały jego urząd, jeśli nie da wyrazu swemu sprzeciwowi i nie poświadczy tego bezzwłocznie i publicznie, ma złożyć na rzecz skarbu sumę w tejże wysokości''.

Nieco mniejsze, lecz również dotkliwe grzywny nakładała ustawa na niższych rangą namiestników, gdyby dopuścili się czynu tak karygodnego. Przewidywała też odpowiedzialność finansową dla tych urzędników, którzy nie przeszkodzili im w oddawaniu hołdu ,,demonom'' lub nie donieśli, że popełniono zbrodnię tak straszliwą. Jak ponura atmosfera od momentu ogłoszenia ustawy musiała ciążyć nad pracą urzędów w Rzymie i w prowincjach! Jak wzajem się podejrzewano i śledzono, ile pojawiło się intryg, oszczerstw i donosów!

A wśród wysokich dostojników wciąż jeszcze wielu wyznawało i praktykowało dawną wiarę. Do nich należał prefekt Rzymu Albin oraz obaj konsulowie roku 391, Tacjan i Symmachus, wyznaczeni na tę godność zapewne jeszcze w okresie, gdy stosunki cesarza z Ambrożym były napięte. Obecna ustawa godziła w nich bezpośrednio. Musieliby albo zaprzeć się swej wiary, albo też znosić wstrętne dokuczliwości od byle skryby, byle woźnego we własnych biurach i kancelariach.

W czerwcu tegoż roku ukazało się jakby powtórzenie owej ustawy, skierowane do najwyższych dostojników w Egipcie; są tam między innymi takie zdania: ,,Niech wiedzą wszyscy, że rygiel naszej ustawy zamyka dostęp do wszystkiego co pogańskie. Kto by usiłował wbrew niniejszemu zakazowi czynić cokolwiek związanego z bogami i ich kultem, nie spotka się z żadną pobłażliwością''.

Trudno określić, czy ustawa ta była skutkiem czy też przyczyną wielkich rozruchów, jakie w roku tym rozpętały się w Aleksandrii. Doszło tam do gwałtownych walk pomiędzy chrześcijanami i poganami, które pociągnęły za sobą wiele ofiar śmiertelnych.

Zaczęło się od tego, że tamtejszy biskup, Teofil, przystąpił do burzenia świątyń dawnych bogów lub do zamieniania ich na kościoły, niszcząc i ośmieszając przy sposobności posągi i przedmioty kultowe. Poganie oczywiście wystąpili w ich obronie, polała się krew z obu stron.

Głównym punktem oporu ustępującej religii była świątynia Sarapisa. Bóg ten uchodził od wieków za symbol jedności wszystkich mieszkańców Egiptu, zarówno Greków, jak i Egipcjan. Przedstawiano go jako dostojnego mężczyznę w sile wieku o bujnych włosach i kędzierzawej brodzie, z rodzajem małego kosza na głowie; była to miara ziarna — symbol urodzaju. Był dla swych wyznawców Zeusem — ojcem bogów i ludzi, Plutonem — panem świata zmarłych, Asklepiosem — uzdrowicielem, Dionizosem — dawcą radości życia, Heliosem — Słońcem promiennym.

Jego ogromny, wspaniały przybytek wznosił się w dzielnicy zwanej Rakotis. Ammian Marcellinus pisze: ,,Niedostatek słów nie sprosta jego wielkości. Ma bardzo przestronne sale wsparte na kolumnach. Ma posągi, które zdają się oddychać. Zdobny jest bezlikiem dzieł tak świetnych, że po Kapitolu, wiecznym pomniku czcigodnego Rzymu, cały świat nie ogląda niczego, co by było tak dumne".

Wszystko to legło w gruzach. Tam, gdzie niegdyś rozciągał się kompleks zabudowań świątynnych, sterczy obecnie tylko jedna, samotna kolumna, zwana umownie kolumną Pompejusza. Prace zaś wykopaliskowe, prowadzone tam w XIX wieku i po ostatniej wojnie, odsłoniły tylko resztki fragmentów architektury oraz podziemne korytarze z niszami, w których kładziono urny z popiołami zmarłych wyznawców boga.

Na rozkaz biskupa Teofila został też porąbany i spalony kolosalny posąg Sarapisa, wykonany niemal siedemset lat wcześniej, podobno przez samego mistrza rzeźby Briaksisa. Bóg siedział na tronie niby Zeus, a rękę prawą trzymał na łbie psa Cerbera, co oznaczało, że włada również światem podziemnym; prawicą obejmował berło. Poważny, dostojny i łaskawy patrzał wprost na tych, co wkraczali w progi świątynne. Posąg, wykonany z drewna, pokrywała złocona blacha, zdobna klejnotami.

Niszczono wówczas z fanatyczną zaciekłością mnóstwo posągów, a były to częściowo arcydzieła sztuki. Palono je, przetapiano, rąbano. Działo się tak dlatego, że „bałwany" uważano za przeklęte i groźne nie tylko z wyglądu, ale i z samej istoty. Uraz na tym punkcie pozostał w Kościele wschodnim na zawsze, stąd też w cerkwiach nigdzie nie spotka się figur, choć dopuszczono — też nie bez oporów — obrazy. W Kościele natomiast zachodnim, gdzie chrześcijaństwo było płytsze i gdzie rzadko dochodziło do scen tak spektakularnych, jak rozwalanie posągu Sarapisa, sprawy te potoczyły się inaczej, łagodniej. Stąd też obecność rzeźb figuralnych w kościołach. Tak więc ustawy Teodozjusza z 391 roku i krwawe wydarzenia w Aleksandrii zaznaczają się swymi skutkami dziś jeszcze.

Tymczasem rezydujący w Mediolanie cesarz otrzymywał niepokojące wieści z Konstantynopola, gdzie na dworze doszło do otwartego konfliktu między jego starszym synem, Arkadiuszem, i drugą żoną — a więc macochą Arkadiusza — Gallą. Wczesnym latem 391 roku Teodozjusz opuścił więc Italię i skierował się na Wschód.

Opuściwszy Italię Teodozjusz latem i jesienią 391 roku toczył ze zmiennym szczęściem walki z Gotami na Bałkanach. Główną kwaterę miał wtedy w Tesalonice. Uroczysty wjazd do Konstantynopola odbył 10 listopada i odtąd przebywał tam ponad dwa lata, aż do wiosny 394 roku. To miasto było jego ulubioną rezydencją, uświetniał je i rozbudowywał jak chyba żaden z poprzedników, z wyjątkiem oczywiście Konstantyna Wielkiego.

1 stycznia 392 roku objęli godność nowi konsulowie: Arkadiusz oraz Rufin, naczelnik urzędów pałacowych. Zaszczyt, jaki spotkał tego drugiego, wskazywał, że odtąd stronnictwo nieprzejednanych chrześcijan będzie decydowało w sprawach polityki wewnętrznej. Wprawdzie wśród najwyższych dostojników wciąż jeszcze znajdowali się wyznawcy dawnych bogów: Tacjan, prefekt pretorium Wschodu, jego syn Prokulus, prefekt Konstantynopola oraz Nikomach Flawian, prefekt pretorium Italii i Ilirii — czas jednak wyraźnie pracował na ich niekorzyść. Wysiłki i knowania Rufina musiały wydać owoce.

Tymczasem w lutym 392 roku odbyła się nad Bosforem wielka uroczystość religijna z udziałem cesarza. Przeniesiono mianowicie do Konstantynopola z Chalcedonu rzekomą głowę Jana Chrzciciela; tego, który przed czterema wiekami został ścięty przez Heroda Antypasa, gdy poprosiła go o to Salome w nagrodę za swój taniec. Odnaleziono głowę przed kilkunastu laty, za panowania Walensa, potem wieziono ją do Konstantynopola, ale została zatrzymana pod Chalcedonem, chyba skutkiem sporów między sektami. Wzięto ją stamtąd dopiero dzięki osobistej interwencji Teodozjusza, który owinął relikwię swym purpurowym płaszczem i złożył w nowo zbudowanym kościele Jana Chrzciciela w dzielnicy Hebdomon. Sprawa ta to tylko jeden z przykładów, jak bardzo wzmógł się w IV wieku kult relikwii; toteż odnajdywano ich coraz więcej, zgodnie z pragnieniami wierzących i otaczano czcią coraz większą.

Wśród ustaw Teodozjusza z wiosny 392 roku dwie zasługują na szczególną uwagę. Pierwsza uchylała wydany przed dwoma laty zakaz przebywania mnichów w miastach. Druga zabraniała urządzania igrzysk w niedzielę, to bowiem przeszkadza nabożeństwom kościelnym, chyba że właśnie na niedzielę przypada rocznica urodzin cesarza. W niektórych krajach Europy ustawa ta obowiązywała w praktyce niemal po dni nasze.

Pod koniec maja dotarła nad Bosfor niespodziewana wiadomość z Wienny w południowej Galii: 15 maja zmarł tam w tajemniczych okolicznościach cesarz Walentynian II, współwładca i szwagier Teodozjusza, mający zaledwie 21 lat. Okoliczności śmierci nigdy nie zostały wyjaśnione do końca, relacje są rozbieżne. Faktem jednak było, że młodego cesarza znaleziono wiszącego i już martwego w jednym z pokojów pałacu. Pytano: samobójstwo czy też mord?

Nie ulegało wszakże wątpliwości, że główną odpowiedzialność za to, co się stało w pałacu wienneńskim, ponosi Arbogast, najbardziej wpływowa osobistość u boku Walentyniana II. Ten Frank z pochodzenia służył w armii rzymskiej od lat dzielnie i wiernie, był też powściągliwy w sprawach majątkowych, cechował się natomiast niepohamowaną ambicją. Obsadził wszystkie stanowiska swoimi ludźmi, odsunął Walentyniana całkowicie od wpływu na sprawy państwa, pozostawił mu tylko funkcje reprezentacyjne, czyniąc go niemal więźniem pałacu. Był więc Arbogast pierwszym w dziejach Rzymu germańskim wodzem traktującym cesarza tylko jako marionetkę. W następnych dziesięcioleciach takie sytuacje miały powtarzać się coraz częściej.

A Walentynian chciał być władcą rzeczywistym, jak niegdyś jego ojciec. Mimo młodego wieku był człowiekiem poważnym, myślącym, dumnym ze swego rodu. Tymczasem zaś wszyscy okazywali mu lekceważenie, nawet służba. Nie mógł decydować o miejscu swego pobytu. Arbogast w szczególności nie godził się na powrót do Italii, tam bowiem młody władca znalazłby szerokie poparcie. Na próżno honorowy więzień słał listy do Teodozjusza. Wezwał wreszcie biskupa Ambrożego, by przyjechał z Mediolanu do Wienny, udzielił mu chrztu i pośredniczył w sporze z Arbogastem. Biskup już był w drodze, już przekroczył przełęcze alpejskie, gdy doniesiono o tragicznym zgonie Walentyniana. Zawrócił.

Bezpośrednią przyczyną dramatu stało się niewątpliwie wstrząsające wydarzenie podczas zebrania konsystorza cesarskiego: Arbogast rzucił się z mieczem w ręku na dostojnika, który ośmielił się sprzeciwić jego zdaniu — i zabił go, choć Walentynian usiłował osłonić nieszczęśnika. Gdy konsystorz znowu się zebrał, cesarz patrząc na zabójcę wzrokiem ziającym nienawiścią wręczył mu pismo, zwalniające go z mocą natychmiastową z wszystkich piastowanych godności. Zdymisjonowany Germanin odpowiedział nową zniewagą majestatu, podarł bowiem pismo pogardliwie w obecności wszystkich krzycząc z pasją: „Nie ty dałeś mi władzę i nie ty mi ją odbierzesz!" Cesarz usiłował wówczas wyrwać miecz z ręki żołnierza straży i przebić nim Arbogasta, lecz żołnierz, chyba też Germanin, broni nie oddał.

Potem już musiało się stać to, co się stało. Sprawy zaszły za daleko. I może rację mieli ci, co podejrzewali, że Walentyniana skrytobójczo uduszono w nocy, zwłoki zaś powieszono, aby upozorować samobójstwo.

Ciało zostało przewiezione do Mediolanu i złożone w pałacu w oczekiwaniu na decyzję Teodozjusza, gdzie ma się odbyć pogrzeb. A cesarz zwlekał długo. Siostry Walentyniana, obie niezamężne, Justa i Grata, opłakiwały brata nieprzerwanie i z wielką żałością, toteż usiłował je powściągnąć nawet biskup Ambroży.

Siostra trzecia, Galla, żona Teodozjusza, przebywająca wtedy zapewne w Konstantynopolu, rozpaczała również dlatego, że obawiała się, aby śmierć brata nie wpłynęła zgubnie na losy jej samej i maleńkiej córeczki, Galli Placydii; dobrze wiedziała, jaką nienawiścią darzy ją Arkadiusz.

Dopiero w ostatnich dniach sierpnia Teodozjusz zadecydował, że zwłoki mają spocząć w Mediolanie obok grobowca Gracjana. Biskup Ambroży przygotował wspaniały sarkofag porfirowy i wygłosił podczas uroczystości pogrzebowych mowę do dziś zachowaną.

Arbogast i Eugeniusz

Wydarzenia w Wiennie postawiły Teodozjusza w sytuacji bardzo trudnej. Musiał postępować ostrożnie, by nie zrazić Arbogasta, który miał faktycznie w swym ręku prowincje zachodnie. Ten wprawdzie jako Germanin nie miałby nawet cienia szansy na obwołanie się cesarzem, mógłby natomiast przyoblec w purpurę człowieka całkowicie sobie posłusznego. Grając więc na zwłokę Teodozjusz uznał za wiarygodną relację o śmierci Walentyniana II, którą przekazali posłowie Arbogasta, a także kazał pochować zwłoki nie w Konstantynopolu, lecz w Mediolanie, co nadało ceremonii charakter skromniejszy.

Mimo to Arbogast pierwszy uczynił krok stanowczy: 22 sierpnia 392 roku wyniósł na tron nowego, a raczej swojego cesarza zachodniej części imperium. Został nim profesor literatury łacińskiej i retoryki Flawiusz Eugeniusz, mający już przekroczoną czterdziestkę.

Kariera to tak niezwykła, i to nie tylko w starożytności — z katedry uczelnianej na tron cesarski! — że oczywiście wymaga wyjaśnień. Otóż początek sprawy sięgał 389 roku, gdy w lecie Teodozjusz krótko bawił w Rzymie, a towarzyszył mu naczelnik wojsk Rychomeres, Frank z pochodzenia i bliski krewny Arbogasta. Właśnie Rychomeres poznał wtedy Eugeniusza, co stało się chyba za pośrednictwem senatora Symmachusa, świetnie zorientowanego w środowisku intelektualistów. A ponieważ Eugeniusz był nie tylko znakomitością w swej dziedzinie, ale odznaczał się również kulturą osobistą, miłym obejściem, dowcipem, Rychomeres z kolei polecił go Arbogastowi, który wówczas wyjeżdżał do Galii jako komes u boku młodego Walentyniana i poszukiwał kierownika sekretariatu cesarskiego.

I tym to sposobem profesor, choć nie piastował dotychczas żadnego urzędu, otrzymał natychmiast wysokie stanowisko i udał się wraz z dworem do Galii. Wybór, niewątpliwie trafny pod wielu względami, okazał się przede wszystkim nader wygodny dla Arbogasta. Właśnie poprzez Eugeniusza komes wiedział o każdym piśmie, które otrzymywała lub wysyłała kancelaria — a więc i o tym, że ma zostać odwołany ze swego stanowiska, i o tym również, iż oczekuje się przybycia biskupa Ambrożego.

Powstaje pytanie, dlaczego inteligentny, kulturalny Rzymianin stał się sojusznikiem germańskiego oficera przeciw

prawowitemu cesarzowi? Można by odrzec, że widocznie Eugeniusza przekupiono lub znęcono obietnicą jeszcze świetniejszego awansu, a intelektualiści nie zawsze okazują się odporni na pokusy lub groźby. Ale może istniały jakieś głębsze, racjonalne powody? Może ci dwaj współdziałali mając na oku dobro nie tylko swoje, lecz i państwa? Może Walentynian II nie był człowiekiem tak nieskazitelnym, tak łatwym w pożyciu i godnym podziwu, jak to przedstawiał ze zrozumiałych względów biskup Ambroży w mowie pogrzebowej? Pewne czyny i gesty młodego władcy, przypadkowo przekazane, dają dużo do myślenia. W pewnych okolicznościach, jak się wydaje, postępował on zbyt porywczo, bywał również drażliwy i reagował gwałtownie na wszelką, choćby tylko pośrednią krytykę, postępował niekiedy dziwacznie. Rozkazał na przykład wybić wszystkie zwierzęta w swym parku myśliwskim tylko dlatego, że ktoś zarzucił mu zbytnią skłonność do polowań. A gdy ktoś inny zażartował, że cesarz bardzo wcześnie zasiada do śniadania, obraził się i przestał w ogóle jadać rano. Sprawy to drobne i nieistotne, świadczą jednak, jak trudno było z nim obcować na co dzień.

Nowy pan Zachodu — *Imperator Caesar Flavius Eugenius Augustus* — zaczął natychmiast zabiegać o pojednanie z Teodozjuszem. Wyprawił poselstwo do Konstantynopola. Oczywiście Eugeniusz występował jedynie we własnym imieniu, nie wspominał w swym piśmie ani słowem o Arbogaście. Cesarz znowu długo zwlekał z odpowiedzią. Wreszcie odprawił wysłanników uzurpatora w sposób godny, nie szczędził darów, wygłosił nawet mowę pożegnalną, tak jednak zawiłą i dyplomatyczną, że nikt nie był w stanie zrozumieć, jakie zajmie stanowisko wobec Eugeniusza.

W istocie jednak, niezależnie od tego, co cesarz mówił i jak się zachowywał, decyzja już zapadła. Teodozjusz nie miał najmniejszego zamiaru uznawać w jakiejkolwiek formie tamtej strony za władzę legalną. W obronie jedności imperium i dziedzictwa swych synów gotów był na wszystko, nawet na wszczęcie nowej wojny domowej.

Przygotowując się do rozprawy z samozwańcem cesarz przeprowadził najpierw czystkę wśród najwyższych dostojników podejrzanych o chwiejność lub nielojalność. Ofiarą jej padli wyłącznie poganie, co wskazuje, że stał za tym Rufin, od jesieni 392 roku prefekt pretorium Wschodu. Ustawa z listopada tegoż roku zakazała pod rygorem najsurowszych kar składania jakichkolwiek ofiar dawnym bogom, wydając na nich ostateczny wyrok śmierci.

Sprawy to niezmiernie ważne dziejowo, toteż jeszcze do nich wrócimy, wpierw jednak należy przedstawić przebieg konfliktu między obu władcami.

Eugeniusz i Arbogast zajęli się najpierw obroną granicy Renu przed Germanami. Zimą z 392 na 393 rok wojska ich przekroczyły w okolicach Kolonii tę wielką rzekę i spustoszyły ziemie Franków. Potem zawarto z nimi oraz z Alamanami pokój korzystny dla imperium.

Wiosną 393 roku samozwaniec zajął bez walki Italię. Biskup Ambroży już nie odmawiał mu tytułu cesarza, ale dyplomatycznie wyjechał z Mediolanu przed jego przybyciem. Radośnie natomiast witali nowego pana wierni bogom senatorzy w Rzymie. Eugeniusz, choć dotychczas uchodził za chrześcijanina, nie zawiódł ich oczekiwań, przywrócił bowiem dobra zabrane świątyniom. Podporą polityki religijnej Eugeniusza stali się płomienni orędownicy sprawy bogów, Nikomachowie Flawianowie, ojciec i syn, prefekt pretorium Italii i prefekt Rzymu.

Mogło się wydawać, że powracają dni cesarza Juliana, tak bowiem szybko, tak żywiołowo odżywały dawne kulty. Konflikt więc między Teodozjuszem a Eugeniuszem nabierał ogromnego wymiaru, gdyż od jego wyniku mogły zależeć losy religii i kultury europejskiej.

Samozwaniec i Arbogast mieli w swych rękach Brytanię, Galię, Hiszpanię, Italię — i na razie nie chcieli niczego więcej. Ofensywę musiał wszcząć Teodozjusz. Zebrał ogromną armię; po śmierci Rychomeresa główną rolę odgrywali w niej Gajnas i Stylichon, Got i Wandal. Cesarz opuścił Konstantynopol dopiero w maju 394 roku, pogrążony w żałobie po śmierci żony Galli, która zmarła w połogu wydając na świat dziecko martwe.

Na wieść o tym, że wojska Teodozjusza już stoją u wschodnich podnóży Alp, Eugeniusz i Arbogast wyjechali w lipcu z Mediolanu. Obsadzili góry pomiędzy Akwileją a Emoną, obecną Lublaną. Główny obóz rozbili w dolinie potoku Frygidus, dopływu rzeki Isonzo (*Sontius*), otaczając go drewnianą palisadą i wieżami. Na szczytach gór ustawili posągi Jowisza — symbol sprawy, o którą toczy się wojna.

5 września wojska Teodozjusza usiłowały sforsować dolinę potoku, lecz poniosły straszliwe straty i musiały się wycofać. Ludzie Eugeniusza przez całą noc już świętowali zwycięstwo przy płonących ogniskach. Wodzowie Teodozjusza natomiast zastanawiali się, czy nie rozpocząć póki czas odwrotu. Ostatecznie jednak postanowili wyzyskać brak czujności wroga i przerzucić nocą jak najwięcej wojsk w dolinę.

Tak więc rankiem 6 września wrogie zastępy znowu zwarły się w walce. O jej wyniku zadecydowały dwa wypadki. Najpierw zerwał się silny wicher, który uderzył wprost w szeregi Eugeniusza, odbierając siłę miotanym stąd pociskom, dodając natomiast impetu strzałom i pociskom strony przeciwnej. Potem zaś żołnierzom Teodozjusza udało się podpalić drewniane umocnienia obozu, gdzie już się schroniła duża część wojska Arbogasta.

W zamieszaniu został pojmany przez nacierających sam Eugeniusz. Przywiedziono go przed oblicze zwycięzcy i ścięto. Głowę zatknięto na wysokiej włóczni i obnoszono po całym polu bitwy, aby pokazać żołnierzom galijskim, że opór ich jest już daremny.

Arbogast zdołał zbiec. Przez dwa dni błąkał się po górach, ale nie widząc żadnej możliwości ratunku popełnił samobójstwo — rzucił się na swój miecz. Zadał sobie śmierć także starszy Flawian, podobno ku żalowi cesarza. Jego synowi Teodozjusz okazał łaskę.

Tak więc od 6 września 394 roku imperium miało tylko jednego władcę faktycznego, Teodozjusza, i jedną tylko religię panującą, chrześcijaństwo. Bogowie zostali pokonani.

W połowie września 394 roku, a więc wkrótce po bitwie nad rzeczką Frygidus, cesarz Teodozjusz spotkał się w Akwilei z biskupem Ambrożym. Ściągnął on na siebie gniew imperatora za to, że uznał formalnie samozwańca, musiał więc teraz gęsto się tłumaczyć. Biskup wszakże przyjął rychło zawsze skuteczny sposób obrony: sam przeszedł do ataku. Nie pozwolił władcy uczestniczyć w nabożeństwach, twierdząc, że ma jeszcze skrwawione ręce. Teodozjusz musiał się upokorzyć, zapomnieć o urazie politycznej — i został dopuszczony do wspólnoty kościelnej.

Po krótkiej wizycie w Mediolanie cesarz wyjechał w październiku tegoż roku do Rzymu. Był to jego drugi pobyt w kolebce i stolicy imperium, w mieście, którego warstwy wyższe, senatorzy i intelektualiści, wciąż jeszcze w przeważającej części okazywali jawne przywiązanie do dawnych kultów i dlatego też w ostatnich latach stanęli po stronie Eugeniusza.

A tymczasem Teodozjusz, zawsze niechętny starej religii, przeszedł ostatnio do bezkompromisowej z nią walki. Rozpoczęła się ona, jak wspomniano o tym wyżej, w 392 roku od znamiennych przesunięć na najwyższych stanowiskach. Nowy prefekt pretorium Wschodu, Rufin, najpierw wyparł z widowni politycznej dwóch czcicieli bogów, swego poprzednika Tacjana i jego syna Prokulusa, prefekta Konstantynopola. Następnie uznał, że należy zniszczyć ich również fizycznie; zapewne obawiał się, aby nie powrócili oni do łask i godności jako ludzie bardzo zasłużeni, popularni i cieszący się dużym autorytetem.

Pozwał przed trybunał sądowy — któremu sam przewodniczył! — Tacjana. Został on oskarżony o nadmierne zwiększanie obciążeń podatkowych i zbyt rygorystyczne konfiskowanie majątków prywatnych. Ale — rzecz znamienna! — nawet Rufin nie ośmielał się zarzucać Tacjanowi nieuczciwości. Obwiniał go tylko o surowe egzekwowanie roszczeń skarbu, co oczywiście musiało wywołać aplauz opinii społecznej, choć każdy wiedział, że Tacjan czynił to z najwyższego rozkazu.

Prokulus przewidując słusznie, ku czemu zmierza to wszystko, uciekł w porę i tylko ojciec wiedział, gdzie go szukać. Zdołano przekonać Tacjana, że będzie lepiej dla nich obu, jeśli Prokulus również stawi się przed sądem. Lecz gdy były prefekt

Konstantynopola pojawił się w mieście, został natychmiast uwięziony. Proces obu ciągnął się przez wiele miesięcy; ostatecznie wydano podwójny wyrok śmierci. Stracono Prokulusa w obecności ojca; ten został ułaskawiony, ale poszedł na wygnanie, a cały jego majątek zabrano. Później Tacjanowi przywrócono tytuł, ale posiadłości nie odzyskał. Żył głównie z jałmużny, a zmarł w podeszłym wieku, podobno oślepły.

Proces tych obu wyznawców wiary przodków dopiero się rozpoczynał, kiedy opublikowano w dniu 8 listopada 392 roku ustawę godzącą totalnie i bezwzględnie w dawne kulty. Jest to najobszerniejszy i najważniejszy akt prawny tego typu w całym zachowanym ustawodawstwie rzymskim. Zbiera, ujednolica i zaostrza wszystkie wcześniejsze; a przecież w ciągu IV wieku kolejni cesarze wydali ich sporo.

Zakazuje się więc wykonywania wszelkich obrządków ku czci bogów w jakichkolwiek formach i bez wyjątku. Nie wolno ich praktykować nikomu, nigdzie, w żaden sposób, ani w świątyniach, ani nawet w domach prywatnych. Nie wolno składać w ofierze nie tylko zwierząt, ale nawet najskromniejszych darów symbolicznych, a więc kwiatów i kadzideł, nie wolno też zapalić lampki lub świeczki przed posągiem lub obrazem, jest to bowiem karygodny akt bałwochwalstwa.

Ustawa zwracała się przeciw najprostszym, a więc i najbardziej żywotnym kultom, zwłaszcza wieśniaczym. Kto by drzewo oplótł wstążką, kto by wzniósł ubogi ołtarzyk ziemny obłożony darnią, obrażał tym samym — tak twierdzi ustawa — religię. Toteż właściciel domu lub ziemi, gdzie odbyła się ceremonia, zostanie ukarany konfiskatą owej posiadłości, jeśli o przestępstwie wiedział lub w nim uczestniczył; lecz gdyby nawet stało się to bez jego wiedzy, musiał wpłacić tytułem grzywny 25 funtów złota, tak jak i każdy z uczestników zakazanego obrzędu. Opiekunowie miast i członkowie rad miejskich mają donosić natychmiast o wypadkach pogwałcenia prawa, jeśliby zaś władze usiłowały rzecz zataić, same poniosą karę, podobnie jak sędziowie, którzy odkładaliby wyrok.

A więc dzień 8 listopada 392 roku miał stać się dniem oficjalnej śmierci kultu bogów w granicach imperium. Taka była wola cesarza oraz jego doradców. Wbrew jednak wszelkim wysiłkom i prześladowaniom nawet cios tak potężny nie powalił zupełnie dawnej wiary. Żyła ona jeszcze tajnie przez wieki, a naprawdę nigdy nie zmarła. Owszem, przeszła pewną przemianę, przybrała inne oblicze, odmieniła imiona i nazwy — i weszła chyłkiem do obozu wroga. Ale to już inna sprawa. W każdym razie odtąd trzeba było przemyślnych sposobów i wybiegów, by jeszcze praktykować kulty starych bogów.

Pośrednim skutkiem ustawy było prawdopodobnie to, iż igrzyska w Olimpii w 393 roku już się nie odbyły. Złożyły się na to oczywiście również inne przyczyny: wyludnienie tamtejszych okolic, brak funduszów, obecność Gotów na ziemiach stosunkowo bliskich. Ustawa wszakże musiała mieć znaczenie, igrzyska bowiem zawsze wiązały się z pewnymi ofiarami i ceremoniami przy ołtarzach bogów, a zwłaszcza w świętyni pana miejscowości i opiekuna zawodów — Zeusa.

Istniał też jeszcze głębszy powód śmierci igrzysk olimpijskich. Oto wyznawcy zwycięskiej religii głosili pogardę wobec wszystkiego, co wiąże się z cielesnością. Twierdzili, że jest ona grzeszna, skażona złem i ku niemu ciążąca. Jakże więc cieszyć się i radować swą cielesną powłoką, jakże podziwiać jej budowę, sprawność i urodę! A cóż to dopiero za zgorszenie, jeśli potępione ciało odprawia haniebne harce w zawodach ku czci pogańskich bogów, którzy są przecież tylko niebezpiecznymi demonami, sługami szatana!

Owe wołania i pomstowania nie dawały wprawdzie pożądanych przez chrześcijan skutków, zamiłowanie bowiem do sportu i igrzysk było w szerokich kręgach zbyt silne, ale ziarno uporczywie zasiewane wydało swój plon w średniowieczu w postaci zaniedbania elementarnych zasad higieny; ba, można by mówić niekiedy o kulcie brudu. Co z kolei powodowało fale potwornych epidemii.

O tym, że igrzyska w Olimpii odbyły się po raz ostatni za Teodozjusza, informuje nas jedynie krótka notatka w dziele historyka bizantyjskiego, Kedrenosa. Pierwsze zanotowane przez Greków odbyły się w roku 776 p.n.e., a potem urządzano je regularnie co cztery lata, a więc przynajmniej przez dwanaście wieków. Były integralną częścią, a zarazem symbolem wielkiej cywilizacji zwanej przez nas antyczną. Kto by więc szukał faktu prawdziwie oddzielającego świat kultury starożytnej od mroków średniowiecza, winien uznać za taki zgaśnięcie znicza olimpijskiego. Wtedy to umarła epoka stawiająca sobie za ideał radość i barwność życia, piękno ciał, umiar pragnień i pogodę ducha; ustąpiła miejsca czasom hołdującym bardzo odmiennym wierzeniom i wartościom.

Wróćmy jednak do krótkiego pobytu Teodozjusza w Rzymie w październiku 394 roku. Otóż doszło wtedy do jawnego i ostrego starcia między cesarzem a senatem — w większości, jak się rzekło, wiernym religii ojców. Władca zażądał wprost, by senatorzy porzucili ową błędną wiarę i stali się chrześcijanami. Nikt jednak — tak zapewnia jeden z autorów starożytnych — nie poszedł za tym wezwaniem. Przeciwnie, oświadczono śmiało, że już 1200 lat, odkąd trwa to miasto, przestrzega się tu pobożnie kultów ojczystych; Rzym stał się potęgą dzięki opiece bogów, a trudno przewidzieć, co się zdarzy, gdyby porzucono dawne obrzędy.

Cesarz zagroził, że nie pozwoli, by łożono pieniądze państwowe na pogańskie ofiary, które znosi całkowicie. Senat zaprotestował wskazując, że ofiary w intencji dobra społecznego można zgodnie z tradycją składać tylko na koszt publiczny, co oczywiście Teodozjusza nie przekonało. Ustawa zabraniająca dawnych kultów miała i tu obowiązywać w całej rozciągłości. Wyznawcy starej religii mogli już wkrótce wołać z bólem, ale i z pewną satysfakcją, że zdrada bogów spowodowała ruinę imperium. A skład senatu zmieniał się szybko, dopuszczano bowiem do tego dostojnego zgromadzenia tylko chrześcijan.

Krążyła opowieść, że podczas tegoż pobytu w Rzymie bratanica cesarza, Serena, żona Stylichona, przywłaszczyła sobie drogocenny naszyjnik, złożony niegdyś jako wotum w świątyni Cybeli. Gdy usłyszała o tym pewna dawna westalka, przeklęła sprawczynię świętokradztwa i cały jej ród.

Na początku zimy cesarz był już w Mediolanie i tu powitał nowy rok — 395. Był bardzo osłabiony, co otoczenie tłumaczyło trudami zeszłorocznej kampanii wojennej, tej przeciw Eugeniuszowi i Arbogastowi. Lecz wbrew opinii przyczyna niemocy tkwiła głębiej, była więc tym groźniejsza. Dla mężczyzny około pięćdziesiątki dowodzenie operacjami wojennymi w polu nie mogło przecież stanowić wysiłku nadmiernego. W rzeczywistości odporność organizmu cesarza osłabiała nieuleczalna choroba, którą wtedy zwano z grecka *hyderos* lub *hydrops*. W terminologii medycyny antycznej oznaczać to mogło zarówno puchlinę i obrzęki, jak też nadmierne, ustawiczne pragnienie. W tym drugim wypadku w grę wchodziłaby chyba cukrzyca, w pierwszym natomiast niewydolność wątroby, nerek, układu krążenia. W każdym razie chory czuł się tak źle, że dni swoje uważał już za policzone. Przygnębiała go również, tak opowiadano, przepowiednia pewnego pustelnika, że w wojnie z Eugeniuszem wprawdzie zwycięży, ale wnet potem umrze.

Cesarz rozkazał przywołać z Konstantynopola swego niespełna jedenastoletniego syna Honoriusza. Starszy, Arkadiusz, już osiemnastoletni, miał pozostać nad Bosforem. Obaj nosili już tytuły augustów, byli więc formalnie współwładcami ojca.

Gdy tylko chłopiec stanął w Mediolanie, ojciec jakby odzyskał siły. I to do tego stopnia, że uznał za wskazane właśnie teraz i tutaj uczcić wyścigami rydwanów zwycięstwo, jakie w roku ubiegłym odniósł nad samozwańcem. Zawody miały się rozpocząć 17 stycznia.

Cesarz przybył z orszakiem na stadion już we wczesnych godzinach rannych. Prezydował zawodom aż do posiłku przedpołudniowego. Gdy tylko go spożył, zasłabł i nie był w stanie powrócić do loży. Prosił więc, aby w zastępstwie syn objął przewodnictwo. Rzecz to znamienna, że nie chciał i nie pozwolił, by przerywano lub odkładano igrzyska. Z pewnością więc ani on sam, ani też nikt z obecnych nie podejrzewał, że kres tak już bliski. Zresztą wyścigi miały trwać jeszcze przez dłuższy czas, albowiem właśnie za 2 dni, to jest 19 stycznia, obchodzono by szesnastą rocznicę wstąpienia władcy na tron.

Spośród członków rodziny znajdowało się w Mediolanie kilka osób. Poza wspomnianym Honoriuszem i jego przyrodnią siostrą, kilkuletnią Gallą Placydią — która miała tak zasłynąć w latach późniejszych dzięki niezwykłym losom — przebywali też w mediolańskim pałacu bratanica cesarza, Serena, oraz jej mąż komes Flawiusz Stylichon, naczelnik wojsk pieszych i jazdy w prowincjach zachodnich. Umierający polecił swoje potomstwo właśnie jego opiece.

Na wyraźne życzenie władcy przybył do pałacu także biskup Mediolanu, Ambroży. Był on świadkiem zgonu cesarza w owym dniu 17 stycznia i zapamiętał też jego ostatnie słowo, jakie wymówił: *dilexi* — „umiłowałem". Czy odnosiło się ono do spraw wielkich, wiecznych, duchowych, czy też do ludzi żyjących i bliskich? A może konający wracał myślą do wspomnień dawnych i osób niegdyś drogich jego sercu — jak ojciec, wódz Teodozjusz, skazany na śmierć w Kartaginie prawie dwadzieścia lat temu?

Nie pozostawił natomiast cesarz żadnego testamentu — ani politycznego, ani też prywatnego. Ten pierwszy nie był zresztą potrzebny, skoro o wszystkim, co istotne, zadecydowano już wcześniej. Zgodnie z wolą ojca obaj synowie mieli panować wspólnie, z tym jednak, że dokonany został terytorialny podział kompetencji: połać wschodnia dla Arkadiusza, zachodnia zaś dla Honoriusza.

Imperium oczywiście miało być wciąż jedno i to samo, chodziło tylko — tak wtedy myślano — o czasowe i raczej formalne rozgraniczenie stref wpływów i bezpośredniego nadzoru, co przecież praktykowano już poprzednio często i zwykle z dobrym skutkiem. Któż mógł wtedy przewidzieć, któż by uwierzył, że właśnie obecny podział okaże się trwały, ostateczny, historycznie decydujący o losach imperium, a w znacznym stopniu i świata śródziemnomorskiego?

17 stycznia 395 roku stał się dniem śmierci jednolitego cesarstwa rzymskiego, a nawet całej epoki. Był bowiem Teodozjusz ostatnim władcą, który rządził niepodzielnie całym imperium od Brytanii po Eufrat. Odtąd rozpoczyna się historia dwóch państw faktycznie odrębnych: Bizancjum na wschodzie oraz Rzymu na zachodzie, a to drugie miało już niedługo znaleźć się w stanie agonii. Nikt zatem nie wiedział wtedy, że ów podział cesarstwa w istocie oznaczał jego rozpad.

Teodozjusz był też tym cesarzem, który ukończył dzieło chrystianizacji imperium, czynił zaś to z uporem, konsekwencją, a nawet zaciekłością. On także był sprawcą tego wreszcie, że zgasł znicz olimpijski; zapłonąć miał znowu dopiero po piętnastu wiekach. I właśnie ten moment, 1896 rok, należy uznać za prawdziwe odrodzenie szlachetnych ideałów i obyczajów świata antycznego.

Teodozjusz nie był władcą szczególnie wybitnym i uzdolnionym, a w swym postępowaniu i w rządach właściwie niczym się nie różnił od poprzedników, wyznawców dawnych bogów, może tylko tym, że mógł po dokonaniu zbrodni publicznie czynić pokutę i otrzymywać rozgrzeszenie, co go wybielało w oczach własnych i szerokich kręgów społecznych. Przy sposobności podnosiło to autorytet Kościoła i czyniło go instytucją nie tylko niezależną od władzy świeckiej, ale nawet od niej wyższą. Kryło to w sobie groźbę bardzo poważnego konfliktu w przyszłości, ale o tym nikt wówczas w tych kategoriach nie myślał — może poza garstką dalekowzrocznych myślicieli.

Potomność dała Teodozjuszowi przydomek Wielkiego, głównie chyba dlatego, aby go odróżnić od jego wnuka tegoż imienia. I choć naprawdę wielkim on nie był, wypada mu ów przydomek pozostawić, podkreśla on bowiem prawdziwie przełomowy charakter panowania: koniec jednej, początek nowej epoki.

Rozpad

Honoriusz

Flavius Honorius
Ur. 9 września 384 r.,
zm. 15 sierpnia 423 r.
Panował jako *Imperator Caesar Flavius Honorius Augustus* od 17 stycznia 395 r. do śmierci.

Stylichon i Klaudian

W chwili śmierci ojca, a nastąpiło to w Mediolanie 17 stycznia 395 roku, Honoriusz nie miał jeszcze 11 lat, nosił już jednak tytuł augusta i był przewidziany na władcę Zachodu. Umierający Teodozjusz uznał za dowód szczególnej łaski niebios, że przy jego łożu znajdował się zarówno on, syn młodszy, dopiero co przybyły z Konstantynopola, jak też córeczka z drugiego małżeństwa, Galla Placydia.

Ze względu na małoletniość chłopca opiekę nad nim, zgodnie z ostatnią wolą cesarza, obejmował doświadczony wódz Stylichon. Jego ojciec był Wandalem, matka wszakże Rzymianką, on zaś poślubił przed kilkunastu laty bratanicę cesarza Teodozjusza, Serenę, należał więc do rodziny panującej. Miał w 395 roku pod swym bezpośrednim dowództwem większość sił zbrojnych imperium, skupiono je bowiem w Italii do walki z samozwańcem Eugeniuszem.

Ambitny wódz utrzymywał potem, że konający władca powierzył mu pieczę nad całym cesarstwem, a więc również nad Konstantynopolem, gdzie panował Arkadiusz, starszy brat

Honoriusza. Te roszczenia Stylichona doprowadzić miały w przyszłości do wielu napięć i komplikacji w stosunkach między braćmi, a tym samym między wschodnią a zachodnią częścią cesarstwa, co pociągnęło za sobą dalsze konsekwencje o wymiarze historycznym. Narastająca bowiem wzajemna podejrzliwość pogłębiała faktyczny podział państwa, zmuszała oba dwory do prowadzenia polityki niekiedy wręcz nieprzyjaznej, wytworzyła na Wschodzie i Zachodzie poczucie odrębności.

Jednakże, o czym należy pamiętać, podtrzymywano fikcję jedności. Dokumenty tu i tam zawsze nosiły imiona obu braci, jakby panowali razem i najzgodniej; tak zresztą miało być i później. Wiele tekstów na przykład taki ma początek: *Imperatoribus invictissimis felicissimisque dominis nostris Arcadio et Honorio fratribus* — „Cesarzom najbardziej niezwyciężonym i najszczęśliwszym panom naszym, Arkadiuszowi i Honoriuszowi, braciom (...)". Ale była to już tylko czcza forma, imperium rozpadało się nieuchronnie.

Przez cztery lata od 395 roku młody cesarz nieprzerwanie rezydował w Mediolanie. Gdy na początku 396 roku obejmował tam trzeci z kolei konsulat, przybył do Rzymu pewien poeta, aby z tej okazji złożyć władcy wychwalający go utwór wierszowany. Rzecz się spodobała i poeta pozostał odtąd przy dworze. W roku następnym dostąpił on godności trybuna i notariusza. Zawdzięczał go głównie Stylichonowi, któremu uwielbienie okazywał bez miary, ale zręcznie i z polotem, i chyba też szczerze.

Poeta ów zwał się Klaudiusz Klaudian. Był twórcą wybitnym, a jego dzieła są najważniejszym źródłem informacji o tym okresie. Był z pochodzenia Grekiem, urodził się w Egipcie, może w Aleksandrii, toteż poezje układał najpierw po grecku. Gdy przeniósł się do Rzymu, zdobył w 395 roku rozgłos sławiąc pięknym wierszem łacińskim ówczesnych konsulów, braci Anicjuszów. Właśnie ten sukces otworzył mu drogę do Mediolanu.

Klaudian to poeta znakomity, ostatni tak z łaski bogów utalentowany w świecie łacińskim mistrz słowa i kompozycji; jeśli zaś należał do wyznawców nowej religii, to na pewno nie sercem i nie poświadczył tego w swych wierszach. Chętnie natomiast i przy każdej sposobności przywoływał bogów i wątki mitologiczne; uderza to zwłaszcza w trzech księgach poematu *Porwanie Prozerpiny*.

Ale główny przedmiot jego twórczości stanowiły bieżące wydarzenia polityczne. Tak więc gdy pod koniec 395 roku upadł Rufin — wszechwładny prefekt u boku cesarza Wschodu, Arkadiusza, a śmiertelny wróg Stylichona — Klaudian wnet wyszydził go i wysmagał. W kilka lat później jeszcze ostrzej zaatakował następcę Rufina, eunucha Eutropiusza — oczywiście również po jego upadku. To jeden z najzjadliwszych utworów łacińskich, bo także Eutropiusz był szczególnie znienawidzonym przeciwnikiem Stylichona.

Powróćmy jednak do przeglądu wydarzeń na Zachodzie w porządku chronologicznym. W 396 roku Stylichon demonstracyjnie na czele znacznych sił pożeglował w dół Renu aż do ujścia rzeki do morza. Po drodze zawierał układy z germańskimi wodzami plemion na brzegu wschodnim. Był to ostatni tej miary pokaz potęgi oręża rzymskiego w tamtych stronach.

Następnie wódz pośpieszył do Grecji, aby powstrzymać grabieżcze wypady Wizygotów pod wodzą Alaryka, wciąż niszczących prowincje bałkańskie. Zjawił się tam na prośbę samego Arkadiusza, niewiele jednak zdziałał — lub też nie chciał zdziałać, jak podejrzewali i głosili przeciwnicy polityczni. Ostatecznie, znowu na żądanie Arkadiusza, musiał opuścić Grecję.

Tymczasem w 397 roku wódz rzymski w Afryce, Gildon, podlegający władztwu Honoriusza, niespodziewanie wypowiedział mu posłuszeństwo i uznał za swego pana — Arkadiusza; ten zaś skwapliwie przyjął ofertę. Tak więc wschodnie i zachodnie części imperium stanęły przeciw sobie jak dwa wrogie mocarstwa, Rzym bowiem za żadną cenę nie mógł zrezygnować z bogatych prowincji afrykańskich, skąd sprowadzano zboże.

W początkach 398 roku Stylichon bardzo umocnił swoją pozycję wydając córkę Marię za Honoriusza — który miał wtedy zaledwie 14 lat. W ten sposób Wandal z pochodzenia stał się teściem rzymskiego cesarza! Wydarzenie to oczywiście dało Klaudianowi sposobność do ułożenia poematu weselnego; przedstawia w nim wspaniałą siedzibę bogini Wenus na Cyprze i podróż pani miłości przez morze do pałacu w Mediolanie, gdzie odbywa się ceremonia zaślubin. Utwór, co zrozumiałe, roił się od najpochlebniejszych wypowiedzi pod adresem ojca panny młodej, Stylichona. Poeta napisał też wesołe pieśni na wzór tych, które tradycyjnie śpiewano odprowadzając pannę młodą do domu męża. Zazwyczaj bywały one bardzo swawolne, ale w Klaudianowym ujęciu brzmią wytwornie.

Wiosna tegoż roku przyniosła Zachodowi ogromny sukces polityczny: rebeliant Gildon został pokonany przez własnego brata, którego wkrótce potem udało się Stylichonowi usunąć. Tak więc przywrócono w pełni władztwo Rzymu nad diecezją Afryki, a Konstantynopol doznał upokorzenia.

Klaudian — jakżeby inaczej! — wnet przedłożył cesarskiemu otoczeniu poemat o wojnie z Gildonem, wynoszący pod niebo zasługi Stylichona, choć ten osobiście tam nie dowodził. Ale właśnie Stylichon zebrał największe korzyści. Widomym symbolem jego chwały stał się posąg, który ufundowali mu na rzymskim Forum mieszkańcy afrykańskich prowincji, wdzięczni — przynajmniej tak utrzymuje zachowany do dziś napis — za uwolnienie od Gildona. Skonfiskowane zaś ogromne dobra rebelianta pozwoliły wzmocnić armię, a nawet pokryć koszty restauracji jednego z akweduktów w pobliżu stolicy, co znowu upamiętniono napisami ku czci Stylichona.

Wiadomości o zwycięstwach i potędze Rzymu pod rządami Stylichona — wszyscy bowiem zdawali sobie sprawę, że to on jest rzeczywistym panem Zachodu — docierały aż poza granice imperium, siejąc strach wśród germańskich wodzów i książąt. W Brytanii nawet udało się skutecznie odeprzeć ataki Sasów od strony morza, a Szkotów i Piktów od północy.

Wciąż natomiast trwała, a nawet wzmagała się cicha wrogość między obu cesarstwami. Wyraziło się to na przykład w takim oto geście politycznym Honoriusza: w 399 roku nie uznał on konsulatu, który Arkadiusz przyznał swemu doradcy Eutropiuszowi. Również Stylichon pracował podstępnie a usilnie nad doprowadzeniem do upadku Eutropiusza. Stało się to wreszcie jesienią tegoż roku, głównie dzięki działaniom Gajnasa w prowincjach wschodnich; pozostawał on chyba w zmowie ze Stylichonem. Ten ostatni otrzymał godność konsula na rok 400, co oznaczało — przypomnijmy — że wszystkie dokumenty tegoroczne musiały być podpisane nazwiskiem jego współkonsula. Był nim Aurelian, desygnowany przez Arkadiusza, przywódca antygermańskiego stronnictwa w Konstantynopolu. Tak więc — jakże to znamienne! — piastowali ów urząd dwaj ludzie programowo sobie wrodzy; pół-Germanin oraz przeciwnik przyznawania Germanom godności i dowództw w cesarstwie.

Klaudian uczcił konsulat swego patrona poematem w trzech księgach. W pierwszej sławił go jako wodza, w drugiej jako wzór wszelkich cnót i zalet, w trzeciej zaś opisywał pobyt konsula w Rzymie i urządzone tam przezeń wspaniałe igrzyska.

Ale i sam Klaudian dostąpił w Rzymie wyjątkowego zaszczytu: wzniesiono mu posąg na Forum Trajana. Zachował się napis składający hołd „najsławniejszemu z poetów, dla którego wiecznej chwały wystarczyłyby wprawdzie same jego pieśni, jednakże najszczęśliwsi i najuczeńsi cesarze, panowie nasi Arkadiusz i Honoriusz, rozkazali na prośbę senatu ustawić jego statuę jako dowód i świadectwo swego osądu". Zamykające napis wiersze greckie mówią wprost, że Klaudian łączy w sobie rozum Wergiliusza i muzę — urok poezji — Homera!

Owe lata zapisały się pewnym ożywieniem wśród czcicieli dawnej religii. Wprawdzie nadal obowiązywał zakaz składania bogom ofiar, polecono też burzyć świątynie po wsiach, zabroniono jednak rozgrabiania ozdób i materiału starych przybytków, a nawet pozwolono na odbywanie ludowych zabaw w dniach świąt tradycyjnych. Na jakiś też czas powrócił do sali posiedzeń senatu ołtarz bogini Wiktorii, którego usunięciu przed kilkunastu laty towarzyszyły gorące spory między senatorami, wtedy przeważnie jeszcze wiernymi bogom, a biskupem Mediolanu, Ambrożym; ale ten ostatni już nie żył od kwietnia 397 roku.

Po krótkim okresie względnego spokoju rok 401 przyniósł nowe zagrożenie Zachodu. Gdy bowiem wojska rzymskie odpierały Wandalów nad górnym Dunajem, Wizygoci pod wodzą Alaryka przekroczyli w listopadzie nie obsadzone przełęcze wschodnich Alp i wdarli się do doliny Padu. Przerażony pochodem barbarzyńców Honoriusz już w grudniu opuścił Mediolan i przeniósł się do Rawenny, otoczonej mokradłami.

Odtąd miała ona stanowić główne miasto rezydencjalne cesarzy zachodnich i stopniowo zyskiwała na wspaniałości dzięki wznoszonym tam coraz świetniejszym budowlom.

Grudzień 401 roku zapisał się w kronikach Kościoła wyborem nowego biskupa Rzymu. Został nim Innocenty, którego pontyfikat, ważny politycznie i organizacyjnie, miał trwać do 417 roku.

Wtargnięcie Wizygotów do Italii było, być może, skutkiem intryg dworu konstantynopolitańskiego. Stylichon znalazł się w trudnej sytuacji, musiał bowiem ściągnąć do obrony kraju nawet wojska znad Renu. Tymczasem Goci przystąpili do oblegania Mediolanu, nie mogąc jednak go zdobyć, ruszyli dalej na zachód. Stylichon dopadł ich i pokonał 6 kwietnia 402 roku w krwawej bitwie pod Polencją, na południe od Turynu. Rzymianie zdobyli obóz rozgromionych najeźdźców wraz z rodziną samego Alaryka. Germanie więc zawarli układ: opuszczą Italię, a rodziny ich zostaną uwolnione.

Doszło wprawdzie do jeszcze jednej bitwy, tym razem w pobliżu Werony, ale ostatecznie Wizygoci, zdziesiątkowani mieczem, wyniszczeni brakiem żywności i chorobami, wycofali się za Alpy. Istnieje przypuszczenie, że Stylichon mógłby wtedy zgnieść ich całkowicie, ale powstrzymał się od tego, gdyż chciał mieć ich jako narzędzie nacisku na imperium wschodnie.

A dorobek twórczy Klaudiana wzbogacił się o poemat epicki *O wojnie z Gotami,* a sławiący zwycięstwo pod Polencją jako najświetniejsze w dziejach Rzymu.

Wyparcie Wizygotów nie było oczywiście czymś tam wielkim i przełomowym, jak każe wierzyć nam Klaudian, ale ludność Italii powitała odejście Germanów z ogromną ulgą i radością, lękano się bowiem najgorszego. Strach przed hordami Alaryka sprawił, że nawet w samym Rzymie gorączkowo restaurowano mury, bramy i wieże obronne. Wzniósł je niegdyś cesarz Aurelian, potem umacniali niekiedy jego następcy, od dawna jednak popadły w ruinę, miejscami piętrzyły się stosy gruzów. To wielkie dzieło odbudowy murów upamiętniono napisami, które zostały umieszczone nad kilkoma bramami; dwie z owych inskrypcji zachowały się do dziś. Wymienia się na nich oczywiście obu cesarzy, Arkadiusza i Honoriusza, ale zaznacza też, że prace wykonano za radą komesa i naczelnika wojsk — Stylichona.

A zabiegał on wówczas również o rozbudowę żywej siły obronnej imperium, armii. Jak wskazuje wiele ustaw z tego okresu, przystąpiono energicznie do zaciągu rekrutów miejscowych i do ścigania zbiegów. Akcje te na pewno pozwoliły umocnić, przynajmniej ilościowo, element rodzimy, rzymski, w oddziałach wojska, a nieco osłabić germański, już od lat stanowiący trzon armii. Ale właśnie to miało wkrótce obrócić się przeciw samemu Stylichonowi!

Od początku 404 roku Honoriusz przez kilka miesięcy, co najmniej do lata, przebywał w Rzymie, gdzie objął swój nowy, już szósty z rzędu konsulat i uczcił triumfem zwycięstwo nad Wizygotami.

Klaudian poświęcił tym rzymskim uroczystościom poemat, ale sam przebywał wtedy chyba w Afryce. Dzięki pośrednictwu Sereny, małżonki Stylichona — i ją opiewał w swych wierszach! — znalazł tam żonę, na pewno majętną. Jest to ostatnie dające się datować dziełko Klaudiana. Prawdopodobnie zmarł wkrótce potem — na swoje szczęście. Gdyby bowiem żył dłużej choćby o lat kilka, stałby się świadkiem straszliwych, śmiertelnych ciosów, jakie spadły kolejno na cesarstwo zachodnie, na Stylichona, na sam Rzym.

Upadek Stylichona

Zwycięstwa nad Wizygotami dały Stylichonowi takie poczucie siły i pewności siebie, że w 405 roku zażądał od Konstantynopola w imieniu Honoriusza zwrotu wszystkich ziem tak zwanego Ilirykum, czyli większości ziem bałkańskich. Twierdził, że zmarły cesarz Teodozjusz właśnie tak postanowił: całe Ilirykum winno podlegać Honoriuszowi.

Żądanie to doprowadziłoby zapewne do otwartego konfliktu zbrojnego między obu częściami imperium — choć pozornie i formalnie wciąż stanowiły one jedno i to samo państwo! — gdyby nie straszliwe niebezpieczeństwo, jakie bezpośrednio zagroziło samej Italii, a Stylichona zmusiło do skierowania wszystkich sił w inną stronę.

Pod koniec 405 roku ogromne hordy Gotów — byli to niewątpliwie głównie Ostrogoci — pod wodzą Radagajsa przedarły się znad górnego Dunaju przez Alpy i pustoszyły dolinę Padu, wiosną zaś roku następnego przekroczyły nawet łuk Apeninów. W zasięgu grozy najazdu znalazł się sam Rzym, stolica imperium.

Trzeba powiedzieć na chwałę Stylichona, że uczynił wówczas wszystko, co było w jego mocy, by powstrzymać pochód barbarzyńców i przygotować przeciwuderzenie. Ludność chroniła się przed zagonami gockimi do obronnych miast, a tymczasem ściągano zewsząd wojska i powoływano do służby wszystkich zdolnych do władania bronią, nawet niewolników; stawali się oni ludźmi wolnymi z chwilą wstąpienia w szeregi armii. Wezwano też na pomoc jako sprzymierzeńców zarówno księcia Hunów, Uldina, jak też wodza innego odłamu Gotów, Sarusa.

Latem 406 roku Radagajs na czele największej z hord przystąpił do oblegania Florencji. I zdobyłby miasto niechybnie, gdyby w porę nie pojawił się Stylichon wiodący główne siły swej armii. Goci odstąpili i zajęli pozycje obronne na wzgórzach w pobliżu *Faesulae,* obecnego Fiesole. Zostali tam otoczeni, cierpieli głód, brakowało nawet wody. Radagajs usiłował sam przedrzeć się przez rzymski pierścień, schwytano go jednak 28 sierpnia i zabito publicznie przed bramami Florencji. Jego ludzie złożyli broń. Większość z nich wyrżnięto na miejscu, innych sprzedano w niewolę, niektórych wszakże, zwłaszcza pochodzących ze znakomitych rodzin gockich, wcielono do armii cesarskiej.

Pokonano lub wyparto z Italii również pozostałe hordy Gotów. Dla Rzymian wszakże chwile triumfu i radości miały okazać się bardzo krótkie, najazd bowiem Radagajsa, choć sam przez się mógł wydawać się tylko epizodem ustawicznych wojen w owych czasach, wyzwolił lawinę wydarzeń historycznie doniosłych. Otóż do walki z Gotami Stylichon musiał ściągnąć wojska nawet znad Renu, choć zbrojny kordon tamtej granicy był i tak nader słaby. Wódz uważał jednak, że sprzymierzeni z Rzymem Frankowie zdołają w razie potrzeby odeprzeć ataki innych plemion germańskich. Istotnie, Frankowie dzielnie walczyli, gdy ruszyły na reńską granicę zastępy Wandalów i Swewów (Swebów), zostali jednak pokonani. W ostatnim dniu 406 roku plemiona te oraz idące z nimi inne szczepy, między innymi irańscy Alanowie, zdołały sforsować rzekę; stało się to zapewne w okolicach Mogoncjakum — Moguncji. Za nimi poszli później Burgundowie, a może i Alamanowie. Najeźdźcy zalali ogromny obszar prowincji rzymskich. Padł Trewir, jeszcze do niedawna jedna z głównych rezydencji cesarskich; siedzibę głównych władz rzymskich w Galii trzeba było przenieść daleko na południe, do Arelate — Arles.

Te straszliwe klęski wywołały oczywiście ogromną falę oburzenia. Opinia publiczna w Italii szukała winnego, właściwego sprawcy nieszczęść, nie biorąc w ogóle pod uwagę faktu, że siły imperium były po prostu zbyt szczupłe, by bronić wszystkich granic przed rosnącym naporem barbarzyńców. Żaden geniusz nie sprostałby w ówczesnych warunkach zadaniom walki na tylu frontach.

Jest zrozumiałe, że wobec tylu cierpień i klęsk, które znoszono od Germanów, nastroje antygermańskie wśród ludności rzymskiej szybko przeradzały się w ślepą nienawiść. Wierzono i głoszono, że nigdy by nie doszło do takiej katastrofy, gdyby nie germańscy żołnierze i oficerowie w armii, rzekomo służący cesarzowi, lecz w istocie zdradzający go i działający na korzyść współbraci. Za arcyzdrajcę zaś uchodził — Stylichon, syn Wandala. W odczuciu społecznym on był tym, który broniąc swej pozycji u boku młodziutkiego, bezwolnego cesarza, wydał na pastwę barbarzyńców tamte krainy imperium, a w każdym razie niczego nie zrobił, by je ratować.

Stylichon oczywiście zdawał sobie sprawę z tych nastrojów w bardzo szerokich kręgach, niewiele jednak uczynił, by im przeciwdziałać. Usiłował wprawdzie zjednać sobie poparcie Kościoła i chrześcijan, zrywając z polityką neutralności wobec pogan, którą zdaje się prowadził w latach ostatnich, ale przecież w ówczesnej sytuacji nie o to chodziło. Nie mogło rozładować gniewu ludu to, że mocą nowej ustawy uległy konfiskacie wszystkie jeszcze tu i ówdzie istniejące świątynie oraz ich dochody i majątki, ołtarze zaś i przedmioty kultu miały zostać zniszczone. I nie mogło też pomóc spalenie sławnych *Ksiąg*

Sybillińskich, które od wieków uchodziły za jedną z największych świętości Rzymu, gdyż w nich to szukano rady w chwilach szczególnego niebezpieczeństwa. Posunięcia te i tak nie zjednały mu chrześcijan, ci bowiem czuli się już w pełni panami sytuacji, wprawiły natomiast w święte oburzenie zarówno wyznawców dawnych bogów, jak i wszystkich przywiązanych do ojczystej tradycji.

Jawnie antygermańskie nastawienie ludności w Italii skłoniło Stylichona do jeszcze jednego kroku, znacznie ważniejszego politycznie, a równie nieprzemyślanego. Podejrzewając mianowicie, że jego wrogowie pozostają w zmowie z imperium wschodnim, za swoje pierwsze i główne zadanie uznał nie wyparcie Wandalów i Swewów z Galii, lecz rozprawienie się z Konstantynopolem!

Przerwał wszelkie połączenia ze Wschodem, zamykając nawet porty dla okrętów stamtąd przypływających. Wytoczył znowu sprawę Ilirykum; zamierzał odebrać go siłą przy pomocy Wizygotów. Alaryk został mianowany rzymskim dowódcą wojsk w Ilirii i miał zająć Epir, czyli mniej więcej dzisiejszą Albanię. Sam Stylichon już się przygotowywał do żeglugi przez Adriatyk, gdy przyszła z zachodu wiadomość znowu zmieniająca cały układ sił politycznych.

W Brytanii pojawił się samozwaniec; purpurę dały mu wojska tam stacjonujące. Był trzecim z kolei uzurpatorem na wyspie w ciągu mniej więcej roku. Jego poprzednicy, najpierw niejaki Marek, a po nim Gracjan, utrzymywali się przy władzy krótko, najwyżej po kilka miesięcy, obaj też zostali zgładzeni przez tych samych, którzy ich wynieśli. Ten jednak okazał się groźny, choć był podobno prostym żołnierzem, a tron zawdzięczał głównie imieniu — Konstantyn. Tak się zresztą złożyło, że niemal dokładnie przed stu laty, w 306 roku, Konstantyn Wielki został okrzyknięty cesarzem właśnie w Brytanii.

Jakie przyczyny leżały u podłoża owych rebelii i uzurpacji na wyspie? Wyjaśnienie wydaje się stosunkowo proste: wojska i ludność rzymskiej Brytanii czuły się całkowicie opuszczone i pozostawione własnemu losowi przed rząd centralny, chciały więc ująć we własne ręce obronę przed ciągłymi napadami barbarzyńców z północy i od strony morza.

Konstantyn — on sam zwał się oficjalnie Klaudiuszem Flawiuszem Konstantynem — odznaczał się niemałymi talentami wojskowymi i politycznymi, był rzutki i pomysłowy. Pojął w lot, na czym polegał błąd poprzedników: musieli zginąć, ponieważ zachowali się biernie, pozostawiając wypadki ich własnemu biegowi, co prowadziło tylko do rozluźnienia dyscypliny wojsk. Żołnierz musi działać, mieć wytknięty cel, być w ruchu, czuć się związanym ze swym wodzem. Nie wolno też — tak rozumował Konstantyn — bezczynnie oczekiwać, czy i kiedy zaatakują Brytanię wojska cesarskie z kontynentu; należy samemu przejść do ofensywy, póki tamta strona jest bezsilna i zajęta innymi sprawami.

Zgodnie z tym, latem 407 roku, gdy Stylichon w Italii przygotowywał się do przeprawy przez Adriatyk, samozwaniec niespodziewanie przerzucił wojska na kontynent, na wybrzeża Galii.

Było to przedsięwzięcie o historycznym znaczeniu. W tym bowiem momencie Brytania po raz pierwszy od czasów podboju, to jest od mniej więcej dwustu pięćdziesięciu lat, została faktycznie pozbawiona rzymskich załóg — może poza nielicznymi i słabymi oddziałami w niektórych miejscowościach. Pozostały też na wyspie małe grupy — czy też cienka warstewka ludności rzymskiej. Byli to przeważnie właściciele ziemscy i mieszkańcy miast, podczas gdy przeważającą masę stanowili autochtoni, Celtowie, zaledwie zromanizowani. Łatwo było przewidzieć, że Brytania wnet ulegnie naporowi Szkotów zza wału Hadriana oraz Anglów i Sasów zza morza, zostanie więc stracona dla imperium na zawsze.

Konstantyn wszakże myślał głównie o umocnieniu swego panowania na lądzie stałym. Ludność i wojska Galii powitały go entuzjastycznie w nadziei, że zajmie się energicznie obroną przed najeźdźcami zza Renu, Stylichon bowiem zdawał się w ogóle nie dostrzegać ostatnich wydarzeń.

I rzeczywiście, Konstantyn odniósł pewne sukcesy w walce z Wandalami i Swewami, nie był jednak w stanie wyprzeć ich za Ren. Pozostali więc po tej stronie rzeki, podobnie jak i Burgundowie w okolicach Wangionum, czyli Wormacji. Samozwaniec z Brytanii mógłby zadać Germanom sroższe ciosy, kierował jednak swe siły gdzie indziej — pragnął jak najrychlej zająć południe Galii, aby w ten sposób zabezpieczyć się przed spodziewanym kontratakiem Stylichona.

Ten zaś istotnie wysłał za Alpy gockiego wodza Sarusa, tak zasłużonego poprzednio w walce z Radagajsem. Wiosną 408 roku doszło do pierwszych starć na ziemiach obecnej Prowansji. Sarus był górą, przezornie jednak wycofał się i zadowolił się obsadzeniem przełęczy alpejskich. Konstantyn mógł przenieść swoją stolicę do Arelate.

Powołał na współwładcę z tytułem cezara swego starszego syna Konstansa, który dotychczas żył skromnie jako mnich. Okazał się on szybko znakomitym wodzem, pokonując w Hiszpanii wojska wierne Honoriuszowi. Tak więc wszystkie nadatlantyckie kraje Europy znalazły się we władaniu samozwańca.

Na domiar tych nieszczęść Wizygoci Alaryka zajęli wschodnie Alpy grożąc najechaniem Italii, jeśli nie wypłaci się im wielkich pieniędzy, i to w złocie, za usługi, jakie oddali w kampanii iliryjskiej — do której nie doszło!

Senat w Rzymie, gdzie Honoriusz przebywał już od początku 407 roku, wypowiedział się ostro przeciw żądaniom Alaryka. Mimo to Stylichon uzyskał zgodę cesarza i pieniądze wypłacono. Argumentował tak: Alaryk będzie pomocny w wojnie z Konstantynem, należy więc zabiegać o jego życzliwość. A co by się stało, gdyby zrażony odmową opowiedział się on po stronie samozwańca? Władztwo prawowitego cesarza zostałoby wówczas wzięte niby w kleszcze!

Wpływy Stylichona były wciąż ogromne. Zapewne pod koniec 407 roku zmarła jego córka, a żona Honoriusza, Maria — ta, której zaślubiny przed kilku laty tak pięknie opiewał Klaudian — a cesarz już w kilka miesięcy później pojął jej młodszą siostrę, Termancję. Stylichonowe więzy rodzinne z osobą panującego pozostały zatem takie same.

W początkach maja 408 roku doszły do Rzymu nieoficjalne wieści z Konstantynopola, że zmarł tam cesarz Arkadiusz. Honoriusz wyjechał do Rawenny, gdzie otrzymał urzędowe potwierdzenie tej wiadomości. Stylichon natychmiast wystąpił z nowym planem: uda się do stolicy nad Bosforem i tam przejmie w imieniu Honoriusza opiekę nad kilkuletnim synkiem zmarłego, Teodozjuszem II.

Wrogowie wodza, rozjuszeni jego niedawnym ustępstwem wobec bezczelnych żądań Alaryka, zaczęli głosić, że jest to w istocie plan zdradziecki, Stylichon bowiem pragnie na tronie imperium wschodniego osadzić swego syna Eucheriusza. Chodziły też pogłoski, że ów młody człowiek ma poślubić przyrodnią siostrę cesarza, Gallę Placydię.

Na początku sierpnia Honoriusz przybył do *Ticinum,* obecnej Pawii, gdzie obozowały wojska mające wziąć udział w kampanii przeciw Konstantynowi. Trzynastego tegoż miesiąca doszło tam do antygermańskich rozruchów wśród żołnierzy. Bezpośrednim ich sprawcą i organizatorem był jeden z sekretarzy cesarza, Olimpiusz, który zawdzięczał swą karierę Stylichonowi — i śmiertelnie go nienawidził, co zdarza się w historii często.

Miasto zostało złupione, a rozjuszone bandy zaatakowały i wymordowały kilkunastu wysokich dostojników, uchodzących za stronników Stylichona. On sam uniknął śmierci — przebywał wówczas w Bononii, obecnej Bolonii. Pierwsze wieści, jakie doń dotarły, mówiły, że zginął także cesarz, zamierzał więc ruszyć na *Ticinum* na czele swych germańskich oddziałów, aby pomścić śmierć władcy.

Potem jednak doniesiono, że Honoriusz nie tylko żyje, ale nawet poparł wrogów Stylichona. W tej sytuacji wódz nie widział możliwości marszu na *Ticinum,* choć domagali się tego Germanie, a zwłaszcza Sarus. Doszło do sporów i większość oddziałów rozeszła się w różne strony. Sarus jednak pozostał. Nocą niespodziewanie rzucił swych Gotów na straż przyboczną Stylichona, złożoną głównie z Hunów; wymordował ich, zagarniając obóz pełen broni i skarbów.

Stylichon z gromadą swoich zdołał jeszcze schronić się w Rawennie. Ponieważ Honoriusz rozkazał go uwięzić, szukał tam azylu w jednym z kościołów. Został jednak podstępnie wywabiony ze świątyni i zamordowany. Stało się to 22 sierpnia 408 roku.

Tak więc w tym samym roku, w ciągu zaledwie kilku miesięcy dokonały się zmiany osobowe na szczytach władzy zarówno w imperium wschodnim, jak też zachodnim. Tam odszedł cesarz, który panował, lecz nie rządził. Tutaj wódz, który rządził, choć nie panował. Miało się wnet okazać, że jego śmierć spowoduje skutki katastrofalne — niezależnie od tego, co o nim sądzili współcześni, i kim był naprawdę: zdrajcą podstępnie niszczącym imperium dla dobra Germanów czy też prawdziwym patriotą rzymskim, patrzącym daleko w przyszłość, lecz działającym w sytuacji beznadziejnej.

Roma capta

„Komes Stylichon rodem był z tchórzliwego, chciwego i perfidnego ludu Wandalów. Niewiele sobie ceniąc to, że jest wodzem cesarza, usiłował wszelkim sposobem wynieść na tron swego syna Eucheriusza; a wielu twierdzi, że ten już jako chłopiec planował prześladowanie chrześcijan.

Otóż Stylichon wybrał sobie Alaryka i cały lud Gotów, aby wyniszczyć i sterroryzować państwo. Błagali oni pozornie tylko o pokój i o jakiekolwiek siedziby, on natomiast popierał ich tajnym sojuszem. (...) A poza tym wręcz wzywał do walki z Rzymem inne ludy, silne i zasobne. Są to właśnie te, które obecnie ciemiężą prowincje Galii i Hiszpanii, a więc Alanowie, Swewowie, Wandalowie i Burgundowie, wszyscy porwani tym samym pędem.

Pragnął, aby ludy owe forsowały brzegi Renu i uderzyły na Galię. Był bowiem przekonany, że groza takich wydarzeń pozwoli mu wydrzeć władzę cesarzowi i przekazać ją własnemu synowi; i że później równie łatwo powstrzyma barbarzyńców, jak ich poruszył.

Toteż gdy objawiono Honoriuszowi obraz zbrodni tak straszliwych, doszło do jakże słusznego wzburzenia wśród żołnierzy. Stylichon został zabity. Człowiek, który chciał utopić we krwi cały rodzaj ludzki po to tylko, aby jednemu chłopcu dać purpurę! Zabito też Eucheriusza; ten znowu dla zjednania sobie przychylności pogan zapowiadał, że panowanie swe uświetni odnawiając świątynie bogów i burząc kościoły. Wraz z nim ukarano garstkę tych, co wspomagali wielki spisek".

 Są to słowa historyka Orozjusza z dzieła napisanego

zaledwie w kilka lat po wydarzeniach lat 408–410. Wypowiedź oddaje znakomicie nasilenie emocji i antygermańskich nastrojów w ówczesnym społeczeństwie rzymskim; trudniej natomiast dociec, czy mówi prawdę o zamiarach Stylichona i Eucheriusza. Upadek komesa jawi się w tej relacji jako zwrotny i zbawczy moment dziejowy — a w istocie przyśpieszyło to bieg wydarzeń prowadzących państwo i cywilizację na Zachodzie prosto w przepaść.

Najpierw w wielu miastach Italii doszło na wieść o śmierci Stylichona do krwawych rozpraw z Germanami. Mordowano całe rodziny obcego pochodzenia, które przywędrowały wraz z mężczyznami służącymi w armii jako najemnicy. Ci, co zdołali uratować się z fali pogromów, uchodzili na wschód za Alpy, gdzie wzmacniali szeregi Wizygotów Alaryka i wzywali go, by pomścił rzeź rodaków.

Wódz ten — jak już była o tym mowa — toczył poprzednio pertraktacje ze Stylichonem: miał przejść do Galii i pomóc w walce z samozwańcem Konstantynem. Obecnie Honoriusz przerwał rozmowy i unieważnił wszelkie obietnice. Alaryk, rozgoryczony zawodem i podjudzany przez zbiegów, widział tylko jedno wyjście — marsz na Italię, którą najechał już przed kilku laty, lecz został wyparty przez Stylichona.

Jesienią 408 roku Wizygoci przekroczyli wschodnie Alpy nie napotykając żadnego oporu. Przeprawili się przez Pad, przeszli łuk Apeninów, stanęli pod samym Rzymem. Nie ośmielili się jednak szturmować potężnych murów, pustoszyli tylko ziemie wokół i odcięli dostawy żywności.

W obleganej stolicy ktoś rozpuścił pogłoskę, że to Serena, wdowa po Stylichonie, przyzwała Alaryka, aby pomścił śmierć męża i syna. Senat dał temu wiarę. Nieszczęsna kobieta została skazana na śmierć jako zdrajczyni i powieszona. Ponieważ była gorliwą chrześcijanką, czciciele dawnych bogów głosili szeroko, że poniosła śmierć jako karę za bluźnierstwo, którego dopuściła się przed laty w tymże mieście zdzierając wspaniały naszyjnik z posągu Matki Bogów i sama go używając. Pewna staruszka, niegdyś westalka, przeklęła wtedy Serenę, jej męża i dzieci.

Srożył się głód, pojawiła się też zaraza, tym dotkliwsza, że trupów nie wywożono z obawy przed barbarzyńcami, leżały więc na ulicach i placach. Głodującym przychodziła z pomocą Leta, wdowa po zamordowanym przez dwudziestu pięciu laty cesarzu Gracjanie; była jego drugą żoną.

Ponieważ Honoriusz od chwili wtargnięcia Wizygotów przebywał wraz z dworem w Rawennie, o sprawach Rzymu musiał decydować sam senat. Po długich rokowaniach Alaryk zgodził się odstąpić od miasta, ale za cenę ogromnego okupu w złocie, srebrze, kosztownych szatach. Ponieważ skarbiec był pusty, ściągano daninę od ludzi zamożnych, zdzierano wszelkie kosztowności, którymi niegdyś ozdobiono posągi bogów, przetapiano też figury wykonane z metali szlachetnych.

Cesarz, powiadomiony o rozwoju wydarzeń przez delegatów senatu, zaakceptował warunki rozejmu, a nawet dał do zrozumienia, że przyjmie dalsze żądania Alaryka: wyda mu jako zakładników synów ludzi zamożnych ze swego otoczenia i uzna go za sojusznika Rzymu. Wizygoci odeszli zatem od stolicy, niezbyt wszakże daleko, bo tylko do Etrurii, skąd mogli w ciągu kilku dni znowu zjawić się pod murami. Szeregi ich wciąż wzmacniali niewolnicy uciekający z miasta; łącznie zbiegło ich podobno 40 000.

A tymczasem Honoriusz pod wpływem antygermańskiego stronnictwa na dworze zaczął zwlekać z wykonaniem obietnic. Co więcej, czynił gesty oznaczające uznanie samozwańca Konstantyna i jego syna Konstansa, władających Brytanią, Galią i Hiszpanią. Chodziło mu zapewne o to, aby mieć wolną rękę w walce z Wizygotami.

Stało się wreszcie to, co było do przewidzenia: rozwścieczony Alaryk w 409 roku znowu podszedł pod mury stolicy, zajął port i zapasy żywności. Tym razem nie żądał okupu, wymusił natomiast na senacie obwołanie nowego cesarza. Został nim dotychczasowy prefekt Rzymu, Pryskus Attalus.

Należał do najwybitniejszych postaci w ówczesnym senacie, piastował znaczące urzędy, w ostatnich miesiącach brał udział w rozmowach z cesarzem w Rawennie. Był człowiekiem wykształconym, interesował się literaturą grecką i rzymską, czcił dawnych bogów. Przyjmując jednak cesarską purpurę z rąk Alaryka, przyjął też chrzest; dokonał go wszakże biskup ariański, Wizygoci bowiem byli arianami.

Tak więc imperium zachodnie miało od 409 roku czterech cesarzy: prawowitego — Honoriusza w Rawennie, dwóch samozwańczych, uznawanych jednak ostatnio przez Honoriusza! — Konstantyna III i jego syna Konstansa w Arelate, oraz narzuconego przez Wizygotów w samym Rzymie — Attalusa.

Nowy imperator Rzymian mianował natychmiast Alaryka naczelnikiem wojsk, jego zaś szwagra, Ataulfa, komesem swej straży przybocznej. Odtąd więc ci dwaj walczyli przeciw Honoriuszowi jako niby prawowici żołnierze rzymscy w obronie sprawy władcy, który był tylko marionetką w ich ręku. Spustoszyli część północnej Italii, samej wszakże Rawenny zdobyć nie zdołali. Przeszedł wszakże na stronę Attalusa dowódca wojsk cesarskich — Jowiusz; stało się to w grudniu 409 roku.

Sytuacja Honoriusza była wręcz katastrofalna. W gruncie rzeczy nie był panem w samej Rawennie, tam bowiem faktyczną władzę sprawował nowy naczelnik wojsk, Allobich, z pochodzenia na pewno również Germanin. Tymczasem zza Alp wtargnął do Italii Konstantyn, głosząc, że chce pomóc w walce z Alarykiem i Attalusem, w istocie wszakże zamierzał na pewno wydrzeć jak najwięcej ziem.

Cesarz planował już potajemną ucieczkę do Konstantynopola. Jak łatwo sobie wyobrazić, miałaby ona nieobliczalne skutki polityczne. Gdyby bowiem zabrakło na Zachodzie osoby stanowiącej symbol jedności, imperium niechybnie rozpadłoby się natychmiast na kilka części odrębnych, a to musiałoby spowodować jego kres.

W ostatniej wszakże chwili przyszedł ratunek, i to właśnie z Konstantynopola. Prefekt Antemiusz, sprawujący tam rządy w imieniu kilkuletniego Teodozjusza II, przysłał do Rawenny 4000 zbrojnych, oddając ich bezpośrednio pod rozkazy Honoriusza. Butny naczelnik Allobich został natychmiast uwięziony i stracony pod zarzutem zmowy z Konstantynem, ten zaś na wieść o przewrocie w Rawennie pośpiesznie wycofał się z Italii. Tak więc Honoriusz odsunął od siebie niebezpieczeństwo najgroźniejsze, bo bezpośrednie. Ale niespodziewanie znowu zmieniła się sytuacja.

Alaryk i jego niby-cesarz poróżnili się między sobą. Poszło o sprawę Afryki. Tamtejszy naczelnik wojsk, Heraklian — to on własnoręcznie zabił Stylichona w sierpniu 408 roku — pozostał wierny Honoriuszowi i przerwał dostawy zboża dla Rzymu. Alaryk chciał przeprawić się tam jako wódz Attalusa, ale ten odmówił zgody. Choć bowiem osadzony został na tronie przez Wizygotów, pozostał Rzymianinem i dbał o rzymski interes, przynajmniej w kwestiach najżywotniejszych, przewidywał zaś słusznie, że skoro tylko barbarzyńcy zawładną bogatymi prowincjami afrykańskimi, nigdy nie ustąpią z nich dobrowolnie.

Urażony taką postawą Alaryk w lecie 410 roku odebrał swej marionetce purpurę. Okazał wszakże tyle łaskawości, że nie wydał Attalusa Honoriuszowi, który ukarałby go śmiercią jako zdrajcę.

Wódz Wizygotów pragnął obecnie dojść do porozumienia z cesarzem. Pertraktacje wszakże przeciągały się, a dochodziło nawet do utarczek zbrojnych. Zrażony tym Alaryk stanął po raz trzeci pod Rzymem. Oblegał miasto krótko. Wszedł w mury stolicy — podobno ułatwiła mu to zdrada — w dniu 24 sierpnia 410 roku.

Przez trzy dni i trzy noce zdobywcy bezkarnie grabili i podpalali pałace, świątynie, okazalsze domy ogromnego miasta. Biorąc pod uwagę obszar stolicy imperium i bezmiar wszelkich bogactw, nagromadzonych przez wieki, straty materialne stosunkowo nie były tak dotkliwe. Barbarzyńcy mieli mało czasu, a zresztą głównie interesowały ich tylko kosztowności — wszystko, co dało się łatwo zabrać. Także ludność chyba nie ucierpiała straszliwie, choć później, jak to zwykle bywa, opowieści wyolbrzymiły i ubarwiły przejścia jednostek. Najczęściej chodziło o to, że Goci biciem zmuszali do wydania pieniędzy i cennych przedmiotów.

Sporo rodzin, i to właśnie tych bogatszych, zdołało w porę opuścić nie tylko Rzym, ale nawet Italię. Niektórzy dostojnicy schronili się w Rawennie, inni w górach, jeszcze inni na Sycylii lub w Afryce. Wielu spośród tych, co pozostali mimo wszystko w stolicy, znalazło azyl w kościołach, a zwłaszcza w bazylikach św. Piotra i św. Pawła, te bowiem miejsca zdobywcy szanowali.

Wszystko to jednak nie zmienia w niczym psychologicznego efektu wieści, która poraziła całe imperium, a zawarta była tylko w dwóch słowach: *Roma capta* — „Rzym wzięty". Od pokoleń i wieków miliony ludzi w całym ówczesnym świecie cywilizowanym wokół Morza Śródziemnego wychowane były w prawdziwym kulcie potęgi i chwały cesarstwa wciąż i wszędzie zwanego rzymskim. A oto obecnie barbarzyńcy swobodnie depczą po Forum i Kapitolu, rabują Palatyn, wdzierają się do pałaców, w których o losach ludów od Atlantyku po Eufrat decydowali cesarze August i Wespazjan, Trajan i Marek Aureliusz! Skoro to stać się mogło — tak myślało wielu — co jeszcze uznać za pewne, trwałe, niezniszczalne, gdzie i w czym szukać oparcia i nadziei? Niemal wszystkim cisnęło się na usta rozpaczliwe pytanie, które św. Hieronim ujął w prostych słowach: „Co ocaleje, jeśli Rzym ginie?"

Wyznawcy dawnych bogów winą za katastrofę obarczali chrześcijaństwo, wołając, że ich bóstwa dały Rzymowi potęgę, chwałę, pokój i bogactwa, nowa religia natomiast hańbiąc stare świątynie i kulty odtrąciła owe przyjazne, opiekuńcze istoty; nic więc dziwnego, że odeszły one urażone i wydały niewdzięczne miasto na pastwę dziczy barbarzyńskiej.

To rozumowanie wydawało się tak przekonujące, że do walki z nim wystąpił najwybitniejszy wówczas myśliciel i pisarz chrześcijański, Augustyn, od 395 roku biskup miasta *Hippo Regius* w Afryce; to dzisiejsza Annaba w Algierii. Po kilkunastu latach pracy wydał dzieło ogromne w dwudziestu dwóch księgach pod tytułem *De civitate Dei*, czyli *O państwie bożym*. To świadczy najdowodniej, jak poważnie traktował oskarżenia.

Dowodzi więc najpierw, że różne klęski spadały na Rzym już dawniej. Stara się również wykazać, jak dziwaczne i prymitywne były pewne kulty pogańskie. Przytacza wiele przykładów o dużym znaczeniu dla historyka i religioznawcy, pewne bowiem fakty stąd tylko znamy. Ale najważniejsza jest koncepcja współdziałania dwóch państw, ziemskiego i bożego, wywarła ona bowiem ogromny wpływ na rozwój myśli i postaw chrześcijan w wiekach późniejszych.

Państwo ziemskie — twierdzi Augustyn — szuka ziemskiej chwały i ziemskich korzyści — takich jak pokój i dobrobyt — dla swych obywateli. Państwo niebiańskie, czyli boże, na tym padole jest natomiast elementem obcym, żyje tylko wiarą i dla przyszłego szczęścia, los zaś państwa ziemskiego, z którym musi współbytować, jest mu w istocie obojętny, jako że i tak musi ono minąć; po cóż więc biadać nad jego nieszczęściami?

Dla chrześcijanina więc, przekonywał Augustyn, sprawy jego ziemskiej ojczyzny nie są najważniejsze, jest bowiem obywatelem innej, wiecznej i niezniszczalnej. Ale ironia losu miała sprawić, że sam autor owej koncepcji u schyłku swych dni ujrzał i doświadczył boleśnie, jak tragiczne skutki dla religii, jego religii, ma załamywanie się owej państwowości ziemskiej — rzekomo tak mało znaczącej dla człowieka wiary.

Biskup natchnął też jednego ze swych uczniów, Pawła Orozjusza rodem z Hiszpanii, by odpowiedział na skargi i zarzuty pogan w dziele historycznym. Zawiera ono przegląd dziejów powszechnych, zwłaszcza jednak rzymskich, aż po czasy współczesne autorowi. Całość wywodów podporządkowana została takiej tezie: w dawnych wiekach działo się znacznie gorzej, spadały bowiem na ludzkość o wiele sroższe ciosy; obecne nieszczęścia są lżejsze, a jeśli w ogóle się zdarzają, to tylko jako kara za grzechy oczywiste.

Twierdzenie to, tak sprzeczne z naocznym doświadczeniem tamtego pokolenia, zostało jednak skwapliwie przyjęte przez pewne kręgi, dawało bowiem pozornie przekonującą odpowiedź na kłopotliwe pytania i zarzuty. Orozjusz — jego ocenę Stylichona już cytowaliśmy — starał się bagatelizować nawet zdobycie Rzymu. „Choć pamięć o tym wydarzeniu jest jeszcze świeża, to jednak każdy, kto widzi mnogość ludu rzymskiego i głos jego słyszy, uzna, że właściwie nic się nie stało. Chyba, że powiedzą mu o tym resztki ruin, jeszcze sterczące po pożarach".

Jak się rzekło, Wizygoci grasowali w stolicy tylko trzy dni, materialne więc straty może istotnie nie były nadmierne, duchowe jednak straszliwe. Tym bardziej że odchodząc z Rzymu najeźdźcy uprowadzili ze sobą — fakt wręcz symboliczny — młodą dziewczynę, córkę cesarza Teodozjusza Wielkiego, a przyrodnią siostrę Honoriusza. Była nią Galla Placydia.

Wizygoci rabowali Rzym tylko przez trzy dni, albowiem im również dotkliwie brakowało żywności. Aby ją zdobyć, ruszyli pod koniec sierpnia 410 roku na południe, pustosząc ziemie wzdłuż szlaku swego pochodu. Tak dotarli na sam południowy cypel Italii, do Regium. Zamierzali przeprawić się na Sycylię, a stamtąd do Afryki, o której bogactwach i żyzności krążyły legendy. Jednakże burza częściowo rozproszyła, częściowo zaś zniszczyła okręty przygotowane do wypłynięcia, czy też podczas samej przeprawy — musieli więc zawrócić.

Wtedy to, już pod koniec 410 roku, zmarł nagle Alaryk. Stało się to w okolicach miasta *Consentia* — to obecna Cosenza na południu Italii. Pochowano go w łożysku rzeczki *Busentus*, której bieg skierowano gdzie indziej na czas robót. Niewolników wykonujących grobowiec wymordowano, aby nikt nigdy się nie dowiedział, gdzie spoczywa zdobywca Rzymu ze swymi skarbami. Tajemnicę tę kryje ziemia do dziś.

Na króla Wizygotów wybrano jego szwagra, Ataulfa. Jeszcze przez cały rok 411 prowadził on swoich ludzi przez kraje Italii, grabiąc je i niszcząc. Dopiero w początkach 412 roku przekroczył zachodnie Alpy i stanął w Galii, w dzisiejszej Prowansji. Wiódł ze sobą Pryskusa Attalusa, przed kilku laty marionetkowego cesarza z łaski Alaryka, oraz Gallę Placydię, przyrodnią siostrę Honoriusza. Traktowano ją z szacunkiem, jako cenną zakładniczkę, która ułatwi zawarcie korzystnego układu z dworem w Rawennie.

Tam właśnie zachodziły wielkie zmiany w otoczeniu władcy. Po egzekucji Allobicha dużym uznaniem cieszył się Olimpiusz, główny sprawca upadku i śmierci Stylichona, został jednak zabity przez żołnierzy, którym przewodził oficer Flawiusz Konstancjusz.

Był to Rzymianin rodem z Naissus, czyli Niszu w obecnej Jugosławii. Zaczął służyć w armii jeszcze za Teodozjusza, brał udział w wielu kampaniach, stopniowo awansował. W 411 roku po usunięciu Olimpiusza został naczelnikiem obu rodzajów wojsk, to jest piechoty i jazdy. Otrzymał trudne zadanie: miał wyprzeć samozwańca Konstantyna z prowincji zachodnich.

Owe krainy — Brytania, Galia, Hiszpania — choć niby we władaniu Konstantyna, znajdowały się w stanie całkowitego chaosu politycznego. Pierwsza z tych krain była rzymska już tylko nominalnie, Konstantyn bowiem zabrał z wyspy niemal wszystkie wojska. Jeśli chodzi o Galię, to duże jej obszary zajęli po 406 roku Wandalowie, Alanowie i Swewowie, ale w 409 roku przesunęli się oni na ziemie Hiszpanii.

Pojawienie się barbarzyńców za Pirenejami sprawiło, że dowódca tamtejszych wojsk Konstantyna, Geroncjusz, podniósł bunt i kazał okrzyknąć cesarzem swojego człowieka, niejakiego Maksyma. A więc samozwaniec przeciw samozwańcowi!

Konstans, syn i współwładca Konstantyna, pośpieszył tam natychmiast, został jednak pokonany. Geroncjusz ścigał go aż do Galii, dopadł i zabił w Wiennie nad Rodanem, a następnie obległ Arelate, gdzie rezydował sam Konstantyn. Był to już 411 rok. Tymczasem nadciągnęły z Italii wojska pod wodzą Flawiusza Konstancjusza. Żołnierze Geroncjusza zaczęli masowo przechodzić na ich stronę — i trudno się im dziwić. Konstancjusz reprezentował cesarza prawowitego, oni zaś służyli rebeliantowi, który powstał przeciw rebeliantowi.

Opuszczony przez wszystkich Geroncjusz uciekł za Pireneje i ostatecznie popełnił samobójstwo, jego zaś niby-cesarz, Maksym, schronił się u germańskich najeźdźców. Wschodnia część półwyspu znalazła się znowu pod władzą Honoriusza, w zachodniej natomiast usadowili się barbarzyńcy: Swewowie w Galecji, obok nich wandalski szczep Asdingów, między rzekami Tag i Durius irańscy Alanowie i na południu, w Betyce, Silingowie, inny odłam Wandalów.

Arelate padło po trzech miesiącach, nie dotarła tam bowiem odsiecz, z którą śpieszyli sprzymierzeńcy Konstantyna — Alamanowie i Frankowie. Zwycięski Konstancjusz darował życie samozwańcowi, który zresztą przezornie tuż przed kapitulacją kazał wyświęcić się na księdza. Jednakże wieziony do Italii został Konstantyn z rozkazu Honoriusza zabity wraz ze swym młodszym synem, Julianem. Ich głowy pokazano w Rawennie we wrześniu 411 roku. Tak zginął człowiek, którego bunt kosztował imperium utratę Brytanii.

Ale już pojawił się w Galii nowy samozwaniec, niejaki Jowin. Wysunęła go część rzymskich możnowładców w tym kraju, poparli zaś nadreńscy Burgundowie i odłam Alanów. Ten wspólny front tłumaczy się tym, że w Galii naprawdę nikomu nie zależało, by znowu umocniła się tutaj władza cesarska. Nie chcieli tego, co oczywiste, najeźdźcy, ale również tutejsi wielmoże nie kwapili się do ponoszenia ciężarów na rzecz dworu w Rawennie.

Konstancjusz nie zamierzał rozpoczynać wojny z nowym samozwańcem i wycofał się za Alpy. Wracał i tak okryty chwałą jako pierwszy od dawna rodowity Rzymianin, któremu powiodło się w walce.

Tak więc przedstawiała się sytuacja w Galii, gdy w początkach 412 roku stanęli tu Wizygoci pod wodzą Ataulfa. Doradcy Honoriusza wpadli od razu na pomysł, aby właśnie ich wykorzystać do walki z Jowinem. Przyrzeczono im za to stałe siedziby w Galii oraz coroczne dostawy zboża. Jeszcze w ciągu tego roku Ataulf zdołał pojmać i zabić Sebastiana, brata i współwładcę samozwańca, a nieco później obległ samego Jowina w Walencji. Ten poddał się, został osadzony w Narbonie i z rozkazu Honoriusza został w tym mieście ścięty wiosną 413 roku.

Jednakże cesarz nie mógł zapewnić Wizygotom takiej ilości zboża, do jakiej się zobowiązał, gdyż właśnie w początkach tego roku podniósł bunt i przywdział purpurę komes Afryki, Heraklian. Dotychczas był on lojalny wobec Honoriusza, ostatnie wszakże ustawy cesarza przeciw donatystom stworzyły dlań nową sytuację. Ta schizma chrześcijańska — jak już było powiedziane — miała rzesze wyznawców w Afryce, zwłaszcza wśród warstw niższych, toteż Heraklian mógł sądzić, że rozjątrzone bezwzględnością polityki Honoriusza poprą każdą rebelię przeciw władzy centralnej. Zebrał ogromną flotę — podobno ponad 3000 okrętów — i w czerwcu 413 roku niespodziewanie przeprawił się przez morze. Wysadził swe wojska w pobliżu ujść Tybru i ruszył na północ, ku Rawennie. Jednakże pod miastem

Ocriculum — to dzisiejsze Otricoli — zastąpił mu drogę wódz cesarski Marynus. Samozwaniec poniósł klęskę. Zdołał wprawdzie dotrzeć do Afryki, został wszakże rychło pojmany i ścięty w Kartaginie. Jego prywatny majątek — zresztą nie tak wielki, jak się spodziewano — cesarz ofiarował Konstancjuszowi.

Powyższe wyliczenie wojen, buntów, uzurpacji, zabójstw, najazdów i pochodów barbarzyńców może wydać się nużące. Jest to istotnie suchy rejestr ponurych faktów. Niestety, tamta epoka nie przekazała nam żadnego zwartego opisu owych wydarzeń, nie było bowiem wówczas na Zachodzie ani Tacyta, ani Ammiana, nie powstały żadne wielkie dzieła historyczne. Zdani jesteśmy tylko na kronikarskie notatki i przypadkowe wzmianki. Ale właśnie ta zwięzła rzeczowość ma niezwykłą wymowę — choć tylko wyobraźnia może nam dopowiedzieć, jaki ogrom cierpień ludzkich kryje się za monotonnym zapisem kronikarskim.

Powróćmy jednak do dalszego toku opowieści. Ponieważ przyrzeczone dostawy zboża zawodziły, Wizygoci uznali się za oszukanych i nie wydali Galli Placydii, co było jednym z punktów umowy i o co usilnie zabiegał Honoriusz, rzeczywiście przywiązany do przyrodniej siostry. Usadowili się Wizygoci w Akwitanii, ale zajęli też południową Galię z Tolozą i Narboną. Usiłowali zdobyć nawet Marsylię (wówczas *Massilia),* ale ataki zostały odparte, a sam Ataulf odniósł ranę; zadał mu ją oficer Bonifacjusz.

Wkrótce potem, w styczniu 414 roku, doszło do wydarzenia niezwykłego, którego nikt nie mógł się spodziewać: Ataulf poślubił Gallę Placydię — wódz Wizygotów pojął za żonę siostrę i córkę cesarzy Rzymian!

Jakie były powody, jakie cele takiego małżeństwa? Stanowiło ono na pewno, tak można się domyślać, istotny element w dalekosiężnych planach politycznych germańskiego wodza — o czym będzie jeszcze mowa. Ale jaka była w tej sprawie postawa samej Galli Placydii? Czy Ataulf zdecydował wbrew jej woli? Pewne pośrednie wskazówki zdają się dowodzić, że przedstawiało się to inaczej: księżniczka nie wyrażała sprzeciwu, a chyba nawet mile widziała pana Wizygotów.

 Uroczystości weselne odbyły się w Narbonie. Oboje państwo młodzi wystąpili w rzymskich szatach — co odnotowano jako fakt znamienny — a łacińscy poeci Galii uświetnili ceremonię swymi utworami. W pewnej chwili na salę wkroczył zastęp pięćdziesięciu chłopców w lśniących szatach jedwabnych. Każdy z nich niósł po dwie tace; na jednej z nich leżał stos złotych monet, na drugiej zaś garść klejnotów. Kosztowności te, zdobyte przed czterema laty w Rzymie, stanowiły obecnie dar ślubny męża dla Galli Placydii — gest hojności, ale mający też wymowę symboliczną.

Ataulf zapewne spodziewał się, że związek rodzinny poprawi jego stosunki z Honoriuszem. Tak jednak się nie stało. Flawiusz Konstancjusz, od początku bezwzględny rzecznik wydarcia Galli Placydii z rąk barbarzyńców, skrycie bowiem sam zamierzał ją poślubić, nie przerwał działań wojennych. W odpowiedzi na to Ataulf znowu wysunął jako kontrcesarza owego Pryskusa Attalusa, który już raz, przed czterema laty, otrzymał purpurę z łaski Wizygotów. Ale podobnie jak poprzednio, również i teraz marionetkowy cesarz nie zyskał żadnego poparcia.

W 415 roku najeźdźcy musieli opuścić Narbonę i Burdigalę (Bordeaux) — to drugie miasto obrabowali i spalili — a potem wycofali się za Pireneje. Attalus dostał się w ręce Konstancjusza; Honoriusz kazał go okaleczyć i wywieźć na Wyspy Liparyjskie, ale później sprowadził jeszcze do Rzymu — po to tylko, by zdobił jego triumf.

Wizygoci osiedlili się we wschodniej Hiszpanii. Tutaj zmarł w 415 roku maleńki synek Ataulfa i Galli Placydii, noszący imię wielkiego dziadka, cesarza Rzymian, Teodozjusza, który wywodził się właśnie z tej krainy. Oboje rodzice rzewnie opłakiwali dziecko, które w ich marzeniach miało zapewne stać się żywym symbolem, a może i współtwórcą nowego ładu — sojuszu Gotów i Rzymian. Pochowano zwłoki w srebrnej trumience w pobliżu *Barcino*, czyli dzisiejszej Barcelony.

Wkrótce potem, w sierpniu 415 roku, zginął niespodziewanie sam Ataulf. Zabił go niewolnik — zresztą Got z pochodzenia z zemsty za to, że Ataulf ukarał śmiercią jego poprzedniego pana. W ostatnich słowach umierający wódz prosił, by odesłać Gallę Placydię na dwór Honoriusza.

Orozjusz przekazał taką zastanawiającą relację: ,,Ataulf, wódz wielki duchem, siłą i umysłem, zwykł mawiać: — Niegdyś gorąco pragnąłem wymazać imię rzymskie, a całą ziemię uczynić i nazwać gocką. Jednakże doświadczenia pokazały, że wyuzdane barbarzyństwo Gotów nie pozwala im dochowywać posłuszeństwa prawom; i że nie można pozbawiać państwa jego ustaw, albowiem bez nich przestaje ono być państwem. Postanowiłem więc zdobyć chwałę tego, kto całkowicie odnowił i nawet powiększył imię rzymskie właśnie dzięki Gotom. Chcę w oczach potomnych uchodzić za sprawcę odrodzenia Rzymu, skorom nie mógł stać się jego burzycielem.

A do wszelkich dzieł w zakresie dobrego porządku skłaniała go w szczególności żona Galla Placydia swymi radami i namowami, kobieta prawdziwie bystrego umysłu i wcale pobożna''.

Wypowiedź stanowi znamienny i doniosły przejaw ewolucji świadomości i postaw. Najpierw była prawdziwie barbarzyńska nienawiść do wszystkiego, co bogate, różnorodne, wysoko zorganizowane. Później jednak przyszło zrozumienie, że właśnie w tych cechach i formach kryje się sens życia społecznego.

Ale słowa Ataulfa zdają się mieć wymowę ponadczasową. Odnoszą się nie tylko do owej epoki, gdy umierało cesarstwo rzymskie pod ciosami najeźdźców, w dziejach bowiem ludzkości wciąż powtarzają się sytuacje podobne. Goci wszystkich epok stają się — lub stać się pragną — Rzymianami.

Jednakże Ataulf był wówczas wyjątkiem. A wbrew poleceniu, jakie dał umierający, jego następca Sygeryk nie tylko nie odesłał Galli do Italii, lecz zaczął traktować ją wyjątkowo brutalnie. Jak zwykła niewolnica musiała iść pieszo przed nim, jadącym na koniu, aż do dwunastego kamienia milowego za miastem; było to chyba podczas pogrzebu Ataulfa.

Sygeryk należał zresztą do ludzi szczególnie okrutnych: wymordował dzieci Ataulfa z jego poprzedniego małżeństwa, wydzierając je dosłownie z ramion biskupa, ich opiekuna. Na szczęście dla Placydii wśród Wizygotów rychło powstał gwałtowny opór przeciw nowemu władcy. Już po kilku dniach Sygeryka zabito, królem zaś obwołano Walię.

 Ten próbował najpierw przeprawić się do Afryki. Uważano

ją za krainę wszelkich bogactw, i nie bez podstaw, była bowiem źródłem pszenicy dla Rzymu. Ten plan się nie powiódł, Walia więc musiał wdać się w układy z Konstancjuszem, który tymczasem zamknął przejścia przez Pireneje. W 416 roku zawarto porozumienie: Wizygoci wydadzą Gallę Placydię, otrzymywać będą każdego roku zboże, staną się prawdziwymi sojusznikami Rzymian i będą spełniać rozkazy cesarza.

Cesarz Honoriusz mógł teraz odbyć wspaniały triumf w Rzymie, a w życiu Galli Placydii rozpoczął się nowy rozdział. Powróciła do Italii i z woli cesarza musiała na początku 417 roku poślubić Konstancjusza, prawie pięćdziesięcioletniego (urodził się bowiem około 370 roku) wodza armii cesarskiej.

Constantius Augustus

Galla Placydia, która już tak wiele przeszła w życiu, a stosunkowo niedawno straciła syna i męża, wcale nie pragnęła związku z Konstancjuszem. Wzbraniała się i ociągała, Honoriusz wszakże był nieustępliwy. Sam nie miał potomstwa z obu poprzednich małżeństw z córkami Stylichona — Marią i Termancją — widział więc w tym jedyny sposób utrzymania tronu przez swą najbliższą rodzinę.

Zresztą zawsze ulegał wpływom kogoś ze swego otoczenia. Przez wiele lat rządził w jego imieniu Stylichon, potem — co prawda krótko — Olimpiusz, obecnie zaś właśnie Konstancjusz. Ten zdobył sławę dzięki kilku pomyślnym kampaniom wojskowym, a cieszył się na dworze i wśród ludności dużą popularnością jako Rzymianin wrogi germańskim najemnikom w armii. Rodem był z prowincji naddunajskich, a pamiętano dobrze, że właśnie tamte ziemie dawały imperium już od pokoleń wielu wybitnych wodzów i władców.

A co zrażało doń Gallę Placydię? Tego nie wiemy. Mogło chodzić o jakieś poważne sprawy polityczne lub dawne zatargi, ale równie dobrze o pewną niechęć do człowieka niższego rodu oraz do jego sposobu bycia i zachowania się. Ostatecznie jednak musiała wyrazić zgodę. Brat osobiście prowadził ją za rękę podczas uroczystości ślubnych, które odbyły się 1 stycznia 417 roku w Rawennie. Miały one oprawę tym wspanialszą, że w tymże dniu Konstancjusz, mający już tytuł patrycjusza, objął godność konsula wespół z samym Honoriuszem. Stał się więc jednocześnie zięciem cesarza i jego kolegą na dostojnym, acz czysto już tytularnym stanowisku państwowym.

Chyba jeszcze w tym samym roku żona urodziła mu córkę. Dano jej aż trzy imiona, Justa Grata Honoria, aby uczcić obie siostry cesarza i jego samego; zwykle wszakże nazywano ją po prostu Honorią. W lipcu 419 roku przyszedł na świat oczekiwany syn, nazwany Walentynianem na pamiątkę dziadka i wuja matki, obu cesarzy. Jeszcze jako chłopiec otrzymał tytuł *puer nobilissimus*, „chłopiec najszlachetniejszy", Honoriusz bowiem już z góry upatrywał w nim przyszłego pana imperium zachodniego.

Przeżywało ono po ostatnich burzach kilka lat względnego spokoju. Najzaciętsze walki toczyły się w Hiszpanii, ale dzięki zręcznej polityce rzymskiej krew przelewali tam głównie Germanie. Wizygoci uderzyli na wandalskie plemię Silingów i wyrżnęli je niemal do nogi. Odtąd głównym nosicielem imienia Wandalów stał się szczep Asdingów. Ostatnio miał on swe siedziby w pobliżu Swebów, czyli Swewów, na zachodnich terenach Hiszpanii, potem jednak przesunął się na południe półwyspu, zajmując miejsce po wytępionych Silingach. Nie zdołali temu przeszkodzić ani Wizygoci, ani Rzymianie, a właśnie to przesunięcie miało pociągnąć za sobą już w niedalekiej przyszłości skutki doniosłe.

W 417 roku Walia, król Wizygotów, poprowadził swój lud z powrotem na północ, za Pireneje, do Akwitanii. Tam za zgodą Rzymian owo wojownicze plemię osiadło na stałe, zajmując część ziem uprawnych bez obowiązku płacenia podatków. Wizygoci nie podlegali też sądownictwu i administracji cesarskiej, które na terenach przez nich zasiedlonych funkcjonowały nadal, ale tylko w stosunku do Rzymian.

Po śmierci Walii w końcu 418 roku królem wybrany został Teoderyk I. On i jego następcy rezydowali głównie w Tolozie (Tuluzie), niekiedy w Burdigali (Bordeaux), i czasami udzielali imperium istotnej pomocy zbrojnej, choć też przy okazji starali się za wszelką cenę rozszerzyć swe włości. Współżyjąc z ludnością rzymską przez wiele pokoleń — ich późniejsze dzieje wykraczają oczywiście poza ramy naszych zainteresowań — potrafili jednak utrzymać poczucie swej odrębości, a to w znacznej mierze dzięki temu, że byli i pozostali arianami.

W 420 roku Konstancjusz objął konsulat po raz trzeci — pierwszy piastował w 414 roku — a 8 lutego 421 roku został podniesiony do godności augusta, stał się więc pełnoprawnym współwładcą swego szwagra Honoriusza, jako *Imperator Flavius Constantius Augustus*. Także Galla Placydia nosiła odtąd tytuły augusty.

Podobno Konstancjusz wcale nie pragnął zaszczytów tak zawrotnych, sprzeciwiał się nawet i opierał. I to nie z powodu jakiejś skromności. Faktyczną władzę sprawował już od dawna, a na tytułach, insygniach i ceremoniach mogło mu wcale nie zależeć. Skarżył się później otwarcie przyjaciołom, że majestat cesarski i sztywna etykieta dworska odebrały mu swobodę ruchów oraz radość beztroskiego uczestnictwa w zabawach, ucztach, igrzyskach.

Honoriusz wszakże miał cel jasno wytknięty. Chciał uczynić Konstancjusza współwładcą po to, by utrwalić odrębny, niezależny byt cesarstwa zachodniego. Oczywiście dwór wschodni w Konstantynopolu świetnie rozumiał te zamierzenia, choć nikt ich jasno nigdzie nie formułował i nie wypowiadał; miał jednak swoje plany, wprost przeciwne. W stolicy Wschodu myślano bowiem o tym, aby po bezpotomnej śmierci Honoriusza zjednoczyć całe imperium pod jednym berłem.

Poselstwo, które przybyło z Rawenny do Konstantynopola specjalnie po to, by zawiadomić, że Honoriusz ma współwładcę, nie doczekało się w ogóle audiencji. Tak samo nie przyjęto do wiadomości tego, iż Galla Placydia otrzymała tytuł augusty. Zarysowała się więc groźba poważnego konfliktu politycznego, szło bowiem o samą koncepcję współistnienia obu części imperium, formalnie wciąż stanowiącego jedność.

Konstancjusz III odczuł boleśnie wzgardę okazywaną

i jemu, i żonie. Chodziły nawet pogłoski, że zamierza zbrojnie wyprawić się do wschodnich prowincji iliryjskich, aby je zająć i w ten sposób pomścić zniewagę. Nie zdążył — 2 września 421 roku zmarł niespodziewanie w Rawennie zaledwie po siedmiu miesiącach współpanowania z Honoriuszem; przyczyną śmierci było prawdopodobnie zapalenie płuc. Tak więc Galla Placydia została wdową po raz drugi.

Wygnanie Galli Placydii

„Gdy tylko zmarł Konstancjusz, stosunek Honoriusza do niej, przyrodniej siostry, stał się tego rodzaju, że nasuwał wielu osobom z otoczenia wręcz haniebne podejrzenia; tak jawnie okazywali sobie czułość, tak często całowali się w usta. Wkrótce jednak uczucie to przerodziło się we wzajemną nienawiść obojga. Przyczyniły się do tego gorliwe wysiłki piastunek cesarzowej — a ulegała ona bardzo ich wpływom — oraz Leoncjusza, zarządcy jej dóbr.

W Rawennie dochodziło do ustawicznych zamieszek, Placydia bowiem miała przy sobie wciąż jeszcze sporo barbarzyńców, a to dzięki związkom z Ataulfem i Konstancjuszem, w trakcie zaś bójek wielu po obu stronach odnosiło rany. Wrogość i nienawiść, które zastąpiły dawną miłość, doprowadziły wreszcie do tego, że Gallę Placydię wraz z jej dziećmi wygnano do Konstantynopola. Tylko jeden Bonifacjusz dochowywał jej wierności; przysłał, ile tylko mógł, pieniędzy z Afryki, gdzie sprawował rządy, i udzielał wszelkiej pomocy".

Są to słowa Olimpiodora, historyka greckiego współczesnego wypadkom, a nawet przez pewien czas mieszkającego w samym Rzymie. Dzieło jego zachowało się tylko we fragmentach. Przytoczona relacja wysuwa na plan pierwszy sprawy osobiste, poniekąd zewnętrzne i przypadkowe; autor wręcz lubuje się w plotkach o posmaku skandalicznym. Co prawda i one są znamienne, zapewne bowiem fabrykowano je i rozsiewano nie bez określonych celów.

W każdym razie świadectwo to pozwala dojrzeć, jak głębokie było podłoże wydarzeń w Rawennie po śmierci Konstancjusza III. Chodziło o konflikt polityczny między dwoma ugrupowaniami dworu, spór zaś dotyczył przede wszystkim sprawy stosunku do Germanów. A właśnie wtedy szczególne wzburzenie opinii wywoływała sytuacja w Hiszpanii.

Do walki z Asdingami na południu wyprawiono z Italii dwóch wodzów, Kastynusa jako naczelnego i Bonifacjusza jako podkomendnego. Ci dwaj nienawidzili się i pokłócili jeszcze przed rozpoczęciem działań. Bonifacjusz pożeglował do Afryki, gdzie rychło doszedł do dużego znaczenia, zorganizował rodzaj prywatnej armii, a później otrzymał oficjalnie tytuł komesa. Kastynus natomiast po początkowych sukcesach poniósł dotkliwą klęskę i wycofał się do Tarrakony.

Doszło do tego wkrótce po zgonie Konstancjusza i właśnie podsyciło w Italii na nowo nienawiść do barbarzyńców, a splotły się z nią osobiste animozje oraz intrygi w walce o władzę i wpływy. Głoszono, że Wizygoci, rzekomi sojusznicy, prowadzą perfidną politykę, pozostawili bowiem w spokoju cały szczep Asdingów. Przedmiotem podejrzeń i oskarżeń stała się też Galla Placydia, przebywała bowiem przez kilka lat wśród Wizygotów, jeszcze niedawno była żoną ich króla, a wśród swej służby i straży miała wciąż sporo Germanów.

Wrogość do wszystkiego co obce, a zwłaszcza germańskie, była jawna wśród doradców cesarza i mas ludności. I trudno by się jej dziwić po katastrofie lat ostatnich, po spustoszeniu kwitnących prowincji, po zdobyciu i splądrowaniu Rzymu. Opowiadano też w Italii ze zgrozą o tym, czego dopuszczają się barbarzyńcy w krainach opanowanych. Najpotworniejsze rzeczy dziać się miały w Hiszpanii, gdzie ludność rzymska zamknięta w miastach i pozbawiona dostaw żywności cierpiała głód niesłychany. Podobno zdarzały się wypadki kanibalizmu. Olimpiodor opowiada o matce, która kolejno zabijała i zjadała swe dzieci, aż zbrodnia została wykryta, a lud ukamienował tę, która była jakby grobem własnego potomstwa. I nie jest istotne, czy to prawda, czy też, jak się wydaje, zmyślenie, opowieść bowiem sama przez się stanowi dokument epoki oraz świadectwo nastrojów.

Galla Placydia zapewne inaczej patrzyła na sprawę germańską i może nawet usiłowała przekonać otoczenie Honoriusza, że przynajmniej wśród części Wizygotów dokonały się pewne przemiany. Ale chyba niewiele osób na dworze stało myślowo tak wysoko, by pojąć fakt — dla niej chyba oczywisty — że era wyłącznego panowania Rzymian skończyła się nieodwołalnie.

Dla większości mieszkańców imperium Germanie byli tylko barbarzyńcami, gorszymi od dzikich bestii, mającymi bowiem ich krwiożerczość i siłę, ale zarazem spryt ludzki. Potwory te wychynęły z mroku puszcz na zgubę świata cywilizowanego, a jedyny sposób ocalenia to zagnać je tam z powrotem. Obozy legionowe znowu utworzą kordon nad Renem i Dunajem, ziemie prowincji rozkwitną, miasta podniosą się z gruzów.

Jest prawdopodobne — ale to oczywiście tylko domysły — że Galla Placydia, kobieta inteligentna i znająca zarówno świat rzymski, jak i germański, usiłowała rozwiać urojenia i mrzonki optymistów. To znowu mogło budzić podejrzenia, czy nie pozostaje w zmowie z najeźdźcami i czy nie będzie chciała odsunąć od władzy brata, mając na każde zawołanie bitnych Wizygotów? Może sama zechce rządzić w imieniu małoletniego Walentyniana? Uważano — także cesarz dawał temu wiarę — że gotowa byłaby sprowadzić barbarzyńców znowu do Italii. Pewna późniejsza kronika potwierdza wyraźnie to oskarżenie i poświadcza, że właśnie ono stało się przyczyną wygnania zbyt ambitnej kobiety.

Galla Placydia przeniosła się z Rawenny najpierw do Rzymu. O tym Olimpiodor milczy, fakt jednak jest znany dzięki innym źródłom. Później kazano jej opuścić granice cesarstwa zachodniego. Dopiero wówczas udała się do Konstantynopola drogą morską. Podczas żeglugi rozpętała się groźna burza i wtedy złożyła ślub, że jeśli się uratuje, zbuduje kościół ku czci św. Jana Ewangelisty. Co też w kilka lat później uczyniła, gdy szczęśliwie powróciła do Rawenny.

Na wieczną rzeczy pamiątkę umieściła na ścianie kościoła napis mozaikowy, znany obecnie tylko z późniejszej kopii. Brzmi on w przekładzie: „Świętemu i wielce błogosławionemu apostołowi Janowi Ewangeliście Galla Placydia Augusta wraz z synem swoim Placydusem Walentynianem Augustem i córką Justą Gratą Honorią wywiązując się ze ślubów za uratowanie z niebezpieczeństw morza".

Ale w Konstantynopolu czekało Gallę Placydię i jej dzieci przyjęcie chłodne. Musiała zrezygnować z tytułu augusty, ten bowiem nie został nigdy uznany przez dwór wschodni. Niechęć do wygnanej wzmagało jeszcze to, że niegdyś była żoną Ataulfa, szczególnie tu nienawidzonego; przed kilku laty na wieść o jego śmierci całe miasto rzęsiście iluminowano.

I znowu, jak często w niezwykłym życiu tej kobiety, nastąpił zwrot niespodziewany! Zaledwie po kilku miesiącach pobytu nad Bosforem nadeszła z Zachodu wieść zupełnie zmieniająca zarówno osobistą sytuację Galli, jak też polityczne perspektywy całego imperium. Cesarz Honoriusz, jej brat przyrodni, a stryj panującego w Konstantynopolu Teodozjusza II, zmarł w Rawennie 15 sierpnia 423 roku. Przyczyną zgonu była prawdopodobnie cukrzyca, choroba odziedziczona po ojcu.

Umierając miał 39 lat, w tym 28 panowania, jeśli liczyć od śmierci ojca w 395 roku, a nawet trzydzieści, gdyby brać pod uwagę przyznanie mu tytułu augusta w 393 roku. Zresztą święcił to formalne trzydziestolecie już w 422 roku, kiedy to odbył w Rawennie triumfalne ceremonie.

Honoriusz panował zatem tak długo jak niewielu jego poprzedników na tronie rzymskim, ale też lata jego władzy zapisały się w dziejach imperium wyjątkowo nieszczęśnie. Niełatwo go oceniać jako cesarza i człowieka. Po pierwsze, nie mamy z jego czasów dobrej dokumentacji w postaci narracyjnych dzieł historycznych; zdani jesteśmy tylko na suche dane kronikarskie i krótkie wzmianki. Po drugie, Honoriusz przywdział purpurę jako chłopiec niespełna jedenastoletni, odpowiedzialność więc za to, co działo się w okresie początkowym, nie jego obarcza. Po trzecie wreszcie, dokonywały się wówczas ogromne przesunięcia ludów, wręcz nie do powstrzymania, a wywoływały one z kolei lawinę zgubnych procesów wewnątrz imperium — ogólne zubożenie, bunty i uzurpacje; kogo za to winić?

W tej sytuacji wielkim sukcesem było już samo trwanie. Honoriusz był dla współczesnych symbolem legalizmu oraz ciągłości władzy i tradycji w okresie szczególnego zamętu. A ogrom cierpień i nieszczęść, których bezsilnym z konieczności świadkiem był ów cesarz, musi budzić współczucie.

Jan

Iohannes
Panował jako *Iohannes Augustus* od jesieni 423 r. do śmierci wiosną 425 r.

Nowy pan Rzymu

Honoriusz zmarł w Rawennie 15 sierpnia 423 roku bezpotomnie, jedynym więc panem całego imperium stał się formalnie jego bratanek, dwudziestojednoletni wówczas Teodozjusz II, rezydujący w Konstantynopolu. I wiele wskazuje na to, że pragnął on — a raczej pragnęli tego najwyżsi dostojnicy i siostra Pulcheria — wyzyskać ów moment, by przywrócić faktyczną jedność cesarstwa; tę, która istniała przed 395 rokiem, a więc przed przeszło trzydziestu laty, gdy umierał jego dziad, Teodozjusz Wielki. Oczywiście oznaczałoby to całkowite zignorowanie praw do tronu kilkuletniego synka Galli Placydii, Walentyniana. A oboje oni przebywali od pewnego czasu nad Bosforem.

Przez kilkanaście dni dwór w Konstantynopolu trzymał w zupełnej tajemnicy wiadomość o śmierci Honoriusza. Może zamierzano przejąć wszystkie nici władzy na Zachodzie i naradzano się, jak to uczynić. Wreszcie ogłoszono oficjalnie, że zmarł pan starego Rzymu, i zarządzono powszechną żałobę. Lud odczuł to o tyle boleśnie, że przez 7 dni nie odbywały się żadne igrzyska.

Gdyby Teodozjusz natychmiast wyruszył do Italii i stanął nad Tybrem, plan na pewno udałoby się zrealizować bez żadnych przeszkód i oporów. Któż bowiem ośmieliłby się przeciwstawić powadze przedstawiciela prawowitej dynastii? Ale dwór w Konstantynopolu był tak pewien swej sprawy, że zwłóczył.

Wydawało się, że Galla Placydia i jej synek stracili już wszystko, a zwłaszcza jakiekolwiek szanse odzyskania tronu rzymskiego. Byli nad Bosforem honorowymi więźniami. Jednakże właśnie zbytnia dufność Teodozjusza i jego doradców niespodziewanie obróciła się na korzyść obojga wygnańców.

Dwór wschodni mianowicie nie uwzględnił w swych politycznych rachubach stanowiska senatu i dostojników Zachodu, którzy w razie zjednoczenia utraciliby swe godności i dochody; wszyscy więc oni byli materialnie i ambicjonalnie zainteresowani w podtrzymywaniu odrębności państwowej. Ważne było też powszechne w samym Rzymie przekonanie, że prawdziwa stolica imperium znajduje się wciąż i tylko nad Tybrem, a nie nad Bosforem. Tymczasem zaś, gdyby to władca Wschodu dokonał ponownej unifikacji, ośrodek życia politycznego przeniósłby się całkowicie i bezpowrotnie do Konstantynopola.

Z tymi wszystkimi czynnikami i nastrojami dwór Teodozjusza II nie liczył się zupełnie, toteż zaskoczenie było całkowite, gdy w grudniu 423 roku nadeszła wiadomość, że Zachód ma już cesarza. W Rzymie przywdział purpurę, prawdopodobnie 20 listopada, niejaki *Iohannes*, czyli Jan, dotychczasowy naczelnik sekretariatu Honoriusza.

Nie wiemy nic o jego pochodzeniu, losach, stopniach kariery. Można się tylko domyślać, że był bardzo popularny wśród wyższych urzędników i na pewno dostrzegano w nim wiele zalet. Jedno ze źródeł, co prawda późniejszych, mówi o nim jako człowieku wyrozumiałym, bystrym, uczciwym. Dodajmy od razu, że wszystko, co wiemy o rządach wewnętrznych cesarza Jana, dotyczy polityki religijnej. Choć był chrześcijaninem — czego dowodzi samo jego imię — ukrócił nadmierne przywileje nadane Kościołowi przez cesarzy poprzednich. Poddał duchowieństwo w sprawach cywilnych sądownictwu świeckiemu, dotychczas bowiem podlegało ono wyłącznie trybunałom biskupim. Okazywał również, jak się wydaje, tolerancję wobec niechrześcijańskich wierzeń.

W każdym razie wyniesienie na tron Jana było faktem znamiennym, stanowiło bowiem wyraźny dowód, że w imperium zachodnim już się ukształtowało poczucie odrębności.

Nowy pan Rzymu usiłował przede wszystkim uzyskać oficjalne uznanie swego władztwa przez Konstantynopol. Wyprawił tam posłów, ale nie udzielono im nawet posłuchania. Zostali potraktowani surowo jako ludzie samozwańca i rebelianta, uwięzieni i osadzeni w różnych miejscowościach.

Zdecydowanie przeciw Janowi opowiedział się również Bonifacjusz, faktyczny pan bogatych prowincji afrykańskich, poparł jednak nie plany Teodozjusza II, lecz sprawę Galli Placydii i jej syna. Od dostaw zboża z Afryki zależało wyżywienie ludności Rzymu, a więc i utrzymanie się każdego rządu w stolicy, toteż Jan natychmiast wyprawił swoje wojska za morze, aby poskromić komesa tych prowincji. Teodozjusz musiał natomiast zmienić plany polityczne, nie mógł bowiem jednocześnie walczyć z Janem w Italii i z Bonifacjuszem w Afryce. Postanowił zgodzić się na dalszą odrębność imperium zachodniego, ale pod warunkiem, że będzie tam panował przedstawiciel prawowitej dynastii — Walentynian, syn Galli Placydii. Aby wszakże związać jak najściślej obie gałęzie rodu, a zarazem obie części imperium, zadecydowano, że chłopiec poślubi córkę Teodozjusza II i cesarzowej Eudokii, Eudoksję — wtedy zaledwie dwuletnią. Ceremonię oczywiście odłożono do czasu, gdy dziewczynka dorośnie do zamążpójścia.

Wojska wschodnie miały dopomóc w opanowaniu Italii i obaleniu Jana. Za to wszystko Konstantynopol domagał się tylko pewnych ustępstw terytorialnych na Bałkanach, w tak zwanym Ilirykum.

W początkach 424 roku oficjalnie uznano tytuły Galli Placydii — *agusta* oraz jej syna — *puer nobilissimus*, „chłopiec najszlachetniejszy”, dotychczas uporczywie im odmawiane.

Kilka miesięcy później ruszyła w pole armia pod wodzą najzdolniejszych i najbardziej zaufanych oficerów Teodozjusza; byli nimi Ardabur i jego syn Aspar, pochodzący z irańskiego ludu Alanów. Wraz z wojskiem Konstantynopol opuścił Walentynian pod opieką matki.

15 października w Tesalonice odbyła się uroczystość obwołania cezarem chłopca, mającego wtedy zaledwie 5 lat. Od tej chwili uchodził on formalnie za młodszego godnością współwładcę Teodozjusza II. Ceremonii tej dokonał jeden z najwyższych rangą dostojników dworu wschodniego.

Jan znalazł się w groźnym położeniu. Faktycznie utracił Afrykę, którą miał w swym ręku Bonifacjusz. Hiszpania i Galia były zrujnowane i częściowo opanowane przez Germanów. Nie mógł więc spodziewać się z tych krain żadnej pomocy wobec inwazji nadciągającej od wschodu. Senat rzymski nawet odsunął się od niego, a to z obawy, by komes afrykańskich prowincji nie odciął dostaw zboża.

Aecjusz

W obliczu tych niebezpieczeństw Jan przeniósł się do trudno dostępnej Rawenny, a wsparcia zbrojnego postanowił szukać u barbarzyńców. Wyprawił zaufanego człowieka do Hunów. Fakt to poniekąd paradoksalny: choć Hunowie już od pół wieku znajdowali się w Europie, nad Dunajem, i choć to oni spowodowali wielkie przesunięcie ludów germańskich na zachód, Rzymianie nie spotykali się z nimi bezpośrednio na polach bitew, mieli do czynienia co najwyżej z niewielkimi watahami. Wydaje się nawet, że widzieli w nich rodzaj sojuszników w walce z wrogiem najbliższym i najgroźniejszym, jakim byli Germanie, a zwłaszcza Goci. Tak więc dość przychylnie patrzono na to, że ów koczowniczy lud osiedla się na równinach dzisiejszych Węgier. Owszem, po 408 roku dochodziło do konfliktów między cesarstwem wschodnim a Hunami, gdy usiłowali oni przekraczać Dunaj, ale stosunki z dworem zachodnim kształtowały się przez długie lata wręcz przyjaźnie.

Człowiekiem, który otrzymał misję umocnienia tej przyjaźni, był Aecjusz. Urodził się on około 390 roku w Durostorum, wtedy dość ważnym ośrodku wojskowym nad dolnym Dunajem; obecnie jest to bułgarska Silistra. Pochodził ze znakomitej, zamożnej rodziny. Jego ojciec, Gaudencjusz, był naczelnikiem jazdy, matka zaś przyjechała z Italii, z domu bardzo bogatego.

Malowidła ścienne w grobowcu odkrytym właśnie pod Durostorum w latach ostatniej wojny światowej świadczą najlepiej, jak dostatnio i wytwornie żyły w tej przygranicznej miejscowości zamożne rodziny jeszcze w IV wieku. Przedstawiają owe malowidła parę małżeńską i jej służbę oraz wspaniałe przedmioty domostwa. Na pewno w takich warunkach wyrastał Aecjusz.

Początki jego kariery nie są nam znane. Wiadomo tylko, że jako chłopiec pracował w urzędzie prefekta pretorium, potem zaś był zakładnikiem; najpierw u Alaryka, potem u Hunów. Była to praktyka częsta w starożytności: zawierając pokój lub sojusz dawano stronie przeciwnej dzieci osób znakomitych jako gwarancję lojalności i dotrzymania warunków układu.

W wypadku Aecjusza pobyt zwłaszcza u Hunów opłacił się sowicie — jemu samemu i Rzymowi. Młody człowiek poznał doskonale język, obyczaje i sposób walki ludu tak bitnego. Nawiązał też wiele osobistych kontaktów i przyjaźni. Wszystko to bardzo przydało się w przyszłości.

Po powrocie do Italii poślubił córkę komesa Karpiliona. Wstępował szybko po szczeblach kariery urzędniczej, a gdy Jan został cesarzem, otrzymał urząd zwany *cura palatii*, czyli nadzór nad sprawami dworu.

Autor starożytny, który osobiście znał Aecjusza lub ludzi z nim się stykających, Frygeryd (*Frigeridus*), tak go charakteryzuje: „Wzrostu był średniego, postawy męskiej, przystojny, ani słabowity, ani ociężały. Duchem ochoczy, ciałem sprawny, jeździec znakomity, doświadczony w strzelaniu z łuku, dobry w rzucie oszczepem. Wojny prowadził doskonale, lecz wsławił się też w umiejętnościach pokojowych. Wyzbyty chciwości nie pożądał niczego, obdarzony darami ducha nie dał się odwieść nawet złym doradcom od tego, co postanowił. Krzywdy znosił bardzo cierpliwie, trudów wręcz pragnął, niebezpieczeństw się nie bał, pragnienie i bezsenność wytrzymywał doskonale. Podobno już we wczesnej młodości przepowiadano mu, że czeka go z łaski losu wielka przyszłość".

Portret ten jest oczywiście wyidealizowany, jednakże Aecjusz, zwany przez wielu, i słusznie, ostatnim Rzymianinem, cechował się jako wódz i polityk niezwykłymi zdolnościami.

Przez trzydzieści lat, licząc od 424 roku aż do swej tragicznej śmierci w roku 454, odgrywał on główną rolę w cesarstwie zachodnim, broniąc go z imponującą energią i przemyślnością przed coraz nowymi niebezpieczeństwami. Gdyby nie on, państwo to zapewne załamałoby się wcześniej.

W 424 roku Aecjusz wyjechał z rozkazu cesarza Jana nad środkowy Dunaj, aby przyprowadzić najemne hordy koczowników do Italii na pomoc Rzymianom — walczącym z Rzymianami. I zabrakło tylko przysłowiowego łutu szczęścia, by plan ten został uwieńczony sukcesem i sprawa Jana okazała się zwycięska.

Powrót Galli Placydii

Armia wysłana z Konstantynopola przeszła do działań wiosną 425 roku podzielona na dwa korpusy. Pierwszy z nich, lądowy, pozostawał pod rozkazami Aspara i składał się głównie z oddziałów jazdy. Przekroczył łatwo przełęcze wschodnich Alp, ubiegając obronę dopiero organizowaną przez wojska Jana. Wkrótce też opanował Akwileję, gdzie natychmiast przybyła Galla Placydia wraz z małym Walentynianem.

Tymczasem Ardabur wypłynął z Salony w Dalmacji. Miał pod sobą okręty wiozące piechotę, a jego zadaniem było zajęcie adriatyckich wybrzeży Italii. Jednakże silna wichura rozproszyła flotę i Ardabur przybił do brzegu tylko z dwoma okrętami. Wpadł wprost na oddziały przeciwnika, został pojmany i przewieziony do Rawenny.

Tam spotkał się nadspodziewanie z przyjęciem łaskawym i był traktowany jak gość honorowy. Jan bowiem sądził, że zakładnik posłuży przy ewentualnych układach, do których dążył usilnie. Ardabur cieszył się zatem całkowitą swobodą ruchów, co wyzyskał przeciągając oficerów i dostojników na stronę Walentyniana obietnicami ogromnych nagród. Zdołał nawet w tajemnicy przesłać wiadomość o sobie do Akwilei.

Nadeszła w samą porę, tam bowiem przeżywano chwile trwogi. Aspar opłakiwał śmierć ojca — myślano, że utonął — Galla zaś uważała wszystko za stracone i może nawet już się przygotowywała do odwrotu z obawy przed nadejściem Hunów.

Zachęcony wezwaniami ojca Aspar zdecydował się na krok niemal desperacki. Zaufał pewnemu przewodnikowi — powstała później legenda, że był to anioł zesłany z niebios — i przeszedł wraz ze swymi ludźmi ścieżką przez zdradzieckie moczary otaczające Rawennę. Bramy zastał otwarte, mury nie obsadzone, opanował więc miasto bez walki.

Pojmanego Jana przewieziono do Akwilei, gdzie Galla Placydia rozprawiła się z nim niesłychanie okrutnie. Kazała odciąć mu prawą rękę, posadzić na osła i tak obwozić po całym mieście, broczącego krwią, ku uciesze gawiedzi. Egzekucji dokonano przez odrąbanie głowy.

Wieść o upadku Rawenny dotarła do Konstantynopola w chwili, gdy dwór i tłumy mieszkańców przyglądali się wyścigom rydwanów na stadionie. Pobożny Teodozjusz wezwał natychmiast do przerwania zawodów i ogromny pochód ruszył procesjonalnie przez stadion do kościołów, śpiewając hymny dziękczynne.

Dokładnie w trzy dni po męczeńskiej śmierci Jana stanął na ziemiach Italii Aecjusz. Wiódł podobno aż 60 000 Hunów. Doszło do potyczki z wojskami Aspara, padło po obu stronach sporo zabitych, dalsze jednak działania nie miały już sensu, nie było po co i dla kogo walczyć. Ostatecznie więc zawarto porozumienie. Hunowie odeszli, oczywiście nie bez dobrej zapłaty, Aecjusz natomiast otrzymał tytuł komesa i przyjął służbę u nowego władcy Zachodu, u Walentyniana. Miał dowodzić jego wojskami.

Działo się to w maju lub w czerwcu 425 roku. Latem tegoż roku Galla Placydia udała się wraz z synem do Rawenny, a stamtąd od Rzymu. Do stolicy napłynęły tłumy, stawiło się wielu najwyższych dostojników. Miał przybyć sam Teodozjusz, zasłabł jednak w drodze i powrócił do Konstantynopola już z Tesaloniki. W Rzymie reprezentował go naczelnik urzędów pałacowych, patrycjusz Helion, który 23 października dokonał symbolicznego aktu koronacji, przekazując sześcioletniemu chłopcu purpurowy płaszcz i diadem i obwołując go augustem.

Od tej chwili Walentynian III był pełnoprawnym cesarzem, równym tytulaturą i godnością Teodozjuszowi, imperium zaś zachodnie odzyskiwało formalną i rzeczywistą odrębność.

Walentynian III

Placidus Valentinianus
Ur. 3 lipca 419 r.,
zm. 16 marca 455 r.
Panował
od 23 października 425 r.
do śmierci jako *Flavius Placidus Valentinianus Augustus.*

W imieniu syna

Sześcioletni chłopiec, sprowadzony do Italii przy pomocy wojsk wschodnich i okrzyknięty cesarzem, pozostawał pod opieką swej matki, Galli Placydii. Dwór przez wiele lat przebywał niemal bez przerwy w Rawennie. W tym więc mieście dorastał Walentynian, wychowywany wraz z siostrą Honorią przez matkę w duchu gorliwej religijności. Galla Placydia pragnęła bowiem, aby syn panował w przyszłości jako władca chrześcijański, pobożny i sprawiedliwy, ale zarazem znający się na sprawach wojska i wojny.

Przypuszczają niektórzy, że było to wychowanie niewłaściwe bądź też nieskuteczne, Walentynian III bowiem okazał się władcą niedołężnym. Nikt wszakże dziś nie dojdzie, ile jest prawdy w takim sądzie. Jak wyważyć, czy odpowiedzialnością za nieszczęsny bieg późniejszych wydarzeń należy obarczać osobowość Walentyniana, czy też ogólną sytuację dziejową, wobec której każda, nawet najwybitniejsza jednostka musiałaby okazać się bezradna? Nie można zaś, jak zobaczymy, odmawiać młodemu cesarzowi ambicji po dojściu do pełnoletniości, by rządzić samemu.

Honorię, jak się wydaje, matka sposobiła do życia w klasztorze lub przynajmniej w dozgonnym panieństwie. Czyniła tak zapewne, by uniknąć konfliktów politycznych w razie wydania córki za kogoś wpływowego i ambitnego. Nie liczyła się zupełnie z jej wolą i temperamentem, co doprowadzić miało do tragicznych komplikacji i wielkiej burzy dziejowej.

Wielu współczesnych, ale i potomnych, uważało, że dla Zachodu małoletniość Walentyniana i rządy jego matki okazały się zgubne. W niecały wiek później senator Kasjodor pisał: „Słyszeliśmy, że Placydia, podziwiana przez opinię świata, sławna zaś dzięki temu, że wśród jej przodków było kilku cesarzy, gorąco miłowała swego syna. Lecz państwem jego rządziła niedbale, toteż zostało ono haniebnie uszczuplone. Wystarała się o synową, ale za cenę utraty Ilirii. Rozleniwiła także żołnierzy, dając im nadmiar spokoju. Tak więc pod opieką matki syn ścierpieć musiał to, do czego by nie doszło, gdyby był samotny".

Sąd to nazbyt surowy. Oczywiście, z góry odrzucamy wywody o rzekomej nieudolności rządów kobiecych. Czyż bowiem trzeba wymieniać imiona znakomitych władczyń z czasów starożytnych i najnowszych? Ale pogląd ten na pewno wpłynął na ton wypowiedzi Kasjodora, a spotykamy go często nawet w opracowaniach naukowych.

Galla Placydia była niewątpliwie osobowością wybitną. Inteligentna, świadoma celów i ogromu odpowiedzialności, poważnie traktowała obowiązki wobec państwa i syna, spadkobiercy chwały rodu; w pewnej mierze przyznaje to nawet Kasjodor.

Była również bardzo religijna. Najtrwalszym tego pomnikiem są budowle, które wznosiła całkowicie lub częściowo swoim kosztem. W samej Rawennie ufundowała ich co najmniej trzy. Najpierw kościół św. Jana Ewangelisty jako dar wotywny za wyratowanie z niebezpieczeństw żeglugi, gdy wraz z rodziną uciekała z Italii; pozostały z niego tylko fragmenty. Resztki również ocalały z pierwotnego kształtu kościoła św. Krzyża.

Prawie natomiast nie naruszona w swej konstrukcji i wspaniałym wystroju wnętrza trwa już przez półtora tysiąclecia kaplica, zwana tradycyjnie mauzoleum Galli Placydii. I rzeczywiście miała służyć za grobowiec samej cesarzowej, jej brata Honoriusza oraz drugiego męża, Konstancjusza III. Zachowały się jeszcze trzy sarkofagi, choć ten przeznaczony pierwotnie dla Galli pozostał zawsze pusty, albowiem zmarła ona i została pochowana w Rzymie.

Kaplica, jeden z klejnotów architektury światowej, odbiega w planie i stylu od głównych zasad budownictwa antycznego. Z zewnątrz wydaje się prosta i skromna, ale po przekroczeniu progu odnosi się wrażenie odmienne. Rozproszone światło, łagodność łuków, żywe barwy mozaik o tematyce pogodnej, lecz zarazem wzniosłej — wszystko to sprawia, że czujemy się otoczeni inną, jakby nieziemską rzeczywistością.

Choć Galla Placydia żyła w czasach ruiny starego porządku, gdy zewsząd wdzierało się barbarzyństwo, odznaczała się wyczulonym zmysłem artystycznym, wrażliwością subtelną i śmiałą jednocześnie, była przyjazna temu, co rzeczywiście nowe i świeże. Jeśli więc chodzi o stosunek do sztuki, stała znacznie wyżej od wielu późniejszych twórców, teoretyków i mecenasów, którzy szczycąc się mianem wielbicieli i szermierzy wszelkich „nowych fal" w istocie tylko powielają lub wychwalają dawne wzory lub wyżywają się w pogoni za tym, co rzekomo oryginalne.

Powie ktoś, że mauzoleum jest przede wszystkim dziełem architektów i artystów, a nie cesarzowej. Tak, ale to przecież ona musiała projekt przyjąć, a także poprzeć swym autorytetem — i pieniędzmi.

Przypomnijmy też, że za jej rządów ukończono bazylikę św. Pawła w Rzymie, zwaną „Za murami". Stała ona prawie nie naruszona do pierwszej połowy XIX wieku, kiedy zniszczył ją pożar. Choć odbudowana w dawnym kształcie, nie ma już uroku autentyku.

I wreszcie to Galla Placydia pomogła ozdobić mozaikami i freskami kościół rzymski noszący dziś miano *Santa Croce in Gerusalemme*.

Równie wybitnie zaznaczył się ferwor religijny władczyni w zakresie prawodawstwa. W 426 roku ukazały się dwie ustawy — oczywiście formalnie ich autorem był Walentynian III, wówczas ośmioletni — ostro godzące w pogan i żydów.

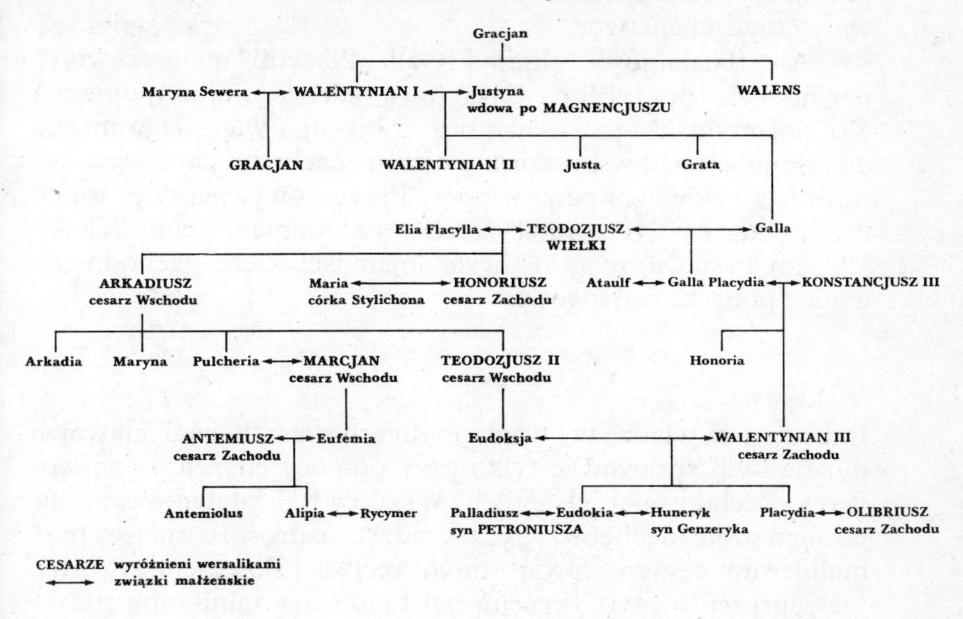

Pierwsza z nich powtarzała i umacniała postanowienia wcześniejsze, unieważniające wszelkie zapisy w testamentach, wszelkie darowizny i nawet zwykłe akty sprzedaży, dokonywane przez apostatów, czyli przez osoby, które odchodziły od chrześcijaństwa, a wracały do wiary ojców. W istocie więc ustawy karały każdego apostatę śmiercią cywilną, albowiem tracił on prawo dysponowania własnym majątkiem.

Warto pamiętać o tych bezwzględnych posunięciach, kiedy rozważa się dzisiaj problem, dlaczego to nowa religia odniosła tak stosunkowo szybkie zwycięstwo nad dawnymi bogami. Jak się okazuje, przyczyny były w licznych wypadkach nie rzędu metafizycznego lub etycznego, lecz nader przyziemne — łatwiej przecież zrezygnować z przekonań niż z majątku. Godzi się też zauważyć, że ponawianie ustaw tego typu świadczy najdowodniej o wciąż nie gasnącej sile i atrakcyjności pogańskich kultów. Wchodziły one zresztą do obrzędów nowej religii tylko pod zmienionymi nazwami.

Druga ustawa z 426 roku zabraniała żydom i samarytanom

pomijać w testamencie te swoje dzieci i wnuki, które przyjmowały chrześcijaństwo.

Ale działalność religijna Galli Placydii miała również pewne cele polityczne. Cesarzowa zdecydowanie popierała Kościół rzymski umacniając prawa biskupa wiecznego miasta do dominacji nad wszystkimi gminami Zachodu, choć wywoływało to tu i ówdzie pewien opór. Przygotowywała więc to, co u schyłku jej życia miał zrealizować papież Leon Wielki. W zamian wszakże oczekiwała lojalności kleru zachodniego wobec polityki państwowej.

Wodzowie

Rzeczywistą władzę w owych ponurych czasach ciągłych wojen można było sprawować tylko przy pomocy energicznych wodzów. Zachód miał ich trzech. Wszyscy byli utalentowani, ale wzajem sobie niechętni, wręcz wrodzy, zazdrośni o miejsce przy małoletnim cesarzu. Dwaj z nich, Aecjusz i Bonifacjusz, zostali już zaprezentowani. Trzecim był Feliks, naczelnik obu rodzajów wojsk, patrycjusz, konsul 408 roku.

Niewiele można powiedzieć o stopniach jego kariery, o pochodzeniu i czynach, źródła bowiem są skąpe. Za to znamy rysy jego twarzy, podczas gdy nie zachowała się żadna podobizna Bonifacjusza i Aecjusza, choć z kolei o życiu ich wiemy sporo.

Ocalała składana tabliczka z kości słoniowej, zwana dyptychem, przechowywana obecnie w zbiorach Biblioteki Narodowej w Paryżu. Jej płaskorzeźba przedstawia dostojnika stojącego sztywno, w postawie frontalnej, a więc twarzą wprost ku widzowi. Odziany jest w szaty długie, wspaniałe, ciężkie, a szata wierzchnia, rodzaj ornatu, ma bogate hafty. W ręce prawej mąż ów trzyma jakby berło. Głowa bez nakrycia, twarz lekko pociągła, lecz pełna, bródka przystrzyżona. Nie ma wątpliwości, że chodzi o Feliksa, napis bowiem podaje jego nazwisko i wszystkie tytuły.

Dodajmy, że tego rodzaju tabliczki pojawiły się u schyłku IV wieku jako dar grzecznościowy, ofiarowywany przez dostojników w dniu obejmowania godności. Zachowało się takich dyptychów sporo; najpóźniejsze pochodzą z połowy VI wieku.

Feliks był chrześcijaninem, o czym świadczy napis, który znajdował się niegdyś w kościele św. Jana na Lateranie obok obrazu mozaikowego, a głoszący, że on, Feliks, i jego żona Paduza polecili wykonać mozaikę jako dar wotywny. Niestety, i obraz, i napis uległy zniszczeniu już w średniowieczu, wiemy o nich tylko z odpisów i relacji.

Chyba największym wojskowym i politycznym sukcesem Feliksa było to, że zmusił lub też skłonił Hunów, aby ustąpili z ziem prowincji *Valeria*, ciągnącej się wzdłuż Dunaju od okolic obecnego Budapesztu aż po ujście Drawy.

Tymczasem Aecjusz zbierał laury w Galii, gdzie odparł Wizygotów usiłujących zająć Arelate (Arles) oraz powstrzymał napór Franków nad dolnym Renem i Mozą. Wśród swoich wojsk miał zapewne również oddziały Hunów, nie zerwał bowiem więzów przyjaźni z tym ludem. Warto też zwrócić uwagę, że choć plemiona germańskie przedarły się przez Ren już w 406 roku i usadowiły się częściowo w Galii, częściowo zaś w Hiszpanii, Rzymianie nadal uważali tę rzekę za granicę imperium i nadal na niektórych odcinkach stały tam ich wojska. Ale tama obwarowań, raz przerwana i zniszczona, nie dała się już nigdy zamknąć.

W 430 roku Aecjusz przebywał na dworze w Rawennie i miał już tytuł równy Feliksowemu, to jest naczelnika obu rodzajów wojsk. Może Galla Placydia pragnęła skłócić w ten sposób obu wodzów, a może istotnie przechylała się na stronę Aecjusza. Nie znamy dokładnie tła wydarzeń, tajemnicą okryte są dworskie i kościelne intrygi — Feliks poprzednio ukarał śmiercią biskupa Arelate i pewnego diakona w Rzymie — wiadomy jest tylko końcowy wynik walki o władzę.

Ludzie Aecjusza zamordowali Feliksa i jego żonę oraz wiernego im kapłana przy bramie jednego z kościołów w Rawennie. Prawdopodobnie Feliks przygotowywał zamach zbrojny, pragnąc pozbyć się znienawidzonego rywala, ten jednak ubiegł go — w porę ostrzeżony.

Jednakże do upadku Feliksa przyczynił się również katastrofalny obrót spraw w Afryce.

Faktyczny pan tamtejszych prowincji, komes Bonifacjusz, poczuł się zawiedziony, choć bowiem okazał Galli Placydii niezłomną wierność w trudnych dla niej latach niełaski i wygnania, nie otrzymał upragnionej godności naczelnika wojsk. A jako człowiek przezorny obawiał się, że jego wrogowie na dworze zechcą wkrótce pozbawić go rządów nad krainami tak ważnymi.

Zaczął więc fortyfikować w Afryce główne miasta, zbierać wojska, gromadzić pieniądze. Wszystko to rodziło z kolei w Rawennie podejrzenia, że Bonifacjusz zamyśla samodzielnie tam władać lub nawet ogłosić się cesarzem. Rozkazano, by stawił się na dworze. Odmówił kategorycznie. Bezzwłocznie więc pozbawiono go namiestnictwa, a w końcu 427 roku wyprawiono trzech dowódców do Afryki, by usunęli opornego komesa siłą. Spotkała ich haniebna klęska, wciągnięci w zasadzkę zginęli wszyscy.

Zachowały się listy, które Augustyn, ówczesny biskup miasta *Hippo Regius*, czyli Hippony, obecnej Anaby w Algierii, wystosował do Bonifacjusza. W pierwszym z nich poucza go, na czym polega różnica między arianami a donatystami. To zdumiewające, że rzymski dostojnik tak wysokiej rangi, wierzący chrześcijanin, mógł tak kompletnie się nie orientować w istocie konfliktów wstrząsających ówczesnym Kościołem, choć trwały one już ponad wiek. List pokazuje dowodnie, jak obce i niezrozumiałe były te spory dla wielu współczesnych.

List drugi zachęca adresata do czynienia dobra i krzewienia pokoju, ala zarazem usprawiedliwia służbę i walkę z barbarzyńcami. Znamienna to zmiana postawy w stosunku do nauk i postępowania chrześcijan wieków ubiegłych, kiedy to wielu życiem przypłaciło odmowę służenia w wojsku z bronią w ręku.

Wreszcie w liście trzecim biskup opłakuje i potępia to, że po śmierci pierwszej żony poślubił ariankę. A także jego bezradność — po początkowych sukcesach — w walkach z barbarzyńskimi najeźdźcami z okolic górskich i pustynnych.

Tymczasem wiosną 428 roku Bonifacjusz dowiedział się, że w Rawennie mianowano nowego komesa Afryki, który już gromadzi wojska i przygotowuje wyprawę przeciw niemu. Sytuacja była niebezpieczna. Wypadało jednocześnie walczyć i z tą armią, i odpierać najazdy koczowników. Dokuczliwą groźbę stanowili również tak zwani *circumcelliones*. Były to gromady chłopów, przeważnie donatystów, krążące już od dawna po afrykańskich prowincjach, to rozpraszając się, to znowu zbierając, trudne do uchwycenia. Napadały na ziemie i pałace bogatych panów, ale nie szczędziły też domostw i kościołów ubogich katolików, albowiem w ruchu tym łączyły się elementy buntu społecznego z tendencjami lokalnego i religijnego separatyzmu.

Bonifacjusz nie bez racji uznał, że jedynym dlań ratunkiem jest znalezienie sprzymierzeńców, którzy by mogli dać skuteczną pomoc zbrojną stając jak najrychlej na ziemi Afryki. Rozglądając się wokół widział tylko jeden lud spełniający owe warunki — Wandalów. Usadowili się oni wówczas w południowej Hiszpanii, mniej więcej w tej krainie, która do dziś nosi miano ziemi Wandalów — Wandaluzji, czyli Andaluzji. Od niedawna władał nimi król — Genzeryk.

Genzeryk

Imię to występuje w źródłach w różnych postaciach — *Geisericus, Ginserichus, Gisericus* — w polskiej wszakże literaturze przyjęła się dość powszechnie forma podana, Genzeryk. Władał on ludem Wandalów dopiero od roku, od śmierci przyrodniego brata. Jordanes przekazał taki jego portret: „Wzrostu średniego, kulejący na jedną nogę od czasu upadku z konia. Skrytych myśli, oszczędny w słowach. Przepychem gardził, w gniewie nie władał sobą. Był chciwy. Patrząc daleko w przód umiał tak rzecz prowadzić, że obce ludy pracowały dla jego korzyści, umiał też zręcznie siać niezgodę i wzniecać wzajemną nienawiść wśród wrogów".

Należał on z całą pewnością do najwybitniejszych i najwyrazistszych postaci V wieku. Bezwzględność, z jaką realizował plany, połączona ze sprytem i wiarołomnością, czyniła zeń niebezpiecznego partnera w rozgrywkach politycznych. Zaciążył nad losami Rzymu bardziej złowrogo niż wszyscy inni wodzowie i królowie ludów barbarzyńskich, którzy zadawali rany cesarstwu w owych czasach.

Nie ma bezspornego dowodu, że to właśnie Bonifacjusz wezwał Genzeryka i jego Wandalów, świadomie i dobrowolnie, gdyż źródła poruszające ten temat są nieco późniejsze i niezbyt wiarygodne. Czy więc rzeczywiście komes popełnił krok tak szalony i zadał cios śmiertelny nie tylko prowincjom afrykańskim, lecz i całemu imperium zachodniemu?

Bonifacjusz wszakże mógł się kierować przesłankami mającymi przynajmniej pozory słuszności. Po pierwsze, korzystanie z pomocy barbarzyńców było już od dawna regułą w wewnętrznych sporach i walkach wodzów imperium; przykładem mógł służyć choćby Aecjusz, zawdzięczający swoją pozycję w państwie głównie zastępom Hunów. Po drugie, Wandalowie nie wydawali się zbyt groźni, przed kilkunastu bowiem laty dużą ich część wyrżnęli w Hiszpanii Wizygoci i Rzymianie. Po trzecie wreszcie, Bonifacjusz wyobrażał sobie zapewne, że najpierw przy pomocy Wandalów odeprze wysłanego przez cesarza wodza oraz przepędzi koczowników pustynnych, potem zaś zwróci się przeciw samym Wandalom: część z nich wyginie w walkach, część osiedli się na ziemiach spustoszonych, pozostali zaś będą musieli odejść — lub zostaną wymordowani.

I może tak potoczyłyby się wypadki, gdyby nie polityczny i wojskowy geniusz Genzeryka.

Żyjący w V wieku w Afryce rzymski autor dziełka *Historia prześladowań prowincji afrykańskich,* Wiktor z Wity, twierdzi, że tuż przed dokonaniem przeprawy z Europy w 429 roku Genzeryk rozkazał zliczyć wszystkich swoich: starych i młodych, dzieci, niewolników, mężczyzn wolnych. Łącznie było 80 000 osób. Wychodząc od tych danych można przyjąć, że król miał mniej więcej 15 000 wojowników.

Przeprawa przez cieśninę odbyła się bez przeszkód, Wandalowie bowiem już nieco wcześniej zaznajomili się z morzem podczas łupieskich wypraw, nawet na Baleary. Obecnie korzystali też zapewne z pomocy Bonifacjusza.

Wylądowali prawdopodobnie w okolicach Tyngis, dzisiejszego Tangeru, i stamtąd maszerowali lądem na wschód wzdłuż wybrzeży przez ziemie Mauretanii i Numidii.

„Znaleźli prowincje ciche i spokojne, ziemie wspaniale rozkwitające, uderzali więc swymi bezbożnymi zastępami na wszystkie strony. Niszczyli i grabili, ogniem i mieczem karczowali wszystko wokół. Nie oszczędzali nawet krzewów owoc rodzących, chodziło im bowiem o to, aby ci mieszkańcy, którzy zdołali się ukryć w górskich jaskiniach, wśród urwisk i miejsc niedostępnych, nie mogli się niczym żywić po ich odejściu. Szalejąc wciąż i od nowa z niezmienną wściekłością nie pozostawiali żadnego miejsca nietkniętego. Lecz szczególnie zbrodniczo srożyli się w kościołach i bazylikach świętych, na cmentarzach i w klasztorach. Wypalali domy modlitwy dotkliwszymi pożarami niż miasta".

Tak przedstawia pochód Wandalów Wiktor z Wity, może nieco przesadnie, faktem jest jednak, że Wandalowie istotnie prześladowali wszelkie instytucje kościelne katolickie i kler bardzo zaciekle, sami bowiem byli arianami. Genzeryk zaś, jak się wydaje, jeszcze rozpalał religijny fanatyzm, aby pogłębić przepaść pomiędzy nim a Rzymianami. W Afryce znaleźli też Wandalowie od razu gorliwych sojuszników w walce z katolikami; byli nimi donatyści.

Bonifacjusz wszakże odniósł doraźne korzyści z pojawienia się Wandalów. Dwór bowiem w Rawennie, gdy tylko zorientował się, jak groźna jest sytuacja w Afryce, odwołał wysłanego przeciw niemu wodza i oficjalnie powierzył misję wyparcia Wandalów — samemu Bonifacjuszowi!

Usiłował on rzeczywiście wypełnić to zadanie. Zastąpił drogę Wandalom, został jednak rozgromiony. Zamknął się więc w *Hippo Regius,* gdzie urząd biskupa sprawował Augustyn. Oblężenie Hippony rozpoczęło się późną jesienią 430 roku i trwało długo, co najmniej kilkanaście miesięcy. W trakcie walk zmarł 28 sierpnia biskup Augustyn. Miał wtedy 76 lat. Miłosierny los oszczędził mu widoku wkraczających do miasta zdobywców. Jak oceniałby wówczas własne wywody w dziele *O państwie bożym,* napisanym po wejściu Gotów do Rzymu w 410 roku? Twierdził wtedy, że lud boży nie powinien się przejmować przypadkami państwa ziemskiego, nie ono bowiem jest jego prawdziwą ojczyzną. Może by zmienił zdanie? Może by zrozumiał, że także dla chrześcijanina sprawy państwa, w którym żyje, nie są czymś obojętnym i winien je wspierać?

Bonifacjusz wraz z częścią ludności oraz załogą opuścił miasto. Przeniósł się dalej na zachód, do Kartaginy. Ale watahy Wandalów i tam zaczęły podchodzić. Nie pomogły nawet wojska przysłane przez cesarza Wschodu, Teodozjusza II, pod wodzą Aspara; poniosły klęskę.

W Italii zaś, jak była o tym mowa, wieść o wypadkach w Afryce przyczyniła się do krwawego zamachu stanu: Aecjusz zgładził w Rawennie swego rywala politycznego Feliksa i stanął na czele sił zbrojnych Zachodu. Odnosił duże sukcesy. Jeszcze w 430 roku powstrzymał nad górnym Dunajem germański szczep Jutungów. Potem walczył w północnej Galii przeciw Frankom. W nagrodę przyznano mu godność konsula na rok 432. Ale właśnie w tym roku, gdy przebywał za Alpami, doniesiono mu, że cesarz odwołał Bonifacjusza z Afryki i mianował go naczelnikiem wojsk, a nawet dał mu tytuł patrycjusza.

Aecjusz nie zamierzał pogodzić się z sytuacją, która oznaczałaby koniec jego kariery. Pośpieszył do Italii na czele wiernych oddziałów i stoczył bratobójczą bitwę z wojskami Bonifacjusza w pobliżu Ariminum, obecnego Rimini. Został pokonany i musiał szukać ratunku u swych przyjaciół Hunów. Ale zwycięski Bonifacjusz odniósł podczas bitwy ciężką ranę i zmarł w dwa miesiące później. Naczelnikiem wojsk został jego zięć Sebastian.

W 433 roku Aecjusz wkroczył do Italii na czele hord, które uzyskał od Hunów za cenę oddania im dwóch rzymskich prowincji naddunajskich, Walerii i Panonii Drugiej. Cesarz musiał przywrócić go do łask i godności naczelnika wojsk, dał mu też tytuł patrycjusza.

Sebastian uciekł po tych wydarzeniach do Konstantynopola. Dalsze jego losy układały się niby romans awanturniczy. Przez kilka lat służył dworowi wschodniemu jako dowódca flotylli pirackiej do specjalnych zadań. Potem oskarżony o zdradzieckie knowania zbiegł do Galii, do Wizygotów. Opanował na krótko *Barcino* (obecną Barcelonę), ale wypędzony stamtąd schronił się wreszcie w Afryce u Genzeryka i z jego rozkazu został zabity. Przyczyny mordu były polityczne, ale późniejsza tradycja uczyniła z Sebastiana męczennika za wiarę; twierdzono, że jako katolik nie chciał przejść na arianizm.

Tymczasem po powrocie Aecjusza do władzy Wandalowie okazali się skłonni do pewnych ustępstw. Może dlatego, że obawiali się wojny, w której sprzymierzeńcami wodza rzymskiego byliby Hunowie? A może Genzerykowi chodziło tylko o zyskanie na czasie, by umocnić się na ziemiach świeżo zdobytych? W każdym razie w 435 roku król Wandalów i wysłannicy dworu rzymskiego zawarli układ pokojowy. Wandalowie jako sprzymierzeńcy imperium otrzymali ziemie w Mauretanii i Numidii, wycofując się z innych prowincji afrykańskich; mieli płacić trybut cesarzowi i w razie potrzeby walczyć wespół z Rzymianami przeciw innym napastnikom.

Barbarzyńcy w imperium

Aecjusz jako nowo mianowany wódz naczelny zajął się natychmiast sytuacją w Galii, gdzie wielkie niebezpieczeństwo groziło ziemiom, które jeszcze pozostawały pod władztwem rzymskim. Frankowie znowu opanowali Kolonię i Trewir, Burgundowie z okolic Wangionum (obecnej Wormacji) i Moguncji zaczęli rozszerzać swe włości ku północy i zachodowi, Wizygoci zaś zagarnęli ziemie w południowej Galii i oblegali Narbonę.

Dochodziło też do powstań ubogiej ludności. Był to tak zwany ruch bagaudów, odradzający się w Galii co pewien czas od III wieku, za każdym jednak razem krwawo tłumiony. Uprawiający ziemię buntowali się, ponieważ na ich barki spadały coraz sroższe ciężary, nakładane przez państwo, które rozpaczliwie broniło się przed naporem wrogów. Sytuacja pogorszyła się, odkąd ustały niemal całkowicie dostawy zboża i wpływy pieniężne z Afryki. Oczywiście najwięcej powinni by płacić właściciele wielkich majątków, ale ci stosunkowo łatwo uchylali się od obowiązków przekupując urzędników. I tak wszyscy zmierzali ku przepaści.

Choć położenie Galii mogło wydać się beznadziejne, Aecjusz zabłysnął talentem znakomitego wodza. Przy pomocy świetnych jeźdźców i łuczników huńskich zadał dotkliwe ciosy Burgundom. Opowieści o tych walkach toczonych w latach 435 i 436 stały się legendą, wokół której osnuła się już w średniowieczu sławna pieśń o Nibelungach. Attyla, król Hunów, występuje w niej pod imieniem *Etzel*.

Na południu Galii wyróżnił się natomiast w walkach z Wizygotami podkomendny Aecjusza, komes Litoriusz. Wyzwolił Narbonę, w pościgu za wrogami podszedł pod mury ich stolicy Tolozy, czyli Tuluzy, został tam jednak ciężko ranny i dostał się do niewoli, w której zginął. Był ostatnim wodzem rzymskim, o którym wiadomo, że przed bitwą składał bogom ofiary według prastarego rytuału.

Żył wówczas niejaki Salwian, przebywający przez pewien czas w sławnej wspólnocie mnichów na wysepce *Lerinum* w pobliżu obecnego Cannes — z niej to wywodził się św. Patryk, od 431 roku działający w Hibernii (Irlandii) jako apostoł chrześcijaństwa na tej wyspie. Potem Salwian przeniósł się do Masylii, czyli późniejszej Marsylii. Jest autorem dzieła *O opatrzności bożej*, ważnego jako obraz stosunków społecznych i nastrojów w tamtejszych czasach.

Teza podstawowa Salwiana da się tak ująć: to chrześcijanie winni są obecnym nieszczęściom, odziedziczyli bowiem wszystkie występki dawnego Rzymu i świadomie je kontynuują, przez co stają się gorsi od samych pogan. ,,Cały niemal lud chrześcijański doszedł do tak straszliwej niegodziwości obyczajów, że życie mniej występne uważa się za rodzaj świętości". Barbarzyńcy natomiast — wywodzi Salwian — wolni są od wielu nadużyć władzy, żyją skromniej i uczciwiej, ,,toteż bracia nasi nie tylko nie chcą od nich do nas uciekać, lecz opuszczają nas, by u nich szukać schronienia!"

Jest na pewno wiele przesady w słowach Salwiana, stanowią jednak wymowne potwierdzenie znanego skądinąd faktu, że nowa religia nie wpłynęła w sposób istotny na obyczaje i moralność społeczną ani też na funkcjonowanie aparatu władzy.

Gdy Aecjusz wojował w Galii, dwór w Rawennie zajmował się przede wszystkim sprawą małżeństwa młodego cesarza. Walentynian III udał się do Konstantynopola i tam 29 października 437 roku poślubił piętnastoletnią Eudoksję, córkę Teodozjusza II. Wtedy też aprobował zbiór ustaw przygotowany w stolicy wschodniej. Ów tak zwany Kodeks Teodozjański został w roku następnym przedstawiony senatowi rzymskiemu.

Młoda para wyjechała z Konstantynopola wnet po uroczystościach weselnych. Zimę spędziła w Tesalonice, a do Rawenny przeniosła się dopiero wiosną 438 roku. Tutaj w sierpniu roku następnego Eudoksja otrzymała tytuł augusty, tutaj też powiła córkę, która otrzymała imię babki — Eudokia. Córka młodsza, urodzona w kilka lat później, zwała się natomiast jak matka ojca — Placydia.

Późną jesienią 439 roku Walentynian III przeniósł się wraz z rodziną do Rzymu. Być może już wtedy Eudoksja ufundowała tam bazylikę, która istnieje do dziś, choć oczywiście gruntownie przebudowana, zwłaszcza w wiekach XVI i XVIII. Nosi miano *San Pietro in vincoli,* czyli „św. Piotra w okowach", albowiem przechowuje się w niej kajdany, którymi rzekomo skuty był apostoł, a przywiozła je matka Eudoksji ze swej pierwszej pielgrzymki do Jerozolimy. Ale dawniej określano często ów budynek także mianem *basilica Eudoxiana,* od imienia fundatorki. Obecnie zawdzięcza ona sławę nie tyle relikwiom, lecz świetnemu dziełu sztuki, które tam się znajduje. Jest nim posąg Mojżesza dłuta Michała Anioła, stanowiący część nie wykończonego grobowca papieża Juliusza II.

Jeśli wszakże dwór opuścił Rawennę i przebywał przez kilka miesięcy w Rzymie, to nie z powodów natury religijnej i nie po to, aby budować kościoły. Cesarstwu zachodniemu, a nawet samej Italii i Rzymowi zagroziło wielkie niebezpieczeństwo: Wandalowie złamali zawarty przed czterema laty pokój i nagłym uderzeniem 19 października 439 roku zajęli bez walki Kartaginę. W Afryce rządzili Germanie!

Wiktor z Wity, świadek wydarzeń, tak opisuje rządy Wandalów w opanowanej przez nich Kartaginie: „Do fundamentów zburzyli salę koncertową, teatr, świątynię Pamięci, ulicę zwaną Niebiańską, a te kościoły, które ocalały, oddali klerowi ariańskiemu. Genzeryk zalecił też, aby biskupów oraz możnych świeckich pędzono wręcz nagich z ich siedzib. Owszem, dano im możność wyboru, gdyby jednak zwlekali z odejściem, mieli pozostać niewolnikami na zawsze. Znaliśmy niemało biskupów oraz ludzi świeckich, mężów sławnych i dostojnych, którzy stali się sługami Wandalów".

Najbardziej srożyli się zdobywcy na ziemiach prowincji Afryki Prokonsularnej, czyli obecnej Tunezji. Stała ona wówczas najwyżej gospodarczo i cywilizacyjnie, rozkwitały jej miasta, a pałace arystokracji olśniewały bogactwem. Najeźdźcy osiedlali się tam najchętniej, rugując dotychczasowych panów z całą bezwzględnością.

W skargach Wiktora jest jednak sporo przesady. Dane archeologiczne wskazują, że zniszczenia w miastach nie przedstwiały się tak straszliwie, a po pewnym czasie sami Wandalowie zaczęli przejmować miejski tryb życia. Przemieszczenie zaś praw własności, które dokonało się na samych szczytach hierarchii społecznej i dotknęło może kilkaset rodzin, mogło nawet przynieść pewną ulgę tym, co uprawiali ziemię w trudzie i ubóstwie. Jest bardzo prawdopodobne, że daniny i świadczenia stały się pod rządami Wandalów dużo lżejsze, nowi bowiem właściciele majątków nie płacili podatków, mogli więc sami łaskawiej traktować ludność wiejską. Afryka nie musiała też już dostarczać zboża na wyżywienie stolicy.

A ta śledziła wydarzenia tamtejsze z najwyższym przerażeniem. Utracono żyzne prowincje, a Genzeryk — co wówczas wydawało się czymś najgroźniejszym — zajął w porcie Kartaginy flotyllę statków zdolnych do żeglugi. Istniało więc realne niebezpieczeństwo, że Wandalowie przeprawią się na Sycylię, stamtąd zaś do Italii i zajmą Rzym, jak przed trzydziestu laty Wizygoci.

O tym, jak żywy i wręcz paniczny był lęk przed inwazją, najdowodniej świadczą edykty Walentyniana z wiosny 440 roku. Jeden z nich mówi o konieczności naprawiania umocnień oraz zapewnia, że mieszkańców miasta nie będzie się pociągało do służby w wojsku, lecz w razie potrzeby do trzymania straży na murach.

Umacniały swe obwarowania również inne miasta. O tym świadczy napis znaleziony w Neapolu: ,,Pan nasz Placydus Walentynian, najprzezorniejszy z wszystkich dotychczasowych cesarzy, za zgodą pana naszego Flawiusza Teodozjusza, nigdy nie zwyciężonego Augusta, umocnił dla chwały imienia swego miasto Neapol murami i wieżami, nie szczędząc ogromnego nakładu pracy i kosztów, było bowiem wystawione na wszelkie ataki od strony lądu i morza''.

Tymczasem wielu powoływanych do wojska ukrywało się, inni zaś, już wcieleni do oddziałów, uciekali. A jedni i drudzy cieszyli się wydatną pomocą nie tylko swych rodzin, lecz i właścicieli majątków, którym chodziło o ręce do pracy na roli. Edykt cesarski zatem postanawiał: ktokolwiek by użyczał rekrutowi lub zbiegowi schronienia w swej majętności na wsi lub w mieście, ma go wydać natychmiast, a tytułem kary wystawi dodatkowo trzech mężczyzn zdolnych do służby wojskowej. Gdyby ukrywającym był kolon, dzierżawca lub zarządca — sam zostanie powołany do wojska, jeśli tylko jego wiek na to pozwoli. Gdyby zaś wiedział o ukrywającym się w domu pana bez jego wiedzy, a nie doniósł o tym — zapłaci życiem.

Ale dokumentem najbardziej interesującym i chyba najlepiej oddającym nastroje 440 roku jest edykt z 24 czerwca, który stanowi rodzaj odezwy skierowanej przez cesarza do ludu rzymskiego.

„Genzeryk, wróg imperium, podobno wyprowadził niemałą flotę z portu Kartaginy, każde więc wybrzeże musi się obawiać nagłego najazdu i rabunku. I choć zapobiegliwość Naszej Łagodności rozmieściła załogi w różnych miejscach, choć wierzymy, że mąż najznamienitszy, patrycjusz Aecjusz wkrótce przybędzie na czele licznych zastępów; choć wreszcie mąż najświetniejszy naczelnik wojsk Sygiswult ustawicznie przygotowuje obronę miast i wybrzeży przy pomocy żołnierzy oraz sprzymierzeńców, to jednak, skoro ze względu na łatwość żeglugi w porze letniej jest niepewne, gdzie przybiją okręty nieprzyjacielskie, napominamy tym edyktem wszystkich i każdego z osobna: jeśli zajdzie potrzeba, niech posłużą się wszelką bronią — nie naruszając wszakże zasad porządku publicznego i zachowując wzgląd na szlachetność urodzenia — aby osłonić nasze prowincje oraz własne mienie ufną jednością zamiarów i murem tarczowym. I nich nikt nie wątpi, że przejdzie na jego własność to, co zabierze wrogowi jako zwycięzca.

Dopisano ręką świętą: Niech zostanie to obwieszczone naszemu ludowi rzymskiemu, wielce nas miłującemu!"

Wandalowie zaś rzeczywiście zaatakowali jeszcze w tymże 440 roku Sycylię. Spustoszyli miejscowości przybrzeżne, zaczęli oblegać miasto Panormus, obecne Palermo. Zdobyć go jednak nie zdołali i jeszcze przed zimą odpłynęli do Afryki.

Tymczasem zjawiła się flota z Konstantynopola, mająca wyprzeć Wandalów. Jej dowódcy zatrzymali się u wybrzeży wyspy i wdali się w przewlekłe rokowania z Genzerykiem, łupiąc jednocześnie miasta Sycylii. A gdy hordy Hunów wtargnęły na Bałkany, Teodozjusz natychmiast odwołał wszystkie okręty.

Tak więc Walentynian musiał zgodzić się na zawarcie w 442 roku pokoju z królem Wandalów. Ten ostatni otrzymał najlepsze prowincje Afryki, ziemie dzisiejszej Tunezji oraz wschodniej Algierii, ustąpił natomiast wspaniałomyślnie z krain, które i tak już gruntownie złupił, a więc z zachodniej Numidii i z Mauretanii; te miały podlegać bezpośrednio cesarzowi. Genzeryk zobowiązał się również do składania darów; chodziło zapewne o dostawy zboża do Rzymu.

Może już wtedy rozpoczęto rokowania w sprawie związków rodzinnych między panującymi. Planowano, że w przyszłości córka cesarza Eudokia poślubi wandalskiego królewicza Huneryka; ze względu na wiek Eudokii — miała wtedy kilka lat — zawarcie małżeństwa przesunięto. Istniała jednak przeszkoda: Huneryk miał już żonę, księżniczkę wizygocką. Z tym wszakże Genzeryk łatwo się uporał. Oskarżył synową o to, że bierze udział w zdradzieckich knowaniach i chce go otruć, za karę więc kazał obciąć jej nos i uszy, a tak oszpeconą odesłał do rodziców, do Tolozy.

Pokój z 442 roku obowiązywał praktycznie przez kilkanaście lat, aż do śmierci Walentyniana III. Było tak dlatego, że Genzeryk zajął się przede wszystkim umacnianiem swego władztwa, i to kosztem nie tylko ludności rzymskiej, lecz i samych Wandalów, zwłaszcza ich arystokracji. Łamał więc z całą brutalnością przywileje rodowe, tłumił próby spisków, rzeczywiste i urojone, ograniczał zwyczajowe prawa plemienne.

Rzymianie pragnęli wprawdzie wznowić działania wojenne, aby odzyskać tak cenne dla nich ziemie Afryki, ale byli na to za słabi, a cesarstwo wschodnie, uwikłane w walki z Hunami, nie mogło dać pomocy. Na razie więc głównym obowiązkiem Walentyniana było ulżenie w miarę możliwości doli wygnańców z utraconych prowincji, albowiem wielu z nich uciekając w popłochu przed Genzerykiem postradało wszystko.

Edykt z 443 roku zezwalał im na występowanie przed sądami w roli adwokatów, by przynajmniej niektórzy z nich mogli w ten sposób zarabiać na życie. Drugi edykt z tegoż roku przedstawiał szeroko nieszczęsne ich położenie oraz przyznawał moratorium wszelkich długów i zobowiązań, jakie zaciągnęli, „dopóki nie dostąpią upragnionego powrotu do ojczyzny i własnych majętności". Zastrzeżono również, że wierzyciele nie mogą domagać się lub oczekiwać procentu od pożyczonych pieniędzy.

I wreszcie edykt późniejszy od tych dwóch, bo z 451 roku, dawał posiadaczom ziemskim wygnanym przez Wandalów prawo dziedzicznego użytkowania ziemi leżącej odłogiem w tych prowincjach afrykańskich, które pozostały przy imperium. Zastrzega się jednak, że przywilej ów trwać będzie tylko do chwili objęcia przez wygnanych dawnej ich własności, obecnie zagarniętej przez obcych; nie wiedziano wtedy, że ta chwila już nie nastąpi.

Podczas gdy sprawy w Afryce przybrały obrót tak katastrofalny, Aecjusz wojował dość pomyślnie w Galii. Na północy powstrzymał Franków. Częściowo odtworzył dawną granicę imperium na pewnych odcinkach Renu. Burgundów ocalałych po niedawnej rzezi, uczynionej przez huńskich najemników, osiedlił w okolicach Jeziora Lemańskiego. Dano im tam dwie trzecie ziem uprawnych i jedną trzecią kolonów, oczywiście kosztem dotychczasowych właścicieli. Odtąd Burgundowie byli niezawodnymi sojusznikami Rzymian. Irańscy Alanowie natomiast otrzymali pod osadnictwo tereny w okolicach Walencji (*Valentia*) nad Rodanem i *Cenabum Aureliani,* dzisiejszego Orleanu nad Loarą.

Wódz wszakże nie udzielił żadnego wsparcia Rzymianom pozostałym w Brytanii, a nękanym srodze przez plemiona Piktów z północy i Szkotów z Hibernii oraz Sasów i ich pobratymców zza morza.

Większość mieszkańców wyspy należała wówczas językowo i etnicznie do szczepów celtyckich i nie uległa romanizacji, toteż rychło strząsnęła z siebie dominację obcych — przeważnie właścicieli majątków, kupców, urzędników. Wkrótce wytworzyło się wiele małych księstw celtyckich, wzajem się zwalczających i nie będących w stanie oprzeć się najazdowi z zewnątrz; sytuacja owa dokładnie odpowiadała tej, która panowała na wyspie przed kilku wiekami, to jest przed przyjściem Rzymian.

Zapewne już około 450 roku jeden z książąt celtyckich poprosił Sasów, by osiedlili się na jego ziemiach i pomogli mu w walce z sąsiadami. Germanie podobno zjawili się w niewielkiej liczbie, na trzech tylko okrętach, ale stanowili forpocztę wielkiej i trwałej inwazji.

W kilka lat później Celtowie, ciągle ustępujący, spychani i tępieni, znaleźli wodza, który przynajmniej na jakiś czas zdołał powstrzymać falę saskiego naporu. Był nim Ambrozjusz Aurelian, a więc Rzymianin z pochodzenia. Zdaniem niektórych badaczy postać i czyny jego dały podstawę późniejszym legendom o królu Arturze i rycerzach okrągłego stołu.

W Hiszpanii natomiast trwały niemal bez przerwy uporczywe walki ze Swewami, podczas gdy wybrzeża półwyspu niepokoili Wandalowie. Zdarzały się również powstania wynędzniałej i uciskanej ludności wiejskiej. Wszystko zaś, co mógł uczynić cesarz dla tamtejszych krain, to wysyłać nie wojska, bo tych nie miał, ale wciąż nowych dowódców. Czegóż jednak mógłby dokonać wtedy nawet geniusz, nie mając ani ludzi, ani odpowiednich środków materialnych.

Spośród całego ich zastępu na pamięć zasługuje tylko jeden. Choć działał w Hiszpanii tylko przez rok, 443, i nie zdołał zmienić sytuacji, był jednak postacią bardzo interesującą. Zwał się Merobaudes, pochodził ze znakomitego rodu osiadłego w Hiszpanii, zasłynął jako poeta i mówca. Tak charakteryzuje go współczesny kronikarz, a także napis na podstawie jego nie zachowanego pomnika, który stał niegdyś w Rzymie na Forum Trajana. W retorycznym stylu głosił ów napis pochwały tej treści: mąż to równie dzielny, jak uczony; potrafi sam dokonywać rzeczy godnych pamięci, ale też umie sławić czyny innych; zdobył imię dzięki sprawom wojennym, wymową jednak przewyższa nawet retorów, od kolebki bowiem dbał tak samo o kształcenie swego męstwa, jak i talentów krasomówczych; zalety swe, sposobiące go do czynów dzielnych i do nauki, ćwiczył piórem i mieczem; nie pozwolił, aby wigor umysłowy spoczywał w cieniu ani też, by w zaciszu tylko dla Muz się rozwijał; wśród szczęku broni walczył także pismami. W nagrodę za to wszystko otrzymał na tym forum swą podobiznę wykonaną z brązu.

Z twórczości Merobaudesa zachowały się do naszych czasów tylko fragmenty poezji i prozy. Jest wśród nich część mowy sławiącej konsulat Aecjusza w 437 roku, są wiersze opiewające trzeci konsulat tegoż wodza w 446 roku, znajdują się też urywki poematu na cześć drugiej rocznicy urodzin syna Aecjuszowego. Wynika stąd z całą oczywistością, że Merobaudes należał do grona najbardziej oddanych i bliskich współpracowników wielkiego wodza. Pragnął zarazem być jego poetą — jak w poprzednim pokoleniu wódz Stylichon miał głosiciela swej chwały w osobie Klaudiana.

Loty muzy Merobaudesa są raczej niskie, ale twórczość jest językowo i stylistycznie przynajmniej poprawna, co w owych czasach zamętu i ruiny starego porządku znaczyło bardzo dużo.

Zajęcie Afryki przez Wandalów miało i ten skutek, że zbiegło stamtąd do Rzymu wielu manichejczyków, zwolenników religii prześladowanej ze szczególną zawziętością od prawie półtora wieku zarówno przez władze świeckie, jak i kościelne — te ostatnie bowiem uważały ją za groźną rywalkę chrześcijaństwa. Przebywający wówczas w samej stolicy kronikarz Prosper informuje: „Doszło do świadomości papieża Leona, że w mieście ukrywa się mnóstwo manichejczyków. Wyciągnął ich wszystkich z kryjówek i objawił oczom całego Kościoła. Sprawił, że sami potępili ohydę swej nauki. Spalono ich księgi, których znaleziono mnóstwo".

Władze kościelne ścigały, więziły i przesłuchiwały podejrzanych, zapewne też — jak z reguły w tamtej epoce — stosowano tortury. W trybunale sądowym zasiedli obok duchownych także dostojnicy świeccy. Najbardziej niepoprawnych manichejczyków, którzy nie chcieli przyjąć chrztu, przekazywano władzom państwowym w celu przykładnego ukarania.

Walentynian III oddzielnym edyktem w pełni poparł owe poczynania kościelne, zaostrzając kary przeciw manichejczykom. A w lipcu 445 roku przesłał do Aecjusza ustawę o szczególnym znaczeniu w dziejach Kościoła. Zawiera ona sformułowanie zasady prymatu stolicy apostolskiej, po raz pierwszy wypowiedziane tak jasno i bezkompromisowo.

„Nie wolno biskupom galijskim ani też w innych prowincjach czynić niczego wbrew dawnym obyczajom bez potwierdzenia ze strony męża czcigodnego, papieża miasta wiecznego. A to, co ustanowił lub ustanowi autorytet stolicy apostolskiej, niech będzie dla nich i dla wszystkich prawem. Jeśli zaś biskup powołany przez sąd arcykapłana rzymskiego zlekceważy sobie obowiązek stawienia się, to zmusi go do tego namiestnik danej prowincji".

Tak rodził się stopniowo średniowieczny porządek rzeczy.

Honoria, Attyla, śmierć Galli Placydii

Siostra cesarza Walentyniana III, Honoria, licząca sobie już ponad 30 lat, nie mogła wyjść za mąż ze względów dynastycznych, matka bowiem i brat uważali, że kto by ją poślubił, stałby się ewentualnym kandydatem do tronu. Poradziła więc sobie w inny sposób, nawiązując potajemny romans z Eugeniuszem, zarządcą jej dóbr prywatnych. Gdy rzecz się wydała, on przypłacił to życiem, ją zaś wysłano najpierw na pewien czas do Konstantynopola, a potem postanowiono jednak wydać za mąż.

Wybrańcem został poważny i szanowany, starszy już wiekiem senator Herkulanus, stojący z dala od spraw polityki. Honoria wszakże nie zgodziła się na to małżeństwo. Wpadła na pomysł, że w sprawie tej wiele mogłoby zdziałać słowo króla Hunów. Od 445 roku — po zamordowaniu swego brata i współwładcy, Bledy — samodzielnie rządził tym ludem Atylla. Honoria wyprawiła doń swego zaufanego sługę Hiacynta z dużą sumą pieniędzy, by odpowiednio nastawił króla i jego doradców. Wręczyła mu również osobisty pierścionek dla potwierdzenia, że istotnie chodzi o jej sprawę i wysłannik działa w jej imieniu.

A tymczasem król Hunów zrozumiał treść poselstwa oraz okazanie pierścionka właśnie tak, jak mu to odpowiadało ze względów ambicjonalnych i politycznych: Honoria wybierała go na męża!

Był to rok 449. Attyla zawiadomił dwór w Konstantynopolu, z którym miał kontakty częstsze i bliższe, że przyjmuje propozycję małżeństwa, a Teodozjusz doniósł o tym przez posłów Walentynianowi, radząc usilnie, aby dla ratowania pokoju przystać na żądania Attyli.

Cesarz zareagował wybuchem wściekłości. Hiacynt został

poddany najokrutniejszym torturom i ścięty. Honorii nawet groziła śmierć, uratowały ją tylko błagania matki, Galli Placydii. Musiała poślubić senatora Herkulanusa i została usunięta z dworu; zapewne zmarła kilka lat potem.

Sprawa Honorii była dla Attyli oczywiście tylko pretekstem i tak bowiem zwrócił uwagę na imperium zachodnie, osłabione tylu najazdami. Wydawało się, że łatwo będzie zawładnąć jakąś jego częścią, zwłaszcza żyzną Galią. Popychał króla Hunów w tym kierunku Genzeryk, obawiający się wzrostu potęgi tamtejszych Wizygotów, z którymi był skłócony — zwłaszcza odkąd odesłał im ich księżniczkę, a swoją synową, straszliwie oszpeconą.

W sierpniu 450 roku po Teodozjuszu II na tronie cesarskim w Konstantynopolu zasiadł Marcjan. Nowy cesarz Wschodu zerwał z dotychczasową polityką uległości i ustępstw wobec Hunów. Chciał pokoju, ale nie za wszelką cenę i dał to wyraźnie do zrozumienia posłom Attyli. To również skłaniało króla, by wysłać swe zagony tam, gdzie opór będzie mniejszy lub żaden. A wielkie mocarstwo — Attyla rozumiał to doskonale — musi nieustannie być aktywne na zewnątrz, musi okazać swą siłę, niejako ćwiczyć muskuły, dawać zajęcie wojskom, gdyż inaczej popadnie w marazm, zostanie przeżarte przez spory i konflikty wewnętrzne, załamie się pod własnym ciężarem.

Król Hunów wielce się obruszył, gdy mu doniesiono, jak surowo potraktował Walentynian swą siostrę. Poseł Attyli oświadczył w Rawennie butnie, że Honoria nie popełniła niczego niestosownego, a król obiera ją za małżonkę i przyjdzie jej z pomocą, jeśli nie otrzyma ona natychmiast władzy cesarskiej.

Rzymianie odpowiedzieli twardo: Honoria nie może wyjść za Attylę, skoro już poślubiła kogoś innego, władzę zaś sprawują u nich mężczyźni, a nie kobiety.

Wkrótce potem spadł na Walentyniana ciężki cios: w Rzymie 27 listopada 450 roku zmarła jego matka, Galla Placydia. Miała ponad 60 lat. Życie jej pełne było niezwykłych odmian losu, przygód i wstrząsów. Mając zaledwie kilka lat straciła matkę, a wkrótce potem ojca. Jako młoda dziewczyna była świadkiem zdobycia Rzymu, musiała opuścić Italię wraz z Germanami i poślubić ich wodza. Powróciła do swoich jako wdowa po człowieku, którego zamordowano. Wbrew swej woli musiała powtórnie wyjść za mąż. Po raz drugi też została wdową, popadła w zatarg z bratem, została wygnana, szukała schronienia w Konstantynopolu. Wojna z uzurpatorem, który miał w swym ręku Italię, tylko cudem skończyła się zwycięsko. A co powiedzieć o ciężkich latach, gdy sprawowała rządy w imieniu małoletniego syna, wciąż zagrożona ambicjami potężnych wodzów rzymskich, kłębowiskiem intryg dworskich, zakusami wrogów zewnętrznych?

Przeciwnicy zarzucali jej, że przez swoją politykę przyczyniła się pośrednio do różnych klęsk i utraty wielu krain. Lecz oskarżenia te niezbyt przekonują. Jak udowodnić, że ktoś inny zdołałby w ówczesnej sytuacji zręczniej sterować okrętem skołatanym i gnanym wichurami wprost na skały? W każdym razie wśród większości poddanych Galla Placydia cieszyła się szacunkiem. Pamiętano o jej osobistych przejściach, widziano w niej godną przedstawicielkę starej dynastii, powszechnie wierzono, że nigdy nie splamiła się niczym nieszlachetnym. Toteż śmierć jej opłakiwano szczerze, bolejąc, że przychodzi w chwili, gdy pogróżki Attyli zapowiadają nowe nieszczęścia w najbliższej przyszłości. My natomiast patrząc z perspektywy wieków stwierdzić musimy, że los gotował imperium ciosy jeszcze sroższe, niż tego się spodziewano, i to właśnie w ciągu następnych lat pięciu. Tak więc pod tym względem śmierć okazała się dla niej łaskawa — zabrała ją, nim stało się najgorsze.

Drugie poselstwo Attyli przybyło do Italii chyba już po zgonie Galli Placydii. Zażądano raz jeszcze wydania Honorii oraz jej posagu, którym miała być połowa Zachodu, należna cesarskiej siostrze rzekomo tytułem spadku po ojcu. Wszystkie te żądania odrzucono kategorycznie.

Pola Katalaunijskie

Wiosną 451 roku zastępy Hunów i ludów im poddanych ruszyły na Galię. Gwałtowne uderzenie szło od północy. Aecjusz bawiący wówczas w Italii został zaskoczony nagłością najazdu; widocznie więc nie brał poważnie pogróżek Attyli albo też przeceniał swe związki przyjaźni z huńskimi wielmożami. Pośpieszył za Alpy tylko na czele sił, które miał pod ręką.

Jedyną nadzieją w tej sytuacji byłoby pozyskanie pomocy Wizygotów. Ci jednak zapowiedzieli wprost, że wystąpią do walki tylko wówczas, jeśli najeźdźcy wkroczą na ich ziemie.

Cesarz i Aecjusz wyprawili na dwór tolozański Eparchiusza Awitusa. Był to człowiek starszy już wiekiem, wielki pan rodem z Augustonemetum, przed laty oficer Aecjusza, następnie prefekt Galii, osiadły jednak już od dawna w swych ogromnych dobrach. Jako przyjaciel króla Wizygotów zdołał go przekonać, że niebezpieczeństwo jest wspólne i skłonić do natychmiastowego zjednoczenia ich zastępów z rzymskimi.

Tymczasem Hunowie parli naprzód. 7 kwietnia wtargnęli do obecnego Metzu, ówczesnego *Divodurum Mediomatrici.* Ludność wyrżnęli, księży pognali w niewolę, uważając ich zapewne za rodzaj czarowników. Durokortorum (Reims) znaleźli prawie opustoszałe, mieszkańcy bowiem zawczasu schronili się w okolicznych lasach. Pozostał wszakże — i przypłacił to życiem — tamtejszy biskup, Nikazjusz. Popłoch ogarnął także ludność miasteczka *Lutetia Parisiorum,* czyli późniejszego Paryża. Opuściliby je wszyscy, gdyby nie zapewnienia nabożnej niewiasty imieniem Genowefa, że miastu nic się nie stanie. I rzeczywiście, hordy Attyli Lutecję ominęły podążając jak najszybciej ku dolinie Loary. Późniejsza legenda ubarwiła postać Genowefy, stała się patronką Paryża.

Hunowie stanęli pod murami *Cenabum Aureliani,* dzisiejszego Orleanu, w początkach maja. Miasto broniło się bohatersko przez ponad miesiąc, ufając słowom swego biskupa, Aniana, który przyniósł przyrzeczenie Aecjusza, że przybędzie z odsieczą. Wreszcie jednak wyczerpały się siły i zapasy, mury już się kruszyły, trzeba było kapitulować. 14 czerwca otwarto bramy i przywódcy Hunów weszli do miasta, aby dokonać przeglądu i rozdziału łupów.

I wtedy to, gdy już ustawiano jeńców, a dobytek ludności ładowano na wozy, zmieszały się nagle okrzyki radości i przerażenia: tumany kurzu i błyski broni zwiastowały zbliżanie się wielkich wojsk z południa. Zaskoczeni Hunowie dali się wyprzeć z miasta i okolic, atakowani przez rzymskie legiony, wizygockich wojowników, ludność dopiero co gnaną do niewoli.

Attyla wycofał się ku wschodowi. Górną Sekwanę przekroczył w pobliżu *Augustobona Tricassium,* obecnego Troyes — samego miasta jednak nie zdobył — i zatrzymał się gdzieś na rozległych równinach rzeki Matrony, czyli Marny. Były to tak zwane Pola Katalaunijskie, *Campi Catalauni.* I tam doszło do wielkiej bitwy, jednej z największych i najważniejszych w dziejach naszego kontynentu.

Sprawy Hunów nie stały wtedy najlepiej. Ponieśli znaczne straty nie tyle w walkach, ile skutkiem chorób, trudów i głodu, a ich animusz bojowy został mocno zachwiany nagłym obrotem wydarzeń w Cenabum oraz niepomyślnymi utarczkami podczas odwrotu, zwłaszcza w trakcie przepraw przez rzeki.

Hunowie wyszli ze swego obozu, a właściwie zza kręgu utworzonego przez wozy, dopiero wczesnym popołudniem, mniemając widocznie, że dogodniej będzie walczyć o zmroku lub nawet w ciemnościach. W środku król ustawił swych współplemieńców, na skrzydłach zaś szczepy podległe. Najbardziej ufał Ostrogotom, którym przewodzili bracia Walamer, Teodymer i Widymer. Wysoko też cenił Gepidów pod wodzą Ardaryka. „A pozostała ciżba królów i wodzów zważała na każde skinienie Attyli niby niewolnicy. Gdzie tylko wskazał oczyma, tam każdy szedł drżąc ze strachu, gotów wykonać wszelki rozkaz". To słowa Jordanesa, historyka Gotów.

Po stronie rzymskiej skrzydło lewe zajął Aecjusz i legioniści, prawe Wizygoci pod rozkazami Teoderyka, a środek ludy sprzymierzone.

Walczono z niesłychaną zaciekłością. Narażali się na wszelkie niebezpieczeństwa nawet dowódcy najwyżsi. Król Teoderyk był wśród pierwszych szeregów; gdy upadł z konia, nikt tego nie zauważył — i władca zginął stratowany kopytami. Na tym skrzydle Wizygoci parli niepowstrzymanie naprzód i omal nie zabili samego Attyli; uratował się wraz ze swoimi za ogrodzeniem wozów.

Bitwa trwała jeszcze w ciemnościach i w całkowitym zamieszaniu. Torysmund, syn poległego króla, padł wprost na wozy nieprzyjacielskie przekonany, że jest wśród swoich. Odniósł ranę, ocaliło go jednak męstwo współplemieńców. Również Aecjusz przypadkowo odłączył się od drużyny i błąkał w mroku pośród zastępów nieprzyjacielskich.

Następnego ranka ujrzano pola pokryte, gdzie okiem sięgnąć, stosami trupów. Hunowie nie ośmielili się już wystąpić do walki. Z ich obozu rozlegał się łomot broni i przeciągłe buczenie trąb. Podobno sam Attyla liczył się tego dnia z najgorszym i rozkazał wznieść stos z siodeł; chciał zginąć w jego płomieniach, aby zwłoki nie stały się przedmiotem szyderstw, gdyby Rzymianie zdobyli obóz.

Oni jednak nie przypuszczali szturmu, który kosztowałby ich drogo. Zamyślali raczej zmorzyć obleganych głodem. Tymczasem odnaleziono ciało Teoderyka i wśród posępnych pieśni przeniesiono do obozu. Wojownicy okrzyknęli następcą syna poległego — Torysmunda. Pozostali jednak w Tolozie jego bracia młodsi. Czy nie zgłoszą oni pretensji do panowania i skarbów? Torysmund radził się Aecjusza, a ten wręcz zachęcał go do powrotu jak najrychlejszego — co też się stało.

Albowiem wódz Rzymian wcale nie chciał zadawać Attyli ciosu ostatecznego, nie chciał zupełnej zguby Hunów, gdyż ich kosztem zbyt silni i groźni staliby się Wizygoci.

Attyla więc mógł odejść za Ren szarpany tylko przez Franków, a bitwa na Polach Katalaunijskich, ostatnie świetne zwycięstwo oręża rzymskiego, nie zakończyła się całkowitym rozgromieniem wroga. Już bowiem w następnym 452 roku król pałając żądzą zemsty wdarł się wprost do Italii przez Alpy.

Nie napotkał oporu; Aecjusz widocznie nie docenił sił Hunów, a przecenił straty, jakie ponieśli oni w Galii. Zniszczona została doszczętnie Akwileja i nigdy już nie odzyskała dawnej świetności, a ludność znad dolnego Padu schroniła się na wysepki u ujścia rzeki; dało to początek nowemu miastu — Wenecji. Ucierpiało też wiele innych miast, wśród nich Mediolan i *Ticinum* — czyli późniejsza Pawia.

Pasmo śmierci

Aecjusz radził cesarzowi, przebywającemu w Rzymie, by opuścił Italię, Walentynian wszakże odrzucił tę myśl, choć donoszono, że Attyla już się gotuje do marszu na stolicę.

Do tego jednak nie doszło, król bowiem otrzymał wieści, że wojska imperium wschodniego najeżdżają jego naddunajskie ziemie. Wśród huńskich zastępów w Italii zaczęła ponadto szerzyć się epidemia. W istocie więc Attyla musiał myśleć raczej o odwrocie, chciał jednak zachować pozory, że wycofuje się dobrowolnie. Skorzystał zatem skwapliwie z okazji, jaką było przybycie do jego obozu biskupa Rzymu Leona oraz dwóch senatorów. Niby ulegając ich prośbom dał rozkaz opuszczenia Italii, a jednocześnie groził, że zjawi się tu ponownie, jeśli nie otrzyma Honorii i jej posagu. Późniejsza legenda chrześcijańska ubarwiła i przeinaczyła to wydarzenie, każąc królowi barbarzyńców upokorzyć się przed majestatem papieża.

W 453 roku Attyla nagle zmarł, a ogromne jego państwo rozpadło się jeszcze szybciej niż powstało. Doszło do tego zarówno skutkiem niezgody między licznymi synami króla, jak i buntu ujarzmionych plemion. Szczególnie dotkliwą klęskę zadał Hunom król Gepidów, Ardaryk. Większość Hunów wycofała się daleko na wschód i tylko nad dolnym Dunajem pozostała niewielka ich horda. Wzdłuż środkowego biegu tej rzeki usadowiły się natomiast wolne odtąd ludy germańskie: Herulowie, Skirowie, Gepidowie i Ostrogoci.

W tymże roku zginął też, zamordowany przez braci, król Wizygotów w Galii, Torysmund, nieprzyjazny Rzymianom i rozszerzający swe włości ich kosztem. Jego brat i następca, Teoderyk II, zmienił politykę, wspomagając imperium w walce ze Swewami w Hiszpanii.

Tak więc mogło się wydawać, że cesarstwo zachodnie po tylu burzach i klęskach wpływa na wody spokojniejsze. A tymczasem czekały go nowe ciosy, najpierw wewnętrzne.

Najazd Hunów na Italię w 452 roku poderwał prestiż Aecjusza, upadki zaś wrogów imperium, Attyli i Torysmunda, obudziły przekonanie, że nie jest on już tak niezbędny jako wódz, skoro największe niebezpieczeństwo minęło. Uporczywie i od dawna knuli przeciw niemu dworzanie Walentyniana, a skrycie wspomagał ich król Wandalów, Genzeryk. Ten, jak się wydaje, przemyśliwał o tym, by jego ród poprzez małżeństwo Huneryka z córką Walentyniana panował na całym Zachodzie.
 Na przeszkodzie stał właśnie Aecjusz, który zamierzał ożenić

swego syna Gaudencjusza z młodszą córką cesarza, Placydią — i przekazać tron swojej rodzinie.

Dworzanie, a wśród nich najbardziej wpływowy wtedy „przełożony świętej sypialni”, eunuch Herakliusz, zdołali przekonać cesarza, że Aecjusz zamierza go zgładzić. W tym też duchu, jak się wydaje, działał jeden z najwyższych dostojników — Petroniusz Maksymus. Obawiając się rzekomo przygotowywanego zamachu stanu i pragnąc go uprzedzić, Walentynian III zdecydowany był na wszystko.

21 lub 22 września 454 roku udzielił Aecjuszowi audiencji w swym pałacu w Rzymie. W pewnym momencie, po ostrej wymianie zdań, cesarz rzucił się na sławnego wodza z mieczem w ręku i ranił go. Herakliusz i inni dworzanie dobili „ostatniego Rzymianina”. Zginął również towarzyszący Aecjuszowi prefekt pretorium, Boecjusz.

Senat, jak zawsze, pogodził się z wszystkim, Wandalowie i Wizygoci przyjęli wiadomość na pewno z zadowoleniem, żołnierze zaś Aecjusza, zaskoczeni całkowicie, zachowali spokój. Pozornie.

W kilka miesięcy później, 16 marca 455 roku, cesarz Walentynian III przyglądał się na Polu Marsowym w Rzymie ćwiczeniom wojskowym. Nagle rzucili się nań dwaj dawni ludzie Aecjusza, Optyla i Traustyla. Zginął od ostrza ich broni wraz ze swym sługą Herakliuszem.

Tak odszedł ze świata ostatni męski przedstawiciel dynastii Walentynianów i Teodozjusza Wielkiego, która panowała nad imperium od dziewięćdziesięciu lat, czyli przez trzy pokolenia. Umierając Walentynian III miał 36 lat, cesarzem zaś był formalnie 30 lat. Jedno z najdłuższych i najbardziej nieszczęśliwych panowań w dziejach Rzymu. Jego odejście było w tych złych czasach straszliwym ciosem dla państwa. Nie było już żadnego przedstawiciela legalnej dynastii, cesarzem mógł zostać każdy. A rychło też miał się pojawić samozwańczy mściciel — na zgubę Rzymu.

W ciągu pięciu lat zmarli śmiercią własną lub gwałtowną ludzie odgrywający tak wielkie role w świecie ówczesnym: Teodozjusz II, Galla Placydia, Attyla, Teoderyk i Torysmund, Aecjusz i Walentynian III. Przedziwny łańcuch śmierci.

Petroniusz Maksymus

Petronius Maximus
Ur. w 396 r.,
zm. 31 maja 455 r.
Panował od 17 marca 455 r.
do śmierci.

Krótkie panowanie

Natychmiast po zamordowaniu Walentyniana III na rzymskim Polu Marsowym podczas ćwiczeń wojskowych w dniu 16 marca 455 roku jego dwaj zabójcy, Optyla i Traustyla, pośpieszyli do senatora Petroniusza Maksymusa. Przekazali mu konia cesarskiego i diadem władcy, może jeszcze skrwawiony. Maksymus przyjął te dary. Dał tym samym do zrozumienia, że uznaje się za następcę Walentyniana, aprobuje zamach na jego życie, otacza zabójców opieką. To wszystko oczywiście umocniło podejrzenia, że właśnie on był inspiratorem zbrodni.

Był to człowiek poważny i dostojny, miał już prawie 60 lat. Pochodził z bogatej, znakomitej rodziny. Podobno jego przodkiem był Magnus Maksymus, uzurpator w latach 383–388, ale to wydaje się nieprawdopodobne. W każdym razie przechodził zdumiewająco szybko szczeble najwyższych urzędów. Już jako chłopiec może piętnastoletni był pretorem, co upamiętnił wydając wspaniałe igrzyska dla ludu. W kilka lat później otrzymał godność trybuna, a jako dwudziestolatek piastował wysoki urząd komesa „świętej szczodrobliwości", czyli jakby ministra finansów. Przez długi okres zarządzał sprawami stolicy jako prefekt Rzymu. Dokonał wówczas odnowienia bazyliki św. Piotra, zbudowanej przed wiekiem przez cesarza Konstantyna Wielkiego. Dwukrotnie zaszczycony został tytułem konsula. Zbudował nowe forum w Rzymie, na wzgórzu Celiusz. Przez dwa lata, 439–441, piastował godność prefekta pretorium Italii, czyli najwyższego zwierzchnika administracji tej krainy.

Niektóre źródła twierdzą, że współdziałał z eunuchem cesarskim Herakliuszem w knowaniach przeciw Aecjuszowi i przyczynił się pośrednio do zamordowania wielkiego wodza w 454 roku — czego jednak dokonał własnoręcznie sam cesarz. Oczywiście, nie jest to wykluczone, albowiem na najwyższych szczeblach władzy z natury rzeczy zawsze dochodzi do konfliktów i rywalizacji. Gdyby jednak było tak istotnie w tym wypadku, czym wytłumaczyć, że zabójcy Walentyniana, a dawni żołnierze Aecjusza, zwrócili się po zamachu właśnie do niego, do Maksymusa?

Czy więc był naprawdę winny śmierci cesarza? Czy rzeczywiście powodowała nim ambicja tak nieokiełznana, tak ślepa, że kiedy nie stało Aecjusza pomiędzy nim a tronem, sam zapragnął purpury? A może Walentynian obraził go czymś tak boleśnie, że postanowił krwią pomścić swoją krzywdę — prawdziwą lub urojoną?

Ale był przecież w wieku wcale nie młodzieńczym! Mając lat prawie 60 nie tak łatwo podejmuje się straceńcze ryzyko. Polityk zaś tej rangi jak on musiał zdawać sobie sprawę, że sama osoba Walentyniana — władcy może słabego, człowieka może osobiście niezbyt sympatycznego — jest w danej chwili prawdziwym zwornikiem rozpadającego się państwa. Tylko bowiem on jako przedstawiciel starej dynastii reprezentował ciągłość tradycji, zasadę legitymizmu, symboliczną jedność imperium.

Może więc Maksymus nie był sprawcą tego, co się stało na Polu Marsowym? Może zabójcy Walentyniana działali zupełnie sami i z pobudek czysto osobistych? Może chcieli pomścić śmierć Aecjusza i wykonali swój zamiar bez niczyjej namowy, przy pierwszej sposobności, nie mając żadnych dalszych planów? Zwrócili się zaś z diademem do Maksymusa — tak można wywodzić — gdyż był on kimś najpoważniejszym ze znanych im osób.

Maksymus więc — można i tak twierdzić — przyjął insygnia władzy uważając, że w danej sytuacji winien ratować państwo, a z racji stanowiska i zasług najlepiej podoła trudnemu zadaniu.

Wszystko to są jednak przypuszczenia. Wolno mnożyć argumenty w obronie Maksymusa i przeciw niemu, nigdy jednak z braku źródeł nie wyważymy sprawiedliwie, ile było zamysłu w tym nieszczęsnym splocie wydarzeń, ile zaś zwykłego przypadku.

Formalnie Petroniusz Maksymus został uznany za cesarza 17 marca, to jest nazajutrz po śmierci Walentyniana III. Nowy władca rozumiał dobrze, że opinia społeczna, wstrząśnięta zbrodnią popełnioną bezkarnie, zwraca się przeciw niemu i jego głównie oskarża. Wroga była mu armia, która chętniej widziałaby na tronie — skoro już stało się to, co się stało — kogoś z ludzi Aecjusza. Niechętnie też patrzyli nań senatorzy, każdy z nich bowiem uważał w głębi serca, że purpura równie dobrze powinna przypaść jemu samemu.

Maksymus szafował hojnie złotem, ale to nie wystarczało. Pragnąc więc umocnić władzę oraz stworzyć przynajmniej pozór ciągłości dynastycznej i swoich praw do tronu, zmusił już po kilkunastu dniach wdowę po zamordowanym cesarzu, Eudoksję, aby go poślubiła. Jednocześnie wydał Eudokię, córkę jej i Walentyniana III, za swego syna Palladiusza. A przecież była ona już formalnie zaręczona z wandalskim królewiczem Hunerykiem, synem Genzeryka!

Był to krok fatalny. Wywołał wzburzenie wśród ludu i wojska — uroczystości ślubne niemal tuż po pogrzebie, wdowa i córka zmuszone do poślubienia tych, których podejrzewano o udział w zamordowaniu męża i ojca! — nade wszystko zaś obraził króla Wandalów i dał mu powód do interwencji.

Roztropniejszym posunięciem było mianowanie naczelnikiem obu rodzajów wojsk Eparchiusza Awitusa. Ten starszy już wiekiem arystokrata służył długo pod rozkazami Aecjusza, miał dobra ziemskie i wielkie wpływy w Galii, piastował najwyższe godności — i pozostawał w przyjaznych stosunkach z królewskim domem Wizygotów. Ta więc nominacja miała zjednać Maksymusowi przychylność mieszkańców Galii, zwłaszcza jej warstw najzamożniejszych, ułagodzić byłych stronników Aecjusza, nade wszystko zaś przyczynić się do wyjednania pomocy Wizygotów w razie ewentualnego najazdu Wandalów na Italię. Liczono się z taką możliwością, choć nie sądzono, by inwazja mogła nastąpić szybko, wymagała bowiem przeprawy przez morze.

Awitus przyjął stanowisko i zgodnie z poleceniem cesarza wyjechał na dwór Teoderyka II do Tolozy, aby tam przeprowadzić odpowiednie rozmowy.

Było już jednak za późno, z czego nikt wówczas nie zdawał sobie sprawy — bo też nikt nie doceniał zdecydowania i energii Genzeryka. Głoszono później, że do wyprawy skłoniło go potajemne wezwanie, jakie przekazała mu cesarzowa Eudoksja. Pragnęła ona pomścić śmierć swego pierwszego męża, Maksymus bowiem wyjawił jej zaraz po ślubie — tak opowiadano — że to on doprowadził do zamordowania Walentyniana III, a zabójcy tylko wykonali jego rozkazy.

Opowieść ta ma wszelkie cechy zmyślenia. Genzerykowi zaś żadne wezwanie nie było potrzebne do zrealizowania planu, z którym na pewno nosił się już od dawna. Wystarczył mu tylko pretekst, a tego dostarczył sam Maksymus żeniąc swego syna z Eudokią.

Flota Wandalów zjawiła się u ujścia Tybru już pod koniec maja 455 roku. Przewiozła wojska złożone z rodowitych Wandalów i oddziały Maurów. Zeszły one z pokładów i zmierzając szybko ku stolicy rozbiły obóz w odległości szóstego kamienia milowego od murów.

Nikt nie myślał o obronie miasta, które ogarnęła panika. Kto tylko mógł, zwłaszcza spośród zamożniejszych, ratował się ucieczką. Opuścił swój pałac także cesarz, od którego odstąpili wszyscy, wojsko i służba. Nim jednak wydostał się konno z miasta, został rozpoznany przez jednego z żołnierzy. Raniony kamieniem w skroń spadł z konia, a motłoch rzucił się na niego i dosłownie rozerwał go w strzępy, które później utopiono w Tybrze. Tak dano upust nienawiści do człowieka obwinianego powszechnie o sprowadzenie na Rzym wszelkich możliwych nieszczęść i popełnienie najgorszych zbrodni.

Stało się to 31 maja 455 roku. Tak więc panowanie Maksymusa trwało zaledwie dwa i pół miesiąca.

Los ojca najprawdopodobniej podzielił jego syn Palladiusz. W każdym razie nic nie wiadomo o jego późniejszym życiu.

Wandalowie w Rzymie

W dwa dni później, 2 czerwca, Genzeryk wkroczył do miasta nie napotykając najmniejszej próby oporu. A przecież mury Rzymu, które rozbudowywane przez tylu cesarzy imponowały samym swym ogromem, były naprawdę trudne do zdobycia. I nie brakowało w mieście broni, zapasów wszelkiego rodzaju; roiło się w nim od tysięcy i tysięcy ludzi. Gdyby mieszkańcy i wojsko zdecydowanie wystąpili do walki, najeźdźcy znaleźliby się w bardzo kłopotliwej sytuacji, gdyż nie mogło być ich zbyt wielu, a mieliby też trudności z zaopatrzeniem.

Zabrakło jednak w Rzymie — Rzymian.

Jeszcze nim Genzeryk wszedł w bramy stolicy, stanął przed jego obliczem Leon, biskup miasta. Tylko on — nie było bowiem żadnych władz, żadnych urzędników. Otrzymał uroczyste zapewnienie, że nie będzie żadnych podpaleń i niepotrzebnego przelewu krwi.

Przyrzeczenie to zostało w pełni dotrzymane, co stanowi samo przez się dowód, jak zdyscyplinowane były oddziały Genzeryka i jak bardzo wzbudzał postrach wśród swoich ludzi. Nie powtórzyły się więc sceny potwornego chaosu, groźnych pożarów i przypadkowych mordów sprzed lat czterdziestu pięciu, kiedy to do Rzymu wtargnęły hordy Wizygotów pod wodzą Alaryka. To prawda. Ale pamiętać też trzeba, że Wizygoci szaleli w mieście tylko przez dwa lub trzy dni, Wandalowie zaś przebywali tu dwa tygodnie, dokonując rabunku bez gwałtownych i spektakularnych ekscesów.

Zwykło się do dziś używać określenia „wandalizm", gdy chcemy potępić akt bezmyślnego niszczenia, to jest dokonywany tylko dla samej rozkoszy destrukcji. W istocie jednak trzeba by mówić w tym znaczeniu raczej o „wizygotyzmie”, terminem zaś „wandalizm” posługiwać się głównie wtedy, gdy chodzi o celowe, przemyślane i planowane grabienie tego, co najwartościowsze.

Jakże więc postępowali Wandalowie w ciągu owych strasznych dla Rzymu dni pierwszej połowy czerwca? Zabrali i załadowali na swe okręty ogrom najcenniejszych materialnie i artystycznie dzieł sztuki. W stolicy imperium było ich bogactwo nieprzebrane — mimo wszelkich katastrof, pożarów, zniszczeń, nawet mimo wizygockich rabunków. Rzymianie ściągali to wszystko przez wieki z różnych krain nadśródziemnomorskiego świata, aby uświetnić miasto, które obecnie samo stawało się przedmiotem rabunku. Tak, można by rzec, dopełniała się sprawiedliwość dziejowa, tak toczyło się koło historii.

Zdobywcy zabierali wszystko, co miało w ich oczach jakąkolwiek wartość, tak systematycznie, że nie oszczędzili nawet złoconego pokrycia dachu świątyni Jowisza na Kapitolu, nie mówiąc już o przeróżnych posągach, ozdobach, sprzętach.

Wśród skarbów, które — jak wieść niesie — wywieziono wówczas z Rzymu, znalazły się także przedmioty liturgiczne z dawnej świątyni jerozolimskiej: stół ofiarny, świecznik siedmioramienny, skrzynia na księgi święte (ale nie arka przymierza!) oraz zasłony. Wszystko to zrabowali legioniści Tytusa w 70 roku z płonącej świątyni, a potem nieśli owe przedmioty podczas jego triumfu w Rzymie. Przechowywano je następnie w świątyni Pokoju oraz w pałacu cesarskim. Przewiezione przez Genzeryka do Kartaginy, pozostały tam aż do 535 roku, kiedy to wódz cesarza Justyniana zabrał je do Konstantynopola. Stamtąd podobno powróciły do Judei, by jako dar władcy zdobić kościoły. Dalsze ich losy nie są znane.

Wandalowie wszakże grabili nie tylko świątynie dawnych bogów i pałace wielmożów, ale również kościoły. Przychodziło im to tym łatwiej, że będąc arianami traktowali katolików jako grzesznych i godnych kary innowierców.

Przedmiotem ich zachłanności byli także ludzie — i to niekoniecznie piękne kobiety. Chcieli mieć u siebie dobrych rzemieślników, toteż wyłapali ich niemal wszystkich i wywieźli do Kartaginy. Podobnie zresztą zabrali ze sobą tych senatorów — co prawda nielicznych — którzy z różnych przyczyn nie zdołali w porę uciec z miasta.

I wreszcie dostały się w ręce zdobywców trzy dostojne panie z cesarskiej rodziny: Eudoksja, podwójna już wdowa, oraz jej dwie córki — starsza Eudokia i młodsza Placydia. Wszystkie trzy musiały popłynąć za morze, do Kartaginy. Tam zaś, jak było postanowione wcześniej i co stanowiło formalny pretekst wyprawy na Rzym, Eudokia poślubiła Genzerykowego syna Huneryka; z małżeństwa tego przyszedł na świat Hilderyk. Placydia natomiast była już małżonką Anicjusza Olibriusza, przedstawiciela znakomitej rodziny rzymskiej, który zdołał wyjechać do Konstantynopola przed przyjściem Wandalów.

Dwór wschodni, trzeba to przyznać, zabiegał gorliwie o uwolnienie wszystkich owych pań z niewoli. Ale dopiero po 461 roku Genzeryk zdecydował się, i to ze względów politycznych, na odesłanie do Konstantynopola Eudoksji i Placydii. Eudokia natomiast przeniosła się nieco później do Palestyny i tam pozostała już do śmierci. Żadna z tych kobiet nigdy już nie zobaczyła Rzymu.

Genzeryk opuścił miasto 16 czerwca i pożeglował na czele floty obciążonej ogromnymi łupami z powrotem do Kartaginy. Część okrętów, jak się wydaje, nie dotarła do macierzystego portu i zatonęła, jednakże w sumie była to dla Wandalów wyprawa łatwa, zwycięska i zyskowna.

Król pozostawił Rzym wprawdzie nie zrujnowany i nie w zgliszczach, ale opustoszały, pełen ran, ubogi. Po tym ciosie miasto nie podniosło się już przez wieki — przeciwnie, podupadało coraz bardziej. Można było przyrównać je do usychającego drzewa. Albo do wspaniałej dekoracji, która po spełnieniu swej funkcji zapomniana rozpada się w strzępy.

Zdumiewające: w zachowanej literaturze historycznej to drugie zdobycie stolicy imperium przez Germanów w V wieku nie zostało nigdzie w pełni opisane i przedstawione, mamy tylko krótkie wzmianki. Można by sądzić, że współcześni jakby przywykli do tego rodzaju ciosów. W każdym razie nigdzie nie czytamy słów takiego przerażenia, jakie wyrywały się z wielu ust po roku 410, po wtargnięciu do Rzymu Wizygotów Alaryka.

 I nikt też nie zdobył się na dzieło tej miary, jakim były niegdyś księgi *O państwie bożym* św. Augustyna, dowodzące, że chrześcijanin nie powinien cierpieć z powodu klęsk państwa ziemskiego, skoro jest obywatelem innego.

A przecież gdyby ktoś pragnął zamknąć opis dziejów cesarstwa rzymskiego na Zachodzie mocnym i znaczącym akordem, mógłby z wielką słusznością uczynić to przerywając narrację właśnie w tym momencie. Następne 20 lat i panowanie jeszcze ośmiu cesarzy — to tylko agonia.

Awitus

Eparchius Avitus
Ur. nieco przed 400 r.,
zm. w 457 r.
Panował od 9 lipca 455 r.
do 17 października 456 r.

Od chwili zamordowania Petroniusza Maksymusa w ostatnim dniu maja 455 roku imperium zachodnie ponad miesiąc nie miało żadnego władcy. Rzecz w dotychczasowych dziejach cesarstwa rzymskiego bez precedensu, niebywała. Ale zarazem fakt ów dowodzi najlepiej, jaki panował chaos po straszliwym spustoszeniu stolicy przez Wandalów, jak załamały się porażone trwogą wszystkie struktury i ogniwa władzy.

Znaczniejsi dostojnicy rozpierzchli się i drżeli w ukryciu albo też zostali zawleczeni przez zdobywców za morze, do Afryki. Senat nie zbierał się i nie obradował. Namiestnicy prowincji i dowódcy oczekiwali z lękiem, co stanie się dalej, jeden oglądał się podejrzliwie na drugiego. Nikt nie miał odwagi sięgnięcia po cesarską purpurę, leżącą niemal dosłownie na ulicy, w ówczesnych bowiem warunkach musiała ona wydawać się strojem skazańca. A przecież jeszcze tak niedawno przy każdej podobnej okazji pojawiało się po kilku samozwańców!

Co znamienne, nawet Konstantynopol nie zgłaszał natychmiast i bezpośrednio swoich pretensji do władztwa nad Zachodem, choć formalnie w zaistniałej sytuacji cesarz Marcjan stawał się niemal automatycznie głową całego imperium. Ta powściągliwość wynikała zapewne z obawy, by nie drażnić Wandalów. Czekano więc cierpliwie na rozwój wypadków.

Wieść o wydarzeniach w Rzymie musiała dotrzeć do Galii w drugiej połowie czerwca. Faktyczną władzę nad ziemiami jeszcze tam rzymskimi sprawował Eparchiusz Awitus, z nominacji cesarza Petroniusza Maksymusa naczelnik obu rodzajów wojsk. Miał lat mniej więcej 60, był więc rówieśnikiem Maksymusa; i jeszcze jedno ich łączyło: tamten był przedstawicielem wielkiej arystokracji italskiej, on zaś mógł uchodzić za reprezentanta tej samej warstwy w Galii. Młodość Awitusa przypadała na czasy Honoriusza, wiek zaś dojrzały na panowanie Walentyniana III i rządy Aecjusza, z którym był związany bardzo blisko.

Co jeszcze wiemy o jego życiu i stopniach kariery do 455 roku? Jako młody człowiek został wysłany przez swych krajan do Konstancjusza, wówczas komesa i naczelnika wojsk, a późniejszego cesarza, aby prosić o ulgi podatkowe; misja ta, przypadająca zapewne na rok 420, została uwieńczona sukcesem.

Gdy Wizygoci zatrzymali z jakichś powodów jego krewnego, Teodora, zapewne w roli zakładnika, wyjechał na dwór króla Teoderyka I i uzyskał uwolnienie. Wówczas to nawiązał przyjazne stosunki z rodziną królewską, a umocnił owe więzy w latach późniejszych; wywierał nawet pewien wpływ na wychowanie młodego Teoderyka II, który właśnie dzięki niemu zapoznał się z poezją łacińską. Interesujący przykład i dowód cywilizowania się barbarzyńskich najeźdźców, ich stopniowego poddawania się oddziaływaniom rzymskiej kultury.

Awitus służył przez wiele lat pod rozkazami Aecjusza, oczywiście jako dowódca wyższej rangi. Walczył z Jutungami i Burgundami, a nawet z bandami Hunów, które niekiedy wdzierały się za Ren, choć Attyla i jego wodzowie nie zwracali zbytniej uwagi na ziemie Zachodu.

W 439 roku otrzymał godność prefekta pretorium Galii, a więc najwyższego zwierzchnika jej administracji. Piastował jednak ten urząd krótko i złożył go, aby osiąść w swych dobrach. Żył tam spokojnie — o ile było to w ogóle możliwe w tamtych czasach — aż do 451 roku, gdy Galii zagroził najazd Hunów pod wodzą samego Attyli. Włączył się wówczas w działania obronne i zdołał wyjednać dla Rzymian pomoc Wizygotów, która zadecydowała o ostatecznym zwycięstwie w wielkiej bitwie na Polach Katalaunijskich. Ale skoro tylko minęło najgorsze niebezpieczeństwo, powrócił znowu w zacisze domowe.

Miał troje dzieci: dwóch synów oraz córkę o imieniu Papianilla. Wyszła ona zapewne około 450 roku za mąż za młodego arystokratę rodem z Lugdunum (Lyonu) lub jego okolic, Gajusza Sydoniusza Apollinarisa. Jest on jedną z najbardziej interesujących i najlepiej nam znanych postaci tamtych czasów.

Sydoniusz nie tylko piastował wysokie urzędy i odegrał rolę polityczną, ale pozostawił po sobie sporą spuściznę poetycką i prozaiczną. I choć utwory jego nie mają większej wartości artystycznej, rażą bowiem sztuczną stylistyką — co prawda właściwą twórczości tamtej epoki — to jednak stanowią cenne i obfite źródło poznania ówczesnych stosunków. Dobrze też świadczą o umiłowaniach i postawie samego autora.

Zresztą i owa retoryka formy może budzić szacunek. W latach katastrofalnych wstrząsów politycznych, gdy cały dotychczasowy porządek życia szedł w ruinę pod ciosami barbarzyńców, wartości zaś najwyższe stawały się przedmiotem prostackich szyderstw, Sydoniusz miał jeszcze tyle siły ducha, tyle odporności i hartu, aby cyzelować stylistykę wypowiedzi aż do wyżyn wyrafinowania! Oczywiście jako przedstawiciel warstwy najbogatszej, mąż możny i wpływowy, znajdował się w sytuacji wyjątkowo korzystnej. Było tak i po roku 469, gdy został biskupem miasta Augustonemetum, które obecnie zwie się Clermont-Ferrand. Ale właśnie owe godności przyniosły mu obok pewnych przywilejów również wiele goryczy, ciężarów, groźnych niebezpieczeństw. Nigdy jednak Sydoniusz nie zwątpił w znaczenie i dostojeństwo piękna formy literackiej — tak jak to piękno rozumiał.

A oto próbka Sydoniuszowej twórczości, opis wtargnięcia Hunów do Galii w 451 roku. Urywek, jak łatwo się domyślić, pochodzi z panegirycznego poematu na cześć teścia, Awitusa, a przytaczamy go tutaj w pewnym uproszczeniu, oddawanie

 bowiem wszelkich zawiłości i pomysłów retorycznych brzmiałoby w naszym języku dziwacznie, a w każdym razie bardzo by utrudniało lekturę.

„Oto barbaria w nagłym porywie wściekłości wylewa na ciebie, Galio, wszystkie ludy północy. Wojowniczemu Rugijczykowi towarzyszy Geta, za nim kroczy dziki Gepida, Skirę gna Burgund. Do przodu rwie się Hun, Bellonot, Neur, Bastarna, Toryng, Brukter, a także Frank znad Nekaru, rzeki o trawiastych brzegach. Rychło padł pod toporami las Hercynii, olchy stały się czółnami i pokryły Ren jakby mostem. Attyla już wylewał swe hordy siejące strach na pola Belgiki, a tymczasem śpieszący z pomocą Aecjusz dopiero z Alp zstępował; wiódł szczupłe wojska sojusznicze, bez legionistów. Wierzył, jakże naiwnie i daremnie, że zastępcy Gotów wnet się przyłączą i wzmocnią jego siły. Ale rychło przeraziła wodza wiadomość, że Goci gardząc Hunami czekają na nich spokojnie, nie ruszając się wcale ze swych siedzib. Nie wiedział więc, co czynić, gdzie się zwrócić. Rozważał różne plany i trapił umysł trosk nawałem. Wreszcie po wielu wahaniach postanowił prosić o pomoc Awitusa, męża tak znakomitego. Zebrał razem wszystkich dostojników i przemówił doń niby błagalnik tymi słowy:

— Tylko w tobie ratunek dla świata. Nienowa to dla ciebie chwała, że słyszysz prośby Aecjusza. Już raz wróg przestał nam szkodzić, gdy ty tego chciałeś. Czy zechcesz i teraz? Jesteśmy w wielkiej potrzebie. Od twego skinienia zależy, co uczynią tysiące wojowników, bo Goci patrzą tylko na ciebie! (...).

I pośpieszyli Goci z pomocą na sam dźwięk Awitusowego imienia".

Tak było w 451 roku. W cztery lata później, to jest wiosną 455 roku, cesarz Petroniusz Maksymus uczynił Awitusa naczelnikiem obu rodzajów wojsk w Galii, liczył bowiem na jego wpływy w prowincjach za Alpami oraz pragnął przez tę nominację zjednać sobie byłych stronników Aecjusza. Rychło też Awitus został wysłany na dwór Wizygotów w Tolozie, znowu z misją uproszenia pomocy wojskowej. Tym razem obawiano się najazdu Wandalów na Italię. Ale w trakcie rozmów nadeszła, jak się rzekło, wiadomość, że Wandalowie zajęli i pustoszyli Rzym przez dwa pierwsze tygodnie czerwca, Maksymusa zaś rozszarpała ludność stolicy w ostatnim dniu maja.

Co miał czynić Awitus w tej sytuacji? Dalsze rozmowy i prośby o pomoc stały się bezprzedmiotowe, albowiem najgorsze już się dokonało. Ale jednocześnie powstał problem ważniejszy: kto ma rządzić państwem, które pozostało bez władcy.

Sam król Wizygotów, Teoderyk II, pierwszy wystąpił ze śmiałym pomysłem, by właśnie Awitus przywdział purpurę. Byłoby to dla króla dogodne, Awitusa bowiem znał doskonale, przyjaźnił się z nim i wiedział, czego może się po nim spodziewać. Mógł nawet oczekiwać, że cesarz osadzony na tronie rzymskim przez Wizygotów będzie z nimi współdziałał i prowadził odpowiadającą im politykę jako zdany na ich miecze.

Awitus przystał na to, zapewne głównie z poczucia obowiązku wobec osieroconego państwa, sam bowiem, jak wyraźnie wskazuje jego życiorys, nie miał nadmiernych ambicji i najchętniej po prostu gospodarowałby spokojnie w swych dobrach. Nie chciał jednak uchodzić za władcę tylko z woli Wizygotów, zwołał więc pośpiesznie najdostojniejsze osoby z Galii do miejscowości Ugernum nad Rodanem. Zebrani przyjęli projekt entuzjastycznie, dumni z tego, że purpurę przywdzieje znowu ich krajan. Poparty więc ich autorytetem udał się wraz z królem i jego braćmi do Arelate. Tam zgodnie ze zwyczajem żołnierze okrzyknęli go cesarzem 9 lipca. Senat rzymski potwierdził wybór i akt obwołania bez sprzeciwu.

Mieszkańcy Galii ufali, że Awitus będzie dbał głównie o ich sprawy, on jednak musiał troszczyć się o całe imperium, co prawda bardzo uszczuplone i zbiedniałe w porównaniu ze stanem sprzed półwiecza. Odpadły Afryka i Brytania, w części Hiszpanii siedzieli Swewowie, duże obszary Galii zajęli Wizygoci, Frankowie, Burgundowie, opustoszała Panonia nad Dunajem.

Zadanie poskromienia Swewów zlecił cesarz swym sojusznikom Wizygotom, sam natomiast wyruszył do Italii; na jej ziemiach stanął we wrześniu. Stamtąd natychmiast ruszył nad środkowy Dunaj, do Panonii. Chciał pokazać, że kraje te są mu podległe. Był pierwszym cesarzem rzymskim, który był tam osobiście od lat sześćdziesięciu, to jest od czasów Teodozjusza Wielkiego — i miał być ostatnim.

 Wyprawił również posłów do Konstantynopola, aby domagali się tam oficjalnego uznania go za cesarza i wyjednali pomoc przeciw Wandalom. Ale dwór wschodni zachował w obu tych sprawach powściągliwość. Nadal nie podpisywano ustaw imieniem pana Zachodu, jak było to dotychczas w zwyczaju, i nie obiecano żadnego wsparcia. Powodem takiej postawy był zapewne fakt, że Awitus odwiedził Panonię, do której Konstantynopol również rościł sobie prawa.

Mimo to Awitus starał się okazywać, że pozostaje w dobrych stosunkach z cesarzem Wschodu. I kiedy Marcjan wysłał poselstwo do Genzeryka w Kartaginie, on również wyprawił tam swoje; zażądało ono, by król przestrzegał pokoju z 442 roku.

Pod koniec 455 roku Awitus przybył do Rzymu, gdzie 1 stycznia 456 objął konsulat — nie uznawany zresztą przez Konstantynopol! — a jego zięć Sydoniusz Apollinaris wygłosił w związku z tym utwór panegiryczny.

W nagrodę za ów poemat uchwalono wzniesienie Sydoniuszowi spiżowego posągu na Forum Trajana. Ale mimo wszelkich pochwał pod adresem nowego cesarza sytuacja w Italii i stolicy była groźna, a on sam, jak miało się rychło okazać, wcale nie cieszył się popularnością.

Najgorsze było to, że Wandalowie przerwali wszelkie dostawy zboża z Afryki, srożyła się więc drożyzna, ludność cierpiała głód. Na domiar złego doszły wieści, że Genzeryk przygotowuje nową wyprawę na ziemie Sycylii, południowej Italii, Korsyki. Cesarz bezzwłocznie wysłał przeciw owej flocie inwazyjnej komesa Rycymera.

Był to Germanin ze znakomitego rodu, zmieszała się w nim krew dwóch szczepów, ojciec pochodził z królewskiego rodu Swewów, matka zaś była córką króla Wizygotów, Walii. Służył w armii rzymskiej jeszcze za Aecjusza, tam musiał zetknąć się z Awitusem, ale szczególnie związał się z innym oficerem; był nim Majorian. Rycymer miał odegrać wielką i zgubną rolę w dziejach cesarstwa rzymskiego, ale na scenę dziejową wkracza w pięknym blasku. Udało mu się wiosną 456 roku dwukrotnie pokonać wojska Genzeryka. Najpierw dokonał tego pod Agrygentem (*Agrigentum*) na Sycylii, a potem rozbił 60 wandalskich okrętów u wybrzeży Korsyki.

Tak więc Italia została uratowana przynajmniej od groźby

bezpośredniej inwazji, ale klęski głodu w niczym to nie zmniejszyło. W Rzymie doszło do niepokojów. Ludność żądała, aby w celu uszczuplenia liczby tych, których trzeba było żywić, cesarz odesłał do Galii ściągnięte stamtąd wojska. Awitus ustąpił — lekkomyślnie, jak miało się wkrótce okazać.

Powstała jednak nowa trudność. Najemnicy wizygoccy żądali, by cesarz wypłacił im żołd, nim odejdą — ale skarb był pusty. W ostateczności zdobyto się na gest rozpaczy: przetopiono ocalałe jeszcze w stolicy posągi spiżowe. Historia milczy, czy los ten spotkał również dopiero co wzniesiony posąg Sydoniusza.

Oddziały galijskie odeszły, Awitus pozostał w stolicy osamotniony — i natychmiast wybuchły nowe rozruchy, tym razem z powodu zniszczenia posągów, co uznano za czyn haniebny. Owe nastroje ludu i niepokoje były oczywiście świadomie podsycane i wzniecane. Wrogi Awitusowi był senat, uważając, że jest on tylko galijskim uzurpatorem narzuconym przez Wizygotów, a mieszkańcy miasta skwapliwie podchwytywali i podzielali tę opinię. Do skrytych wrogów cesarza należał również Rycymer, mający swoje dalekosiężne plany.

Obawiając się o swoje bezpieczeństwo Awitus opuścił Rzym zapewne latem 456 roku i powrócił do rodzinnej Galii. Mimo to w stolicy formalnie uznawano go nadal za cesarza. Ale w gruncie rzeczy w głównych sprawach Rzymu i Italii decydował obecnie Rycymer, który miał chyba już swego kandydata do purpury i szukał tylko pretekstu, aby pozbawić jej Awitusa.

Pod koniec września cesarz dowiedział się, że w 17 dniu tego miesiąca zamordowany został pod Rawenną wierny mu patrycjusz Remistus. Oburzony ruszył natychmiast do Italii na czele sił, jakie miał pod ręką. Wizygoci walczący wówczas w Hiszpanii nie mogli dać mu żadnej pomocy. Gdyby jednak nie działał tak śpiesznie, losy jego i Rzymu zapewne potoczyłyby się inaczej. Już bowiem 5 października król Teoderyk II odniósł decydujące zwycięstwo nad Swewami w pobliżu Asturyki, a pod koniec miesiąca opanował Brakarę.

Tymczasem 17 października Awitus został pokonany przez wojska Rycymera i Majoriana pod Placencją (obecna Piacenza).

Dostał się do niewoli, musiał abdykować, darowano mu jednak życie czyniąc go — biskupem Placencji.

Czuł się tu więźniem, którym był w istocie, toteż chyba już w kilka miesięcy później zbiegł do Galii. W drodze zmarł. Nikt nie potrafił powiedzieć, czy śmiercią naturalną, czy też podstępnie zamordowany.

Majorian

Iulius Valerius Maiorianus
Ur. około 420 r.,
zm. 7 sierpnia 461 r.
Panował od 28 grudnia 457 r.
do 2 sierpnia 461 r.

Losy wewnętrzne obu imperiów, wschodniego i zachodniego, wykazywały w owym okresie mimo wszelkich różnic pewne podobieństwo bardzo istotne i wręcz uderzające. Oto tu i tam przemożny wpływ na bieg spraw najważniejszych wywierali przez wiele lat dowódcy pochodzenia obcego. Na Wschodzie był nim Aspar, wywodzący się z irańskiego ludu Alanów, na Zachodzie wcześniej Frank Arbogast i Wandal Stylichon, obecnie zaś Rycymer, mający mieszaną krew germańską z ojca Swewa i matki Wizygotki.

Aspar dał w Konstantynopolu purpurę cesarską najpierw Marcjanowi, potem zaś Leonowi. Na Zachodzie wprawdzie to nie Rycymer osadził na tronie Awitusa, ale był sprawcą jego upadku, później zaś wpłynął w sposób decydujący na losy dwóch jego następców, Majoriana i Libiusza Sewera.

Awitus został pokonany i zmuszony do abdykacji w październiku 456 roku. Wyświęcony potem pod przymusem na biskupa Placencji, zmarł śmiercią własną lub gwałtowną nieco później, gdy usiłował przedostać się do swych stron rodzinnych w Galii. Imperium zachodnie od jesieni 456 roku nie miało swego cesarza i formalnie władał nim rezydujący w Konstantynopolu najpierw Marcjan, a od lutego 457 roku Leon. Zapewne odpowiadało to komesowi Rycymerowi, który ze względu na pochodzenie nie mógł sam zasiąść na tronie, w istocie zaś rządził w prowincjach zachodnich samodzielnie.

Pod koniec lutego 457 roku cesarz Wschodu, Leon, zalegalizował i potwierdził ów stan rzeczy, dał bowiem Rycymerowi piękny tytuł patrycjusza. Nie przynosił on wprawdzie żadnych rzeczywistych uprawnień, ale przydawał blasku tym godnościom, które do Germanina już należały, oraz czynił zeń wręcz arystokratę rzymskiego. Jednocześnie Leon mianował naczelnikiem obu rodzajów wojsk Zachodu Majoriana, już od lat ściśle związanego z Rycymerem i zgodnie z nim współdziałającego, zwłaszcza przeciw Awitusowi.

Juliusz Waleriusz Majorian pochodził z Galii. Przyszedł tam na świat zapewne około 420 roku w dość już sławnej rodzinie zamożnych posiadaczy ziemskich. Jego bowiem dziad macierzysty był naczelnikiem wojsk w Ilirii za Teodozjusza I, ojciec natomiast zarządzał kasą wojskową za wielkiego Aecjusza. Sam Majorian od bardzo wczesnej młodości, niemal od lat chłopięcych, służył pod rozkazami tegoż wodza; odznaczył się w walkach z Wizygotami i Frankami. Wtedy też związał się przyjaźnią z dwoma towarzyszami broni; jednym z nich był właśnie Rycymer, drugim zaś Egidiusz.

Ten ostatni, rodem także z Galii, miał sprawować w latach 456–465 naczelne dowództwo wojsk rzymskich w tej krainie, broniąc jej dzielnie przed Frankami i Wizygotami, a zyskując zarazem ogromny autorytet u swoich i obcych dzięki prawości. Twierdzono nawet, że gdy Frankowie saliccy wypędzili swego króla Childeryka, oddali Egidiuszowi władzę na lat osiem. Naprawdę było chyba tak, że w tym czasie musieli służyć Rzymianom właśnie za sprawą Egidiusza.

Około 450 roku Majorian wycofał się z czynnej służby mimo młodego wieku — miał dopiero około trzydziestu lat — i osiadł w swych dobrach. Było to spowodowane, jak mówiono, niechęcią doń ówczesnej żony Aecjusza, Pelagii. Może podejrzewała ona, że mąż darzy zbytnią sympatią młodego oficera, który zajmuje miejsce należne ich synowi, Gaudencjuszowi?

We wrześniu 454 roku Aecjusz został zabity w rzymskim pałacu Walentyniana III, w jego obecności i niemal z jego ręki. Po tej zbrodni cesarz natychmiast przyzwał Majoriana. Chodziło z pewnością o to, by oficer tak popularny wśród żołnierzy zamordowanego wodza uśmierzył wrzenie wśród nich i powstrzymał wojsko od buntu, czego się obawiano. Chyba wtedy otrzymał on godność komesa domestyków, czyli dowódcy oddziałów przybocznych.

Jednakże już kilka miesięcy później, bo w marcu 455 roku, dwaj ludzie mszczący śmierć Aecjusza zamordowali Walentyniana III na rzymskim placu ćwiczeń. Uporczywie szerzyła się pogłoska, że bezpośrednio po tym cesarzowa wdowa Eudoksja pragnęła uczynić Majoriana następcą na tronie.

Obie te sprawy — jedna pewna, druga prawdopodobna — dowodzą, że był on, choć tak młody, osobowością niezwykłą, zwracał uwagę, cieszył się wpływami i autorytetem zarówno na dworze, jak też wśród żołnierzy.

Cesarzem jednak został Petroniusz Maksymus, a Eudoksja musiała go poślubić. W kilka miesięcy później, po najeździe Wandalów na Rzym i po zamordowaniu Maksymusa, purpurę przywdział Awitus, także rodem z Galii. Jego panowanie było również krótkie — trwało niewiele ponad rok. Do upadku Awitusa doprowadzili zwłaszcza Rycymer i Majorian, pokonując go w bitwie pod Placencją w październiku 456 roku. Musi pozostać zagadką z braku źródeł, czym kierował się Majorian podnosząc wespół z Germaninem broń przeciw legalnemu cesarzowi, swemu krajanowi. Czy powodowała nim ambicja i żądza władzy? To wydaje się niezbyt prawdopodobne, później bowiem — jak wynika ze źródeł — sam niezbyt skwapliwie przywdziewał purpurę. Może więc uważał Awitusa za władcę nieudolnego? A może po prostu sprzymierzył się z Rycymerem widząc, że nie ma innego wyjścia, ten bowiem zdecydowany jest uczynić wszystko, by doprowadzić Awitusa do zguby?

28 lutego roku 457 obaj, jak się rzekło, otrzymali od cesarza Leona wysokie godności i tytuły. Ale już 1 kwietnia, jak notuje jeden z kronikarzy, wojsko pod Rawenną okrzyknęło Majoriana

cesarzem, Leon zaś wyraził na to zgodę. Inne jednak źródła podają, że okrzyknięcie Majoriana cesarzem nastąpiło dopiero 28 grudnia tego roku i zostało uznane przez senat, choć Konstantynopol — to wiadomo pośrednio — nie przyjął tego faktu do wiadomości.

Jak pogodzić te sprzeczne informacje? Od kiedy właściwie datować panowanie Majoriana: od początku kwietnia czy od końca grudnia?

Sprawa ta wydać się może mało istotna i z perspektywy wieków po prostu bez znaczenia. Jest wszakże inaczej. Nie chodzi o kwestie tylko formalne, kryje się bowiem za nimi zagadnienie wzajemnych stosunków obu części imperium, a to już ma większą wagę w historii.

Toczy się więc dyskusja. Jedni twierdzą, że 1 kwietnia Majorian otrzymał za zezwoleniem Leona tylko tytuł cezara, stał się więc jedynie młodszym kolegą władcy wschodniego. Inni są zdania, że już wtedy okrzyknięto go augustem, czyli cesarzem pełnoprawnym, on jednak purpury nie przyjął, zadowalając się nadal stanowiskiem naczelnika wojsk; wziął ją, i to nie bez oporu, dopiero 28 grudnia, gdy senat i żołnierze dali mu ją powtórnie.

Jedno jest pewne: formalnie panowanie Majoriana rozpoczyna się od tej ostatniej daty, tak uważał on sam. Nie ulega również wątpliwości, że Leon nie uznał go za współwładcę. Doprowadziło to do jawnego oziębienia obustronnych stosunków. Oficjalnym dowodem było to, że Wschód nie przyjął w ogóle do wiadomości objęcia przez Majoriana konsulatu na rok 458. Zachód zaś w rewanżu nie zaakceptował początkowo konsulatu Leonowego. W naszych czasach określono by to zwrotem: zerwanie stosunków dyplomatycznych.

Jeszcze latem 457 roku jeden z wodzów Majoriana odniósł olbrzymi sukces — rozgromił hordę Alamanów, która przekroczyła górny Dunaj i wtargnęła głęboko w kraje alpejskie. Później wojska cesarza zadały ciężkie straty Wandalom i Maurom, którzy pod wodzą szwagra Genzeryka wylądowali w Kampanii, aby zdobyć tam łupy. Przepędzono ich i wyparto na okręty. Oba te zwycięstwa, choć nie miały znaczenia przełomowego, wywołały jednak wielką radość. Być może one to przyczyniły się do powtórnego obwołania Majoriana cesarzem w grudniu. A przecież niecały wiek wcześniej orły legionowe niesiono za Ren i Dunaj...

Sam Majorian aż do listopada 458 roku przebywał w Rawennie. Stamtąd wyszło kilkanaście ustaw cesarza. Pierwsza z nich, datowana 11 stycznia 458 roku, stanowi rodzaj posłania do senatu.

„Wiedzcie, że zostałem cesarzem dzięki Waszemu wyborowi i z woli wojsk najdzielniejszych. Oby życzliwa boskość sprzyjała powszechnemu sądowi! Oby mnożyła sukcesy naszego panowania dla Waszej i publicznej korzyści! Przyjąłem bowiem najwyższą władzę nie samowolnie, ale posłuszny wspólnemu, gorącemu pragnieniu, nie chcąc żyć tylko dla siebie ani też, gdybym odmówił, uchodzić za niewdzięcznego wobec państwa, dla którego przecież się urodziłem. (...) Wraz z bliskim nam patrycjuszem Rycymerem będziemy dbać czujnie o sprawy wojska. Zachowajmy przez łaskawości bóstwa stan świata rzymskiego, który dzięki wspólnej, nieustannej trosce uwolniliśmy i od wroga zewnętrznego, i od klęski domowej!"

Cała lawina edyktów raweńskich świadczy, że Majorian usilnie pragnął ratować skołatane państwo, regulując różnego rodzaju sprawy nabrzmiałe w ciągu kilku minionych lat, podczas których aż trzykrotnie zmieniał się cesarz Zachodu.

Chciał więc ulżyć doli podatników nakazując umorzenie wszystkich zaległych płatności. Usiłował poskromić urzędników i wielmożów nagminnie dopuszczających się nadużyć w ściąganiu świadczeń. Wziął w opiekę dawne budowle Rzymu — świątynie, pałace, gmachy użyteczności publicznej — samowolnie wtedy rozbierane na fragmenty, które następnie używano do budowy lub dekoracji nowych domów i kościołów. Starał się podnieść znaczenie kuriałów, czyli dziedzicznych przedstawicieli rad miejskich; byli oni odpowiedzialni za świadczenia miasta wobec państwa. Lecz w tych czasach niedostatku, kto tylko z nich mógł, uchylał się od zaszczytnych niegdyś obowiązków. Teraz miało się to zmienić. Cesarz słusznie nazywał kurie „ścięgnami państwa i sercem miast".

Zajął się też niektórymi kwestiami dotyczącymi instytucji chrześcijańskich. Utrudnił przyjmowanie przez Kościół darowizn czynionych przez osoby pobożne z krzywdą ich najbliższych rodzin. Zabronił dziewicom i bezdzietnym wdowom składania ślubów zakonnych przed czterdziestym rokiem życia; chodziło, jak się wydaje, o powstrzymanie odczuwalnego wówczas w Italii spadku urodzin. Zakazał wreszcie wyświęcania kogokolwiek na duchownego bez zgody tegoż; widocznie takie praktyki zdarzały się wówczas często.

Troszcząc się o sprawy wewnętrzne Majorian czynił jednocześnie energiczne przygotowania wojskowe do rozprawy z Wandalami. Rozpoczął budowę floty, która miała nie tylko bronić wybrzeży przed ich atakami, ale również prowadzić działania zaczepne. Werbował też wojska germańskich najemników spośród tych szczepów, które przed laty służyły Attyli, obecnie zaś błąkały się po przygranicznych krainach bez pana, bez wodza i bez celu.

Tymczasem zaistniała groźna sytuacja w Galii, gdzie nikt z wyjątkiem chyba tylko Egidiusza, przyjaciela z lat dawnych, nie kwapił się do uznania nowego cesarza, żywa bowiem była tu pamięć Awitusa i wyraźnie przejawiały się tendencje separatystyczne. Korzystali z tego Germanie. Na północy musiano ustępować przed Frankami, Wizygoci zajęli prawie całe południe, Burgundowie sięgnęli aż po Lugdunum, życzliwie przyjmowani przez ludność.

Cesarz wyprawił pod to galijskie miasto wojska pod wodzą swego sekretarza Piotra, sam natomiast wyruszył z Rawenny dopiero jesienią 458 roku. Zimą wśród wielkich trudności przekroczył Alpy. Wreszcie udało się cesarzowi zająć Lugdunum. Zostało ono za sprzyjanie najeźdźcom ukarane potrójną daniną, Majorian jednak dał się ułagodzić za wstawiennictwem Sydoniusza Apollinarisa, który wygłosił panegiryk na jego cześć.

Wiosną 459 roku cesarz pośpieszył z odsieczą miastu Arelate na południu, gdzie bronił się przed Wizygotami naczelnik wojsk Egidiusz. Wtedy dopiero ich król, Teoderyk II, dał się nakłonić do układów. Przyjął na siebie obowiązek walki ze Swewami w Hiszpanii. Było to konieczne, gdyż właśnie kraina ta miała służyć za główną bazę operacyjną w wielkiej wyprawie przeciw Wandalom. W maju 460 roku cesarz przekroczył

Pireneje i przez miasto *Caesaraugusta* — to późniejsza Saragossa — ciągnął do Nowej Kartaginy, czyli obecnej Kartageny, gdzie gromadziła się jego flota złożona z około trzystu okrętów. Na Sycylii natomiast — która według planu strategicznego miała być punktem wyjścia działań oskrzydlających — już się znajdował Marcellinus, bardzo energiczny dowódca, również dawny oficer Aecjusza, a ostatnio zasłużony w Dalmacji.

Zagrożony z dwóch stron Genzeryk gotów był zawrzeć pokój na korzystnych dla Rzymu warunkach, Majorian jednak nie przystał na propozycje. Jednakże wkrótce potem udało się Genzerykowi zdobyć zdradą znaczną część rzymskich okrętów wojennych, stojących na kotwicy gdzieś u wybrzeży Hiszpanii. Sytuacja więc zmieniła się diametralnie i z kolei Majorian musiał przystąpić do układów. W ich wyniku formalnie oddawał Wandalom Mauretanię i Trypolitanię, a nawet, jak się zdaje, Baleary, Sardynię i Korsykę, w zamian za co Genzeryk zobowiązał się jedynie, że nie będzie atakował wybrzeży Italii i Sycylii.

Cesarz powrócił do Arelate, gdzie w kwietniu 461 roku urządził igrzyska i uroczystości dla uczczenia pięciolecia swego panowania. Choć wielka wyprawa się nie powiodła, władca nie był załamany i ufnie patrzył w przyszłość. Aby ulżyć skarbowi rozpuścił wojska zwerbowane przeciw Wandalom i ruszył do Italii na czele tylko oddziałów przybocznych.

W miejscowości Dertona na wybrzeżu liguryjskim zastąpił mu drogę wódz naczelny — Rycymer. Miał przy sobie siły znacznie większe od cesarskich. 2 sierpnia zmusił Majoriana do abdykacji, znęcał się nad nim jeszcze pięć dni, a potem zabił.

Co było powodem owego buntu i zamachu stanu? Co skłoniło Rycymera, by podniósł rękę na człowieka, któremu winien był przyjaźń jeszcze z lat młodzieńczych? Pozostają nam tylko domysły. Może już wcześniej doszło między nimi do nieporozumień i konfliktów, a niepowodzenia Majoriana w walce z Wandalami stworzyły dobry dla Rycymera pretekst do obalenia go i usunięcia? A może ambitny patrycjusz uznał, że cesarz stał się zbyt samodzielny?

 W każdym razie upadek Majoriana był jeszcze jednym

z ciosów godzących wówczas w sam byt imperium zachodniego. Postać jego bowiem bez zastrzeżeń zasługuje na szacunek. A Ernest Stein, jeden z najwybitniejszych znawców historii późnego cesarstwa, twierdzi nawet, że choć wysiłki Majoriana były daremne, to jednak wart jest on podziwu jako ostatni w dziejach Zachodu rzymskiego prawdziwie wielki władca.

Libiusz Sewer

Libius (lub *Livius*) *Severus*
Panował od 19 listopada 461 r.
do 14 listopada 465 r.

Po strąceniu z tronu i zamordowaniu cesarza Majoriana w początkach sierpnia 461 roku faktycznym panem rzymskiego Zachodu stał się Rycymer. Rozumiał jednak dobrze, iż jako Germanin i wyznawca arianizmu sam bezpośrednio władać nie może. Miał więc dwa wyjścia: albo dać purpurę komuś, kto byłby całkowicie mu uległy, albo też uznać zwierzchnictwo, jak to czynił już poprzednio, cesarza Wschodu. Wybrał to pierwsze.

19 listopada 461 roku z woli Rycymera cesarzem okrzyknięty został w Rawennie Libiusz Sewer.

Nie wiemy nic o życiu, stopniach kariery i osobowości tego człowieka — poza niewiele mówiącym faktem, że pochodził z południa Italii. Jako władca Sewer od początku był tylko marionetką w ręku germańskiego wodza. Trudno też się dziwić, że Leon, cesarz Wschodu, zupełnie go ignorował i widział w nim tylko uzurpatora.

Nie uznawał także Sewera energiczny wódz Dalmacji, Marcellinus; słuchał on jedynie rozkazów władcy Wschodu. Marcellinus zamierzał nawet najechać Italię, aby obalić władztwo Rycymera i jego cesarzyka, odstąpił jednak od tego planu na prośbę Leona, u którego, jak się zdaje, interweniowała w tej sprawie delegacja senatu rzymskiego, przerażonego widmem nowej wojny.

Ale również w Galii nie godzono się na Sewera. Tamtejszy naczelnik wojsk rzymskich, Egidiusz, cieszący się ogromnym autorytetem, zamierzał podobnie jak Marcellinus wkroczyć do Italii i rozprawić się ze znienawidzonym wodzem. Jednakże Rycymer zdołał udaremnić te przygotowania, wysuwając przeciw Egidiuszowi Wizygotów i Burgundów; z królem tych ostatnich, Gundewigiem, był skoligacony, wydał bowiem za niego swą siostrę.

Wizygoci zajęli wówczas duże obszary południowej Galii wraz z miastem Narbo, Burgundowie zaś ziemie na wschód od Rodanu oraz Lugdunum. Egidiusz utrzymywał się jeszcze nad środkową Loarą, a na północy miał poparcie u swych przyjaciół Franków salickich. Dzięki temu mógł zadać klęskę Wizygotom w wielkiej bitwie pod Orleanem — zwanym wtedy Cenabum Aureliani.

W Hiszpanii część kraju zajmowali Swewowie, część Wizygoci, część była nominalnie jeszcze rzymska, ale spustoszona i zubożała. Afryka i Sardynia znajdowały się w rękach Wandali. Tak więc władza Sewera obejmowała w rzeczywistości tylko Sycylię, Italię i przylegające od północy kraje alpejskie aż po górny Dunaj.

Największe niebezpieczeństwo dla Rycymera i Sewera stanowił nieprzejednany Egidiusz. Po zwycięstwie nad Wizygotami rozszerzył on znacznie teren swych wpływów w Galii i szukał wszelkich sposobów, by osłabić panów Italii. Zdołał nawet pchnąć tam hordy osiadłych w Galii Alanów; był to lud pochodzenia irańskiego, który do Europy Zachodniej dotarł wraz z Wandalami i Swewami, a wcześniej został wyparty przez Hunów ze stepów między dolnym Donem a Wołgą w okresie wielkich wędrówek ludów. W 463 roku Alanowie przedarli się pod wodzą swego króla aż pod Bergomum (Bergamo) w północnej Italii, ponieśli tam jednak dotkliwą klęskę.

Wówczas Egidiusz wpadł na pomysł zawarcia przymierza z Wandalami w Afryce. Wyprawił posłów do Genzeryka w Kartaginie, i to drogą bardzo okrężną, bo przez Atlantyk, gdyż szlaki najkrótsze zamknęli mu Wizygoci i Rycymer. Celem przymierza było z pewnością wspólne i jednoczesne zaatakowanie Italii od północy i od południa.

Posłowie wrócili, a gdy przygotowywano się do dalszych rokowań, niespodziewanie w 464 roku zmarł Egidiusz. Powszechnie przypuszczano, że nie była to śmierć naturalna, nic bliższego nie wiemy jednak o jej okolicznościach.

Dowództwo wojsk rzymskich w Galii objął komes Paweł, wiernie kontynuujący politykę poprzednika: od razu zawarł sojusz z Frankami, mniej wówczas groźnymi, przeciw Wizygotom. Wkrótce jednak sytuacja się skomplikowała, albowiem od ujścia Loary zaczęły wdzierać się w głąb lądu oddziały Sasów, docierających tam z Brytanii przez morze.

14 listopada 465 roku w Italii zmarł nagle cesarz Libiusz Sewer. Podejrzewano, że to Rycymer zgładził za pomocą trucizny człowieka, któremu przed czterema laty dał purpurę; teraz cesarz ten nie był mu już potrzebny.

Chodziło o to, że Sewer był dla dworu wschodniego, jak się rzekło, tylko uzurpatorem, cesarz Leon więc nie chciał wchodzić z nim w żadne układy. A tymczasem Italia potrzebowała natychmiastowej pomocy Wschodu, gdyż wybrzeża półwyspu i Sycylii nękały ustawiczne i bezlitosne najazdy Wandalów. Usunięcie więc Sewera otwierało drogę do porozumienia na warunkach dogodnych dla obu stron.

Pertraktacje trwały długo, ostateczne zaś decyzje zapadły wczesną wiosną 467 roku. A przez cały ten czas, czyli niemal półtora roku, Zachód nie miał cesarza, formalnie więc jedynym panem całego imperium był Leon.

Wreszcie na prośbę senatu rzymskiego, oczywiście uzgodnioną z Rycymerem, cesarz konstantynopolitański wskazał i przysłał do Italii nowego władcę — Antemiusza; 25 marca 467 roku ogłoszono go cezarem, a kilkanaście dni później augustem.

Antemiusz

Procopius Anthemius
Ur. około 415 r.,
zm. 11 lipca 472 r.
Panował od 12 kwietnia 467 r.
do śmierci.

Prokopiusz Antemiusz należał do arystokratycznej elity Konstantynopola. Jego dziad macierzysty był prefektem pretorium Wschodu w latach 405–414. Jeden z przodków po mieczu, Prokopiusz, w 365 roku sięgnął po purpurę cesarską, ojciec zaś, o tymże imieniu, zasłynął jako wódz za Teodozjusza II.

Antemiusz poślubił jedyną córkę cesarza Marcjana, Eufemię, toteż po śmierci tego władcy wielu było zdania, że właśnie zięciowi należy się tron w Konstantynopolu. Jednakże wszechwładny wówczas Aspar zadecydował inaczej — i cesarzem został Leon.

Antemiusz sprawujący wysokie stanowiska wojskowe, walczył w Tracji i nad Dunajem przeciw Hunom i Ostrogotom. Piastował godność konsula, miał tytuł komesa i patrycjusza. Leon więc dawał Zachodowi jako cesarza człowieka nie tylko znakomitego rodu, ale już doświadczonego politycznie i sprawdzonego w walkach — a jednocześnie honorowo pozbywał się z Konstantynopola ewentualnego rywala.

Antemiusz przywiódł ze Wschodu znaczne siły wojskowe

i dużą flotę. Opracowano bowiem strategiczny plan wielkiej wyprawy przeciw Wandalom, którą ze strony zachodniej dowodzić miał Marcellinus.

12 kwietnia 467 roku Antemiusz oficjalnie został wybrany pod Rzymem na cesarza Zachodu. A w kilka miesięcy później wydał swoją córkę Alipię za Rycymera. Ten związek rodzinny nowego cesarza i najpotężniejszego człowieka zachodniej części imperium miał zapewnić państwu spokój wewnętrzny i zgodne współdziałanie w walce z wrogami.

W samej Italii nie wszyscy witali nowego władcę przyjaźnie. Wielu uważało, że to ktoś narzucony przez Konstantynopol, dawano mu pogardliwe miano *Graeculus*, Greczynek. Innym nie podobała się przychylność, jaką okazywał dawnej kulturze oraz innowiercom, zwłaszcza arianom. A jeszcze inni mieli mu za złe związanie się ze znienawidzonym Germaninem Rycymerem.

Mimo to początki panowania wydawały się pomyślne. Uznali Antemiusza Rzymianie w Galii, którym przewodził Paweł. Uznali go również Frankowie saliccy, a także król samodzielnego państewka, które w Armoryce utworzyli dawni mieszkańcy Brytanii, uciekający z wyspy na kontynent przed najeźdźcami.

Wszyscy, którzy nie mogli w Galii ścierpieć buty i arogancji Wizygotów, przyjęli z radością sam fakt, że wreszcie Zachód znowu ma cesarza, istnieje więc ośrodek władzy i najwyższy autorytet, symbol trwałości państwa. Jako jeden z reprezentantów Rzymian galijskich przybył wówczas do stolicy Sydoniusz Apollinaris. Wziął udział w uroczystościach ślubnych Rycymera i Alipii, a 1 stycznia 468 roku wygłosił panegiryk na cześć cesarza. Został potem mianowany prefektem stolicy i otrzymał tytuł patrycjusza.

Losy panowania Antemiusza zależały jednak od tego, jak uda się wielka wyprawa przeciw Wandalom w Afryce, przygotowywana wspólnie z cesarstwem wschodnim.

Początkowo działania rozwijały się pomyślnie: Marcellinus zajął Sardynię, armia lądowa Leona szybkim marszem z Egiptu opanowała wybrzeża Libii. Jednakże przysłany z Konstantynopola naczelny dowódca floty, szwagier cesarza Leona, Bazylis-

kos, dał się zwieść Genzerykowi, który udając gotowość prowadzenia rozmów pokojowych zdołał zniszczyć podstępem większość okrętów rzymskich. Marcellinus, który ewentualnie mógłby przeprowadzić nowy atak z Sycylii, został tam zamordowany; podejrzewano, że nie bez wiedzy Rycymera. Wkrótce Wandalowie odzyskali wybrzeża Libii i Sardynię, a nawet zajęli Sycylię.

Sprawy w Galii również przybrały zły obrót. Przechwycono list prefekta pretorium Arwanda do króla Wizygotów Euryka — zasiadł on na tronie w Tolozie (Tuluzie) po zamordowaniu swego brata Teoderyka II w 466 roku — w których wręcz doradzał on, by Wizygoci i Burgundowie podzielili się całą Galią. Trudno dociec, czy była to zdrada dla celów osobistych, czy też kryła się za owym planem chęć ratowania kraju przed Frankami. Odbył się proces w Rzymie, Arwand został skazany na śmierć, ale skutkiem wstawiennictwa przyjaciół ostatecznie go tylko wygnano.

Tymczasem król Euryk zdołał zająć miasta *Caesarodunum Turonum* i Awarykum (obecnie Tours i Bourges) w Akwitanii. Nad Loarą zadał mu jednak ciężką klęskę rzymski wódz Paweł, który wkrótce potem, zapewne w 470 roku, zginął w walce z Sasami, docierającymi w grabieżczych wyprawach od ujścia rzeki aż po Andegawum, dzisiejsze Angers. Po jego śmierci jedynym reprezentantem władzy i wojsk rzymskich na ziemiach między Loarą a Mozą stał się Syagriusz, syn sławnego Egidiusza. Jednakże tereny te były całkowicie odcięte od cesarstwa przez włości Wizygotów i Burgundów, toteż Syagriusz był w istocie władcą całkowicie niezależnym. Rezydował w *Sexonae*, czyli Soissons. W źródłach nazywany jest — nie bez pewnej racji — królem. Jako pan części Galii przetrwał upadek cesarstwa na Zachodzie o lat dziesięć. Dopiero bowiem w 486 roku został pokonany, a później zamordowany przez króla Franków, Chlodwiga.

Wraz z nim skończyło się panowanie rzymskie w Galii

trwające od czasów podboju tej krainy przez Juliusza Cezara w latach pięćdziesiątych p.n.e., czyli ponad pięć wieków. Zmienili się władcy, pozostał jednak język ludności, łacina, z której w wyniku normalnej ewolucji wyrósł język francuski.

Antemiusz usiłował odzyskać przynajmniej południe Galii. Wyprawił tam w 470 roku dużą armię pod wodzą swego syna, Antemiolusa, ale została ona pokonana w krwawej bitwie nad Rodanem przez króla Euryka. Zginął Antemiolus i wielu wyższych oficerów rzymskich.

Mimo to istniały jeszcze wysepki rzymskiego oporu przeciw naporowi Wizygotów. Długo broniło się Augustonemetum, dzisiejsze Clermont-Ferrand. Wielką rolę odgrywał tam Sydoniusz Apollinaris, wyświęcony na biskupa miasta, oraz jego szwagier Ekdycjusz, syn cesarza Awitusa, znakomity wódz i odważny żołnierz, który poświęcił cały majątek na obronę przed germańskim najeźdźcą.

Te klęski sprawiły, że Antemiusz stracił autorytet i stał się zupełnie nieprzydatny Rycymerowi. Doszło do ostrego konfliktu między nimi, zwłaszcza gdy wykryty został spisek na życie cesarza, kierowany przez jednego z oficerów germańskiego wodza.

W 472 roku Rycymer przystąpił do oblegania Rzymu, mając u boku burgundzkiego królewicza Gundobada, swego siostrzeńca. Wojska Antemiusza broniły się dzielnie, a senat i lud pozostali wierni cesarzowi mimo straszliwego głodu i epidemii.

Antemiusz liczył na odsiecz, którą prowadził wódz Ostrogotów Widymer. Wojownicy tego ludu rzeczywiście przybyli, zostali jednak pokonani w krwawej bitwie nad Tybrem w pobliżu mauzoleum Hadriana, czyli obecnego Zamku Anioła. Resztki oddziałów Antemiusza broniły się jeszcze na Palatynie, ale i one — nie mając żadnej nadziei — wreszcie skapitulowały. Cesarz usiłował ratować się ucieczką w przebraniu żebraka, został jednak rozpoznany i zginął z ręki Gundobada 11 lipca 472 roku.

Ale Zachód miał już od kilku miesięcy innego cesarza!

Olibriusz

Anicius Olybrius
Ur. około 420 r.,
zm. 2 listopada 472 r.
Panował od kwietnia 472 r.
do śmierci.

W kwietniu 472 roku, gdy żył jeszcze legalny władca zachodniej części imperium, Prokopiusz Antemiusz, pojawił się już nowy cesarz.

Był nim Anicjusz Olibriusz, senator, mąż Placydii, młodszej córki Walentyniana III. Od 455 roku przebywał on w Konstantynopolu, ale wiosną 472 został wysłany przez cesarza Leona do Italii jako rozjemca w sporze między Rycymerem i Antemiuszem. Tymczasem sam przywdział tu purpurę — trudno orzec, czy z własnej woli, czy też pod naciskiem Rycymera.

Nie odgrywał oczywiście żadnej roli i musiał bezsilnie patrzeć na straszliwe sceny, jakie rozgrywały się w mieście zdobytym i rabowanym przez ludzi Rycymera i Burgundów. Stolica imperium stała się ofiarą Germanów już po raz trzeci w ciągu lat sześćdziesięciu. Byli zapewne tacy, którzy jako dzieci oglądali pierwsze zdobycie Rzymu w 410 roku przez Wizygotów Alaryka; potem, już w wieku dojrzałym, przeżyli drugie w 455 roku — gdy miastem zawładnęli Wandalowie Genzeryka;

wreszcie w 472 roku jako starcy widzieli grozę zniszczeń burgundzkich.

Rycymer, od dwudziestu lat zły duch dziejów Rzymu, zmarł nagle 18 sierpnia tegoż roku, prawdopodobnie na skutek ataku serca lub wylewu krwi do mózgu. Odszedł po dokonaniu ostatniej i może najcięższej zbrodni przeciw państwu i miastu, którego był dostojnikiem i patrycjuszem. Czy istotnie tego pragnął, czy naprawdę pragnął zguby Rzymu, czy też sam był ofiarą chorobliwej, nienasyconej ambicji i żądzy władzy?

A zaledwie dwa i pół miesiąca później, 2 listopada 472 roku, zszedł ze świata cesarz Anicjusz Olibriusz.

Gliceriusz

Glycerius
Panował od 3 marca 473 r.
do czerwca 474 r.
Zmarł w 480 r. lub później.

Po śmierci Anicjusza Olibriusza w początkach listopada 472 roku Zachód przez 4 miesiące nie miał swego cesarza. Faktyczne rządy sprawował burgundzki królewicz Gundobad, siostrzeniec Rycymera, ściągnięty przez niego do Italii na wojnę z cesarzem Antemiuszem. Nosił tytuł patrycjusza; dał mu go Olibriusz.

Gundobad stanął przed tym samym problemem, co jego poprzednik Rycymer: jako Germanin wyznający arianizm nie mógł sam zasiąść na tronie, gdyż wywołałoby to gwałtowny opór społeczeństwa. A poza tym nie chciał rezygnować z praw do swego dziedzictwa za Alpami w kraju Burgundów. Należało więc postąpić tak, jak to czynił Rycymer: dać purpurę komuś, kto byłby tylko bezwolnym narzędziem w jego ręku. Po długim okresie wahań i poszukiwań odpowiedniego człowieka — a może stało się to dopiero na wieść o śmierci ojca? — Gundobad doprowadził do obwołania nowego cesarza.

3 marca 473 roku w Rawennie nałożono diadem na głowę Gliceriusza. O jego dotychczasowym życiu nie mamy żadnych wiadomości — poza tym, że był komesem oddziałów przybocz-

nych, tak zwanych domestyków, u boku Olibriusza. Całym dlań oparciem był oczywiście Gundobad i jego wojownicy.

Tymczasem królewicz musiał pośpieszyć za Alpy, do Galii, chodziło bowiem o podział burgundzkich włości między braci po śmierci króla Gundewiga. Młody Gundobad objął część królestwa, którą wkrótce powiększył po zabiciu swego brata Chilperyka. Na początku VI wieku pozbył się ostatniego z braci i został jedynym władcą Burgundii. Po śmierci Gundobada, w 516 roku, na tronie zasiadł jego syn Zygmunt, który przeszedł na katolicyzm i zyskał miano świętego, choć splamił się straszliwą zbrodnią, kazał bowiem zabić swego syna z pierwszego małżeństwa. W 523 roku pokonany przez Franków stracił królestwo, a wnet potem i życie.

Wróćmy jednak do Italii, gdzie jako władca Zachodu pozostał osamotniony wybraniec Gundobada — Gliceriusz. Cesarz Wschodu Leon oczywiście go nie uznawał, podobnie jak i jego poprzednika. Miał swoje plany co do Zachodu, a zdołał je szybko i łatwo zrealizować właśnie dzięki odejściu Burgundów za Alpy.

Postanowił mianowicie osadzić na tamtym tronie człowieka, który miał spory autorytet, również ze względu na pochodzenie, a zarazem gwarantował, że będzie lojalny wobec Konstantynopola. Owym kandydatem na cesarza rzymskiego był Juliusz Nepos, który natychmiast wyruszył do Italii z wojskiem, aby spełnić wolę swego protektora.

Gliceriusz, nie mający żadnych poważniejszych sił zbrojnych, został w czerwcu usunięty chyba bez próby oporu. Przyjął święcenia biskupie i został osadzony w dalmatyńskiej Salonie, dotychczasowej rezydencji swego zwycięskiego rywala — Neposa. Później losy Gliceriusza nie są znane, ale wydaje się, że żył jeszcze w 480 roku — i wziął pomstę na tym, który pozbawił go tronu.

Juliusz Nepos

Iulius Nepos
Ur. zapewne około 440 r.,
zm. 9 maja 480 r.
Panował
od 19 lub 24 czerwca 474 r.
do 28 sierpnia 475 r.,
a później — do śmierci — tylko
w Dalmacji.

Co wiemy o człowieku, którego Leon, władca imperium wschodniego, postanowił w 474 roku uczynić cesarzem Zachodu?

Ojcem Juliusza Neposa był Nepocjan, który wsławił się za cesarza Majoriana w walkach ze Swewami w Hiszpanii. Jeszcze głośniejsze imię zdobył wuj, Marcellinus, przyjaciel Aecjusza, dowódca wojsk i niemal udzielny władca w Dalmacji, zasłużony w walce z Wandalami na Sycylii za Majoriana i potem Antemiusza, zdradziecko zamordowany na tej wyspie w 468 roku, zapewne z poduszczenia Rycymera, którego był wrogiem. Marcellinus utrzymywał bardzo bliskie kontakty z dworem wschodnim. Warto dodać, że Marcellinus, jeden z ostatnich rodowitych wodzów rzymskich, należał też do żarliwych wyznawców dawnych bogów.

Jeśli chodzi o samego Neposa, to w Dalmacji odziedziczył on po swym wuju zarówno autorytet, jak też stanowisko naczelnika wojsk w tej krainie. Miał też dobre stosunki z dworem w Konstantynopolu, skoligacił się bowiem z panującą tam rodziną poślubiając krewną Weryny, żony cesarza Leona.

Tak więc władca Wschodu nie mógł — oczywiście, ze swego punktu widzenia — uczynić lepszego wyboru. Wiosną 474 roku dał Neposowi wojsko i okręty, co umożliwiło mu przeprawienie się przez Adriatyk i wylądowanie pod Rawenną.

19 lub 24 czerwca — kroniki nie są zgodne — w Rzymie okrzyknięto Neposa cesarzem. Współcześni znowu mogli łudzić się nadzieją, że jego panowanie przywróci Zachodowi imperialną świetność. Nowy władca miał przecież poparcie Wschodu, a cesarz Leon zawarł ostatnio pokój z Wandalami, najgroźniejszymi wówczas dla samej Italii. Niebezpieczni mogli być Burgundowie, uważający Gliceriusza za swego cesarza, ale ich ówczesny król, Chilperyk, doszedł do porozumienia z Neposem; zapewne dlatego, że obawiał się Wizygotów. Ci zaś w 474 roku lub jeszcze w poprzednim usiłowali najechać Italię, zostali jednak odparci.

Nepos zapewne zamierzał pomóc akwitańskiemu miastu Augustonemetum, to obecne Clermont-Ferrand w Owernii, ostatniemu tam bastionowi rzymskości. Wizygoci wciąż je atakowali i wciąż bohatersko bronił Ekdycjusz przy pomocy swego szwagra, biskupa Sydoniusza Apollinarisa. O jakichś planach Neposa zdaje się świadczyć to, że mianował on Ekdycjusza patrycjuszem i naczelnikiem wojsk.

Ale też na tym się skończyło, cesarz nie był w stanie udzielić żadnej rzeczywistej pomocy placówce tak odległej i odciętej. Ostatecznie więc za pośrednictwem Burgundów zawarł pokój z Wizygotami, odstępując im tamte rejony. Nowi panowie zajęli miasto, Sydoniusz Apollinaris stał się ich jeńcem, ale po pewnym czasie mógł powrócić do swej siedziby.

Wkrótce potem Nepos odwołał Ekdycjusza z jego stanowiska, a w początkach 475 roku naczelnikiem wojsk mianował Orestesa.

Odsunięcie Ekdycjusza było zapewne gestem przyjaznym wobec Wizygotów, którzy uważali go za śmiertelnego wroga. Ale mogło też wiązać się z faktem, że był on synem cesarza Awitusa, cieszył się dużą popularnością w Galii i mógłby jako prawdziwy Rzymianin z Zachodu stać się ewentualnym rywalem samego Neposa, który uchodził tu za władcę narzuconego przez Konstantynopol.

Orestes, następca Ekdycjusza jako patrycjusz i naczelnik wojsk, był rodowitym Rzymianinem z zamożnej rodziny osiadłej w Panonii nad rzeką Sawą. Jego ojciec, Tatulus, w roku 449 towarzyszył rzymskiemu poselstwu, które Aecjusz wyprawił do Attyli. Sam Orestes służył władcy Hunów jako sekretarz i dwukrotnie posłował w jego imieniu do Konstantynopola.

Żoną Orestesa była córka komesa Romulusa, jednego z posłów do Attyli w 449 roku. Można by nawet snuć przypuszczenia, że właśnie wtedy, podczas owej podróży na dwór króla Hunów, obaj ojcowie, Tatulus i Romulus, doszli do porozumienia i postanowili połączyć swe rodziny małżeństwem syna pierwszego z nich z córką drugiego. Syn, który w kilkanaście lat później przyszedł na świat z tego związku, otrzymał imię dziadka macierzystego, Romulus, i miał być ostatnim cesarzem rzymskim na Zachodzie...

Trudno dociec, czym kierował się Juliusz Nepos obdarzając dowództwem właśnie Orestesa. Może chodziło mu o pozyskanie Rzymian z krain, z którymi sam też czuł się bardzo związany jako Dalmatyńczyk? A może liczył na wpływy Orestesa wśród resztek Hunów i naddunajskich plemion Germanów?

W każdym razie zawiódł się srodze. Już w kilka miesięcy po objęciu dowództwa Orestes podniósł bunt. Zamiast iść do Galii przeciw Wizygotom, ruszył na Rawennę. 28 sierpnia 475 roku Juliusz Nepos po czternastu miesiącach panowania uciekł do Dalmacji.

Tam jednak sprawował nadal władzę i uważał się za cesarza, a w 477 roku nawet zabiegał w Konstantynopolu o pomoc w odzyskaniu tronu. 9 maja 480 roku został zamordowany w swym pałacu przez dwóch ludzi ze służby. Może działali oni z ramienia Gliceriusza, biskupa Salony, który tak pomścił odebranie mu purpury przed sześciu laty.

Romulus Augustulus

Romulus Augustus
(*Augustulus*)
Ur. zapewne w 470 r. lub niewiele wcześniej,
zm. prawdopodobnie po 507 r.
Panował
od 31 października 475 r.
do 23 sierpnia 476 r.

Po ucieczce Juliusza Neposa za Adriatyk ponad miesiąc czekano na nowego cesarza Zachodu. Wreszcie 31 października 475 roku naczelnik wojsk Orestes włożył na głowę diadem swemu małoletniemu synowi Romulusowi, który jednocześnie przybrał imię Augustus. Ale ze względu na wiek chłopca powszechnie przeinaczano to imię na Augustulus, czyli Auguścik; mały, dziecinny cesarzyk, dziecko służące za narzędzie polityki ojca.

Tak więc ostatni władca rzymski na Zachodzie — co za niezwykły przypadek, co za zbieg okoliczności! — nosił imię Romulusa, założyciela Wiecznego Miasta, oraz Augusta, twórcy ustroju imperium.

Jego władztwo było niewielkie. Obejmowało całą Italię, ale bez wysp, oraz prowincje alpejskie, to jest część obecnej Szwajcarii, południowych Niemiec, Austrii — faktycznie jednak już nigdzie nie sięgało po sam Dunaj. Osiedlające się tam germańskie plemiona niby uznawały tu i ówdzie rzymską zwierzchność. Dalmacja znajdowała się w ręku Neposa. Na południu i na środkowych obszarach Galii jeszcze funkcjonowała rzymska administracja, ale tereny te były otoczone przez Wizygotów, Burgundów, Franków.

Italia spustoszona w ostatnich dziesięcioleciach nie mogła podołać utrzymaniu wojsk najemnych, a z nich to głównie składała się armia cesarska; byli to przeważnie Germanie z plemion Herulów, Rugiów i Skirów. Żołnierze ci żądali części ziemi wielkich majątków. Orestes w imieniu swego syna odmówił im tego kategorycznie. I wówczas to w dniu 23 sierpnia 476 roku wojska wybrały sobie własnego króla. Został nim Odoaker.

Imię to występuje w źródłach w nieco odmiennych formach: Odowakar, Odokar, Odowakrius. Jeśli chodzi o pochodzenie wodza, to nasuwa ono wątpliwości. Matka podobno wywodziła się z plemienia Skirów, ojciec nazywał się Edeko, a imię to jest identyczne z imieniem zaufanego wodza i doradcy samego Attyli. Byłby więc Odoaker krwi mieszanej, huńsko-germańskiej.

Po upadku państwa Attyli Edeko walczył jeszcze z Gotami nad Dunajem i tam zapewne zginął, Odoaker natomiast zawędrował aż do Galii. Związał się z Sasami znad ujścia Loary i wraz z nimi zajął Andegawum, obecne Angers, potem walczył u boku króla Franków Childeryka. Około 470 roku znalazł się z garstką towarzyszy, nędznie odziany, na ziemiach Norykum, obecnej Austrii. Tam podobno zetknął się z mnichem Sewerynem, cieszącym się w owych stronach ogromną powagą wśród Rzymian i Germanów; potem został on uznany za świętego. Opowiadano, że właśnie Seweryn przepowiedział Odoakerowi świetną przyszłość, gdy ten schylając się wszedł do jego niskiej celi — był bowiem wysoki i postawny.

Wędrujący wojownik — cóż to byłby za temat do powieści przygodowej! — szukający swego miejsca wśród ruin tego świata, zaciągnął się na służbę u Rycymera, wówczas walczącego z Antemiuszem, a następnie przeszedł do przybocznych oddziałów cesarskich. Musiał cieszyć się dużym mirem wśród towarzyszy broni, skoro on właśnie został okrzyknięty w owym dniu sierpniowym 476 roku ich królem. Miał wtedy nieco ponad 40 lat.

Wydarzenia potoczyły się z piorunującą szybkością. Usiłujący stawiać opór Orestes został pokonany pod *Ticinum*, miasto zaś zdobyto i złupiono. 28 sierpnia sam Orestes poniósł śmierć w Placencji, a siedem dni później, 4 września, zabito pod Rawenną jego brata, Pawła.

Los chłopca, Romulusa Augustulusa, był całkowicie w ręku zwycięzcy. Ale — jedno ze źródeł poświadcza to wyraźnie — Germanin ulitował się nad cesarzykiem ze względu na jego wiek i urodę. Kazał mu wprawdzie złożyć insygnia władzy, ale puścił go wolno. Co więcej, dał mu majątek zwany *Lucullanum* w okolicach Neapolu, gdzie miał mieszkać wraz z najbliższymi i otrzymywać 6000 sztuk złota rocznie. Żył tam, jak pośrednio wynika z pewnej wzmianki, jeszcze w 507 roku.

Można by więc rzec bez żadnej przesady, że formalnie rzecz biorąc cesarstwo rzymskie na Zachodzie zakończyło swój byt — emeryturą. Żałosny koniec wielkiego imperium.

Równie żałosne i wręcz zdumiewające, ale i pouczające, jest to, że nikt w ówczesnym świecie nawet nie zauważył owego momentu ostatecznej śmierci starożytnego Rzymu. Nigdzie nie rozległy się lęki i wołania, nikt nie rozpaczał: oto kres naszego świata, oto kończy się jedna epoka, a rozpoczyna nowa!

Można jednak w pełni zrozumieć i usprawiedliwić tę obojętność współczesnych wobec faktu, który nam wydaje się jednym z najważniejszych i naprawdę przełomowych w dziejach ludzkości.

Otóż podobne sytuacje powtarzały się w cesarstwie zachodnim poprzednio wielokrotnie: przez jakiś czas tron stał pusty, alc po kilku lub kilkunastu miesiącach ktoś otrzymywał purpurę — czy to z woli germańskiego wodza, czy też cesarza Wschodu. Dlaczego tym razem sprawy miałyby potoczyć się inaczej?

Odoaker zaś dał do zrozumienia, że usunął Romulusa tylko po to, by przywrócić jedność imperium. Wyprawił nawet poselstwo senatu rzymskiego do ówczesnego cesarza w Konstantynopolu, Zenona. Posłowie utrzymywali, że państwu wystarczy jeden władca, a Odoaker mógłby rządzić Italią w jego imieniu jako patrycjusz.

Zenon przystał na to. Odtąd więc Odoaker był dla Rzymian patrycjuszem i jakby namiestnikiem cesarza Wschodu, a dla żołnierzy germańskich ich królem. Uznawał też formalnie powagę cesarza Juliusza Neposa, wciąż władającego w Dalmacji!

Tak więc ludzie ówcześni, zmęczeni uciążliwościami codziennego życia, mogli nawet nie zauważyć, że wraz z odejściem Romulusa Augustulusa dokonało się coś nieodwracalnego. To zresztą powtarza się w historii często: to, co współczesnym wydaje się wydarzeniem niezwykłym i doniosłym, traci wszelkie znaczenie w oczach potomnych, natomiast jakiś fakt najpierw prawie nie dostrzegany wysuwa się z czasem na plan pierwszy. Tak zmienia się perspektywa dziejowa. I tej nauki udziela nam historia Rzymu!

Dziś wiemy, na czym polegało znaczenie 476 roku.

Wraz z małym cesarzykiem, który odszedł na emeryturę jako chłopiec, zakończył swój byt na Zachodzie jeden z największych tworów politycznych, jakie oglądała nasza planeta. Na jego ruinach wyrosły państwa narodowe, wciąż istniejące. Na kontynencie poszatkowanym granicami rozpoczęła się długa, ponura era szaleństw nacjonalistycznych i religijnych.

Aneks

Opracował Lesław Morawiecki

SYSTEM MONETARNY CESARSTWA RZYMSKIEGO W III — V W.

Mennictwo cesarstwa rzymskiego w okresie kryzysu w III w. cechuje decentralizacja produkcji menniczej, dewaluacja wartości pieniądza oraz zanik tradycyjnych nominałów, legend i wyobrażeń. W IV w. w wyniku licznych reform o fragmentarycznym lub całościowym charakterze stworzono nowy system monetarny oparty na wartościowej monecie złotej (poprzednio podstawą była moneta srebrna), który przetrwał do końca cesarstwa.
Tworzenie nowego systemu monetarnego było ułatwione dzięki reformie Dioklecjana (294 r.) zrównującej statusy wszystkich mennic, które emitowały odtąd identyczne monety (i to zarówno co do wagi, jak i co do wyobrażeń czy legend) różniące się tylko znakami menniczymi. Rzymski system monetarny uległ więc całkowitej unifikacji.
Kryzys III w. pociągnął za sobą spadek wartości pieniądza — waga monet złotych zmniejszyła się wyraźnie, a w monetach srebrnych znacznie zredukowana została ilość kruszcu, co w praktyce zrównało je z monetami brązowymi. Proces ten spowodował, że w połowie III w. przerwano produkcję denarów, a nieco później monet brązowych: sesterców, dupondiusów i asów. W pierwszej połowie IV w. zaniechano emisji aureusów, które odtąd pojawiały się sporadycznie wyłącznie jako monety okolicznościowe. Jednocześnie na miejsce tradycyjnych nominałów wprowadzono nowe jednostki kruszcowe (np. solid, *siliqua*), budzące powszechne zaufanie. Wręcz zadziwiającą stabilnością wagi odznaczała się zwłaszcza moneta złota, wybijana od czasów Walentyniana III z niemal czystego kruszcu. Dzięki temu nadawała ona trwałość systemowi monetarnemu IV i V w. Wartość monet brązowych ulegała znacznym wahaniom w relacji do złota i srebra. Również nazwy tych monet nie są łatwe do ustalenia, toteż niektóre z nich mają obecnie charakter umowny.
Reforma Karakalli (214/215 r.) dotyczyła przede wszystkim monet złotych i srebrnych.

Monety złote
Aureus — 6,54 g (= 1/50 funta, 23,5 karata AV)
1 binio = 2 aureusy
Monety srebrne
Denar — ok. 3,10 g
Antoninian — 5,11 g (= 1/64 funta, ok. 50% AR)
1 antoninian — 2 denary

W latach sześćdziesiątych III w. waga aureusów i antoninianów spadła do mniej więcej 3 gramów. Zawartość srebra w tych ostatnich wynosiła zaledwie 4 — 6%.

Postępującą dewaluację miała zahamować reforma monetarna Dioklecjana (294 r.).

Monety złote

Aureus — 5,45 g (= 1/60 funta)

Monety srebrne

Argenteus — 3,42 g (= 1/96 funta; bardzo dobre srebro)

Follis — 10,23 g (1/32 funta, ok. 5% AR)

Monety brązowe

Follis (z *corona radiata*) zwany też nowym antoninianem — 3,89 g

Follis (z wieńcem laurowym) — 1,94 g

Wg M.H. Crawforda monety te pozostawały wobec siebie w relacji:

1 aureus = 16 argenteusów = 80 follisów = 160 follisów (*cor. rad.*) = 400 follisów (wieniec laurowy = w. l.) = 800 denarów

1 argenteus = 5 follisów = 10 follisów (*cor. rad.*) = 25 follisów (w. l.) = 50 denarów

1 follis = 2 follisy (*cor. rad.*) = 5 follisów (w. l.) = 10 denarów

1 follis (*cor. rad.*) = $2\frac{1}{2}$ follisa (w. l.) = 5 denarów

1 follis (w. l.) = 2 denary

Stosunek ten zmienił się w 301 r. po ogłoszeniu *Edictum Diocletianis de pretiis:*

1 aureus = 16 argenteusów = 80 follisów = 320 follisów (*cor. rad.*)) = 800 follisów (wieniec laur.) = 1600 denarów

1 argenteus = 5 follisów = 20 follisów (*cor. rad.*) = 50 follisów (w. l.) = 100 denarów

1 follis = 4 follisy (*cor. rad.*) = 10 follis (w. l.) = 20 denarów

1 follis (*cor. rad.*) = $2\frac{1}{2}$ follisa (w. l.) = 5 denarów

1 follis (w. l.) = 2 denary

Wg J. Lafauriego natomiast wartości monet w 201 r. kształtowały się następująco:

1 aureus = 1200 denarów

1 argenteus = 62,5 denara

1 follis = 10 denarów

1 follis (*cor. rad*) = 4 denary

Denary (*denarii communes*) uważa się na ogół za monetę obrachunkową. W roli monet o wartości denara i dwóch denarów występowały — wg J. Lafauriego — dawne denary i semisy.

Zasadnicze zmiany w systemie monetarnym cesarstwa nastąpiły w wyniku reform Konstantyna Wielkiego i jego następców.

Monety złote

W 309 r. w *Treviri* (dziś Trewir) wybito po raz pierwszy solida o wadze 4,54 g (= 1/72 funta, 980 000 AV). W 324 r. był on już wybijany na obszarze całego cesarstwa. Pojawiły są też jego frakcje i multiplikacje o wartości 9, $4\frac{1}{2}$, 3, 2, $1\frac{1}{2}$, $\frac{3}{8}$ solida. Największe znaczenie uzyskał jednak *semissis* o wadze 2,27 g i wartości pół solida oraz wybity przez Teodozjusza Wielkiego w 383 r. *tremissis* o wadze 1,51 g (= 1/216 funta) i wartości 1/3 solida. W V w. były to najczęściej używane monety złote.

Monety srebrne

Podstawowym nominałem monet srebrnych były wybijane od 324 r. miliarensy (łac. *miliarense*, gr. *miliaresion*) o wadze 4,54 g (= 1/72 funta) oraz emitowana od 348 r. *siliqua* o wadze 3,41 g (= 1/96 funta). Jest jednak również możliwe, że oba te nominały zostały wprowadzone równocześnie.

Monety brązowe

W 335 r. follis w wyniku dewaluacji ważył zaledwie ok. 1,5 g i zawierał ok. 1‰ srebra. W 348 r. Konstancjusz II i Konstans wprowadzili na jego miejsce: majorynę (AE 2) o wadze 5,45 g i zawartości srebra 2,5 — 3,5‰ (wybijaną do 395 r.) oraz centenionalisa (AE 3) o wadze 2,72 g i zawartości srebra poniżej 2‰, kursującego jeszcze po 400 r. Przywrócenie przez cesarza Juliana w 362 r. dużych follisów (AE 1) o wadze 8,5 g i ich frakcji miało efemeryczny charakter.

Duże znaczenie miało wprowadzenie w 383 r. monety o wartości pół centenionalisa (AE 4). W V w. były to najpospolitsze monety brązowe o wadze ok. 1 g, utożsamiane przeważnie z tzw. *minimi.*

Z pewnym prawdopodobieństwem można odtworzyć relację monet złotych do srebrnych:

1 *solidus* = 2 *semisses* = 3 *tremisses* = 18 *miliarensia* = 36 *siliquae*
1 *semissis* = 1 1/2 *tremisses* = 9 *miliarensia* = 18 *siliqae*
1 *tremissis* = 6 *miliarensia* = 12 *siliquae*
1 *miliarensia* = 2 *siliquae*

Znacznie trudniej jest tego dokonać, jeśli chodzi o monety brązowe. Zachowało się tylko kilka notowań stosunku brązu do złota, co jednak nie wystarcza do odtworzenia pełnego obrazu. Na przykład według zarządzenia Walentyniana III z 445 r. wymieniacze monet mieli skupować złoto płacąc 7000 *minimi* za solida, odsprzedawać zaś państwu po 7200 minimi za solida.

OPIS ILUSTRACJI

s. 11 Maksymin Trak
popiersie w pancerzu zwrócone w prawo, na głowie wieniec laurowy
legenda: IMP MAXIMINVS PIVS AVG (*Imperator Maximinus Pius Augustus*)
denar, mennica rzymska, marzec 235 — styczeń 236 r.

s. 11 Werus Maksymus
popiersie zwrócone w prawo, głowa obnażona
legenda: IVL. VERVS MAXIMVS CAES (*Iulius Verus Maximus Caesar*)
denar, mennica rzymska, koniec 235 — początek 236 r.

s. 13 Paulina, żona Maksymina Traka
popiersie okryte welonem zwrócone w prawo
legenda: DIVA PAVLINA (Boska Paulina)
denar, mennica rzymska, emisja pośmiertna ok. 236 r.

s. 23 Gordian I
popiersie w pancerzu i paludamencie zwrócone w prawo, na głowie wieniec laurowy
legenda: IMP CAES M ANT GORDIANVS AFR AVG (*Imperator Caesar Marcus Antonius Gordianus Africanus Augustus*)
sesterc, mennica rzymska, początek marca — 25 marca 238r.

s. 23 Gordian II
popiersie w pancerzu i paludamencie zwrócone w prawo, na głowie wieniec laurowy

legenda: IMP CAES M ANT GORDIANVS AFR AVG
sesterc, mennica rzymska, początek marca — 25 marca 238 r.

s. 31 Pupien
popiersie zwrócone w prawo, na głowie *corona radiata*
legenda: IMP CAES M CLOD PVPIENVS AVG (*Imperator Caesar Marcus Clodius Pupienus Augustus*)
antoninian, mennica rzymska, kwiecień — czerwiec 238 r.

s. 31 Balbin
popiersie zwrócone w prawo, na głowie *corona radiata*
legenda: IMP CAES D CAEL BALBINVS AVG (*Imperator Caesar Decimus Caelius Balbinus Augustus*)
antoninian, mennica rzymska, kwiecień — czerwiec 238 r.

s. 39 Gordian III
popiersie zwrócone w prawo, na głowie *corona radiata*
legenda: IMP GORDIANVS PIVS FEL AVG (*Imperator Gordianus Pius Felix Augustus*)
antoninian, mennica rzymska, 241—243 r.

s. 44 Sabina Trankwilina, żona Gordiana III
popiersie nad półksiężycem zwrócone w prawo, na głowie *stephanos*
legenda: SABINA TRANQVILLINA AVG (Sabina Tranquillina Augusta)
antoninian, mennica Antiochia, po 241 r.

s. 48 Filip Arab
popiersie zwrócone w prawo, na głowie *corona radiata*
legenda: IMP PHILIPPVS AVG (*Imperator Philippus Augustus*)
antoninian, mennica rzymska, 244—247 r.

s. 48 Filip II (Młodszy)
popiersie zwrócone w prawo, na głowie *corona radiata*
legenda: MIVL PHILIPPVS CAES (*Marcus Iulius Philippus Caesar*)
antoninian, mennica rzymska, 224—246 r.

s. 53 Pakacjan, uzurpator
popiersie w pancerzu zwrócone w prawo, na głowie *corona radiata*
legenda: IMP TI CL MAR PACATIANVS AVG (*Imperator Tiberius Claudius Marinus Pacatianus Augustus*)
antoninian, mennica *Viminacium*, 248/249 r.

s. 54 Jotapian, uzurpator
popiersie w pancerzu zwrócone w prawo, na głowie *corona radiata*
legenda: IMP C M T R IOTAPIANVS AV (*Imperator Gaius Marcus Tiberius Rufus Iotapianus Augustus*)
antoninian, mennica syryjska Emesa (?), 248/249 r.

s. 55 Uraniusz Antoninus, uzurpator
popiersie w pancerzu zwrócone w prawo, na głowie wieniec laurowy
legenda: L IVL AVR SVLP VRA ANTONINVS (*Lucius Iulius Aurelius Sulpicius Uranius Antoninus*)
aureus, mennica Emesa, 253/254 r.

s. 56 Otacylia Sewera, żona Filipa Araba
popiersie zwrócone w prawo, na głowie diadem
legenda: MARCIA OTACIL SEVERA AVG (*Marcia Otacilia Severa Augusta*)
sesterc, mennica rzymska, 248 r.

s. 57 Decjusz
popiersie zwrócone w prawo, na głowie *corona radiata*
legenda: IMP C M Q TRAIANVS DECIVS AVG (*Imperator Gaius Messius Quintus Traianus Decius Augustus*)
antoninian, mennica rzymska, 249—251 r.

s. 57 Herenniusz
popiersie zwrócone w prawo, na głowie *corona radiata*
legenda: Q HER ETR MES DECIVS NOB C (*Quintus Herennius Etruscus Messius Decius Nobilis Caesar*)
antoninian, mennica rzymska, 250 — poł. 251 r.

s. 57 Hostylian
popiersie zwrócone w prawo, głowa obnażona
legenda: C VALENS HOSTIL MES QUINTVS N C (*Gaius Valens Hostilianus Messius Quintus Nobilis Caesar*)
sesterc, mennica rzymska, 250—poł. 251 r.

s. 64 Etruscylla, żona Decjusza
popiersie nad półksiężycem zwrócone w prawo, na głowie *stephanos*
legenda: HER ETRVSCILLA AVG (*Herennia Etruscilla Augusta*)
antoninian, mennica rzymska?, 249—251 r.

s. 66 Trebonian Gallus
popiersie zwrócone w prawo, na głowie *corona radiata*
legenda: IMP C C VIB TREB GALLVS AVG (*Imperator Caesar Gaius Vibius Trebonianus Gallus Augustus*)
antoninian, mennica *Mediolanum*, sierpień 251 — sierpień 253 r.

s. 66 Woluzjan
popiersie zwrócone w prawo, na głowie *corona radiata*
legenda: IMP CAE C VIB VOLVSIANO AVG (*Imperatori Caesari Gaio Vibio Volusiano Augusto*)
antoninian, mennica rzymska, sierpień 251 — sierpień 253 r.

s. 73 Emilian
popiersie zwrócone w prawo, na głowie wieniec laurowy
legenda: IMP CAES AEMIL [IANVS P] F AVG (*Imperator Caesar Aemilianus Perpetuus Felix Augustus*)
sesterc, mennica rzymska, lipiec — październik 253 r.

s. 74 Kornelia Supera, żona Emiliana
popiersie nad półksiężycem zwrócone w prawo, na głowie *stephanos*
legenda: C CORNEL SVPERA AVG (*Gaia Cornelia Supera Augusta*)
antoninian, mennica rzymska, lipiec — październik 253 r.

s. 75 Walerian
popiersie zwrócone w prawo, na głowie *corona radiata*
legenda: IMP C P LIC VALERIANVS P F AVG (*Imperator Caesar Publius Licinius Valerianus Perpetuus Felix Augustus*)
antoninian, mennica rzymska, wrzesień 253—256 r.

s. 79 Maryniana, żona Waleriana
popiersie przykryte welonem nad półksiężycem zwrócone w prawo
legenda: DIVAE MARINIANAE (Boskiej Marynianie)
antoninian, mennica rzymska?, 256—257 r. (emisja pośmiertna)

s. 84 Galien
popiersie zwrócone w prawo, na głowie *corona radiata*
legenda: IMP C P LIC GALLIENVS AVG (*Imperator Caesar Publius Licinius Gallienus Augustus*)
antoninian, mennica rzymska, 254 r.

s. 85 Regalian, uzurpator
popiersie zwrócone w prawo, na głowie *corona radiata*
legenda: IMP C P C REGALIANVS AVG (*Imperator Caesar Publius Cornelius Regalianus Augustus*)
antoninian, mennica *Carnuntum*, lato 260 r.

s. 86 Driantylla, żona Regaliana
popiersie nad półksiężycem zwrócone w prawo, na głowie *stephanos*
legenda: SVLP DRYANTILLA AVG (*Sulpicia Dryantilla Augusta*)
antoninian, mennica *Carnuntum*, lato 260 r.

s. 87 Saloninus, młodszy syn Galiena
popiersie w pancerzu zwrócone w prawo, na głowie *corona radiata*
legenda: LIC COR SAL VALERIANVS N CAES (*Licinius Cornelius Saloninus Valerianus Nobilis Caesar*)
antoninian, mennica rzymska, 257—258 r.

s. 88 Postumus, uzurpator w Galii
popiersie zwrócone w prawo, na głowie *corona radiata*
legenda: IMP C POSTVMVS P F AVG (*Imperator Cassianus Postumus Perpetuus Felix Augustus*)
antoninian, mennica *Colonia Agrippina*, 261 r.

s. 90 Makrian Młodszy, uzurpator na Wschodzie
popiersie w pancerzu zwrócone w prawo, na głowie *corona radiata*
legenda: TI ΦOVΛ IOVN MAKPIANOC CEB (TITOVC ΦOVΛBIOVC IOVNIOVC MAKPIANOC CEBACTOC — łac. *Titus Fulvius Iunius Macrianus Augustus*)
brąz, mennica *Nicaea*, pocz. 260 r. — koniec 261 r.

s. 99 Kornelia Salonina, żona Galiena
popiersie nad półksiężycem zwrócone w prawo, na głowie *stephanos*
legenda: SALONINA AVG (*Salonina Augusta*)
antoninian, mennica azjatycka, 260—268 r.

s. 101 Klaudiusz II Gocki
popiersie zwrócone w prawo, na głowie *corona radiata*
legenda: IMP C CLAVDIVS AVG (*Imperator Caesar Claudius Augustus*)
antoninian, mennica rzymska, koniec 268 — kwiecień 270 r.

s. 101 Kwintyllus
popiersie zwrócone w prawo, na głowie *corona radiata*

legenda: IMP C AVR CL QVINTILLVS AVG (*Imperator Caesar Aurelius Claudius Quintillus Augustus*)
antoninian, mennica rzymska, kwiecień — poł. 270 r.

s. 106 Lelian, uzurpator w Galii
popiersie w pancerzu zwrócone w prawo, na głowie *corona radiata*
legenda: IMP C LAELIANVS P F AVG (*Imperator Gaius Laelianus Perpetuus Felix Augustus*)
antoninian, mennica *Mogontiacum*, czerwiec — lipiec 269 r.

s. 110 Aurelian
popiersie w zbroi zwrócone w prawo, na głowie *corona radiata*
legenda: IMP AVRELIANVS AVG (*Imperator Aurelianus Augustus*)
antoninian, mennica *Mediolanum*, poł. 270 — koniec 275 r.

s. 113 Seweryna, żona Aureliana
popiersie nad półksiężycem zwrócone w prawo, na głowie *stephanos*
legenda: SEVERINA AVG (*Severina Augusta*)
sesterc, mennica rzymska, 270—275 r.

s. 116 Wabalat
popiersie zwrócone w prawo, na głowie wieniec laurowy i diadem
legenda: VABALATHVS V C R IM D R (*Vabalathus vir consularis, rex, imperator, dux Romanorum*)
antoninian, mennica Antiochia, 270—271 r.

s. 121 Zenobia z Palmiry
popiersie zwrócone w prawo
legenda: CEPTIM ZHNOBIA CEB (CEPTIMIA ZHNOBIA CEBACTH — łac. *Septimia Zenobia Augusta*)
tetradrachma potynowa, mennica Aleksandria, 272 r.

s. 124 Tetrykus I (Starszy)
popiersie w zbroi zwrócone w prawo, na głowie *corona radiata*
legenda: IMP TETRICVS P F AVG (*Imperator Tetricus Perpetuus Felix Augustus*)
antoninian, mennica *Colonia Agrippina*, 270—273 r.

s. 125 Tetrykus II (Młodszy)
popiersie zwrócone w prawo, na głowie *corona radiata*
legenda: C PIV ESV TETRICVS CAES (*Gaius Pius Esuvius Tetricus Caesar*)
antoninian, mennica *Colonia Agrippina*, 273 r.

s. 127 Tacyt
popiersie zwrócone w prawo, na głowie *corona radiata*
legenda: IMP C M CL TACITVS AVG (*Imperator Caesar Marcus Claudius Tacitus Augustus*)
antoninian, mennica *Ticinum*, koniec 275 — maj/czerwiec 276 r.

s. 132 Florian
popiersie zwrócone w prawo, na głowie *corona radiata*
legenda: IMP C M AN FLORIANVS AVG (*Imperator Caesar Marcus Annius Florianus Augustus*)
antoninian, mennica *Serdica*, maj/czerwiec — lipiec/sierpień 276 r.

s. 133 Probus
popiersie w zbroi zwrócone w prawo, na głowie *corona radiata*
legenda: IMP C M AVR PROBVS P F AVG (*Imperator Caesar Marcus Aurelius Probus Perpetuus Felix Augustus*)
antoninian, mennica rzymska, lipiec/sierpień — po 28 sierpnia 282 r.

s. 137 Karus
popiersie zwrócone w prawo, na głowie *corona radiata*
legenda: DIVO CARO PIO (Boskiemu Karusowi Pobożnemu)
antoninian, mennica Lugdunum, moneta wybita po śmierci cesarza w lecie 283 r.

s. 141 Karynus
popiersie zwrócone w prawo, na głowie *corona radiata*
legenda: IMP C M AVR CARINVS AVG (*Imperator Caesar Marcus Aurelius Carinus Augustus*)
antoninian, mennica rzymska, pocz. 283 — pocz. 285 r.

s. 141 Numerian
popiersie w zbroi zwrócone w prawo, na głowie *corona radiata*
legenda: IMP C NVMERIANVS AVG (*Imperator Caesar Numerianus Augustus*)
antoninian, mennica *Lugdunum*, lato 283 — jesień 284 r.

s. 143 Magnia Urbika, żona Karynusa
popiersie nad półksiężycem zwrócone w prawo, na głowie *stephanos*
legenda: MAGNIA VRBICA AVG (*Magnia Urbica Augusta*)
antoninian, mennica *Lugdunum*, 284 r.

s. 145 Nigrynian, syn Karynusa i Magnii Urbiki
głowa w *corona radiata* zwrócona w prawo
legenda: DIVO NIGRINIANO
antoninian, mennica rzymska, emisja pośmiertna wybita prawdopodobnie na pocz. 285 r.

s. 149 Dioklecjan
głowa zwrócona w prawo, na głowie wieniec laurowy
legenda: IMP C DIOCLETIANVS P F AVG (*Imperator Caesar Diocletianus Perpetuus Felix Augustus*)
follis, mennica *Treviri*, 302 — 303 r.

s. 172 Maksymian Herkuliusz
głowa zwrócona w prawo, na głowie wieniec laurowy
legenda: IMP MAXIMIANVS P F AVG (*Imperator Maximianus Perpetuus Felix Augustus*)
follis, mennica *Ticinum*, 300—303 r.

s. 176 Karauzjusz, uzurpator w Brytanii
popiersie w pancerzu zwrócone w prawo, na głowie *corona radiata*
legenda: IMP C CARAVSIVS P AVG (*Imperator Caesar Carausius Perpetuus Augustus*)
antoninian, mennica *Camulodunum*, 291/292 r.

s. 180 Galeriusz
głowa zwrócona w prawo, na głowie wieniec laurowy
legenda: MAXIMIANVS NOB CAES (*Maximianus Nobilis Caesar*)
follis, mennica *Siscia*, 303—305 r.

s. 180 Konstancjusz I
głowa zwrócona w prawo,
na głowie wieniec laurowy
legenda: FL VAL
CONSTANTIVS NOB CAES
(*Flavius Valerius Constantius Nobilis Caesar*)
follis, mennica Lugdunum,
301 — 303 r.

s. 184 Galeria Waleria, żona Galeriusza,
córka Dioklecjana
popiersie zwrócone w prawo,
na głowie diadem
legenda: GAL VALERIA AVG
(*Galeria Valeria Augusta*)
follis, mennica Aleksandria,
308—311 r.

s. 186 Teodora, żona Konstancjusza I,
pasierbica Maksymiana
popiersie zwrócone w prawo,
na głowie diadem
legenda: FL MAX
THEODORAE AVG (*Flaviae Maximianae Theodorae Augustae*)
follis, mennica *Treviri*
emisja pośmiertna, moneta wybita
przez synów Konstantyna
Wielkiego w latach 337—341.

s. 189 Flawiusz Sewer
popiersie zwrócone w prawo,
na głowie *corona radiata*
legenda: FL VAL SEVERVS
NOB CAES (*Flavius Valerius Nobilis Caesar*)
antoninian, mennica
Ostia, 1 maja 305—
— 24 lipca 306 r.

s. 189 Maksencjusz
głowa w diademie zwrócona
w prawo
legenda: IMP C MAXENTIVS
PF AVG (*Imperator Caesar Maxentius Perpetuus Felix Augustus*)
follis, mennica *Ostia*,
listopad 307 — listopad 312 r.

s. 197 Licyniusz
popiersie zwrócone w prawo,
na głowie diadem
legenda: IMP LICINIVS PF
AVG (*Imperator Licinius Perpetuus Felix Augustus*)
follis, mennica *Arelate*,
316 r.

s. 197 Maksymin Daja
głowa w diademie zwrócona
w prawo,
legenda: IMP C GAL VAL
MAXIMINVS P F AVG
(*Imperator Caesar Galerius Valerius Maximinus Perpetuus Felix Augustus*)
follis, mennica Aleksandria,
312—313 r.

s. 208 Konstantyn Wielki
popiersie w pancerzu zwrócone
w prawo, na głowie
wieniec laurowy
legenda: IMP
CONSTANTINVS P F AVG
(*Imperator Constantinus Perpetuus Felix Augustus*)
follis, mennica rzymska,
314 - 315 r.

s. 226 Helena, żona Konstancjusza I,
matka Kostantyna Wielkiego,
święta od 337 r.
popiersie zwrócone w prawo,
na głowie diadem
legenda: FL HELENA
AVGVSTA (*Flavia Helena Augusta*)
follis, mennica *Antiochia*,
325—326 r.

s. 237 Fausta, żona Konstantyna
Wielkiego (od 307 r),
córka Maksymiana,
siostra Maksencjusza
popiersie zwrócone w prawo,
głowa obnażona

legenda: FLAV MAX FAVSTA AVG (*Flavia Maxima Fausta Augusta*)
follis, mennica *Treviri.*
324 — 325 r.

s. 238 Cezar Kryspus, syn Konstantyna Wielkiego
obnażone popiersie zwrócone w lewo, na głowie wieniec laurowy, w prawej ręce włócznia, na lewym ramieniu tarcza
legenda: FL IVL CRISPVS NOB CAES (*Flavius Iulius Crispus Nobilis Caesar*)
solid, mennica *Aquilaeia,* 320 r.

s. 248 Konstantyn II
popiersie w pancerzu zwrócone w prawo, na głowie diadem
legenda: FL CL CONSTANTINVS P F AVG (*Flavius Claudius Constantinus Perpetuus Felix Augustus*)
solid, mennica *Siscia,* wrzesień 337 — marzec/kwiecień 340 r.

s. 254 Konstans
popiersie w pancerzu zwrócone w prawo, na głowie diadem
legenda: DN CONSTANS P F AVG *(Dominus Noster Constans Perpetuus Felix Augustus) — Nasz Pan Konstans, Nieprzerwanie Szczęśliwy Cesarz*)
maiorina, mennica *Siscia,* 346 — pocz. 350 r.

s. 261 Konstancjusz II
popiersie w pancerzu zwrócone w prawo, na głowie diadem
legenda: DN CONSTANTIVS P F AVG (*Dominus Noster Constantius Perpetuus Felix Augustus*)
centenionalis, mennica w Konstantynopolu, 346—350 r.

s. 269 Magnencjusz
popiersie w pancerzu zwrócone w prawo, głowa obnażona
legenda: DN MAGNENTIVS P F AVG (*Dominus Noster Magnentius Perpetuus Felix Augustus*)
maiorina, mennica *Treviri,* sierpień — grudzień 350 r.

s. 272 Wetranion
popiersie w pancerzu zwrócone w prawo, na głowie diadem, przed nią gwiazda, za nią — A
legenda: DN VETRANIO P F AVG (*Dominus Noster Vetranio Perpetuus Felix Augustus*)
maiorina, mennica *Siscia,* 350 r.

s. 272 Nepocjan
popiersie w pancerzu zwrócone w prawo, głowa obnażona
legenda: FL POP NEPOTIANVS PF AVG (*Flavius Popilius Nepotianus Perpetuus Felix Augustus*)
centenionalis, mennica rzymska, 350 r.

s. 281 Cezar Gallus
popiersie w pancerzu zwrócone w prawo, za głową — H
legenda: DN CONSTANTIVS IVN NOB C (*Dominus Noster Constantius Iunior Nobilis Caesar*)
centenionalis, mennica Siscia, marzec 351 r. — 354 r.

s. 300 Julian
popiersie w pancerzu zwrócone w prawo, na głowie diadem
legenda: DN FL CL IVLIANVS PF AVG (*Dominus Noster Flavius Claudius Iulianus Perpetuus Felix Augustus*)
follis, mennica Antiochia, listopad 361—363 r.

s. 356 Jowian
popiersie w pancerzu zwrócone w prawo, na głowie diadem
legenda: DN IOVIANVS P F AVG (*Dominus Noster Iovianus Perpetuus Felix Augustus*)
centenionalis, mennica *Siscia*, 363—364 r.

s. 364 Walentynian I
popiersie w pancerzu zwrócone w prawo, na głowie diadem
legenda: DN VALENTINIANVS P F AVG (*Dominus Noster Valentinianus Perpetuus Felix Augustus*)
centenionalis, mennica *Siscia*, 364—367 r.

s. 364 Walens
popiersie zwrócone w prawo, na głowie diadem
legenda: DN VALENS P F AVG (*Dominus Noster Valens Perpetuus Felix Augustus*)
centenionalis, mennica *Siscia*, 364—367 r.

s. 376 Prokopiusz, uzurpator
popiersie zwrócone w lewo, na głowie diadem
legenda: DN PROCOPIVS P F AVG (*Dominus Noster Procopus Perpetuus Felix Augustus*)
centenionalis, mennica Nikomedia, 365/366 r.

s. 395 Gracjan
popiersie zwrócone w prawo, na głowie diadem
legenda: DN GRATIANVS P F AVG (*Dominus Noster Gratianus Perpetuus Felix Augustus*)
centenionalis, mennica *Siscia*, 367—375 r.

s. 395 Walentynian II
Udrapowane popiersie zwrócone w prawo, na głowie diadem
legenda: D N VALENTINIANVS P F AVG (*Dominus Noster Valentinianus Perpetuus Felix Augustus*)
maiorina, mennica *Siscia*, 278—383 r.

s. 415 Teodozjusz Wielki
popiersie zwrócone w prawo, na głowie diadem
legenda: D N THEODOSIVS P F AVG (*Dominus Noster Theodosius Perpetuus Felix Augustus*)
maiorina, mennica rzymska 378—383 r.

s. 426 Magnus Maksymus, uzurpator w Galii
popiersie zwrócone w prawo, na głowie diadem
legenda: DN MAG MAXIMVS P F AVG (*Dominus Noster Magnus Maximus Perpetuus Felix Augustus*)
siliqua, mennica *Treviri*, 383—388 r.

s. 444 Eugeniusz, uzurpator
popiersie w pancerzu zwrócone w prawo, na głowie diadem
legenda: DN EVGENIVS P F AVG (*Dominus Noster Eugenius Perpetuus Felix Augustus*)
siliqua, mennica Lugdunum, 392—394 r.

s. 457 Honoriusz
popiersie w pancerzu zwrócone w prawo, na głowie diadem

legenda: DN HONORIVS P F AVG (*Dominus Noster Honorius Perpetuus Felix Augustus*)
solid, mennica *Mediolanum*, 294 – 395 r.

s. 479 Jowin, uzurpator
popiersie w pancerzu zwrócone w prawo, na głowie diadem
legenda: DN IOVINVS P F AVG (*Dominus Noster Iovinus Perpetuus Felix Augustus*)
siliqua, mennica *Lugdunum*, 411—413 r.

s. 485 Konstancjusz III
popiersie w pancerzu zwrócone w prawo, na głowie diadem
legenda: DN CONSTANTIVS P F AVG (*Dominus Noster Constantius Perpetuus Felix Augustus*)
solid, mennica *Ravenna*, kwiecień — 21 wrzesień 421 r.

s. 488 Galla Placydia
popiersie zwrócone w prawo, na głowie diadem, nad nią ręka Boga wieńcząca cesarzową
legenda: DN GALLIA PLACIDIA P F AVG (*Domina Nostra Galla Placidia Perpetua Felix Augusta*)
solid, mennica *Ravenna*, 422— 423 r.

s. 491 Jan
popiersie w pancerzu zwrócone w prawo, na głowie diadem
legenda: DN IOHANNES P F AVG (*Dominus Noster Iohannes Perpetuus Felix Augustus*)
solid, mennica *Ravenna*, 423—424 r.

s. 498 Walentynian III
popiersie w pancerzu zwrócone w prawo, na głowie diadem
legenda: DN VALENTINIANVS P F AVG (*Dominus Noster Valentinianus Perpetuus Felix Augustus*)
solid, mennica *Ravenna*, 23 października 455 — 15 marzec 425 r.

s. 526 Petroniusz Maksymus
popiersie w pancerzu zwrócone w prawo, na głowie diadem
legenda: DN PETRONIVS MAXIMUS P F AVG (*Dominus Noster Petronius Maximus Perpetuus Felix Augustus*)
solid, mennica rzymska, marzec — maj 455 r.

s. 534 Eparchiusz Awitus
popiersie w pancerzu zwrócone w prawo, na głowie diadem
legenda: DN AVITVS PERP F AVG (*Dominus Noster Avitus Perpetuus Felix Augustus*)
solid, mennica *Arelate*, lipiec 455 — 17 października 456 r.

s. 542 Majorian
popiersie w pancerzu zwrócone w prawo, na głowie hełm, w prawej ręce włócznia, na lewym ramieniu tarcza
legenda: DN IVLIVS MAIORIANVS P F AVG (*Dominus Noster Iulius Maiorianus Perpetuus Felix Augustus*)
solid, mennica *Ravenna*, grudzień 457 — sierpień 461 r.

s. 550 Libiusz Sewer
popiersie w pancerzu zwrócone w prawo, na głowie diadem

legenda: DN LIBIVS SEVERVS
PERPETV AV (*Dominus Noster Libius Severus Perpetuus Augustus*)
solid, mennica *Mediolanum*, listopad 461 — listopad 465 r.

s. 553 Antemiusz
popiersie w pancerzu zwrócone wprost, na głowie hełm, w prawej ręce włócznia, na lewym ramieniu tarcza
legenda: DN ANTHEMIVS P F AVG (*Dominus Noster Anthemius Perpetuus Felix Augustus*)
solid, mennica rzymska, kwiecień 467 — lipiec 472 r.

s. 555 Eufemia, żona Antemiusza, córka Marcjana — cesarza Wschodu
popiersie zwrócone w prawo, na głowie diadem
legenda: DN AEL MARC EVFEMIAE P F AVG (*Dominae Nostrae Aeliae Marciae Eufemiae Perpetuae Felici Augustae*)
solid, mennica rzymska, 467—472 r.

s. 557 Olibriusz
popiersie w pancerzu zwrócone w prawo, na głowie diadem
legenda: DN ANCIVƧOLYBRIVƧ AVG (*Dominus Noster Anicius Olybrius Augustus*)
tremissis, mennica *Mediolanum*, kwiecień 472 r.

s. 559 Gliceriusz
popiersie w pancerzu zwrócone w prawo, na głowie diadem
legenda: DN GLYCERIVS P F AVG (*Dominus Noster Glyceriusz Perpetuus Felix Augustus*)
tremissis, mennica *Mediolanum*, marzec 473 — czerwiec 474 r.

s. 561 Juliusz Nepos
popiersie w pancerzu zwrócone wprost, na głowie hełm, w prawej ręce włócznia, na lewym ramieniu tarcza
legenda: DN IVL NEPOS P F AVG (*Dominus Noster Iulius Nepos Perpetuus Felix Augustus*)
solid, mennica *Mediolanum*, czerwiec 474 — sierpień 475 r.

s. 564 Romulus Augustulus
popiersie w pancerzu zwrócone w prawo, na głowie diadem
legenda: DN ROMVLVS AVGVSTVS P F AVG (*Dominus Noster Romulus Augustus Perpetuus Felix Augustus*)
tremissis, mennica *Ravenna*, październik 475 — sierpień 476 r.

Lista cesarzy rzymskich

Lista zawiera imiona i roczne daty panowania wszystkich augustów (od 395 roku tylko zachodnich) wymienionych w obu tomach *Pocztu cesarzy rzymskich.* Imiona wyróżnione wcięciem akapitowym dotyczą lokalnych samozwańców i innych władców z różnych względów uważanych za uzurpatorów.

August 27 p.n.e. — 14 n.e.
Tyberiusz 14 n.e. — 37
Kaligula 37 — 41
Klaudiusz 41 — 54
Neron 54 — 68
Galba 68 — 69
Othon 69
Witeliusz 69
Wespazjan 69 — 79
Tytus 79 — 81
Domicjan 81 — 96
  Antoniusz Saturnin (88—89) w Germanii Górnej
Nerwa 96 — 98
Trajan 98 —117
Hadrian 117 —138
Antoninus Pius 138 —161
Marek Aureliusz 161 —180
Lucjusz Werus 161 —169
  Awidiusz Kasjusz (175) na Wschodzie
Kommodus 180 —192
Pertynaks 193
Dydiusz Julian 193
Septymiusz Sewer 193 —211
  Pescenniusz Niger (193—194) na Wschodzie
  Klodiusz Albin (196—197) w Brytanii i Galii
Karakalla 198 —217
Geta 209 —212
Makrynus 217 —218
Diadumenian (z Makrynusem) 218
Heliogabal 218 —222
Aleksander Sewer 222 —235
Maksymin Trak 235 —238
  Kwartynus (235)
Gordian I (wspólnie z Gordianem II) 238
Gordian II (wspólnie z Gordianem I) 238
Pupien (wspólnie z Balbinem) 238
Balbin (wspólnie z Pupienem) 238
Gordian III 238 —244
Filip Arab 244 —249
Filip II Młodszy 247 —249
  Pakacjan (248—249) w Mezji
  Jotapian (248—249) w Kapadocji
  Uraniusz Antoninus (248—254) w Syrii
Decjusz 249 —251
  Pryskus (250) w Filipopolu
  Licynian (251) w Rzymie
Herenniusz (wspólnie z Decjuszem i Hostylianem) 251

Hostylian (wspólnie z Decjuszem i Herenniuszem, a następnie z Trebonianem i Woluzjanem) 251
Trebonian Gallus 251—253
Woluzjan 251—253
Emiliusz Emilian 253
Walerian 253—259 lub 260
Galien 253—268
  Ingenuus (258) w Panonii
  Regalian (258—260) w Panonii
Salonin 260
  Postumus (260—269) w Galii
  Tytus Makrian (260—261) na Wschodzie
  Kwietus (260—261) na Wschodzie
  Musjusz Emilian (261—262) w Egipcie
  Aureolus (268—269) w Recji
Klaudiusz II Gocki 268—270
  Lelian (269) w Galii
  Wiktoryn (269—270) w Galii
  Mariusz (269) w Kolonii
Kwintyllus 270
Aurelian 270—275
  Septymiusz (270) w Dalmacji
  Domicjan (270 lub 271)
  Urbanus (270 lub 271)
  Tetrykus (270—273 lub 274) w Galii
  Wabalat (271—272) na Wschodzie
  Antioch (272) w Palmirze
Tacyt 275—276
Florian 276
Probus 276—282
  Juliusz Saturnin (280—281) w Syrii
  Prokulus (280—281) w Lugdunum
  Bonozus (281) w Kolonii
Karus 282—283
Karynus 283—285
Numerian 283—284
  Julian (284—285) w kraju Wenetów, Istrii i Panonii
Dioklecjan 284—305
Maksymian Herkuliusz 286—305 (ponownie 307—308 oraz 309)
  Karauzjusz (286—293) w Brytanii
  Allektus (293—296) w Brytanii
  Domicjusz Domicjan (295) w Egipcie
  Aureliusz Achilles (295—297) w Egipcie
Konstancjusz I 305—306
Galeriusz 305—311
Flawiusz Sewer 306—307
Konstantyn I Wielki 306—337 (samodzielnie od 324)
Maksencjusz 307—312
  Domicjusz Aleksander (308—311) w Afryce
Licyniusz 308—324
Maksymin Daja 309 lub 310—313
Konstantyn II 337—340
Konstans 337—350
Konstancjusz II 337—361
  Magnencjusz (350—353) w Galii, Brytanii i Hiszpanii
  Wetranion (350) na Bałkanach
  Nepocjan (350) w Rzymie
  Sylwan (355) w Kolonii
Julian 360—363
Jowian 363—364
Walentynian I 364—375
Walens 364—378
  Prokopiusz (365—366) w Konstantynopolu, Tracji i Bitynii
  Marcellus (366) w Chalcedonie
Gracjan 367—383
  Firmus (po 370, prawdopodobnie 373—375) w Mauretanii
Walentynian II 375—392
Teodozjusz Wielki 379—395
  Magnus Maksymus (383—388) w Brytanii i Galii
  Wiktor (384—388) w Brytanii i Galii
  Eugeniusz (392—394) na Zachodzie

CESARZE ZACHODU

Honoriusz 395—423
  Marek (406) w Brytanii
  Gracjan (406) w Brytanii
  Konstantyn III (407—411) w Brytanii, Galii i Hiszpanii
  Attalus (409—410 oraz 414—415)
  Maksym (411) w Hiszpanii

Jowin (411—413) w Galii
Sebastian (411—412) w Galii
Heraklian (413) w Afryce

Konstancjusz III	421	
Jan	423	—425
Walentynian III	425	—455
Petroniusz Maksymus	455	
Awitus	455	—456
Majorian	457	—461
Libiusz Sewer	461	—465
Leon (cesarz Wschodu), tylko formalnie	465	—467
Antemiusz	467	—472
Olibriusz	472	
Gliceriusz	473	—474
Juliusz Nepos	474	—476 (do 480 w Dalmacji)
Romulus Augustulus	475	—476

Indeks osób

Indeks obejmuje hasła zawarte w obydwu tomach *Pocztu cesarzy rzymskich* (pierwszy, z podtytułem *Pryncypat*, wydany został przez PW „Iskry" w 1986 roku). Litera P poprzedza numery stronic tomu *Pryncypat*, D — tomu *Dominat*. Indeks dotyczy wyłącznie starożytności. Nie uwzględniono w nim aneksów.

OBJAŚNIENIA SKRÓTÓW

bibl.	— postać biblijna
bp.	— biskup
br.	— brat
c.	— córka
dow.	— dowódca
dyn.	— dynastia
dz.	— dziad, dziadek
dz.m.	— dziadek ze strony matki
gr.	— grecka wersja imienia
kr.	— król, królowa
leg.	— postać legendarna
m.	— matka
mit.	— postać mitologiczna
nam.	— namiestnik
o.	— ojciec
p.	— patrz
pref.	— prefekt
pref. pret.	— prefekt pretorianów
s.	— syn
św.	— święty chrześcijański, święta
uzurp.	— uzurpator, samozwaniec, cesarz nie uznany przez senat
zw.	— zwany
ż.	— żona
wn.	— wnuk, wnuczka

Indeks nazw geograficznych i etnicznych

Indeks obejmuje hasła zawarte w obydwu tomach *Pocztu cesarzy rzymskich* (pierwszy, z podtytułem *Pryncypat*, wydany został przez PW Iskry w 1986 r.). Litera P poprzedza numery stronic tomu *Pryncypat*, D — tomu *Dominat*. Indeks dotyczy wyłącznie starożytności. Nie uwzględniono w nim aneksów. Pominięto często występujące nazwy: Rzym, Rzymianie.

OBJAŚNIENIA SKRÓTÓW

cieśn. — cieśnina
dr. — droga, ulica, trakt
dzieln. — dzielnica
g. — góra, góry
gr. — grecka wersja nazwy
jez. — jezioro
kan. — kanał
kr. — kraj, kraina
l. — lud, plemię, szczep
m. — miasto, miejscowość
ob. — obecnie (obecna nazwa)
p. — patrz
płw. — półwysep
prow. — prowincja rzymska
przedm. — przedmieście
przeł. — przełęcz
rz. — rzeka
w. — wyspa, wyspy
zat. — zatoka

Spis rzeczy